BESTSELLER

Javier Cercas (Ibahernando, Cáceres, 1962) es autor de cinco novelas que han sido traducidas a más de veinte idiomas y han obtenido numerosos premios nacionales e internacionales: *El móvil*, *El inquilino*, *El vientre de la ballena*, *Soldados de Salamina* y *La velocidad de la luz*. Su obra consta también de un ensayo, *La obra literaria de Gonzalo Suárez,* y de tres volúmenes de carácter misceláneo: *Una buena temporada*, *Relatos reales* y *La verdad de Agamenón.*

JAVIER CERCAS

Anatomía de un instante

DEBOLS!LLO

El papel utilizado para la impresión de este libro ha sido fabricado a partir de madera procedente de bosques y plantaciones gestionados con los más altos estándares ambientales, garantizando una explotación de los recursos sostenible con el medio ambiente y beneficiosa para las personas.Por este motivo, Greenpeace acredita que este libro cumple los requisitos ambientales y sociales necesarios para ser considerado un libro «amigo de los bosques». El proyecto «Libros amigos de los bosques» promueve la conservación y el uso sostenible de los bosques, en especial de los Bosques Primarios, los últimos bosques vírgenes del planeta.

Segunda edición en Debolsillo: octubre, 2010

Printed in Spain – Impreso en España

ISBN: 978-84-9908-236-3 (vol. 838/1)
Depósito legal: B-41163-2010

Compuesto en Fotocomp/4, S. A.

Impreso en Litografia Rosés, S. A.
Progrés, 54-60. Gavà (Barcelona)

P 882363

A la memoria de José Cercas

Para Raül Cercas y Mercè Mas

colui
che fece… il gran rifiuto

DANTE, *Infierno*, III, 60

ÍNDICE

PRÓLOGO
EPÍLOGO DE UNA NOVELA

1

A mediados de marzo de 2008 leí que según una encuesta publicada en el Reino Unido la cuarta parte de los ingleses pensaba que Winston Churchill era un personaje de ficción. Por aquella época yo acababa de terminar el borrador de una novela sobre el golpe de estado del 23 de febrero, estaba lleno de dudas sobre lo que había escrito y recuerdo haberme preguntado cuántos españoles debían de pensar que Adolfo Suárez era un personaje de ficción, que el general Gutiérrez Mellado era un personaje de ficción, que Santiago Carrillo o el teniente coronel Tejero eran personajes de ficción. Sigue sin parecerme una pregunta impertinente. Es cierto que Winston Churchill murió hace más de cuarenta años, que el general Gutiérrez Mellado murió hace menos de quince y que cuando escribo estas líneas Adolfo Suárez, Santiago Carrillo y el teniente coronel Tejero todavía están vivos, pero también es cierto que Churchill es un personaje de primer rango histórico y que, si bien Suárez comparte con él esa condición al menos en España, es dudoso que lo hagan el general Gutiérrez Mellado y Santiago Carrillo, no digamos el teniente coronel Tejero; además, en tiempos de Churchill la televisión no era aún el principal fabricante de realidad a la vez que el principal fabricante de irrealidad del planeta, mientras que uno de los rasgos que define el golpe del 23 de febrero es que fue grabado por televisión y retransmitido a todo el planeta. De hecho, quién sabe si a estas alturas el teniente coronel Tejero no será sobre todo para muchos un personaje televisivo; quizá incluso Adolfo Suárez, el general Gutiérrez Mellado y Santiago Carrillo lo sean en alguna medida, pero no en la misma que él: aparte de los anuncios de grandes cadenas de electrodomésticos y las carátulas de programas de chismorreo que prodigan su estampa, la vida pública del teniente coronel golpista está confinada a los pocos segundos repetidos cada año por televisión en que, tocado con su tricornio y blandiendo su pistola reglamentaria del nueve corto, irrumpe en el hemiciclo del Congreso y humilla a tiros a los diputados reunidos allí. Aunque sabemos que es un personaje real, es un personaje irreal; aunque sabemos que es una imagen real, es una imagen irreal: la escena de una españolada recién salida del cerebro envenenado de clichés de un mediano imitador de Luis García Berlanga. Ningún personaje real se convierte en ficticio por aparecer en televisión, ni siquiera por ser sobre todo un personaje televisivo, pero es muy probable que la televisión contamine de irrealidad cuanto toca, y que un acontecimiento histórico altere de algún modo su naturaleza al ser retransmitido por televisión, porque la televisión distorsiona el modo en que lo percibimos (si es que no lo trivializa o lo degrada). El golpe del 23 de febrero convive con esa anomalía: que yo sepa, es el único golpe en la historia grabado por televisión, y el hecho de que haya sido filmado es al mismo tiempo su garantía de realidad y su garantía de irrealidad; sumada al asombro reiterado que producen las imágenes, a la magnitud histórica del acontecimiento y a las zonas de sombra reales o supuestas que todavía lo inquietan, esa circunstancia quizá explique el inaudito amasijo de ficciones en forma de teorías sin fundamento, de ideas fantasiosas, de especulaciones noveleras y de recuerdos inventados que lo envuelven.

Pongo un ejemplo ínfimo de esto último; ínfimo pero no banal, porque guarda precisamente relación con la vida televisiva del golpe. Ningún español que tuviera uso de razón el 23 de febrero de 1981 ha olvidado su peripecia de aquella tarde, y muchas personas dotadas de buena memoria recuerdan con pormenor –qué hora era, dónde estaban, con quién estaban– haber visto en directo y por televisión la entrada en el Congreso del teniente coronel Tejero y sus guardias civiles, hasta el punto de que estarían dispuestas a jurar por lo más sagrado que se trata de un recuerdo real. No lo es: aunque la radio retransmitió en directo el golpe, las imágenes de televisión sólo se emitieron tras la liberación del Congreso secuestrado, poco después de las doce y media de la mañana del día 24, y apenas fueron contempladas en directo por un puñado de periodistas y técnicos de Televisión Española, cuyas cámaras grababan la sesión parlamentaria interrumpida y hacían circular aquellas imágenes por la red interior de la casa a la espera de ser editadas y emitidas en los avances informativos de la tarde y en el telediario de la noche. Eso fue lo que ocurrió, pero todos nos resistimos a que nos extirpen los recuerdos, que son el asidero de la identidad, y algunos anteponen lo que recuerdan a lo que ocurrió, así que siguen recordando que vieron el golpe de estado en directo. Es, supongo, una reacción neurótica, aunque lógica, sobre todo tratándose del golpe del 23 de febrero, donde a menudo resulta difícil distinguir lo real de lo ficticio. Al fin y al cabo hay razones para entender el golpe del 23 de febrero como el fruto de una neurosis colectiva. O de una paranoia colectiva. O, más precisamente, de una novela colectiva. En la sociedad del espectáculo fue, en todo caso, un espectáculo más. Pero eso no significa que fuera una ficción: el golpe del 23 de febrero existió, y veintisiete años después de aquel día, cuando sus principales protagonistas ya habían tal vez empezado a perder para muchos su estatuto de personajes históricos y a ingresar en el reino de lo ficticio, yo acababa de terminar el borrador de una novela en que intentaba convertir el 23 de febrero en ficción. Y estaba lleno de dudas.

2

¿Cómo se me ocurrió escribir una ficción sobre el 23 de febrero? ¿Cómo se me ocurrió escribir una novela sobre una neurosis, sobre una paranoia, sobre una novela colectiva?

No hay novelista que no haya experimentado alguna vez la sensación presuntuosa de que la realidad le está reclamando una novela, de que no es él quien busca una novela, sino una novela quien lo está buscando a él. Yo la experimenté el 23 de febrero del año 2006. Poco antes de esa fecha un diario italiano me había pedido que contara en un artículo mis recuerdos del golpe de estado. Accedí; escribí un artículo donde conté tres cosas: la primera es que yo había sido un héroe; la segunda es que yo no había sido un héroe; la tercera es que nadie había sido un héroe. Yo había sido un héroe porque aquella tarde, después de enterarme por mi madre de que un grupo de guardias civiles había interrumpido con las armas la sesión de investidura del nuevo presidente del gobierno, había salido de estampida hacia la universidad con la imaginación de mis dieciocho años hirviendo de escenas revolucionarias de una ciudad en armas, alborotada de manifestantes contrarios al golpe y erizada de barricadas en cada esquina; yo no había sido un héroe porque la verdad es que no había salido de estampida hacia la universidad con el propósito intrépido de sumarme a la defensa de la democracia frente a los militares rebeldes, sino con el propósito libidinoso de localizar a una compañera de curso de la que estaba enamorado como un verraco y tal vez de aprovechar aquellas horas románticas o que a mí me parecían románticas para conquistarla; nadie había sido un héroe porque, cuando aquella tarde llegué a la universidad, no encontré a nadie en ella excepto a mi compañera y a dos estudiantes más, tan mansos como desorientados: nadie en la universidad donde estudiaba –ni en aquella ni en ninguna otra universidad– hizo el más mínimo gesto de oponerse al golpe; nadie en la ciudad donde vivía –ni en aquella ni en ninguna otra ciudad– se echó a la calle para enfrentarse a los militares rebeldes: salvo un puñado de personas que demostraron estar dispuestas a jugarse el tipo por defender la democracia, el país entero se metió en su casa a esperar que el golpe fracasase. O que triunfase.

Eso es en síntesis lo que contaba en mi artículo y, sin duda porque escribirlo activó recuerdos olvidados, aquel 23 de febrero seguí con más interés que de costumbre los artículos, reportajes y entrevistas con que los medios de comunicación conmemoraron el 25 aniversario del golpe. Me quedé perplejo: yo había contado el golpe del 23 de febrero como un fracaso total de la democracia, pero la mayoría de aquellos artículos, reportajes y entrevistas lo contaban como un triunfo total de la democracia. Y no sólo ellos. Ese mismo día el Congreso de los Diputados aprobó una declaración institucional en la que podía leerse lo siguiente: «La carencia de cualquier atisbo de respaldo social, la actitud ejemplar de la ciudadanía, el comportamiento responsable de los partidos políticos y de los sindicatos, así como el de los medios de comunicación y particularmente el de las instituciones democráticas [...], bastaron para frustrar el golpe de estado». Es difícil acumular más falsedades en menos palabras, o eso pensé cuando leí ese párrafo: yo tenía la impresión de que ni el golpe carecía de respaldo social, ni la actitud de la ciudadanía fue ejemplar, ni el comportamiento de los partidos políticos y sindicatos fue responsable, ni, con escasísimas salvedades, los medios de comunicación y las instituciones democráticas hicieron nada por frustrar el golpe. Pero no fue la aparatosa discrepancia entre mi recuerdo personal del 23 de febrero y el recuerdo al parecer colectivo lo que más me llamó la atención y me produjo el pálpito presuntuoso de que la realidad me estaba reclamando una novela, sino algo mucho menos chocante, o más elemental –aunque probablemente vinculado con aquella discrepancia–. Fue una imagen obligada en todos los reportajes televisivos sobre el golpe: la imagen de Adolfo Suárez petrificado en su escaño mientras, segundos después de la entrada del teniente coronel Tejero en el hemiciclo del Congreso, las balas de los guardias civiles zumban a su alrededor y todos los demás diputados presentes allí –todos menos dos: el general Gutiérrez Mellado y Santiago Carrillo– se tumban en el suelo para protegerse del tiroteo. Por supuesto, yo había visto decenas de veces esa imagen, pero por algún motivo aquel día la vi como si la viese por vez primera: los gritos, los disparos, el silencio aterrorizado del hemiciclo y aquel hombre recostado contra el respaldo de cuero azul de su escaño de presidente del gobierno, solo, estatuario y espectral en un desierto de escaños vacíos. De repente me pareció una imagen hipnótica y radiante, minuciosamente compleja, cebada de sentido; tal vez porque lo verdaderamente enigmático no es lo que nadie ha visto, sino lo que todos hemos visto muchas veces y pese a ello se niega a entregar su significado, de repente me pareció una imagen enigmática. Fue ella la que disparó la alarma. Dice Borges que «cualquier destino, por largo y complicado que sea, consta en realidad de un solo momento: el momento en el que el hombre sabe para siempre quién es». Viendo aquel 23 de febrero a Adolfo Suárez sentado en su escaño mientras zumbaban a su alrededor las balas en el hemiciclo desierto, me pregunté si en ese momento Suárez había sabido para siempre quién era y qué significado encerraba aquella imagen remota, suponiendo que encerrase alguno. Esta doble pregunta no me abandonó durante los días siguientes, y para intentar contestarla –o mejor dicho: para intentar formularla con precisión– decidí escribir una novela.

Puse manos a la obra de inmediato. No sé si hace falta aclarar que el propósito de mi novela no era vindicar la figura de Suárez, ni denigrarla, ni siquiera evaluarla, sino sólo explorar el significado de un gesto. Mentiría sin embargo si dijera que Suárez me inspiraba por entonces demasiada simpatía: mientras estuvo en el poder yo era un adolescente y nunca lo consideré más que un escalador del franquismo que había prosperado partiéndose el espinazo a fuerza de reverencias, un político oportunista, reaccionario, beatón, superficial y marrullero que encarnaba lo que yo más detestaba en mi país y a quien mucho me temo que identificaba con mi padre, suarista pertinaz; con el tiempo mi opinión sobre mi padre había mejorado, pero no mi opinión sobre Suárez, o no en exceso: ahora, un cuarto de siglo después, apenas lo tenía por un político de onda corta cuyo mérito principal consistía en haber estado en el lugar en el que había que estar y en el momento en el que había que estarlo, cosa que le había concedido el protagonismo fortuito de un cambio, el de la dictadura a la democracia, que el país iba a realizar con él o sin él, y esta reticencia es el motivo de que yo contemplara con más sarcasmo que asombro los festejos de su canonización en vida como gran estadista de la democracia –unos festejos en los que por lo demás siempre creía reconocer el perfume de una hipocresía superior a la habitual en estos casos, como si nadie se los creyese en absoluto o como si, más que festejar a Suárez, los festejadores se estuvieran festejando a sí mismos–. Pero, en vez de empobrecerlo, el escaso aprecio que sentía por él enriquecía de complejidades al personaje y su gesto, sobre todo a medida que indagaba en su biografía y me documentaba acerca del golpe. Lo primero que hice para ello fue intentar conseguir en Televisión Española una copia de la grabación completa de la entrada del teniente coronel Tejero en el Congreso. El trámite resultó más engorroso de lo esperado, pero mereció la pena; la grabación –realizada en su mayor parte por dos cámaras que tras el asalto al Congreso siguieron en funcionamiento hasta que se desconectaron de forma casual– es deslumbrante: las imágenes que vemos cada aniversario del 23 de febrero duran cinco, diez, quince segundos a lo sumo; las imágenes completas duran cien veces más: treinta y cuatro minutos y veinticuatro segundos. Cuando se emitieron por televisión, al mediodía del 24 de febrero, el filósofo Julián Marías opinó que merecían el premio a la mejor película del año; casi tres décadas después yo sentí que era un elogio escaso: son imágenes densísimas, de una potencia visual extraordinaria, rebosantes de historia y electrificadas por la verdad, que contemplé muchas veces sin deshacer su sortilegio. Mientras tanto, durante aquella temporada inicial leí varias biografías de Suárez, varios libros sobre los años en que ocupó el poder y sobre el golpe de estado, hojeé algún periódico de la época, entrevisté a algún político, a algún militar, a algún periodista. Una de las primeras personas con las que hablé fue Javier Pradera, un antiguo editor comunista transformado en eminencia gris de la cultura española y también una de las pocas personas que el 23 de febrero, cuando escribía los editoriales de *El País* y el periódico sacó una edición especial con un texto limpiamente antigolpista redactado por él, había demostrado estar dispuesta a jugarse el tipo por la democracia. Le conté a Pradera mi proyecto (le engañé: le dije que planeaba escribir una novela sobre el 23 de febrero; o quizá no le engañé: quizá desde el principio yo quise imaginar que el gesto de Adolfo Suárez contenía como en cifra el 23 de febrero). Pradera se mostró entusiasmado; como no es hombre proclive a entusiasmos, me puse en guardia: le pregunté por qué tanto entusiasmo. «Muy sencillo –contestó–. Porque el golpe de estado es una novela. Una novela policíaca. El argumento es el siguiente: Cortina monta el golpe y Cortina lo desmonta. Por lealtad al Rey.» Cortina es el comandante José Luis Cortina; el comandante José Luis Cortina era el 23 de febrero el jefe de la unidad de operaciones especiales del CESID, el servicio de inteligencia español: pertenecía a la misma promoción militar que el Rey, se le atribuía una estrecha relación con el monarca y tras el 23 de febrero había sido acusado de participar en el golpe, o más bien de desencadenarlo, y había sido encarcelado, interrogado y absuelto por el consejo de guerra que juzgó el caso, pero nunca acabaron de disiparse las sospechas que pendían sobre él. «Cortina monta el golpe y Cortina lo desmonta»: Pradera se rió, burlón; yo también me reí: antes que el argumento de una novela policíaca me pareció el argumento de una sofisticada versión de *Los tres mosqueteros*, con el comandante Cortina en un papel que mezclaba a D'Artagnan y al señor de Tréville.

La idea me gustó. Casualmente, poco después de hablar con Pradera leí un libro que calzaba como un guante con la ficción que el viejo editorialista de *El País* tenía en la cabeza, sólo que el libro no era una ficción: era un trabajo de investigación periodística. Su autor es el periodista Jesús Palacios; su tesis es que, contra lo que parece a simple vista, el golpe del 23 de febrero no fue una chapuza improvisada por una conjunción imperfecta de militares rocosamente franquistas y militares monárquicos con ambiciones políticas, sino «un golpe de autor», una operación diseñada hasta el último detalle por el CESID –por el comandante Cortina pero también por el teniente coronel Calderón, superior inmediato de aquél y por entonces hombre fuerte de los servicios de inteligencia–, cuya finalidad no consistía en destruir la democracia sino en recortarla o cambiar su rumbo, apartando a Adolfo Suárez de la presidencia y colocando en su lugar a un militar al frente de un gobierno de salvación integrado por representantes de todos los partidos políticos; según Palacios, con ese objetivo Calderón y Cortina no sólo habían contado con la anuencia implícita o el impulso del Rey, ansioso por remontar la crisis a que habían conducido al país las crisis crónicas de los gobiernos de Suárez: Calderón y Cortina habían seleccionado al líder de la operación –el general Armada, antiguo secretario del Rey–, habían animado a sus brazos ejecutores –el general Milans del Bosch y el teniente coronel Tejero– y habían tejido una milimétrica telaraña conspirativa de militares, políticos, empresarios, periodistas y diplomáticos que había reunido ambiciones dispersas y contrapuestas en la causa común del golpe. Era una hipótesis irresistible: de repente el caos del 23 de febrero cuadraba; de repente todo era coherente, simétrico, geométrico, igual que en las novelas. Claro que el libro de Palacios no era una novela, y que un cierto conocimiento de los hechos –por no mencionar la opinión de los estudiosos más aplicados– dejaba entrever que Palacios se había tomado ciertas licencias con la realidad a fin de que ésta no desmintiese su hipótesis; pero yo no era un historiador, ni siquiera un periodista, sino sólo un escritor de ficciones, así que estaba autorizado por la realidad a tomarme con ella cuantas licencias fuesen necesarias, porque la novela es un género que no responde ante la realidad, sino sólo ante sí mismo. Feliz, pensé que Pradera y Palacios me estaban ofreciendo una versión mejorada de *Los tres mosqueteros*: la historia de un agente secreto que urde con el fin de salvar la monarquía una gigantesca conspiración destinada a derrocar por medio de un golpe de estado al presidente del Rey, precisamente el único político (o casi el único) que llegado el momento se niega a acatar la voluntad de los golpistas y permanece en su escaño mientras zumban a su alrededor las balas en el hemiciclo del Congreso.

En el otoño de 2006, cuando consideré que sabía lo suficiente del golpe para desarrollar ese argumento, empecé a escribir la novela; por razones que no vienen al caso, en invierno la abandoné, pero hacia el final de la primavera de 2007 volví a retomarla, y menos de un año más tarde tenía terminado un borrador: era, o quería ser, el borrador de una rara versión experimental de *Los tres mosqueteros*, narrada y protagonizada por el comandante Cortina y cuya acción, en vez de girar en torno a los herretes de diamantes entregados por la reina Ana de Austria al duque de Buckingham, giraba en torno a la imagen solitaria de Adolfo Suárez sentado en el hemiciclo del Congreso en la tarde del 23 de febrero. El texto abarcaba cuatrocientas páginas; lo escribí con una fluidez inusitada, casi triunfal, espantando las dudas con el razonamiento de que el libro se hallaba en un estado embrionario y de que sólo a medida que me compenetrase con su mecanismo la incertidumbre terminaría despejándose. No fue así, y tan pronto como hube terminado el primer borrador la sensación de triunfo se evaporó, y las dudas, en vez de despejarse, se multiplicaron. Para empezar, después de haberme pasado meses manoseando en la imaginación las entretelas del golpe yo ya había creído comprender con plenitud lo que antes sólo intuía con temor o con desgana, y es que la hipótesis de Palacios –que constituía el cimiento histórico de mi novela– era en lo fundamental falsa; el problema no es que el libro de Palacios estuviera equivocado en bloque o fuera malo: el problema es que el libro era tan bueno que quien no estuviese familiarizado con lo ocurrido el 23 de febrero podía terminar pensando que por una vez la historia había sido coherente, simétrica y geométrica, y no desordenada, azarosa e imprevisible, que es como es en realidad; en otras palabras: la hipótesis en que se asentaba mi novela era una ficción que, como cualquier buena ficción, había sido construida a base de datos, fechas, nombres, análisis y conjeturas exactos seleccionados y dispuestos con astucias de novelista hasta conseguir que todo conectase con todo y la realidad adquiriera un sentido homogéneo. Ahora bien, si el libro de Palacios no era propiamente un trabajo de investigación periodística, sino más bien una novela superpuesta a un trabajo de investigación periodística, ¿no era redundante escribir una novela basada en otra novela? Si una novela debe iluminar la realidad mediante la ficción, imponiendo geometría y simetría allí donde sólo hay desorden y azar, ¿no debía partir de la realidad, y no de la ficción? ¿No era superfluo añadir geometría a la geometría y simetría a la simetría? Si una novela debe derrotar a la realidad, reinventándola para sustituirla por una ficción tan persuasiva como ella, ¿no era indispensable conocer previamente la realidad para derrotarla? ¿No era la obligación de una novela sobre el 23 de febrero renunciar a ciertos privilegios del género y tratar de responder ante la realidad además de ante sí misma?

Eran preguntas retóricas: en la primavera de 2008 decidí que la única forma de levantar una ficción sobre el golpe del 23 de febrero consistía en conocer con el mayor escrúpulo posible cuál era la realidad del golpe del 23 de febrero. Sólo entonces me zambullí hasta el fondo en el amasijo de construcciones teóricas, hipótesis, incertidumbres, novelerías, falsedades y recuerdos inventados que envuelven aquella jornada. Durante varios meses a tiempo completo, mientras viajaba con frecuencia a Madrid y una y otra vez volvía sobre la grabación del asalto al Congreso –como si esas imágenes escondieran en su transparencia la clave secreta del golpe–, leí todos los libros que encontré sobre el 23 de febrero y sobre los años que lo precedieron, consulté periódicos y revistas de la época, buceé en el sumario del juicio, entrevisté a testigos y protagonistas. Hablé con políticos, con militares, con guardias civiles, con espías, con periodistas, con personas que habían vivido en primera fila de la política los años del cambio del franquismo a la democracia y habían conocido a Adolfo Suárez y al general Gutiérrez Mellado y a Santiago Carrillo, y con personas que habían vivido el 23 de febrero en los lugares donde se decidió el resultado del golpe: en el palacio de la Zarzuela, junto al Rey, en el Congreso de los Diputados, en el Cuartel General del ejército, en la División Acorazada Brunete, en la sede central del CESID y en la sede central de la AOME, la unidad secreta del CESID mandada por el comandante Cortina. Fueron unos meses obsesivos, felices, pero conforme avanzaba en mis pesquisas y cambiaba mi visión del golpe de estado no sólo empecé a comprender muy pronto que estaba adentrándome en un laberinto espejeante de memorias casi siempre irreconciliables, un lugar sin apenas certezas ni documentos por donde los historiadores precavidamente apenas habían transitado, sino sobre todo que la realidad del 23 de febrero era de tal magnitud que por el momento resultaba imbatible, o al menos lo resultaba para mí, y que por tanto era inútil que yo me propusiera la hazaña de derrotarla con una novela; más tiempo tardé en comprender algo todavía más importante: comprendí que los hechos del 23 de febrero poseían por sí mismos toda la fuerza dramática y el potencial simbólico que exigimos de la literatura y comprendí que, aunque yo fuera un escritor de ficciones, por una vez la realidad me importaba más que la ficción o me importaba demasiado como para querer reinventarla sustituyéndola por una realidad alternativa, porque nada de lo que yo pudiera imaginar sobre el 23 de febrero me atañía y me exaltaba tanto y podría resultar más complejo y persuasivo que la pura realidad del 23 de febrero.

3

Así es como decidí escribir este libro. Un libro que es antes que nada –más vale que lo reconozca desde el principio– el humilde testimonio de un fracaso: incapaz de inventar lo que sé sobre el 23 de febrero, iluminando con una ficción su realidad, me he resignado a contarlo. El propósito de las páginas que siguen consiste en dotar de una cierta dignidad a ese fracaso. Esto significa de entrada intentar no arrebatarles a los hechos la fuerza dramática y el potencial simbólico que por sí mismos poseen, ni siquiera su inesperada coherencia y simetría y geometría ocasionales; significa asimismo intentar volverlos un poco inteligibles, contándolos sin ocultar su naturaleza caótica ni borrar las huellas de una neurosis o una paranoia o una novela colectiva, pero con la máxima nitidez, con toda la inocencia de que sea capaz, como si nadie los hubiese contado antes o como si nadie los recordase ya, en cierto sentido como si fuera verdad que para casi todo el mundo Adolfo Suárez y el general Gutiérrez Mellado y Santiago Carrillo y el teniente coronel Tejero fueran ya personajes ficticios o por lo menos contaminados de irrealidad y el golpe del 23 de febrero un recuerdo inventado, en el mejor de los casos como los contaría un cronista de la antigüedad o un cronista de un futuro remoto; y esto significa por último tratar de contar el golpe del 23 de febrero como si fuera una historia minúscula y a la vez como si esa historia minúscula fuera una de las historias decisivas de los últimos setenta años de historia española.

Pero este libro es igualmente –más vale que lo reconozca también desde el principio– un intento soberbio de convertir el fracaso de mi novela sobre el 23 de febrero en un éxito, porque tiene el atrevimiento de no renunciar a nada. O a casi nada: no renuncia a acercarse al máximo a la pura realidad del 23 de febrero, y de ahí que, aunque no sea un libro de historia y nadie deba engañarse buscando en él datos inéditos o aportaciones relevantes para el conocimiento de nuestro pasado reciente, no renuncie del todo a ser leído como un libro de historia;* tampoco renuncia a responder ante sí mismo además de responder ante la realidad, y de ahí que, aunque no sea una novela, no renuncie del todo a ser leído como una novela, ni siquiera como una rarísima versión experimental de *Los tres mosqueteros*; y sobre todo –y ése es acaso el peor atrevimiento– este libro no renuncia del todo a entender por medio de la realidad aquello que renunció a entender por medio de la ficción, y de ahí que no verse en el fondo sobre el 23 de febrero, sino sólo sobre una imagen o un gesto de Adolfo Suárez el 23 de febrero y, colateralmente, sobre una imagen o un gesto del general Gutiérrez Mellado y sobre una imagen o un gesto de Santiago Carrillo el 23 de febrero. Intentar entender ese gesto o esa imagen es intentar responder la pregunta que me planteé cuando un 23 de febrero sentí presuntuosamente que la realidad me reclamaba una novela; intentar entenderlo sin los poderes y la libertad de la ficción es el reto que se plantea este libro.

* Igual que si aspirara a ser un libro de historia, éste parte de la primera evidencia documental del 23 de febrero: la grabación de las imágenes del asalto al Congreso; no puede usar, en cambio, la segunda y casi última evidencia: la grabación de las conversaciones telefónicas que tuvieron lugar durante la tarde y la noche del 23 de febrero entre los ocupantes del Congreso y el exterior. La grabación fue realizada por orden de Francisco Laína, director general de Seguridad y jefe de un gobierno de urgencia formado aquella tarde por orden del Rey con políticos pertenecientes a la segunda línea de la administración del estado a fin de suplir al gobierno secuestrado en el Congreso. La grabación o parte de la grabación fue escuchada en la tarde del día 24 por la Junta de Defensa Nacional presidida por el Rey y por Adolfo Suárez, en el palacio de la Zarzuela (y seguramente resultó decisiva para que el gobierno ordenara el arresto inmediato del líder del golpe, el general Armada); es posible que también la escuchara el juez instructor de la causa del 23 de febrero, que no aceptó hacer uso de ella en sus diligencias porque había sido obtenida sin permiso judicial; luego desapareció, y desde entonces no se han vuelto a tener de ella noticias seguras. Hay quien dice que está en los archivos de los servicios de inteligencia, lo que es falso. Hay quien dice que fue destruida. Hay quien dice que, si no fue destruida, sólo puede estar en los archivos del Ministerio del Interior. Hay quien dice que estuvo en los archivos del Ministerio del Interior y que sólo unos años después del golpe desapareció de allí. Hay quien dice que Adolfo Suárez se llevó consigo al salir del gobierno una copia de una parte de la grabación. Hay muchas otras conjeturas. No sé más.

PRIMERA PARTE

LA PLACENTA DEL GOLPE

Dieciocho horas y veintitrés minutos del 23 de febrero de 1981. En el hemiciclo del Congreso de los Diputados se celebra la votación de investidura de Leopoldo Calvo Sotelo, que está a punto de ser elegido presidente del gobierno en sustitución de Adolfo Suárez, dimitido hace veinticinco días y todavía presidente en funciones tras casi cinco años de mandato durante los cuales el país ha terminado con una dictadura y ha construido una democracia. Sentados en sus escaños mientras aguardan el turno de votar, los diputados conversan, dormitan o fantasean en el sopor de la tarde; la única voz que resuena con claridad en el salón es la de Víctor Carrascal, secretario del Congreso, quien lee desde la tribuna de oradores la lista de los parlamentarios para que, conforme escuchan sus nombres, éstos se levanten de sus escaños y apoyen o rechacen con un sí o un no la candidatura de Calvo Sotelo, o se abstengan. Es ya la segunda votación y carece de suspense: en la primera, celebrada hace tres días, Calvo Sotelo no consiguió el apoyo de la mayoría absoluta de los diputados, pero en esta segunda le basta el apoyo de una mayoría simple, así que –dado que tiene asegurada esa mayoría– a menos que surja un imprevisto el candidato será en unos minutos elegido presidente del gobierno.

Pero el imprevisto surge. Víctor Carrascal lee el nombre de José Nasarre de Letosa Conde, que vota sí; luego lee el nombre de Carlos Navarrete Merino, que vota no; luego lee el nombre de Manuel Núñez Encabo, y en ese momento se oye un rumor anómalo, tal vez un grito procedente de la puerta derecha del hemiciclo, y Núñez Encabo no vota o su voto resulta inaudible o se pierde entre el revuelo perplejo de los diputados, algunos de los cuales se miran entre sí, dudando si dar crédito o no a sus oídos, mientras otros se incorporan en sus escaños para tratar de averiguar qué ocurre, quizá menos inquietos que curiosos. Nítida y desconcertada, la voz del secretario del Congreso in-

quiere «¿Qué pasa?», balbucea algo, vuelve a preguntar «¿Qué pasa?», y al mismo tiempo entra por la puerta derecha un ujier de uniforme, cruza con pasos urgentes el semicírculo central del hemiciclo, donde se sientan los taquígrafos, y empieza a subir las escaleras de acceso a los escaños; a mitad de la subida se detiene, cambia unas palabras con un diputado y se da la vuelta; luego sube tres peldaños más y se da otra vez la vuelta. Es entonces cuando se oye un segundo grito, borroso, procedente de la entrada izquierda del hemiciclo, y luego, también ininteligible, un tercero, y muchos diputados –y todos los taquígrafos, y también el ujier– se vuelven a mirar hacia la entrada izquierda.

El plano cambia; una segunda cámara enfoca el ala izquierda del hemiciclo: pistola en mano, el teniente coronel de la guardia civil Antonio Tejero sube con parsimonia las escaleras de la presidencia del Congreso, pasa detrás del secretario y se queda de pie junto al presidente Landelino Lavilla, que lo mira con incredulidad. El teniente coronel grita «¡Quieto todo el mundo!», y a continuación transcurren unos segundos hechizados durante los cuales nada ocurre y nadie se mueve y nada parece que vaya a ocurrir ni ocurrirle a nadie, salvo el silencio. El plano cambia, pero no el silencio: el teniente coronel se ha esfumado porque la primera cámara enfoca el ala derecha del hemiciclo, donde todos los parlamentarios que se habían levantado han vuelto a tomar asiento, y el único que permanece de pie es el general Manuel Gutiérrez Mellado, vicepresidente del gobierno en funciones; junto a él, Adolfo Suárez sigue sentado en su escaño de presidente del gobierno, el torso inclinado hacia delante, una mano aferrada al apoyabrazos de su escaño, como si él también estuviera a punto de levantarse. Cuatro gritos próximos, distintos e inapelables deshacen entonces el hechizo: alguien grita «¡Silencio!»; alguien grita: «¡Quieto todo el mundo!»; alguien grita: «¡Al suelo!»; alguien grita: «¡Al suelo todo el mundo!». El hemiciclo se apresta a obedecer: el ujier y los taquígrafos se arrodillan junto a su mesa; algunos diputados parecen encogerse en sus escaños. El general Gutiérrez Mellado, sin embargo, sale en busca del teniente coronel rebelde, mientras el presidente Suárez intenta retenerle sin conseguirlo, sujetándolo por la americana. Ahora el teniente coronel Tejero vuelve a aparecer en el plano, bajando la escalera de la tribuna de oradores, pero a mitad de camino se detiene, confundido o intimidado por la presencia del general Gutiérrez Mellado, que camina hacia él exigiéndole con gestos terminantes que salga de inmediato del hemiciclo, mientras tres guardias civiles irrumpen por la entrada derecha y se abalanzan sobre el viejo y escuálido general, lo empujan, le agarran de la americana, lo zarandean, a punto están de tirarlo al suelo. El presidente Suárez se levanta de su escaño y sale en busca de su vicepresidente; el teniente coronel está en mitad de la escalera de la tribuna de oradores, sin decidirse a bajarla del todo, contemplando la escena. Entonces suena el primer disparo; luego suena el segundo disparo y el presidente Suárez agarra del brazo al general Gutiérrez Mellado, impávido frente a un guardia civil que le ordena con gestos y gritos que se tire al suelo; luego suena el tercer disparo y, sin dejar de desafiar al guardia civil con la mirada, el general Gutiérrez Mellado aparta con violencia el brazo de su presidente; luego se desata el tiroteo. Mientras las balas arrancan del techo pedazos visibles de cal y uno tras otro los taquígrafos y el ujier se esconden bajo la mesa y los escaños engullen a los diputados hasta que ni uno solo de ellos queda a la vista, el viejo general permanece de pie entre el fuego de los subfusiles, con los brazos caídos a lo largo del cuerpo y mirando a los guardias civiles insubordinados, que no dejan de disparar. En cuanto al presidente Suárez, regresa con lentitud a su escaño, se sienta, se recuesta contra el respaldo y se queda ahí, ligeramente escorado a la derecha, solo, estatuario y espectral en un desierto de escaños vacíos.

1

Ésa es la imagen; ése es el gesto: un gesto diáfano que contiene muchos gestos.

A finales de 1989, cuando la carrera política de Adolfo Suárez tocaba a su fin, Hans Magnus Enzensberger celebró en un ensayo el nacimiento de una nueva clase de héroes: los héroes de la retirada. Según Enzensberger, frente al héroe clásico, que es el héroe del triunfo y la conquista, las dictaduras del siglo XX han alumbrado el héroe moderno, que es el héroe de la renuncia, el derribo y el desmontaje: el primero es un idealista de principios nítidos e inamovibles; el segundo, un dudoso profesional del apaño y la negociación; el primero alcanza su plenitud imponiendo sus posiciones; el segundo, abandonándolas, socavándose a sí mismo. Por eso el héroe de la retirada no es sólo un héroe político: también es un héroe moral. Tres ejemplos de esta figura novísima aducía Enzensberger: uno era Mijaíl Gorbachov, que por aquellas fechas trataba de desmontar la Unión Soviética; otro, Wojciech Jaruzelski, que en 1981 había impedido la invasión soviética de Polonia; otro, Adolfo Suárez, que había desmontado el franquismo. ¿Adolfo Suárez un héroe? ¿Y un héroe moral, y no sólo político? Tanto para la derecha como para la izquierda era un sapo difícil de tragar: la izquierda no olvidaba –no tenía por qué olvidar– que, aunque a partir de determinado momento quiso ser un político progresista, y hasta cierto punto lo consiguió, Suárez fue durante muchos años un colaborador leal del franquismo y un prototipo perfecto del arribista que la corrupción institucionalizada del franquismo propició; la derecha no olvidaba –no debería olvidar– que Suárez nunca aceptó su adscripción a la derecha, que muchas políticas que aplicó o propugnó no eran de derechas y que ningún político español de la segunda mitad del siglo XX ha exasperado tanto a la derecha como él. ¿Era entonces Suárez un héroe del centro, esa quimera política que él mismo acuñó con el fin de cosechar votos a derecha e izquierda? Imposible, porque la quimera se desvaneció en cuanto Suárez abandonó la política, o incluso antes, igual que la magia se desvanece en cuanto el mago abandona el escenario. Ahora, veinte años después del dictamen de Enzensberger, cuando la enfermedad ha anulado a Suárez y su figura es elogiada por todos, quizá porque ya no puede molestar a nadie, hay entre la clase dirigente española un acuerdo en concederle un papel destacado en la fundación de la democracia; pero una cosa es haber participado en la fundación de la democracia y otra ser el héroe de la democracia. ¿Lo fue? ¿Tiene razón Enzensberger? Y, si olvidásemos por un momento que nadie es un héroe para sus contemporáneos y aceptásemos como hipótesis que Enzensberger tiene razón, ¿no adquiriría el gesto de Suárez en la tarde del 23 de febrero el valor de un gesto fundacional de la democracia? ¿No se convertiría entonces el gesto de Suárez en el emblema de Suárez como héroe de la retirada?

Lo primero que hay que decir de ese gesto es que no es un gesto gratuito; el gesto de Suárez es un gesto que significa, aunque no sepamos exactamente lo que significa, igual que significa y no es gratuito el gesto de todos los demás parlamentarios –todos salvo Gutiérrez Mellado y Santiago Carrillo–, que en vez de permanecer sentados durante el tiroteo obedecieron las órdenes de los golpistas y buscaron refugio bajo sus escaños: el de los demás parlamentarios es, para qué engañarse, un gesto poco airoso, sobre el que con razón ninguno de los interesados ha querido volver mucho, aunque uno de ellos –alguien tan frío y ponderado como Leopoldo Calvo Sotelo– no dudara en atribuir el descrédito del Parlamento a aquel desierto de escaños vacíos. El gesto más obvio que contiene el gesto de Suárez es un gesto de coraje; un coraje notable: quienes vivieron aquel instante en el Congreso recuerdan con unanimidad el estruendo apocalíptico de las ráfagas de subfusil en el espacio clausurado del hemiciclo, el pánico a una muerte inmediata, la certidumbre de que aquel Armagedón –como lo describe Alfonso Guerra, número dos socialista, que se hallaba sentado frente a Suárez– no podía saldarse sin una escabechina, que es la misma certidumbre que abrumó a los técnicos y directivos de televisión que vieron la escena en directo desde los estudios de Prado del Rey. Aquel día llenaban el hemiciclo alrededor de trescientos cincuenta parlamentarios, algunos de los cuales –Simón Sánchez Montero, por ejemplo, o Gregorio López Raimundo– habían demostrado su valor en la clandestinidad y en las cárceles del franquismo; no sé si hay mucho que reprocharles: se mire por donde se mire, permanecer sentado en medio de la refriega constituía una temeridad lindante con el deseo de martirio. En tiempo de guerra, en el calor irreflexivo del combate, no es una temeridad insólita; sí lo es en tiempo de paz y en el tedio solemne y consuetudinario de una sesión parlamentaria. Añadiré que, a juzgar por las imágenes, la de Suárez no es una temeridad dictada por el instinto sino por la razón: al sonar el primer disparo Suárez está de pie; al sonar el segundo intenta devolver a su escaño al general Gutiérrez Mellado; al sonar el tercero y desatarse el tiroteo se sienta, se arrellana en su escaño y se recuesta en el respaldo aguardando que termine el tiroteo, o que una bala lo mate. Es un gesto moroso, reflexivo; parece un gesto ensayado, y quizá en cierto modo lo fue: quienes frecuentaron a Suárez en aquella época aseguran que llevaba mucho tiempo tratando de prepararse para un final violento, como si una oscura premonición lo acosase (desde hacía varios meses cargaba con una pequeña pistola en el bolsillo; durante el otoño y el invierno anteriores más de un visitante de la Moncloa le oyó decir: De aquí sólo van a sacarme ganándome en unas elecciones o con los pies por delante); puede ser, pero en cualquier caso no es fácil prepararse para una muerte así, y sobre todo no es fácil no flaquear cuando llega el momento.

Dado que es un gesto de coraje, el gesto de Suárez es un gesto de gracia, porque todo gesto de coraje es, según observó Ernest Hemingway, un gesto de gracia bajo presión. En este sentido es un gesto afirmativo; en otro es un gesto negativo, porque todo gesto de coraje es, según observó Albert Camus, el gesto de rebeldía de un hombre que dice no. En ambos casos se trata de un gesto soberano de libertad; no es contradictorio con ello que se trate también de un gesto de histrionismo: el gesto de un hombre que interpreta un papel. Si no me engaño, apenas se han publicado un par de novelas centradas de lleno en el golpe del 23 de febrero; como novelas no son gran cosa, pero una de ellas tiene el interés añadido de que su autor es Josep Melià, un periodista que fue un crítico acerbo de Suárez antes de convertirse en uno de sus colaboradores más cercanos. Operando al modo de un novelista, en determinado momento de su relato Melià se pregunta qué fue en lo primero que pensó Suárez al oír el primer disparo en el hemiciclo; se responde: en la portada del día siguiente de *The New York Times*. La respuesta, que puede parecer inocua o malintencionada, quiere ser cordial; a mí me parece sobre todo certera. Como cualquier político puro, Suárez era un actor consumado: joven, atlético, extremadamente apuesto y siempre vestido con un esmero de galán de provincias que embelesaba a las madres de familia de derechas y provocaba las burlas de las periodistas de izquierdas –chaquetas cruzadas con botones dorados, pantalones gris marengo, camisas celestes y corbatas azul marino–, Suárez explotaba a conciencia su porte kennediano, concebía la política como espectáculo y durante sus largos años de trabajo en Televisión Española había aprendido que ya no era la realidad quien creaba las imágenes, sino las imágenes quienes creaban la realidad. Pocos días antes del 23 de febrero, en el momento más dramático de su vida política, cuando comunicó en un discurso a un grupo reducido de compañeros de partido su dimisión como presidente del gobierno, Suárez no pudo evitar intercalar un comentario de protagonista incorregible: «¿Os dais cuenta? –les dijo–. Mi dimisión será noticia de primera página en todos los periódicos del mundo». La tarde del 23 de febrero no fue la tarde más dramática de su vida política, sino la tarde más dramática de su vida a secas y, pese a ello (o precisamente por ello), es posible que mientras las balas zumbaban a su alrededor en el hemiciclo una intuición adiestrada en años de estrellato político le dictase la evidencia instantánea de que, fuera cual fuese el papel que le reservara al final aquella función bárbara, jamás volvería a actuar ante un público tan entregado y tan numeroso. Si así fue, no se equivocó: al día siguiente su imagen acaparaba la portada de *The New York Times* y la de todos los periódicos y las televisiones del mundo. El gesto de Suárez es, de este modo, el gesto de un hombre que posa. Eso es lo que imagina Melià. Pero bien pensado su imaginación tal vez peca de escasa; bien pensado, en la tarde del 23 de febrero Suárez tal vez no estaba posando sólo para los periódicos y las televisiones: igual que iba a hacerlo a partir de aquel momento en su vida política –igual que si en aquel momento hubiera sabido de verdad quién era–, tal vez Suárez estaba posando para la historia.

Ése es quizá otro gesto que contiene su gesto: por así decir, un gesto póstumo. Porque es un hecho que al menos para sus principales cabecillas el golpe del 23 de febrero no fue exactamente un golpe contra la democracia: fue un golpe contra Adolfo Suárez; o si se prefiere: fue un golpe contra la democracia que para ellos encarnaba Adolfo Suárez. Esto sólo lo comprendió Suárez horas o días más tarde, pero en aquellos primeros segundos no podía ignorar que durante casi un lustro de democracia ningún político había atraído como él el odio de los golpistas y que, si iba a correr sangre aquella tarde en el Congreso, la primera en correr sería la suya. Quizá esa sea una explicación de su gesto: en cuanto oyó el primer disparo, Suárez supo que no podía protegerse de la muerte, supo que ya estaba muerto. Reconozco que es una explicación embarazosa, que combina con mal gusto el énfasis con el melodrama; pero eso no la convierte en falsa, sobre todo porque en el fondo el gesto de Suárez no deja de ser un gesto de énfasis melodramático característico de un hombre cuyo temperamento propendía por igual a la comedia, a la tragedia y al melodrama. Suárez, eso sí, hubiera rechazado la explicación. De hecho, siempre que alguien le preguntaba el porqué de su gesto se acogía a la misma respuesta: Porque yo todavía era el presidente del gobierno y el presidente del gobierno no se podía tirar. La respuesta, creo que sincera, es previsible, y delata un rasgo importantísimo de Suárez: su devoción sacramental por el poder, la desorbitada dignidad que confería al cargo que ostentaba; es también una respuesta sin jactancia: presupone que, de no haber sido todavía presidente, él hubiera obrado con el mismo instinto de prudencia que sus demás compañeros, protegiéndose de los disparos bajo su escaño; pero es, además o sobre todo, una respuesta insuficiente: olvida que todos los demás parlamentarios representaban casi con el mismo derecho que él la soberanía popular –por no hablar de Leopoldo Calvo Sotelo, que iba a ser investido presidente aquella misma tarde, o de Felipe González, que lo sería al cabo de año y medio, o de Manuel Fraga, que aspiraba a serlo, o de Landelino Lavilla, que era el presidente del Congreso, o de Rodríguez Sahagún, que era el ministro de Defensa y el responsable del ejército–. Sea como sea, hay una cosa indudable: el gesto de Suárez no es el gesto poderoso de un hombre que enfrenta la adversidad con la plenitud de sus fuerzas, sino el gesto de un hombre políticamente acabado y personalmente roto, que desde hace meses siente que la clase política en pleno conspira contra él y que quizá ahora siente también que la entrada intempestiva de los guardias civiles rebeldes en el hemiciclo del Congreso es el resultado de aquella confabulación universal.

2

El primer sentimiento es bastante acertado; el segundo no tanto. Es verdad que durante el otoño y el invierno de 1980 la clase dirigente española se ha entregado a una serie de extrañas maniobras políticas con el objetivo de derribar del gobierno a Adolfo Suárez, pero sólo es verdad en parte que el asalto al Congreso y el golpe militar sean el resultado de esa confabulación universal. En el golpe del 23 de febrero se engarzan dos cosas distintas: una es una serie de operaciones políticas contra Adolfo Suárez, pero no contra la democracia, o no en principio; otra es una operación militar contra Adolfo Suárez y también contra la democracia. Ambas cosas no son del todo independientes; pero tampoco son del todo solidarias: las operaciones políticas fueron el contexto que propició la operación militar; fueron la placenta del golpe, no el golpe: el matiz es capital para entender el golpe. Por eso no hay que hacer demasiado caso de los políticos de la época que afirman que sabían con antelación lo que iba a ocurrir aquella tarde en el Congreso, o que mucha gente en el hemiciclo lo sabía, o incluso que todo el hemiciclo lo sabía; casi con certeza, son recuerdos ficticios, vanidosos o interesados: la verdad es que, como las operaciones políticas y la operación militar apenas se comunicaban, nadie o casi nadie lo sabía en el hemiciclo, y muy poca gente lo sabía fuera de él.

Lo que sí sabía todo el mundo es que aquel invierno el país entero respiraba una atmósfera de golpe de estado. El 20 de febrero, tres días antes del golpe, Ricardo Paseyro, corresponsal de *Paris Match* en Madrid, escribía: «La situación económica de España roza la catástrofe, el terrorismo aumenta, el escepticismo respecto a las instituciones y sus representantes hiere profundamente el alma del país, el Estado se desmorona bajo el asalto del feudalismo y de los excesos autonómicos, y la política exterior española es un fiasco»; concluía: «En el aire se huele el golpe de estado, el pronunciamiento». Todo el mundo sabía que podía ocurrir, pero nadie o casi nadie sabía el cuándo, el cómo y el dónde; en cuanto al quién, no eran precisamente candidatos a dar un golpe de estado lo que faltaba en el ejército, aunque es seguro que apenas irrumpió el teniente coronel Tejero en el hemiciclo todos o casi todos los diputados debieron de reconocerle de inmediato, porque su cara había ocupado las páginas de los periódicos desde que, a mediados de noviembre de 1978, *Diario 16* dio la noticia de que había sido detenido por planear un golpe consistente en secuestrar al gobierno reunido en consejo de ministros en el palacio de la Moncloa y aprovechar el vacío de poder para tomar el control del estado; tras su detención, Tejero fue sometido a juicio, pero la condena que le impuso el tribunal militar acabó siendo irrisoria y pocos meses más tarde ya estaba otra vez en libertad y en situación de disponible forzoso, es decir sin una ocupación profesional concreta, es decir sin otra ocupación que organizar los preparativos de su segunda intentona con la máxima reserva y contando con el mínimo número de personas, lo que debía impedir la filtración que dio al traste con la primera. Así, en el más absoluto secreto, contando con un número reducidísimo de militares conjurados y con un altísimo grado de improvisación, se urdió el golpe, y así se explica en gran parte que, de todas las amenazas golpistas que se cernían sobre la democracia española desde el verano anterior, ésta fuera la que acabase finalmente materializándose.

Las amenazas contra la democracia española, sin embargo, no habían empezado el verano anterior. Mucho tiempo después de que Suárez abandonara el poder un periodista le preguntó en qué momento había empezado a sospechar que podía producirse un golpe de estado. «En el momento en que tuve uso de razón presidencial», contestó Suárez. No mentía. Menos que un accidente de la historia, en España el golpe de estado es un rito vernáculo: todos los experimentos democráticos han terminado en España con golpes de estado, y en los últimos dos siglos se han producido más de cincuenta; el último había tenido lugar en 1936, cinco años después de instaurada la República; en 1981 se cumplían también cinco años desde el arranque del proceso democrático y, combinado con el mal momento que atravesaba el país, ese azar se convirtió en una superstición numérica y esa superstición numérica aguijoneó entre la clase dirigente la psicosis de golpe de estado. Pero no era sólo una psicosis, ni sólo una superstición. En realidad, Suárez tuvo todavía más motivos que cualquier otro presidente democrático español para temer un golpe de estado desde el mismo momento en que demostró con los hechos que su propósito no era, como pudo parecer al principio de su mandato, cambiar algo para que todo siguiese igual, prolongando el fondo del franquismo bajo una forma maquillada, sino restaurar un régimen político similar en lo esencial a aquel contra el que cuarenta años atrás Franco había levantado en armas al ejército: no se trataba sólo de que cuando Suárez llegó al poder el ejército fuera casi uniformemente franquista; se trataba de que era, por mandato explícito de Franco, el guardián del franquismo. La frase más famosa de la transición desde la dictadura a la democracia («Todo está atado y bien atado») no la pronunció ninguno de los protagonistas de la transición; la pronunció Franco, lo que tal vez sugiere que Franco fue el verdadero protagonista de la transición, o por lo menos uno de los protagonistas. Todo el mundo recuerda esa frase pronunciada el 30 de diciembre de 1969 en el discurso de fin de año, y todo el mundo la interpreta como lo que es: una garantía extendida por el dictador a sus fieles de que después de su muerte todo continuaría exactamente igual que antes de su muerte o de que, como dijo el intelectual falangista Jesús Fueyo, «después de Franco, las Instituciones»; no todo el mundo recuerda, en cambio, que siete años antes Franco pronunció en un discurso ante una asamblea de ex combatientes de la guerra civil reunidos en el cerro de Garabitas una frase casi idéntica («todo está atado y garantizado»), y que en aquella ocasión añadió: «Bajo la guardia fiel e insuperable de nuestro ejército». Era una orden: tras su muerte, la misión del ejército consistía en preservar el franquismo. Pero poco antes de morir Franco dio a los militares en su testamento una orden distinta, y es que obedecieran al Rey con la misma lealtad con que lo habían obedecido a él. Por supuesto, ni Franco ni los militares imaginaban que ambas órdenes podían llegar a ser contradictorias y, cuando las reformas políticas internaron al país en la democracia demostrando que sí lo eran, porque el Rey desertaba del franquismo, la mayoría de los militares vaciló: debían elegir entre obedecer la primera orden de Franco, impidiendo la democracia por la fuerza, y obedecer la segunda, aceptando que era contradictoria con la primera y la anulaba, y aceptando por consiguiente la democracia. Esa vacilación es una de las claves del 23 de febrero; también explica que casi desde el mismo momento en que llegó a la presidencia en julio de 1976 Suárez viviera rodeado de rumores de golpe de estado. A principios de 1981 los rumores no eran más tenaces que en enero o en abril de 1977, pero nunca como entonces la situación política había sido tan favorable para un golpe.

Desde el verano de 1980 la crisis del país es cada vez más profunda. Muchos comparten el diagnóstico del corresponsal de *Paris Match*: la salud de la economía es mala, la descentralización del estado está desarbolando el estado y exasperando a los militares, Suárez se muestra incapaz de gobernar mientras su partido se disgrega y la oposición trabaja a conciencia para terminar de hundirlo, el encanto inaugural de la democracia parece haberse desvanecido en pocos años y en la calle se palpa una mezcla de inseguridad, pesimismo y miedo;* además,

* La palabra del momento es la palabra desencanto; si hizo fortuna como descripción de esta época es porque reflejaba una realidad: en la segunda mitad

está el terrorismo, sobre todo el terrorismo de ETA, que alcanza dimensiones desconocidas hasta entonces mientras se ceba con la guardia civil y el ejército. El panorama es alarmante, y empieza a hablarse de arbitrar soluciones de emergencia: no sólo lo hacen los eternos partidarios del golpe militar –franquistas irredentos y despojados de sus privilegios que incendian con soflamas patrióticas diarias los cuarteles–, sino también gente de antigua militancia democrática, como Josep Tarradellas, un viejo político republicano y ex presidente del gobierno autonómico catalán que desde el verano de 1979 venía pidiendo un golpe de timón capaz de cambiar el rumbo extraviado de la democracia y que en julio de 1980 exigía «un golpe de bisturí para enderezar el país». Golpe de timón, golpe de bisturí, cambio de rumbo: ésa es la temible terminología que impregna desde el verano de 1980 las conversaciones en los pasillos del Congreso, las cenas, comidas y tertulias políticas y los artículos de prensa en el pequeño Madrid del poder. Tales expresiones son simples eufemismos, o más bien conceptos vacíos, que cada cual rellena según su interés, y que, además de las resonancias golpistas que evocan, sólo tienen un punto en común: tanto para los franquistas como para los demócratas, tanto para los ultraderechistas de Blas Piñar o Girón de Velasco como para los socialistas de Felipe González y para muchos comunistas de Santiago Carrillo y muchos centristas del propio Suárez, el único responsable de aquella crisis es Adolfo Suárez, y la primera condición para terminar con la crisis es sacarlo del gobierno. Es una pretensión legítima, en el fondo sensata, porque desde mucho antes del verano Suárez es un político inoperante; pero la política es también

---

de 1976, poco después de la llegada de Suárez al poder, el 78 por ciento de los españoles preferían que las decisiones políticas fueran tomadas por representantes elegidos por el pueblo, y en 1978, año en que se aprobó la Constitución, el 77 por ciento se definían como demócratas incondicionales; pero, según el Instituto Metroscopia, en 1980 apenas la mitad de los españoles prefería la democracia a cualquier otra forma de gobierno: el resto dudaba o le daba igual, cuando no apoyaba la vuelta a la dictadura.

una cuestión de forma –sobre todo la política de una democracia con muchos enemigos dentro del ejército y fuera de él, una democracia recién estrenada cuyas reglas están en rodaje y nadie domina del todo, y cuyas costuras son todavía extremadamente frágiles– y aquí el problema no es de fondo, sino de forma: el problema no consistía en echar a Suárez, sino en cómo se echaba a Suárez. La respuesta que debió dar a esta pregunta la clase dirigente española es la única respuesta posible en una democracia tan endeble como la de 1981: mediante unas elecciones; la respuesta que dio a esta pregunta la clase dirigente española no fue ésa y fue prácticamente uniforme: a cualquier precio. Fue una respuesta salvaje, en gran parte fruto de la soberbia, de la avaricia de poder y de la inmadurez de una clase dirigente que prefirió correr el riesgo de crear condiciones propicias a la actuación de los saboteadores de la democracia antes que seguir tolerando en el gobierno la presencia intolerable de Adolfo Suárez. No de otra forma se explica que desde el verano de 1980 políticos, empresarios, dirigentes sindicales y eclesiásticos y periodistas exageraran hasta el delirio la gravedad de la situación para poder jugar a diario con soluciones dudosamente constitucionales que hacían trastabillar al ya de por sí trastabillante gobierno del país, inventando atajos extraparlamentarios, amenazando con encasquillar el nuevo engranaje institucional y creando un maremágnum que constituía el carburante ideal del golpismo. En la gran cloaca madrileña, que es como Suárez llamaba por aquella época al pequeño Madrid del poder, esas soluciones –esos golpes de bisturí o de timón, esos cambios de rumbo– no eran un secreto para nadie, y raro era el día en que la prensa no se hacía eco de alguna de ellas, casi siempre para alentarla: un día se hablaba de un gobierno de gestión presidido por Alfonso Osorio –diputado de la derecha y vicepresidente del primer gobierno de Suárez– y al día siguiente se hablaba de un gobierno de concentración presidido por José María de Areilza –también diputado de la derecha y ministro de Asuntos Exteriores del primer gobierno del Rey–; un día se hablaba de la

Operación Quirinal, destinada a convertir en presidente de un gobierno de coalición a Landelino Lavilla –presidente del Congreso y líder del sector democristiano del partido de Suárez– y al día siguiente se hablaba de la Operación De Gaulle, destinada a convertir en presidente de un gobierno de unidad a un militar de prestigio, Álvaro Lacalle Leloup o Jesús González del Yerro o Alfonso Armada, antiguo secretario del Rey y a la postre líder del 23 de febrero; apenas pasaba una semana sin que voces que discrepaban en casi todo conviniesen en pedir un gobierno fuerte, lo que era interpretado por muchos como una demanda de un gobierno presidido por un militar o con presencia de militares, un gobierno que protegiese de las turbulencias a la Corona, que corrigiese el caos de improvisaciones con que se había hecho el cambio desde la dictadura a la democracia y pusiese coto a lo que algunos llamaban sus excesos, que atajase el terrorismo, resucitara la economía, racionalizara el proceso autonómico y devolviera la calma al país. Aquello era un batiburrillo cotidiano de propuestas, habladurías y conciliábulos, y el 2 de diciembre de 1980 Joaquín Aguirre Bellver, cronista parlamentario del diario ultraderechista *El Alcázar*, describía así el ambiente político del Congreso: «Golpe a la Turca, Gobierno de Gestión, Gobierno de Concentración... Una carrera de caballos de Pavía [...] A estas alturas el que no tiene su fórmula del golpe es un Don Nadie. Entre tanto, Suárez pasea solo por los corredores, sin que nadie le haga caso». Arrimando su ascua a la sardina del golpismo, Aguirre Bellver mezclaba a conciencia en su enumeración golpes militares –el protagonizado hacía poco en Turquía por el general Evren o el protagonizado en España poco más de un siglo atrás por el general Pavía– con operaciones políticas en teoría constitucionales. Era una mezcla tramposa, letal; de esa mezcla surgió el 23 de febrero: las operaciones políticas fueron la placenta que nutrió el golpe, suministrándole argumentos y coartadas; al discutir sin disimulo la posibilidad de ofrecer el gobierno a un militar o de pedir ayuda a los militares con el fin de escapar del embrollo, la clase dirigente entreabrió la puerta de la política a un ejército que clamaba por intervenir en la política para destruir la democracia, y el 23 de febrero el ejército irrumpió por esa puerta en tromba. En cuanto a Suárez, la descripción que Aguirre Bellver hace de él en el invierno del golpe es exactísima, y es inevitable pensar que su imagen solitaria en los pasillos del Congreso prefigura su imagen solitaria en el hemiciclo durante la tarde del 23 de febrero: es la imagen de un hombre perdido y un político amortizado que en los meses previos al golpe siente que toda la clase política, que toda la clase dirigente del país conspira contra él. No es el único que lo siente: «Todos estamos conspirando» es el título de un artículo publicado a principios de diciembre en el diario *ABC* por Pilar Urbano en el que se refieren las maquinaciones contra Suárez de un grupo de periodistas, empresarios, diplomáticos y políticos de partidos diversos reunidos a cenar en un salón de la capital. No es el único que lo siente: en la gran cloaca madrileña, en el pequeño Madrid del poder, muchos sienten que la realidad en pleno conspira contra Adolfo Suárez, y durante el otoño y el invierno de 1980 apenas quedará algún miembro de la clase dirigente que consciente o inconscientemente no añada su granito de arena a la gran montaña de la conspiración. O de lo que Suárez siente como una conspiración.

3

Conspiran contra Suárez (o Suárez siente que conspiran contra él) los periodistas. Por supuesto, conspiran los periodistas de ultraderecha, que atacan a diario a Suárez porque juzgan que destruirlo equivale a destruir la democracia. Es cierto que no son muchos, pero son importantes porque sus periódicos y revistas –*El Alcázar*, *El Imparcial*, *Heraldo Español*, *Fuerza Nueva*, *Reconquista*– son casi los únicos que entran en los cuarteles, persuadiendo a los militares de que la situación es todavía peor de lo que es y de que, a menos que por irresponsabilidad, por egoísmo o por cobardía acepten ser cómplices de una clase política indigna que está conduciendo España al despeñadero, más temprano que tarde tendrán que intervenir para salvar a la patria en peligro. Las exhortaciones al golpe son constantes desde el inicio de la democracia, pero desde el verano de 1980 ya no son sibilinas: el número del 7 de agosto del semanario *Heraldo Español* exhibía en portada un enorme caballo encabritado y un titular a toda página: «¿Quién montará este caballo? Se busca un general»; en las páginas interiores un artículo firmado con seudónimo por el periodista Fernando Latorre proponía evitar un golpe militar duro mediante un golpe militar blando que colocara a un general en la presidencia de un gobierno de unidad, barajaba algunos nombres –entre ellos el del general Alfonso Armada– y planteaba al Rey una imperiosa disyuntiva entre los dos tipos de golpe: «O Pavía o Prim: el que pueda que elija». En el otoño y el invierno de 1980, pero sobre todo en las semanas que precedieron al

Director: Antonio IZQUIERDO

Madrid, domingo, 22 de febrero de 1981 / 30 pesetas

UCD INTENSIFICA SU ACTIVIDAD EN BUSCA DE VOTOS

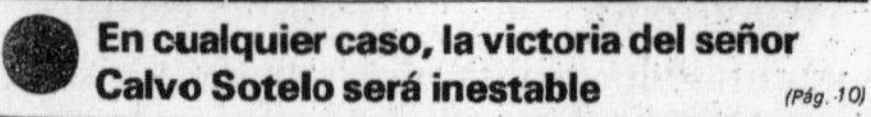

En cualquier caso, la victoria del señor Calvo Sotelo será inestable

(Pág. 10)

NOLA PUNTA

Un seguro perdedor

Con todo lo que se ha dicho en torno a la primera fase de la investidura presidencial, no se ha dicho algo importante: las 17 abstenciones (seis de Coalición Democrática, nueve de Minoría Catalana y dos de votos particulares) pueden decidir la suerte del candidato a la presidencia. Pero también y sustancialmente pueden decidir la suerte del PSOE y de todo el ala izquierda del Congreso de los Diputados. Las seis ausencias (dos del PSOE, una del Grupo Andalucista y tres de Herri Batasuna) podrían, a su vez, inclinar la balanza a favor de esa misma izquierda. La penosa realidad de UCD es que su candidato depende de que se mantengan las diecisiete abstenciones y las seis ausencias. Las abstenciones son negociables, claro está. Y no resulta ocioso suponer que a estas alturas —antes de que suenen las 18,30 horas del próximo lunes— los muñidores centristas habrán entrado en funcionamiento para sacar a esos grupos de su pasividad decisoria y para que emitan sus sufragios en favor de don Leopoldo Calvo Sotelo.

Pero, ¿a cambio de qué? Si Coalición Democrática, tras su clara escisión (tres votos afirmativos, seis abstenciones) se mantiene en su posición, el señor Calvo Sotelo no tiene otro camino que negociar, a tumba abierta, con la Minoría Catalana. ¿Qué puede negociar el candidato centrista con la Minoría Catalana? Sólo cuestiones que se escapan, política y moralmente hablando, a la capacidad de maniobra de todo Gobierno: cuestiones de Estado, de soberanía, de integridad... ¡Cara puede resultar la mínima victoria del centrismo! Cara e intolerable. Se dirá que de alguna forma hay que resolver la sesión del lunes, pero lo importante no es que se resuelva o no se resuelva la sesión del lunes. Es más importante que se prevea, a tiempo, lo que puede suceder tras esa sesión.

¿Disolución de las Cámaras y convocatoria de elecciones generales...? ¿Por qué? Existen otros indicios que pudieran presagiar el resultado positivo de otras operaciones, llevadas hasta ahora con la máxima cautela: formación de un Gobierno de «ancha base», como solicitaban anoche las movilizaciones de esas bases —en automóvil, porque los tiempos siguen cambiando que es una barbaridad— para anunciar una concentración prevista para hoy y posteriormente desautorizada. Es notorio que para la Corona existe una prueba hasta cierto punto atractiva por lo que pudiera tener de riesgo: un Gobierno socialista que estabilizara o desestabilizara, con carácter irreversible, la permanencia de la propia Institución. Eso dicen, al menos, los mejor informados. ¿No constituiría un primer paso ese Gobierno de «ancha base»? ¿Le pondrían reparos los socialdemócratas de Fernández Ordóñez, la figura más mimada por la oposición marxista? ¿Le haría reparos Manuel Fraga Iribarne, tras su demoledora actitud ante Calvo Sotelo y sus oportunas y recientes declaraciones dando por hecho que admitiría la colaboración del PSOE en un posible Gabinete? ¿Le harían ascos los liberales asidos al centrismo como fórmula de supervivencia? ¿Se negarían a ello los grupos separatistas, formen o no en el ala izquierda de su «ente» (¡hay que ver qué lenguaje se gastan!) si mantienen la certeza de que ese Gobierno facilitaría aún más sus pretensiones autonomistas?

Difícil jornada la del próximo lunes en el Palacio de la Carrera de San Jerónimo: en el mejor de los casos, la situación será mala, porque la anunciada victoria por mayoría simple de Calvo Sotelo será una victoria pírrica, cercada de hipotecas y cesiones; y su derrota, posible, conformaría el paso inmediato a un Gabinete de concentración, con discreta mayoría socialista —a nivel gubernamental— y un independiente frío, al estilo de López de Letona, de Cabeza del Ejecutivo... O un general con pedigree liberal o democrático de toda la vida o de parte de ella. En pocas palabras: el lunes habrá un perdedor inequívoco: el Estado Español; o, si queréis, España. Pero el Estado vive presto al federalismo y de España casi nadie se acuerda ya, salvo Juan Pablo II, que tuvo la inoportuna humorada —¡Dios se lo pague!— de evocar la epopeya civilizadora de nuestro pueblo en Asia: en Filipinas, donde no se rindieron los últimos soldados que defendían los flecos del Imperio: en Baler. ¡Quién recuerda ya aquellas fantásticas historias!

Antonio IZQUIERDO

SIN NOTICIAS DE LOS CONSULES SECUESTRADOS

(Pág. 7)

23 de febrero, estas arengas eran cotidianas, sobre todo en el diario *El Alcázar*, tal vez la publicación más combativa de la ultraderecha, y sin duda la más influyente: allí se publicaron entre los últimos días de diciembre y los primeros de febrero tres artículos firmados por Almendros –seudónimo que probablemente ocultaba al general en la reserva Manuel Cabeza Calahorra, quien a su vez recogía la opinión de un grupo de generales retirados–, donde se reclamaba la interrupción de la democracia por parte del ejército y el Rey, igual que la reclamaba quince días antes del golpe el general en la reserva Fernando de Santiago –que cinco años atrás había sido vicepresidente del primer gobierno de Suárez– en un artículo titulado «Situación límite»; allí, el 24 de enero, el director del periódico, Antonio Izquierdo, escribía: «Misteriosos y oficiosos emisarios, que dicen estar al corriente de todo, andan estos días comunicando a conocidos personajes del mundo de la información y del mundo de las finanzas que "el golpe está al caer, que antes de dos meses estará todo zanjado"»; y allí, a pesar del sigilo con que se urdió el golpe, la víspera del 23 de febrero algunos lectores avisados supieron que el día siguiente era el gran día: la portada con que el domingo 22 abría sus páginas *El Alcázar* mostraba una foto a tres columnas del hemiciclo del Congreso vacío, bajo la cual, según había hecho el periódico en otras ocasiones, una esfera roja advertía de que la portada encerraba una información convenida; la información se obtenía uniendo mediante una línea recta la punta de una gruesa flecha que señalaba el hemiciclo (en cuyo interior se leía: «Todo dispuesto para la sesión del lunes») con el texto del artículo del director que figuraba a la derecha de la foto; la frase del artículo que señalaba la línea recta daba la hora casi exacta en que el teniente coronel Tejero entraría al día siguiente en el Congreso: «Antes de que suenen las 18.30 del próximo lunes». De modo que, aunque lo más probable es que ninguno de los diputados presentes en el Congreso en la tarde del 23 de febrero supiera con antelación lo que iba a ocurrir, al menos el director de *El Alcázar* y alguno de sus colaboradores sí lo sa-

bían. Las preguntas son cuatro: ¿quién les proporcionó esa información? ¿Quién más lo sabía? ¿Quién supo interpretar esa portada? ¿A quién pretendía advertir con ella el periódico?*

Pero no sólo conspiran contra Suárez –y contra la democracia– los periodistas de la ultraderecha; también conspiran contra él –o Suárez siente que conspiran contra él– periodistas demócratas. Es el sentimiento de un hombre acorralado, pero quizá no es un sentimiento inexacto. Los últimos tiempos del franquismo y los primeros de la transición habían propiciado una singular simbiosis entre periodismo y política, un compadreo entre políticos y periodistas que permitió a estos últimos sentirse protagonistas de primer orden en el cambio de la dictadura a la democracia; a la altura de 1980, sin embar-

* No tengo respuestas para esas preguntas, pero tengo conjeturas. Es probable que el periódico obtuviera la información del general Milans del Bosch, que al día siguiente se sublevaría en Valencia, o de alguno de los colaboradores directos de Milans del Bosch, o, más probablemente, de Juan García Carrés, antiguo jefe de los sindicatos verticales franquistas que en los meses previos al golpe ejerció de enlace entre Milans del Bosch y Tejero: tanto Milans del Bosch como García Carrés mantenían vínculos estrechos con *El Alcázar.* Es probable que lo supiera asimismo José Antonio Girón de Velasco, líder de un sector de la ultraderecha, presidente de la Confederación de Combatientes e íntimo de García Carrés; también, generales en la reserva vinculados a Cabeza Calahorra y Fernando de Santiago y antiguos ministros franquistas vinculados a Girón de Velasco, pero no el único parlamentario de la ultraderecha que ocupaba escaño en el Congreso: el líder de Fuerza Nueva, Blas Piñar. Sin duda lo sabía más gente, pero no mucha más. En cualquier caso, éste es un terreno especialmente abonado para la fantasía o, sin más, para la alucinación: el día 5 de febrero Manuel Fraga, líder del partido de la derecha, anota en su diario: «Todo son rumores [...]. Una vidente menciona un golpe para el día 24»; el día 13 la policía recibe un informe de un confidente que está a punto de ser despedido por su escasa credibilidad en el que se anuncia un golpe para el día 23; el día 18 sale a la venta *Spic*, una revista mensual de aviación comercial dedicada al ocio y el turismo, en uno de cuyos artículos, firmado por su director, se lee: «No es cierto que yo pretenda dar un golpe el lunes 23 de febrero... además no sé» (más alucinación: 6 letras componen la palabra «además»; 2, la palabra «no»; otras 2 la palabra «sé»; resultado: 6.22, casi exactamente la hora en que el teniente coronel Tejero irrumpió en el Congreso). Importa decir que ni el día 5, ni el día 13, ni siquiera el día 18 habían sido aún fijadas la fecha y la hora del golpe.

go, esa complicidad se ha roto, o al menos se ha roto la complicidad entre Suárez y la prensa, que se considera ninguneada por el poder y que atribuye a ese ninguneo la responsabilidad o parte de la responsabilidad del pésimo momento del país. La crisis de orgullo que experimenta por entonces la prensa es una traducción de la crisis de orgullo que está experimentando Suárez (y también una traducción de la crisis de orgullo que está experimentando el país) y, dado que algunos periodistas relevantes se atribuyen la misión de dictar la política del gobierno y consideran a Suárez poco menos que un suplantador y en todo caso un político execrable, en muchos medios de comunicación la crítica contra Suárez es de una aspereza brutal y contribuye a espolear el golpismo, alimentando el fantasma de una situación de emergencia y dando acogida en sus páginas a constantes rumores de operaciones políticas y golpes duros o blandos en marcha que, antes que para prevenirlos, sirven para prepararles el terreno. Por lo demás, cuatro años y medio en el poder –y sobre todo cuatro años tan intensos como los vividos por Suárez– dan de sí lo suficiente para crearse muchos enemigos: hay periodistas despechados que cambian en poco tiempo la adulación por el desdén; hay periodistas críticos que se convierten en periodistas kamikazes; hay grupos editoriales –como el Grupo 16, propietario de *Diario 16* y de *Cambio 16*, el más importante semanario político del momento– que en el verano de 1980 inician una feroz campaña contra Suárez instigada por líderes de su propio partido; hay casos como el de Emilio Romero, sin duda el periodista más influyente del tardofranquismo, quien tras ser desposeído por Suárez de su puesto de privilegio en la prensa del Movimiento, el partido único de Franco, concibió un odio perdurable contra el presidente, y quien pocos días antes del golpe proponía en su columna de *ABC* al general Armada como candidato a presidir el gobierno tras el golpe de bisturí o de timón que debía desbancar a Suárez. El caso de Luis María Anson, un destacadísimo periodista de la democracia, es distinto y más complejo.

Anson era un veterano valedor de la causa monárquica a quien Suárez había ayudado en los años sesenta, cuando creyó que iba a ser procesado por ofensas a Franco a raíz de un artículo publicado en *ABC*; luego, a mediados de los setenta, fue Anson quien ayudó a Suárez: animado por el futuro Rey, el periodista azuzó la carrera política de Suárez mientras dirigía la revista *Blanco y Negro*, impulsó su candidatura a la presidencia del gobierno y celebró su nombramiento en *Gaceta Ilustrada* con un entusiasmo insólito en la prensa reformista; finalmente fue Suárez quien volvió a ayudar a Anson: apenas dos meses después de llegar a la presidencia nombró al periodista director de la agencia estatal de noticias EFE. Aunque Anson permaneció al frente de la agencia hasta 1982, este mutuo intercambio de favores se truncó pocos meses más tarde, cuando el periodista empezó a sentir que Suárez era un político débil y acomplejado por su pasado falangista y que estaba entregando el poder de la nueva democracia a la izquierda, momento a partir del cual se convirtió en un detractor implacable de la política del presidente; implacable y público: Anson reunía periódicamente en el comedor de la agencia EFE a políticos, periodistas, financieros, eclesiásticos y militares, y en esos encuentros agitó desde muy pronto el descontento contra su antiguo patrocinado; también, según Francisco Medina, discutió desde el otoño de 1977 un plan rectificador de la democracia –en realidad un golpe de estado encubierto– inspirado en los hechos que en junio de 1958 permitieron al general De Gaulle volver al poder y fundar la V República francesa: se trataba de que el ejército presionara discretamente al Rey para obtener la dimisión de Suárez y obligarlo a constituir un gobierno en teoría apolítico presidido por un técnico, un gobierno de unidad o salvación que pusiera por un tiempo entre paréntesis la legalidad constitucional a fin de restablecer el orden, cortar la sangría del terrorismo y vadear la crisis económica; con el añadido de un militar al frente del gobierno, con grandes dosis de improvisación y atolondramiento, rompiendo frontalmente con el orden constitucional, ése fue el plan que intentaron ejecutar los golpistas en la tarde del 23 de febrero. La relación de Anson con el general Armada –a quien éste considera en sus memorias «un buen amigo» con el que ha mantenido el contacto «muchos años»–, las férreas convicciones monárquicas que los unían a ambos, el hecho de que según ciertos testimonios Anson figurara como ministro en el gobierno que de acuerdo con los planes de Armada habría de resultar del golpe, la resistencia de EFE a aceptar tras el 23 de febrero el papel del general como líder de la rebelión, la beligerancia de Anson con la política de Suárez y su prestigio de conspirador perpetuo extendieron con el tiempo las sospechas sobre el periodista. Lo cierto sin embargo es que la relación de Anson con Armada no era tan estrecha como el general pretendía, que el periodista figuraba en la supuesta lista de gobierno de Armada junto a numerosos políticos demócratas ignorantes del papel que deseaba asignarles el general como avaladores del golpe, y que la resistencia de EFE a admitir que el antiguo secretario del Rey hubiera liderado la asonada militar era un reflejo de una incredulidad bastante generalizada en los días inmediatamente posteriores al 23 de febrero; en cuanto a la idea del golpe, lo más probable es que fuera el propio general –que había llegado a París como estudiante de la École de Guerre poco después de la subida de De Gaulle al poder en Francia y había vivido de cerca sus consecuencias– quien la concibió y la difundió con tanto éxito que desde el verano de 1980 circulaba con profusión por el pequeño Madrid del poder y apenas había partido político que no considerase la hipótesis de situar a un militar al frente de un gobierno de coalición o concentración o unidad como una de las formas posibles de expulsar a Suárez del poder. No existe en resumen ningún indicio serio de que Anson fuera un promotor directo de la candidatura de Armada a la presidencia de un gobierno unitario –y mucho menos de que estuviera vinculado al golpe militar–, aunque no hay que descartar que en algún momento del otoño y el invierno de 1980 juzgara razonable esa solución de urgencia, porque es seguro que el periodista animaba cualquier esfuerzo dirigido a sustituir cuanto antes a un jefe de gobierno que, en su opinión como en la de casi toda la clase dirigente, estaba conduciendo a la Corona y al país al desastre.

4

También conspiran contra Suárez (o Suárez siente que conspiran contra él) los financieros y los empresarios y el partido de la derecha a quien jalean los financieros y los empresarios: Alianza Popular. No siempre ha sido así: no siempre empresarios y financieros han jaleado al partido de la derecha, o no siempre lo han hecho con el mismo entusiasmo. Aunque es probable que en su fuero interno despreciaran a Suárez desde que llegó al poder (y no sólo porque lo consideraran un ignorante en asuntos de economía), el hecho es que al principio de su mandato financieros y empresarios apoyaron sin reservas al nuevo presidente del gobierno porque entendieron que apoyarlo era apoyar a la monarquía y porque la monarquía los convenció de que aquel simpático chisgarabís, que había empezado de botones en el edificio del Movimiento y lo conocía al dedillo después de haber barrido hasta su última covachuela, era el capataz ideal para dirigir la obra de demolición de una arquitectura obsoleta que durante cuarenta años les había sido de suma utilidad pero que ahora sólo entorpecía sus negocios y los avergonzaba ante sus colegas europeos. Suárez cumplió: realizó con éxito la tarea; una vez realizada, sin embargo, debía marcharse: mayoritariamente, ésa era la opinión de financieros y empresarios. Pero Suárez no se marchó; al contrario: lo que ocurrió fue que el botones ascendido a capataz se creyó arquitecto y se puso a levantar el edificio flamante de la democracia sobre el solar arrasado del edificio de la dictadura. Ahí empezó el problema: tras años de perseguir su aprobación, envalentonado por el refrendo repetido de los votos Suárez empezó a darles largas, a rechazar consejos y palmaditas en la espalda, a esquivarlos o ignorarlos o desairarlos o a hacer gestos que ellos interpretaban como desaires, y terminó por no recibirlos en la Moncloa ni ponerse al teléfono cuando lo llamaban y por no acusar recibo siquiera de las advertencias y correctivos con que intentaron devolverlo al redil. Fue así como descubrieron a su costa algo que en el fondo quizá habían sospechado desde siempre, y es que el antiguo y complaciente botones escondía a uno de esos gallitos de provincias que incuban como un rencor el sueño de plantar cara al más fuerte de la capital. Fue así como descubrieron también, a medida que notaban con preocupación que los negocios marchaban cada vez peor, la tardía o improvisada vocación socialdemócrata que aquejaba a Suárez y que indistintamente atribuyeron a su incapacidad para desembarazarse de su educación de joven falangista con la revolución pendiente, a su afán por emular a Felipe González, el joven y brillante líder socialista, y a su obsesión por ganarse las credenciales de pureza democrática que otorgaba el beneplácito del periódico *El País*. Y fue así en definitiva como a lo largo de 1980 decidieron que la política de Suárez no hacía más que empeorar la crisis económica y descuartizar el estado; igualmente decidieron que aquel plebeyo estaba ejerciendo la presidencia de forma fraudulenta, porque su poder procedía de la derecha, que era quien le votaba y quien le había sostenido durante cuatro años, pero él gobernaba para la izquierda. La conclusión no se hizo esperar: había que terminar como fuese con la presidencia equivocada del advenedizo indocumentado y respondón. De ahí que en el otoño y el invierno que precedieron al golpe financieros y empresarios fomentaran la pesadilla de un país que se precipitaba hacia la catástrofe, respaldaran cuantas operaciones políticas contra el gobierno de Suárez se armaron desde la derecha e inyectaran a diario desazón en la desazón de los sectores más conservadores del partido que sostenía al gobierno, con el fin de desmembrarlo, de unir los prófugos a la minoritaria Alianza Popular y de formar con ella un nuevo gobierno presidido por un político o por un técnico independiente o por un militar de prestigio, un gobierno de coalición o de concentración o de unidad, en todo caso un gobierno fuerte apuntalado en una nueva mayoría parlamentaria. Porque debía restablecer el orden natural de las cosas quebrantado por Suárez, a esa mayoría la llamaron mayoría natural; porque el líder natural de esa mayoría natural sólo podía ser el líder de Alianza Popular, los empresarios y financieros pasaron a convertir en su líder a Manuel Fraga.

Que en el otoño y el invierno de 1980 Fraga conspirase contra Suárez (o que Suárez sintiese que Fraga conspiraba contra él) era un hecho casi ineludible, que obedecía a una lógica no sólo política: al fin y al cabo, casi nadie tenía razones más poderosas que Fraga para considerar a Suárez un usurpador. Fraga había sido el niño prodigio de la dictadura, durante años se había sentado en los consejos de ministros de Franco y a principios de los setenta, bañado en una pátina liberal, parecía el hombre elegido por la historia para conducir el posfranquismo, entendiendo por tal cosa un franquismo reformado que ensanchara los límites del franquismo sin romperlo, que era lo que entendía Fraga. Nunca nadie le negó capacidad intelectual para realizar esa labor. La anécdota es celebérrima: tratando de halagar al líder de Alianza Popular y de humillar a Suárez, durante el debate de la moción de censura que presentó contra éste en mayo de 1980 Felipe González declaró desde la tribuna de oradores del Congreso que a Fraga le cabía el estado en la cabeza; si la metáfora es válida, entonces también es incompleta: si es verdad que a Fraga le cabía el estado en la cabeza, entonces también lo es que no le cabía en ella absolutamente nada más. En este sentido, como en casi todos, Fraga era la antítesis de Suárez: estudiante de matrículas, opositor compulsivo, escritor oceánico, durante los años del cambio de régimen Fraga era un político que daba la impresión de saberlo todo y de no entender nada, o al menos de no entender lo que había que entender, y es que los límites del franquismo no se podían ensanchar sin romperse porque el franquismo era irreformable, o sólo era reformable si la reforma consistía precisamente en romperlo; esta dramática debilidad intelectual –añadida a su autoritarismo genético, a su falta de astucia, a la desconfianza sin motivo que desde finales de los sesenta infundió en sectores poderosos del franquismo y a su pobre sintonía personal con el monarca– explica que el presidente elegido por el Rey para dirigir el cambio de régimen no fuera el previsto Fraga sino el inesperado Suárez, y que en los años posteriores su talante intimidatorio, su tosquedad política y la inteligencia estratégica de Suárez (que en aquellos momentos daba la impresión de entenderlo todo o al menos de entender lo que había que entender, aunque no supiera nada) le achicasen el espacio hasta confinar al teórico liberal de principios de los setenta en el rincón de los reaccionarios y lo condenaran a desahogar sus ambiciones frustradas arrastrando a una cuerda de diplodocus franquistas por un pedregal sin redención. En los meses que preceden al golpe, sin embargo, las tornas han cambiado: mientras Suárez se hunde sin entender nada, Fraga parece pletórico, como si lo supiera y lo entendiera todo; aunque su poder en el Congreso sigue siendo escaso, porque la coalición trabajosamente moderada con que se ha presentado a las últimas elecciones apenas cuenta con un puñado de parlamentarios, su imagen pública ya no es la de un nostálgico incurable del franquismo: lo añoran en la Casa Real, donde durante años tuvo un aliado fiel en el general Alfonso Armada; sus relaciones con el ejército y la Iglesia son inmejorables; lo halagan los mismos empresarios y financieros que antes lo arrinconaron y lo persiguen figuras prominentes del partido de Suárez, que ya lo han elegido como su líder verdadero y planean con él el mejor modo de derribar al gobierno y colocar en su sitio un gobierno de coalición o de concentración o de gestión o de unidad, cualquier cosa menos permitir que Suárez permanezca en el poder y termine de arruinar el país. Cualquier cosa incluye un gobierno de coalición o de concentración o de gestión o de unidad presidido por un militar; si ese militar es su amigo Alfonso Armada, mejor. Como tanta gente en aquellos días, tal vez más que nadie en aquellos días, Fraga, que es consciente de ser el punto de referencia político de muchos militares con querencias golpistas, sopesa esa posibilidad: sus diarios de la época abundan en anotaciones sobre cenas con políticos y militares donde se plantea; muchos miembros descollantes de Alianza Popular, como Juan de Arespacochaga, ex alcalde de Madrid, la aprueban sin rodeos; según Arespacochaga, muchos miembros de la ejecutiva del partido también. Mientras se reúne día sí y día no con dirigentes del partido de Suárez, incluido su portavoz parlamentario, Fraga duda, pero no duda de que hay que terminar como sea con el subalterno que cuatro años atrás, por un error o una frivolidad del Rey, le apartó de su destino de presidente: antes del verano ha inquietado al país con la advertencia de que, «si no se toman medidas, el golpe será inevitable»; el 19 de febrero, cuatro días antes del golpe, advierte en el Congreso: «Si se quiere dar el golpe de timón, el cambio de rumbo que todos sabemos necesario, se nos encontrará dispuestos a colaborar. Y si no, no [...] Hay que meter el barco en el varadero y revisar a fondo el casco y las máquinas». Suárez ha hecho mal la transición política, y ha llegado el momento de recortarla o rectificarla: ése fue exactamente el objetivo del 23 de febrero. Golpe de timón, golpe de bisturí, cambio de rumbo: ésa fue exactamente la terminología de la placenta del golpe. Por lo demás, durante la tarde y la noche del 23 de febrero los empresarios y financieros permanecieron en silencio, sin rechazar ni aprobar el golpe, como casi todo el mundo, y sólo hacia las dos de la madrugada, cuando ya parecía seguro el fracaso de la intentona militar después de que el Rey se pronunciase en televisión contra ella, apremiado por el jefe del gobierno provisional el presidente de la CEOE se resolvió por fin a rechazar públicamente el secuestro del Congreso y a proclamar su respeto por la Constitución. Los partidos políticos, y entre ellos Alianza Popular, no lo hicieron hasta las siete de la mañana.

5

¿Conspira también la Iglesia contra Suárez? ¿Siente Suárez que la Iglesia conspira también contra él? Igual que en los últimos tiempos se ha enemistado con los periodistas y los financieros y los empresarios y con toda o casi toda la clase política del país, poco antes del golpe Suárez se enemista con la Iglesia; ésta, por su parte, lo abandona a su suerte, si es que no hace cuanto puede por derribarlo. Para Suárez, un hombre religioso, cristiano de misa semanal y educado en los seminarios y asociaciones de Acción Católica, muy consciente del enorme poder que la Iglesia todavía atesora en España y de que el suyo es uno de los pocos sustentos que le quedan en la desbandada sin retorno de esos meses finales, el revés es durísimo. La Iglesia –o al menos la cúpula de la Iglesia o parte importante de la cúpula de la Iglesia– había favorecido en vísperas de la muerte de Franco el cambio de la dictadura a la democracia y, a partir de la llegada de Suárez al poder, el cardenal Tarancón, presidente de la Conferencia Episcopal Española desde 1971, estableció con él una complicidad que a lo largo de los años no había conseguido enturbiar el empeño de la Iglesia por mantener pese a las transformaciones políticas su sempiterno estatuto de privilegio. En el otoño de 1980, sin embargo, la relación entre Suárez y Tarancón se rompe; lo que provoca la ruptura es la ley del divorcio, una revolución inaceptable para gran parte de la Iglesia y de la derecha española. Por aquellas fechas la ley lleva ya casi dos años tramitándose, siempre controlada por ministros democristianos y siempre tutelada por un pacto personal entre Suárez y Tarancón que restringe severamente su alcance; pero en septiembre de ese año, a consecuencia de una de las crisis cíclicas que sacuden el gobierno, la ley pasa a manos del líder del sector socialdemócrata del partido del presidente, quien acelera su tramitación y consigue que a mediados de diciembre la comisión de justicia del Congreso apruebe un proyecto de ley del divorcio mucho más permisivo que el acordado entre Suárez y Tarancón. La respuesta de éste es inmediata: furioso, sintiéndose traicionado, corta cualquier vínculo con Suárez, y a partir de aquel momento, descolocado por el regate del presidente –o por su debilidad, que le impide mantener sus promesas–, Tarancón queda a merced de los obispos conservadores partidarios de Manuel Fraga, quienes además ven reforzadas sus posiciones con la llegada a Madrid de un nuncio extraordinariamente conservador del extraordinariamente conservador papa Wojtila: monseñor Innocenti. Por el flanco de la Iglesia Suárez quedaba también de este modo desguarnecido; más que desguarnecido: es un hecho que tanto la nunciatura como miembros de la Conferencia Episcopal alentaron las operaciones contra Suárez organizadas por los democristianos de su partido, y es muy probable que el nuncio y algunos obispos fueran informados en los días previos al golpe de que era inminente un recorte o una rectificación de la democracia con el aval del Rey. Cuesta trabajo creer que todo esto sea ajeno al comportamiento de la Iglesia el 23 de febrero. Aquella tarde la asamblea plenaria de la Conferencia Episcopal se hallaba reunida en la Casa de Ejercicios del Pinar de Chamartín, en Madrid, con el fin de elegir al sustituto del cardenal Tarancón; al conocerse la noticia del asalto al Congreso la asamblea se disolvió sin pronunciar una sola palabra en favor de la democracia ni hacer un solo gesto de condena o de protesta por aquel atropello contra la libertad. Ni una sola palabra. Ni un solo gesto. Nada. Es cierto: como casi todo el mundo.

6

Conspira desde luego contra Suárez (o Suárez siente que conspira contra él) el principal partido de la oposición: el PSOE. Pero, a diferencia de Fraga y su partido, de los empresarios y los financieros y hasta de los periodistas, los dirigentes del PSOE carecen de la menor experiencia de poder y apenas empiezan a adentrarse en las galerías de la gran cloaca madrileña, de forma que operan con una ingenua torpeza de novatos que los vuelve fácilmente manejables para quienes traman el golpe.

Los socialistas han sido la sorpresa de la democracia: dirigido desde 1974 por un grupo impetuoso de jóvenes de limpio pedigrí democrático (aunque de escasa o nula relevancia en la lucha antifranquista), el PSOE es a partir de entonces un partido apiñado en torno al liderazgo de Felipe González, y en 1977, tras las primeras elecciones democráticas, se convierte en el segundo partido del país y el primero de la izquierda, desplazando al partido comunista de Santiago Carrillo, que durante todo el franquismo ha sido en la práctica el único partido de la oposición clandestina. El triunfo electoral sume a los socialistas en una perplejidad eufórica, y durante los dos años siguientes desarrollan, como lo hace la derecha de Fraga y los comunistas de Carrillo, una política de acuerdos con Suárez que culmina con la aprobación de la Constitución, pero a principios de 1979, cuando están a punto de celebrarse las primeras elecciones constitucionales, entienden que su hora ha llegado: como tanta gente a derecha e izquierda, piensan que, una vez demolido el edificio del franquismo y levantado con la Constitución el edificio de la democracia, Suárez ha puesto fin a la tarea que el Rey le encomendó; no desprecian a Suárez (o no de momento, o no en público, o no del todo) por ser un botones trepador designado a toda prisa capataz y por fin erigido en arquitecto, aunque están absolutamente seguros de que sólo ellos pueden gestionar con éxito la democracia, arraigarla en el país e integrarlo en Europa; piensan que el país piensa como ellos y piensan también, nerviosos como niños devorados por el hambre ante el escaparate de una pastelería, que si no ganan esas elecciones ya no las ganarán nunca; piensan que las van a ganar. Pero no las ganan, y aquella decepción es la responsable principal de cuatro decisiones que toman en los meses siguientes: la primera consiste en atribuir su inesperada derrota a la última intervención televisada de Suárez durante la campaña electoral, en la que el presidente consiguió asustar al electorado alertando contra el radicalismo marxista de un PSOE que según sus estatutos seguía siendo un partido marxista pero que según sus hechos y sus palabras era ya un partido socialdemócrata; la segunda consiste en interpretar la intervención televisada de Suárez como una forma de juego sucio, y en asumir que no se puede jugar limpio con alguien que juega sucio; la tercera consiste en aceptar que sólo alcanzarán el gobierno si consiguen destruir política y personalmente a Suárez, haciendo añicos la reputación del líder que los ha vencido en dos elecciones consecutivas; la cuarta es el corolario de las tres anteriores: consiste en lanzarse en picado contra Suárez.

A partir del otoño de 1979 –una vez eliminado de los estatutos del PSOE el término marxismo y reforzado el poder de Felipe González en la dirección del partido– la ofensiva, cada vez mejor avalada por la incapacidad de Suárez para frenar el deterioro del país, es despiadada: los socialistas pintan a diario un cuadro apocalíptico de la gestión del presidente, desentierran y le arrojan a la cara su pasado de botones falangista y de escalador del Movimiento, le acusan de estar arruinando el proyecto democrático, de estar dispuesto a vender España por seguir en la Moncloa, de analfabeto, de tahúr, de golpista en potencia. Mientras tanto, optan por dar un golpe de efecto, y a mediados de mayo de 1980 presentan en el Congreso una moción de censura contra Suárez. La maniobra, destinada en teoría a convertir a Felipe González en presidente, es un fracaso aritmético porque el líder socialista no obtiene votos suficientes para arrebatarle a Suárez su cargo, pero sobre todo es un éxito propagandístico: durante el debate las cámaras de televisión muestran a un González joven, persuasivo y presidencial frente a un Suárez envejecido y derrotado, incapaz siquiera de defenderse de los ataques de su adversario. Este triunfo, sin embargo, marca un límite: con la moción de censura los socialistas han agotado los mecanismos parlamentarios de asalto a la presidencia; y es entonces cuando, aguijoneados por la desesperación y el temor y la inmadurez y la codicia de poder, empiezan a explorar los límites de la democracia recién estrenada forzando al máximo sus reglas sin haberlas dominado todavía; y es entonces cuando se convierten en instrumentos útiles para los golpistas.

Desde antes del verano también aquellos recién llegados a los salones, tertulias y restaurantes del pequeño Madrid del poder han hablado y oído hablar de golpes de estado, de gobiernos de concentración, de gobiernos de gestión, de gobiernos de salvación, de operaciones De Gaulle; su actitud ante ello es ambigua: por un lado los rumores los inquietan; por otro lado no desean quedar al margen de la sustitución de Suárez, porque están impacientes por demostrar que, además de saber ejercer de oposición, saben ejercer de gobierno, y empiezan ellos también a considerar la hipótesis de formar un gobierno de coalición o concentración o unidad presidido por un militar, propuesta para la que en la última semana de agosto buscan apoyo entrevistándose con Jordi Pujol, presidente del gobierno autonómico catalán. Sin duda con esa idea en la cabeza, en el otoño los socialistas hacen averiguaciones sobre el estado de ánimo del ejército y sobre los murmullos de golpe militar, y a mediados de octubre, tras una reunión interna en la que Felipe González se pregunta si no están ya encendidas todas las luces de alerta de la democracia y en la que se discute la eventualidad de que el partido entre en un gobierno de coalición, varios dirigentes del PSOE se reúnen con el general Sabino Fernández Campo, secretario del Rey, y con el general Alfonso Armada, su predecesor en el cargo, que suena con insistencia desde hace meses como posible presidente de un gobierno de unidad. Felipe González participa en la entrevista con Fernández Campo; en la entrevista con Alfonso Armada no: lo hace Enrique Múgica, número tres del partido y hasta hace poco tiempo presidente de la comisión de Defensa del Congreso. A la luz del 23 de febrero la conversación entre Múgica y Armada cobra un sentido importante, y más de una vez sus protagonistas la han contado en público. La entrevista, que dura casi cuatro horas, se celebra el 22 de octubre durante un almuerzo en casa del alcalde de Lérida, provincia donde el general ejerce de gobernador militar desde principios de año, y a ella, además del anfitrión, asiste también Joan Raventós, líder de los socialistas catalanes. Múgica y Armada parecen congeniar personalmente; políticamente también, al menos en el punto decisivo: ambos convienen en que la situación del país es catastrófica, lo que según Armada preocupa muchísimo al Rey y está poniendo en peligro la Corona; ambos convienen en que el único responsable de la catástrofe es Suárez y en que la salida de Suárez del poder es la única solución posible al desaguisado, aunque según Armada la solución no sería completa si acto seguido no se formara un gobierno de concentración o unidad con participación de los principales partidos políticos y presidido por un independiente, a ser posible un militar. Múgica no dice que no a esta última sugerencia; entonces interviene Raventós y le pregunta a Armada si él estaría dispuesto a ser el militar que encabece el gobierno; a esa sugerencia Armada tampoco dice que no. El almuerzo concluye sin promesas ni compromisos, pero Múgica redacta un informe sobre la entrevista para el Comité Ejecutivo del partido, en las semanas que siguen diversos miembros de ese organismo tantean a dirigentes de partidos minoritarios sobre la posibilidad de formar un gobierno de coalición presidido por un militar y durante el otoño y el invierno se extienden por Madrid rumores diversos –el PSOE planea una nueva moción de censura apoyada por un sector del partido de Suárez, el PSOE planea entrar en un gobierno de gestión o de concentración con el partido de Fraga y un sector del partido de Suárez– unidos por el común denominador de un general con el que los socialistas pretenden desalojar a Suárez de la Moncloa.

Eso fue todo. O eso es todo lo que sabemos, porque en aquella época los dirigentes del PSOE discutieron a menudo el papel que el ejército podía desempeñar en situaciones de emergencia como la que según ellos atravesaba el país, lo que no dejaba de ser una forma de señalizar la pista de aterrizaje de la intervención militar. En todo caso, la larga charla de sobremesa entre Enrique Múgica y el general Armada en Lérida y los movimientos y rumores a que dio lugar constituyeron un respaldo a las inclinaciones golpistas de Armada y una buena coartada para que en los meses previos al golpe el antiguo secretario del Rey insinuara o declarara aquí y allá que los socialistas participarían de grado en un gobierno unitario presidido por él o incluso que le estaban animando a formarlo, y para que en la misma noche del 23 de febrero, agitando de nuevo la banderola de la aquiescencia del PSOE, tratara de imponer por la fuerza ese gobierno. Todo esto no significa desde luego que durante el otoño y el invierno de 1980 los socialistas conspiraran en favor de un golpe militar contra la democracia; significa sólo que una fuerte dosis de aturullamiento irresponsable provocada por la comezón del poder les llevó a apurar hasta lo temerario el asedio al presidente legítimo del país y que, creyendo maniobrar contra Adolfo Suárez, acabaron maniobrando sin saberlo en favor de los enemigos de la democracia.

7

Pero quien sobre todo conspira contra Suárez (quien Suárez siente sobre todo que conspira contra él) es su propio partido: Unión de Centro Democrático. La palabra partido es inexacta; en realidad, UCD no es un partido sino un cóctel laborioso de grupos de ideologías dispares –desde los liberales y democristianos a los socialdemócratas, pasando por los llamados azules, procedentes como Suárez de las entrañas mismas del aparato franquista–, un sello electoral improvisado en la primavera de 1977 para concurrir a los primeros comicios libres en cuarenta años con el reclamo de Adolfo Suárez, quien según la previsión unánime los ganará gracias al éxito de su trayectoria como presidente del gobierno, durante la que ha conseguido desarmar en menos de un año el armazón institucional del franquismo y convocar las primeras elecciones democráticas. Finalmente los pronósticos se cumplen, Suárez consigue la victoria y a lo largo de los dos años siguientes UCD permanece unida por el pegamento del poder, por el liderazgo indiscutido de Suárez y por la urgencia histórica de construir un sistema de libertades. La primavera de 1979 conoce el momento estelar de Suárez, la cima de su dominio y también del de su partido: en diciembre se ha aprobado la Constitución, en marzo ha ganado sus segundas elecciones generales, en abril sus primeras municipales, el edificio del nuevo estado parece a punto de rematarse con la tramitación de los estatutos de autonomía de Cataluña y el País Vasco; justo en ese momento de plenitud, sin embargo, Suárez empieza a sumirse en una suerte de letargia de la que ya no saldrá hasta abandonar la presidencia, y su partido a resquebrajarse sin remedio. El fenómeno es extraño, pero no inexplicable, sólo que no tiene una única explicación, sino varias. Adelanto dos: una es política y es que Suárez, que ha sabido hacer lo más difícil, es incapaz de hacer lo más fácil; otra es personal y es que Suárez, que hasta entonces parece un político de acero, se derrumba psicológicamente. Añado una tercera explicación, a la vez política y personal: los celos, las rivalidades y las discrepancias que germinan en el seno de su partido.

En efecto: a fines de marzo de 1980, cuando la mala marcha del país es ya inocultable y abrumador el pesimismo de las encuestas que maneja el gobierno, tres agrias derrotas en las urnas (en el País Vasco, en Cataluña y en Andalucía) desnudan en UCD ambiciones insatisfechas y disensiones ideológicas hasta entonces tapadas por los oropeles de la victoria, de forma que cualquier asunto relevante (la política económica, la política autonómica, la política educativa, la ley del divorcio, la integración en la OTAN) y más de uno irrelevante provoca controversias que se aplazan para evitar una explosión intestina y que el tiempo no hace más que enconar; por su parte, Suárez está cada vez más ausente, más perplejo y más encerrado en el laberinto doméstico de la Moncloa, ha perdido la energía de sus primeros años en el gobierno y parece incapaz de poner orden en el guirigay levantisco en que se ha convertido su partido, tal vez porque sospecha desde hace tiempo que, animados por su propia debilidad, igual que animales que han olido el miedo en su presa los líderes de los grupos teóricamente fusionados en UCD vuelven a considerarlo lo que en el fondo quizá nunca dejaron de considerarlo: un falangistilla de provincias consumido por la ambición, un chisgarabís ignorante, un arribista de manual que había medrado en el caldo corrompido del franquismo gracias a la adulación y el mangoneo y que continuó medrando después gracias a que el Rey le encargó que desmontara con trucos de trilero y verborrea de mercachifle el tinglado del Movimiento, un pícaro que años atrás tal vez fue un mal necesario, porque conocía mejor que nadie las sentinas del franquismo, pero que ahora está conduciendo el país al despeñadero con sus irrisorias pretensiones de estadista. Así es como Suárez empieza a sospechar que le ven los líderes de su partido; sus sospechas no carecen de fundamento: juristas arrogantes, prestigiosos profesionales de buenas familias, altos funcionarios de carrera, hombres cultos y cosmopolitas o que se imaginan cultos y cosmopolitas, los líderes de UCD han pasado en pocos años de adular a Suárez, invistiéndolo de una supremacía de líder carismático, a denunciar cada vez más a las claras sus limitaciones personales e intelectuales, su nulidad como gobernante, sus pésimas dotes de parlamentario, su ignorancia de los usos democráticos –que le autoriza a creer que puede seguir gobernando como en sus tiempos de presidente a dedo, cuando sólo rendía cuentas ante el Rey–, sus desaires al Congreso y a los diputados de su partido en el Congreso, su caótico método de trabajo, su populismo seudoizquierdista y su aislamiento de prófugo en la Moncloa, donde vive abducido por una recua de turiferarios incompetentes y descoordinados. En abril de 1980 ésa es la realidad que por entonces es para Suárez sólo una sospecha: que todos los jefes de filas de su partido lo desprecian, igual que muchos de sus segundones, y que todos sienten que podrían sustituirlo con ventaja en su cargo.

Este íntimo sentimiento de los dirigentes de UCD encuentra poco más tarde una confirmación pública, y la sospecha de Suárez se transforma en certeza. Noqueado por la oratoria demoledora de Felipe González, durante el debate de la moción de censura presentada en mayo por los socialistas Suárez abochorna a los diputados de su partido rehuyendo el combate dialéctico y permitiendo que sean sus ministros quienes defiendan al gobierno desde la tribuna de oradores mientras el número dos socialista, Alfonso Guerra, fulmina al presidente con un secreto a voces. «La mitad de los diputados de UCD se entusiasma cuando oye hablar a Felipe González

–proclama Guerra en el Congreso–. Y la otra mitad se entusiasma cuando oye hablar a Manuel Fraga.» Suárez sobrevive a duras penas a la moción de censura, pero lo hace sabiendo que la frase de Guerra no es una mera estocada retórica de rifirrafe parlamentario, que su prestigio político limita con la nada, que su partido amenaza con desintegrarse y que si quiere evitar el final de su gobierno y recuperar el control de UCD debe tomar la iniciativa de inmediato. Es así como, en cuanto puede hacerlo, reúne a los jefes de fila del partido en una finca del Ministerio de Obras Públicas, en Manzanares el Real, no lejos de Madrid. El cónclave dura tres días y supone la peor humillación que ha padecido hasta entonces en su vida política; de hecho, es fácil imaginar que, apenas empezado el debate, los ojos de sus compañeros le devuelven a Suárez la verdad, y que Suárez lee en ellos la palabra falangistilla, la palabra chisgarabís, la palabra arribista, la palabra adulador, la palabra ignorante, la palabra trilero, la palabra mercachifle, la palabra pícaro, la palabra populista, la palabra incapaz. Pero no hace falta imaginar nada, porque la realidad es que durante esos tres días los jefes de filas de UCD le dicen a Suárez en la cara todo lo que llevan diciendo hace meses a su espalda, y que si no terminan definitivamente con él es porque aún no disponen de un sustituto viable –ninguno de ellos cuenta con el apoyo de los demás, y las bases y cuadros del partido están todavía con el presidente– y porque Suárez aprovecha esa carencia para revolverse: tras encajar como puede las críticas a la totalidad que le infligen, Suárez promete enmendar sus hábitos desdichados de presidente y sobre todo adquiere el compromiso de repartir el poder con ellos, de tal modo que a partir de aquel momento deje de ser en la práctica el jefe del partido y del gobierno para convertirse en un primus inter pares. Concluida la reunión, Suárez intenta cumplir la promesa de inmediato; también el compromiso, y a finales de agosto diseña con algunos fieles una estrategia que supone rehacer el gobierno por segunda vez en pocos meses y entregar ministerios fuertes a los jefes de filas de UCD. El arreglo no carece de contrapartidas perjudiciales para su futuro –la peor: tal vez precipita la salida del gobierno del vicepresidente Abril Martorell, un amigo de muchos años que en los últimos tiempos le ha servido a la vez como escudo y como hombre para todo–, pero convence a Suárez de que con él sofoca la revuelta y puede prolongar su presidencia agonizante y resarcirse de los agravios recibidos demostrándoles a sus críticos que se equivocan. Quien se equivoca sin embargo es él, porque no sabe o no puede entender que una vez que se pierde el respeto por alguien ya no puede recuperarse, y que en el interior de su partido la rebelión es imparable.

El 17 de septiembre, recién constituido su nuevo gobierno, un Suárez que parece por momentos despertar de su letargo gana con holgura en el Congreso una moción de confianza que, puesto que debe permitirle gobernar sin problemas en los próximos meses, confirma durante unas horas el optimismo de sus predicciones. Al día siguiente, no obstante, estalla el motín. Miguel Herrero de Miñón –uno de los líderes del sector democristiano del partido– publica en *El País* un artículo que finge ser una matización razonada del resultado de la moción de confianza pero que es en realidad un ataque frontal a la forma de hacer política de su presidente. Pocos días después los diputados de UCD eligen a Herrero de Miñón para el cargo de portavoz del partido en el Congreso; dado que Herrero de Miñón se había presentado a la elección como antídoto de los abusos y negligencias de Suárez, y dado que éste había promovido una candidatura derrotada, la elección supone un severo varapalo para el presidente, quien sólo entonces intuye que sus promesas y concesiones veraniegas no han disuelto el rechazo acumulado contra él, sino que lo han acrecentado. La intuición es ahora exacta, pero tardía: a esas alturas el poderoso sector democristiano de UCD conspira públicamente para echarlo de la presidencia; también han empezado a hacerlo los liberales y los socialdemócratas y los azules, y a medida que avanza el otoño y empieza el invierno incluso los más leales al presidente se desenganchan a escondidas de su lealtad y toman posiciones ante un futuro sin él: presionados, cortejados y respaldados por periodistas, empresarios, financieros, militares y eclesiásticos, unos aspiran a formar una nueva mayoría con Fraga; presionados, cortejados y respaldados por el ímpetu juvenil, la ambición desaforada y la fe absoluta en sí mismos de los socialistas, otros aspiran a formar una nueva mayoría con González; todos o casi todos –democristianos y liberales y socialdemócratas y azules, antisuaristas de siempre y antisuaristas de última hora– discuten cómo sustituir a Suárez sin pasar por las urnas y a quién colocar en su lugar. En los primeros días de 1981, mientras UCD prepara su segundo congreso, que debe celebrarse a finales de enero en Palma de Mallorca, la confusión en el partido es total, y en esas fechas un documento donde se exige mayor democracia interna, redactado por los adversarios del presidente, ha sido ya suscrito por más de quinientos compromisarios centristas, lo que supone una amenaza muy seria para el control que Suárez conserva todavía sobre las bases y cuadros del partido, en los que tiene su último reducto. Como en Alianza Popular, como en el PSOE, como en todo el pequeño Madrid del poder, en UCD también se viene discutiendo la hipótesis de que un militar o un político de prestigio al frente de un gobierno de coalición o de concentración o de gestión o de unidad sea el mejor instrumento para echar a Suárez del gobierno y superar la crisis; la miman ciertos diputados con peso en el partido –sobre todo diputados del sector democristiano bien relacionados con los militares, y en especial con Alfonso Armada, con quien alguno ha discutido personalmente la idea– y a mediados de enero se recrudecen rumores que circulan con intensidad variable desde el verano, rumores de golpes duros o blandos y rumores según los cuales se prepara una nueva moción de censura contra el presidente, una moción presentada probablemente por el PSOE pero apoyada por un sector de UCD si no gestada dentro de él, lo que debe garantizar su éxito y quizá la formación del gobierno de emergencia del que todo el mundo habla y para el que todo el mundo empezando por el propio Suárez sabe que se postula el general Armada. En realidad los rumores sobre la moción de censura son mucho más que rumores –no hay duda de que la moción de censura se discutió seriamente en el partido–, pero en cualquier caso UCD es a un mes del 23 de febrero un tropel de políticos que maquina sin descanso contra el presidente del gobierno mucho antes que el partido político que sostiene al gobierno. En medio de ese tropel crece el golpe: ese tropel no es la placenta del golpe, pero sí es una parte sustancial de la placenta del golpe.

8

Lo anterior sucede en España, donde todo parece conspirar contra Adolfo Suárez (o donde Adolfo Suárez siente que todo conspira contra él). Fuera de España la situación no es más favorable para el presidente; lo fue, pero ya no lo es, entre otras razones porque desde que llegó al poder Suárez ha hecho lo contrario de lo que ha hecho el mundo: mientras él intentaba desesperadamente girar a la izquierda, el mundo giraba tranquilamente a la derecha.

En julio de 1976, cuando el Rey entrega a Suárez la presidencia del gobierno, Europa aguarda con simpatía no exenta de escepticismo el cambio pacífico de la dictadura a la democracia; Estados Unidos, con simpatía no exenta de aprensión: por entonces su ideal para España –desde el punto de vista estratégico un país clave en caso de guerra con la Unión Soviética– es una monarquía parlamentaria dócil y una democracia con límites, que impida la existencia de un partido comunista legal e integre al país en la OTAN. De entrada el nombramiento de Suárez, catalogado como un joven león del franquismo, complace mucho más a Estados Unidos que a Europa, pero pronto las preferencias se invierten: Suárez legaliza el partido comunista, propulsa el país hacia una democracia plena y, pese a las constantes presiones que se ejercen sobre él –incluida la presión de sus propios correligionarios de UCD–, aplaza sin fecha la solicitud de ingreso en la Alianza Atlántica; no sólo eso: convencido de que manteniéndose al margen de la división en bloques impuesta por la guerra fría España puede desempeñar un papel internacional más eficaz o más visible que inscribiéndose como comparsa en la disciplina del bloque estadounidense, durante su último año de gobierno Suárez recibe en la Moncloa al líder palestino Yassir Arafat y envía un observador oficial a la Conferencia de Países No Alineados. Cuatro años atrás, estos ademanes de independencia –que en España irritan a la derecha y a casi todos los líderes del partido del presidente pero no a una opinión pública mayoritariamente antiamericana– hubieran causado en Washington una tenue inquietud mezclada de asombro; añadidos a la inestabilidad del país, en el otoño de 1980 causan una alarma notoria. Porque en esos cuatro años las cosas han cambiado de forma radical, y no sólo para Estados Unidos: en octubre de 1978 Karol Wojtila ha sido elegido Papa de la Iglesia católica; en mayo de 1979 Margaret Thatcher ha sido elegida primera ministra del Reino Unido; en noviembre de 1980 Ronald Reagan ha sido elegido presidente de Estados Unidos. Se extiende por Occidente una revolución conservadora y, a fin de terminar con la Unión Soviética mediante un anillo de presiones concéntricas, Reagan relanza la carrera armamentística y caldea la guerra fría. Dadas esas circunstancias, si hay algo que no quiere Washington son trastornos al sur de Europa: en septiembre apoyó con éxito un golpe militar en Turquía, y ahora alberga el temor de que la fragilidad de aquel Suárez inclinado hacia la izquierda y acosado por la crisis política y económica y por un partido socialista cada vez más fuerte, termine propiciando una revolución semejante a la portuguesa de 1974. De forma que cuando en los meses previos al 23 de febrero la embajada norteamericana en Madrid y la estación de la CIA empiezan a recibir noticias de la inminencia de un golpe de bisturí o de timón en la democracia española, su reacción, más que favorable, es entusiasta, en particular la de su embajador Terence Todman, un diplomático ultraderechista que años atrás, como encargado de la política norteamericana en América Latina, apoyó a fondo las dictaduras latinoamericanas, que ahora consigue que los dos únicos políticos españoles acogidos por el presidente Reagan en la Casa Blanca antes del golpe sean dos significados políticos franquistas en barbecho –Gonzalo Fernández de la Mora y Federico Silva Muñoz– y que el día 13 de febrero se reúne en una finca próxima a Logroño con el general Armada. No conocemos el contenido de esa reunión, pero hay hechos que demuestran sin lugar a dudas que el gobierno norteamericano estuvo informado del golpe antes de que ocurriera: desde el día 20 de febrero las bases militares de Torrejón, Rota, Morón y Zaragoza se hallaban en estado de alerta y buques de la VI Flota fueron situados en las cercanías del litoral mediterráneo, y a lo largo de la tarde y la noche del día 23 un avión AWACS de inteligencia electrónica perteneciente al 86 Escuadrón de Comunicaciones desplegado en la base alemana de Ramstein sobrevoló la península con objeto de controlar el espacio radioeléctrico español. Estos detalles no se conocieron sino días o semanas o meses más tarde, pero en la misma noche del 23 de febrero, cuando el secretario de estado norteamericano, el general Alexander Haig, despachó una pregunta sobre lo que estaba sucediendo en España sin una palabra de condena del asalto al Congreso ni una palabra en favor de la democracia –el intento de golpe de estado no pasaba de ser para él «un asunto interno»–, nadie dejó de entender lo único que podía entenderse: que Estados Unidos aprobaba el golpe y que, si éste acababa triunfando, el gobierno norteamericano sería el primero en celebrarlo.

9

Así que en los últimos días de 1980 y los primeros de 1981 la realidad en pleno parece conspirar contra Adolfo Suárez (o Adolfo Suárez siente que la realidad en pleno conspira contra él): los periodistas, los empresarios, los financieros, los políticos de derecha, de centro y de izquierda, Roma y Washington. Lo hacen incluso algunos líderes comunistas, que se manifiestan en público o en privado a favor de un gobierno de concentración presidido por un militar. Lo hacen incluso los líderes de los principales sindicatos, que hablan de situaciones límite, de situaciones de emergencia, de crisis no de gobierno sino de estado. Lo hace incluso el Rey, que intenta a su modo librarse de Suárez y que espolea a unos y a otros contra él.

Con todos esos materiales se fabricó el golpe: las maniobras políticas contra Adolfo Suárez fueron el humus del golpe; con todos esos materiales se fabricó la placenta del golpe. Dicho esto, quizá la palabra conspiración pueda parecer inadecuada para definir la campaña de acoso político contra Adolfo Suárez; de otro modo: en los meses previos al golpe Suárez sentía sin duda que la realidad entera conspiraba contra él, pero ¿no era ése el simple sentimiento sin respaldo en los hechos de un hombre políticamente acabado y personalmente roto? ¿No fue lo realmente ocurrido en España durante esas fechas una simple confluencia de estrategias políticas, intereses y ambiciones legítimos orientados a extirpar del poder a un presidente inepto? Lo fue, pero eso es exactamente una conspiración política: la alianza de un conjunto de personas contra quien ostenta el poder. Y eso es exactamente lo que se produjo en España en los últimos días de 1980 y los primeros de 1981. Repito que esta conspiración era en el fondo legítima, pero no lo era en la forma, y por lo menos en la política española de entonces, tras cuarenta años de dictadura y menos de cuatro de democracia, la forma era el fondo: estirar hasta el límite las formas fragilísimas de la democracia, levantando una densa polvareda política mientras se acudía a unos militares permanentemente tentados de destruir el sistema político como recurso para terminar con la presidencia de Suárez, suponía entregarles a los enemigos de la democracia el instrumento con que terminar con Suárez y con la democracia. Pocos rechazaron participar en ese galimatías suicida; entre ellos estaban el general Gutiérrez Mellado y Santiago Carrillo, dos de los escasos políticos de primera fila que no se sumaron al asedio presidencial y que de ese modo evitaron el error común a una clase dirigente cuya pasión conspirativa contra Adolfo Suárez la llevó consciente o inconscientemente a conspirar contra la democracia. En cuanto al propio Suárez, era desde luego un político puro, y como tal, pese a que estuviese políticamente acabado y personalmente roto, continuaba en esos meses peleando por mantenerse en el poder, peleaba por sí mismo, pero al pelear por sí mismo y pelear por mantenerse en el poder también peleaba por sostener el edificio que había construido durante los años en que ejerció la presidencia: aunque desde el principio los militares golpistas consideraron a Suárez la encarnación de la democracia –y por eso cuando por fin se lanzaron al golpe éste fue para ellos un golpe contra Suárez antes que un golpe contra la democracia–, quizá nunca Suárez encarnó de verdad la democracia hasta los días previos al golpe, y quizá nunca la encarnó con plenitud hasta la tarde del 23 de febrero, mientras sentado en su escaño de presidente zumbaban a su alrededor las balas en el hemiciclo del Congreso, porque nunca como en aquel instante pelear por sí mismo y por mantenerse en el poder equivalió con tanta precisión a pelear por la democracia.

10

He escamoteado al conspirador principal: el ejército. El golpe del 23 de febrero fue un golpe militar contra Adolfo Suárez y contra la democracia, pero ¿quién conspiraba en el ejército durante el otoño y el invierno de 1980? ¿Y con qué finalidad conspiraba? ¿Conspiraban también los servicios de inteligencia, que eran por entonces una parte del ejército? ¿Conspiraba también el CESID, que era el organismo que agrupaba a la mayor parte de los servicios de inteligencia? Y, si lo hacía, ¿conspiraba para echar a Adolfo Suárez del poder o conspiraba en favor del golpe? ¿Participó el CESID en el golpe del 23 de febrero? Este último es uno de los puntos más controvertidos del golpe y, por razones obvias, sin duda el que mayor cantidad de especulaciones ha suscitado: explorarlo permite también explorar las maniobras golpistas que fraguaban en el ejército durante los meses previos al golpe.

El juicio por el 23 de febrero encausó únicamente a dos miembros del CESID: el comandante José Luis Cortina, jefe de la AOME, la unidad de operaciones especiales del centro, y el capitán Vicente Gómez Iglesias, subordinado de Cortina. El comandante fue absuelto; el capitán fue condenado: la verdad judicial del 23 de febrero afirma por tanto que el CESID como institución no participó en el golpe, y que lo hizo por iniciativa propia uno solo de sus miembros. ¿Es la verdad judicial la verdad de los hechos? Naturalmente, los responsables de los servicios de inteligencia de la época –su jefe, el coronel de infantería de marina Narciso Carreras, y su secretario general y hombre fuerte, el teniente coronel Javier Calderón– han negado siempre no sólo que el CESID participara en el golpe, sino haber tenido el menor indicio previo de que se preparaba, lo que por otra parte equivale al reconocimiento de un fracaso estrepitoso, porque una de las misiones primordiales que el gobierno había asignado a los servicios de inteligencia –si no la misión primordial– consistía en prevenirle de la eventualidad de un golpe. ¿Dicen la verdad Carreras y Calderón? ¿Fracasó realmente el CESID el 23 de febrero? ¿O, por el contrario, no fracasó y conocía los preparativos del golpe y sin embargo no puso en guardia al gobierno, porque estaba implicado en la rebelión? Dos hechos parecen de entrada incuestionables: uno es que, aun suponiendo que no conociera con antelación los detalles exactos del golpe –el quién, el cuándo, el cómo y el dónde–, el CESID tenía noticias fidedignas de la conspiración contra Adolfo Suárez y de las tramas militares que de una u otra forma acabarían desembocando en el 23 de febrero; el otro es que informó de ello al gobierno. Eso es al menos lo que se desprende de un informe habitualmente atribuido al CESID, fechado en noviembre de 1980 y titulado «Panorama de las operaciones en marcha», un informe que según una versión aceptada por quienes años más tarde lo han publicado en diversos libros fue enviado al Rey, a Adolfo Suárez, al general Gutiérrez Mellado y al ministro de Defensa, Agustín Rodríguez Sahagún.

Se trata quizá del documento más útil de que disponemos para entender los antecedentes directos del golpe, porque contiene una descripción contemporánea, detallada y en gran parte veraz de las conspiraciones políticas y militares de la época y un anuncio bastante exacto de lo que ocurriría el 23 de febrero. El informe está dividido en un prólogo y tres partes; cada una de las partes examina un tipo de operación: la primera examina las operaciones civiles; la segunda, las operaciones militares; la tercera, una operación mixta, cívico-militar. El prólogo se limita a exponer una obviedad y una cautela: la obviedad afirma que el común denominador de las operaciones que en adelante se exponen es el deseo de derribar a Adolfo Suárez para acabar con «el clima de anarquía y el desbarajuste sociopolítico existentes»; la cautela señala que, dada la anarquía y el desbarajuste existentes, «no hay razón alguna para pretender que no haya más operaciones en marcha», y más bien «nos tememos que estas últimas pudieran ser casi infinitas». La primera parte del informe describe cuatro operaciones civiles, es decir cuatro operaciones políticas, tres de ellas articuladas en el interior del partido del presidente y la cuarta en el del partido socialista: el informe minimiza la viabilidad de las primeras, pero subraya el interés de cada uno de sus organizadores –democristianos, liberales y azules de UCD– por la operación cívico-militar; mucha más importancia concede a la operación socialista. Ésta debería ponerse en práctica en los meses de enero o febrero de 1981 y consistiría en la presentación de una moción de censura por parte del PSOE, previo pacto con un numeroso grupo disidente de UCD, de resultas de la cual Suárez sería expulsado del poder y se formaría un gobierno de concentración presidido por un militar de talante liberal y bien visto por la Corona, lo que neutralizaría las tentaciones golpistas del ejército y, suponiendo que sus promotores contasen con un militar adecuado y dispuesto y con la aprobación del Rey, dotaría al proyecto de «una credibilidad casi total». El perfil del militar adecuado y dispuesto era el perfil del general Armada o el perfil que solía atribuirse al general Armada, quien, según sabía sin duda el autor del informe, acababa de reunirse en Lérida con dirigentes socialistas. En este apartado se anota también el interés del PSOE por la operación cívico-militar que se expondrá al final, y que no es más que una variante de la operación socialista.

La segunda parte del informe examina tres operaciones militares: la de los tenientes generales, la de los coroneles y la de un grupo al que denomina «los espontáneos». Aquí la información del autor es especialmente nutrida y fiable. Según él, las tres operaciones son autónomas aunque no carecen de puntos de conexión, y en cualquier momento pueden unirse;

las tres son además altamente viables y peligrosas. La operación de los tenientes generales, cuyo civil de referencia es Manuel Fraga, consistiría en un pronunciamiento colectivo de las capitanías generales –los centros de poder del ejército en cada una de las regiones militares en que se hallaba dividido el país–, lo que, a semejanza de lo ocurrido dos meses atrás en Turquía, dotaría al golpe de un tono o apariencia institucional; el informe omite el nombre de los tenientes generales involucrados en la operación (y entre ellos el del más conspicuo: Jaime Milans del Bosch, capitán general de Valencia), pero considera «más que probable» que el golpe se produzca si continúa el deterioro político. Como la anterior, la operación de los coroneles no está aún del todo madura; a diferencia de la anterior, la de los coroneles, que son «fríos, racionales y metódicos», está siendo planeada con cuidado y por eso –y por «la calidad humana y profesional» de los organizadores– una vez activada «sería imparable»; también a diferencia de la anterior, esta operación desdeña la Corona: los coroneles poseen una mentalidad social «avanzada, rayando en un socialismo muy nacionalista y nada marxista» y su ideal político no es la monarquía sino una república presidencialista. De nuevo el informe vincula el nombre de Manuel Fraga a esta operación; de nuevo omite el de sus promotores, tal vez uno de los cuales fuera el coronel José Ignacio San Martín, jefe del principal servicio de inteligencia del tardofranquismo y por esa época jefe de Estado Mayor de la División Acorazada Brunete. En cuanto a la tercera operación, la de los llamados espontáneos, se trata según el informe de la más peligrosa: no sólo porque es la más violenta e inminente, sino también porque carece de la menor vocación monárquica. Los espontáneos consideran que la única forma de galvanizar al ejército en torno a un golpe consiste en lanzar sobre un punto neurálgico del país un ataque demoledor («no excluyéndose ejecuciones fulminantes si se encontrasen resistencias o negativas de dimisión»): el informe no menciona el Congreso de los Diputados, pero sí el palacio de la Moncloa, ministerios decisivos, centros de comunicación; de acuerdo con las previsiones de los espontáneos, una vez consumado el golpe de mano «el resto de las Fuerzas Armadas se sumaría a él o al menos no lo impediría mediante la fuerza» y, una vez eliminada «totalmente» la clase política, los jefes de la operación «se pondrían a las órdenes de mandos militares contrastados, los cuales darían forma definitiva al golpe militar total». Según el informe, el plan de los espontáneos tuvo un precedente en «la famosa Operación Galaxia», que es como la prensa bautizó el golpe que dos años antes había proyectado y no había conseguido ejecutar Tejero, con lo que el autor está señalando al teniente coronel como protagonista de esta nueva intentona.

Hasta aquí las operaciones civiles y militares en marcha; a continuación el informe pasa a considerar la operación mixta, cívico-militar. Ésta viene a ser un golpe blando destinado a conjurar el riesgo de los tres golpes duros recién descritos; sus promotores son un grupo de civiles sin militancia pero con experiencia política y un grupo de generales en activo, «de brillantes historiales y capacidad de arrastre»; su mecanismo de puesta en práctica es formalmente constitucional, «aunque tal formalidad no pasaría de cubrir las apariencias legales mínimas para evitar la calificación de golpismo»: consistiría en forzar la dimisión de Suárez mediante una serie continuada de presiones de procedencia diversa (partidos políticos y medios financieros, empresariales, eclesiásticos, militares y periodísticos) que culminaría con la presión del Rey, quien acto seguido y con el apoyo de los principales partidos propondría como presidente del gobierno a un general «con respaldo del resto de la estructura militar», que formaría un gobierno «de gestión o de salvación nacional» integrado al menos en un cincuenta por ciento por civiles independientes o propuestos por UCD, PSOE y Alianza Popular. Además de suprimir el terrorismo y levantar la economía, este gobierno –cuyo mandato acabaría en principio con la legislatura– reformaría la Constitución, eliminaría los gobiernos autonómicos, reduciría el poder de los partidos e ilegalizaría a comunistas y nacionalistas. No se trata en principio de destruir la democracia: se trata de recortarla o restringirla o encogerla y convertirla en una semidemocracia. Siempre según el informe, esta operación mixta no sólo contaba con el apoyo de líderes de UCD y del PSOE, a quienes se habría convencido de que era la única alternativa al golpe duro; también buscaba la conformidad de los promotores de las operaciones militares, asegurándoles que, si la mixta fracasase, el campo quedaría libre para su intento («en el cual encontrarían la colaboración que ellos hubieran prestado a ésta»). El informe concluía afirmando: «La viabilidad de esta operación es muy alta»; arriesgaba incluso una fecha: «Su plazo de ejecución se estima podría culminar antes de la primavera de 1981 (salvo imponderables)».

Éste es en síntesis el contenido del «Panorama de las operaciones en marcha». Al final hubo imponderables, pero no demasiados: en lo fundamental las noticias que ofrecía el informe eran exactas; sus previsiones también: después de todo el golpe del 23 de febrero resultó ser un ensayo improvisado de llevar a cabo la operación cívico-militar al amparo de las cuatro operaciones civiles y con el concurso de las tres operaciones militares; o dicho con todos los nombres: un ensayo fracasado de entregar el poder al general Armada usando la fuerza de los conspiradores militares –los tenientes generales de Milans del Bosch, los coroneles de San Martín y los espontáneos de Tejero– para obligar a aceptar esta solución de emergencia a los conspiradores civiles –a UCD, a Alianza Popular y al PSOE–. Así que, si es verdad que el CESID redactó ese informe, no hay duda de que –aunque no conociera con exactitud el quién, el cuándo, el cómo y el dónde del golpe– el servicio de inteligencia poseía en noviembre de 1980 información tan solvente sobre las tramas golpistas como para ser capaz de predecir sin demasiado margen de error lo que acabaría sucediendo el 23 de febrero. Ocurre sin embargo que, pese a que suela atribuirse al CESID, el informe no es obra del CESID: su autor es Manuel Fernández-Monzón Altolaguirre, por entonces teniente coronel del ejército y jefe del gabinete de prensa del Ministerio de Defensa. Fernández-Monzón era un antiguo miembro de los servicios de inteligencia que conservaba múltiples conexiones entre sus antiguos compañeros y que durante años vendió informes político-militares a una selecta clientela de políticos, financieros y empresarios madrileños, además de ser en aquella época asesor de Luis María Anson en la agencia de noticias EFE. Su informe –que fue remitido al ministro de Defensa y efectivamente llegó hasta el Rey, hasta el presidente del gobierno y hasta su vicepresidente, y que sin duda circuló por el pequeño Madrid del poder en el otoño y el invierno de 1980– constituye un resumen feliz del enjambre de conspiraciones que hervía en vísperas del 23 de febrero, sobre todo en lo relativo a las conspiraciones militares. Aunque algunas de ellas eran de dominio público, la mayor parte de las noticias que contenía el informe procedía del CESID, cosa que demuestra que el servicio de inteligencia conocía el diseño general de las operaciones en marcha, pero no que conociera con exactitud, en los días previos a la asonada militar, el quién, el cuándo, el cómo y el dónde de ésta. ¿Lo conocía? ¿Fracasó el CESID en su misión de informar y prevenir al gobierno? ¿O no fracasó y no previno al gobierno porque estaba del lado de los rebeldes? El interrogante más controvertido sobre el 23 de febrero continúa de momento en pie: ¿participó el CESID en el golpe de estado?

11

23 de febrero

Fue un lunes. El día amaneció soleado en Madrid; hacia la una y media de la tarde el sol dejó de brillar y rachas de viento invernal barrían las calles del centro; hacia las seis y media ya estaba oscureciendo. Justo a esa hora –más precisamente: a las seis y veintitrés minutos– el teniente coronel Tejero entraba en el Congreso de los Diputados al mando de una tropa de aluvión integrada por dieciséis oficiales y ciento setenta suboficiales y clases de tropa reclutados en el Parque de Automovilismo de la Guardia Civil, en la calle Príncipe de Vergara. Era el principio del golpe. Un golpe cuyo diseño elemental no respondía al diseño de un golpe duro sino al de un golpe blando, es decir al diseño de un golpe sin sangre que sólo debía esgrimir la amenaza de las armas lo suficiente para que el Rey, la clase política y la ciudadanía se plegasen a las pretensiones de los golpistas: tras la toma del Congreso, el capitán general de Valencia, general Milans del Bosch, sublevaba su región y tomaba la capital, el coronel San Martín y algunos oficiales de la División Acorazada Brunete sublevaban su unidad y tomaban con ella Madrid, y el general Armada acudía a la Zarzuela y convencía al Rey de que, con el fin de solucionar el problema creado por los militares rebeldes, le permitiera presentarse en su nombre en el Congreso para liberar a los parlamentarios secuestrados y a cambio de ello formar con los principales partidos políticos un gobierno de coalición o de concentración o de unidad bajo su presidencia. Esos cuatro movimientos tácticos correspondían en cierto modo a las cuatro operaciones militares anunciadas en noviembre por el informe de Fernández-Monzón: la toma del Congreso, que era el movimiento más complejo (y el detonante), correspondía a la operación de los espontáneos; la toma de Valencia, que era el movimiento más preparado, correspondía a la operación de los tenientes generales; la toma de Madrid, que era el movimiento más improvisado, correspondía a la operación de los coroneles; y la toma de la Zarzuela, que era el movimiento más simple (y el esencial), correspondía a la operación cívico-militar. Había no obstante una diferencia importantísima entre el golpe tal y como lo preveía el informe de Fernández-Monzón y el golpe tal y como se produjo en realidad: mientras que en el primer caso la operación cívico-militar funcionaba como un recurso político destinado a impedir las tres operaciones militares, en el segundo caso las tres operaciones militares funcionaban como un recurso de fuerza destinado a imponer la operación cívico-militar. Por lo demás, aunque el diseño del golpe fuera sencillo no lo era su ejecución o ciertos aspectos de su ejecución, pero en la mañana del 23 de febrero pocos golpistas albergaban dudas sobre su éxito: todos o casi todos pensaban que no sólo el ejército sino el Rey, la clase política y gran parte de la ciudadanía estaban predispuestos a aceptar la victoria del golpe; todos o casi todos pensaban que el país entero acogería el golpe con más alivio que resignación, si no con fervor. Avanzo un dato: en dos de los cuatro movimientos del golpe intervinieron agentes del CESID; avanzo otro: al menos en uno de esos movimientos su intervención no fue anecdótica.

Así es: a las cinco de la tarde de aquel día el capitán Gómez Iglesias, subordinado del comandante Cortina en el CESID, despejaba en el Parque de Automovilismo de la Guardia Civil las últimas dudas de los oficiales que debían acompañar al teniente coronel Tejero en el asalto al Congreso. Gómez Iglesias era amigo del teniente coronel desde que ambos habían coincidido años atrás en la comandancia de la guardia civil de San Sebastián, posiblemente llevaba meses vigilando a Tejero por orden del comandante Cortina, conocía a la perfección los planes de su amigo y en los últimos días le estaba ayudando a materializarlos. La ayuda que le prestó en aquel momento y en aquel lugar –hora y media antes del asalto al Congreso y en el despacho del coronel Miguel Manchado, jefe del Parque de Automovilismo– fue vital. Desde minutos antes de la llegada de Gómez Iglesias al despacho del coronel Manchado, el teniente coronel intentaba atropelladamente convencer a los oficiales reunidos allí de que acudieran con él al Congreso para llevar a cabo una operación de orden público de gran alcance nacional –ésa era la fórmula que empleaba una y otra vez–, una operación realizada por orden del Rey bajo el mando del general Armada, que en aquellos momentos debía de encontrarse ya en la Zarzuela, y del general Milans del Bosch, que iba a decretar el estado de excepción en Valencia. Ninguno de los oficiales que lo escuchaba desconocía el historial rebelde y las proclividades golpistas del teniente coronel y, aunque la mayor parte de ellos estaba desde días u horas atrás en el secreto de su proyecto y lo aprobaba, quienes no lo estaban mostraban sus dudas, sobre todo el capitán Abad, un oficial muy competente que mandaba un grupo muy competente y bien adiestrado de guardias civiles imprescindible para, una vez tomado el Congreso, montar un dispositivo de cierre y controlarlo; la entrada en el despacho de Gómez Iglesias, que por aquellas fechas realizaba un cursillo en el Parque de Automovilismo, lo cambió todo: las reticencias de Abad y los escrúpulos que aún pudiera albergar alguno de los demás oficiales desaparecieron en cuanto el capitán aseguró con su autoridad incontestable de agente del CESID que lo que había contado Tejero era cierto, y todos los reunidos se pusieron a la tarea de inmediato, llenando de tropa los seis autobuses que facilitó el coronel Manchado y organizando la partida hacia el Congreso, donde según el plan del teniente coronel el grupo debería reunirse con otro autobús que a aquella misma hora, en el otro extremo de Madrid, el capitán Jesús Muñecas estaba llenando de guardias civiles pertenecientes al Escuadrón de la Primera Comandancia Móvil de Valdemoro. De esa forma arrancó el movimiento inicial del golpe, y ésos fueron los hombres que lo dirigieron. Muchos investigadores del 23 de febrero sostienen sin embargo que, además del capitán Gómez Iglesias, varios agentes del CESID colaboraron en este punto con el teniente coronel golpista; según ellos, la columna de Tejero y la columna de Muñecas estuvieron coordinadas o enlazadas por vehículos conducidos por hombres del comandante Cortina –el sargento Miguel Sales, los cabos Rafael Monge y José Moya– y provistos con matrículas falsas, emisores de frecuencia baja y transmisores de mano. A mi juicio, esto sólo puede ser en parte cierto: es casi imposible que ambas columnas estuvieran enlazadas por el CESID, entre otras razones porque los emisores de frecuencia que usaban sus agentes tenían en la época un alcance de apenas un kilómetro y los radiotransmisores de quinientos metros (además, si hubieran estado enlazadas hubieran llegado al Congreso a la vez, como sin duda era su propósito, y no una columna mucho después de la otra, como realmente ocurrió); es posible en cambio que alguno de los vehículos del CESID escoltara a las columnas, no con el propósito de conducirlas hasta el Congreso (lo que sería absurdo: ningún habitante de Madrid necesita que le guíen hasta allí), sino con el de desbrozar su camino previniéndolas de los obstáculos que pudieran surgir a su paso.* Sea o no cierto lo anterior –y habrá que volver

* Hay asimismo indicios de que, junto a agentes del CESID, en la toma del Congreso participaron agentes del Servicio de Información de la Guardia Civil (SIGC) que se hallaban al mando del coronel Andrés Cassinello. Según un informe de un miembro de ese servicio publicado por la prensa en 1991, a las cinco de la tarde del 23 de febrero varios oficiales y veinte guardias civiles del Grupo Operativo del SIGC al mando de un teniente empezaron a desplegarse en el Congreso y sus alrededores, y a las cinco y media ya habían peinado la zona para asegurarse de que, llegado el momento, los policías encargados de la seguridad del edificio no se opusieran a la entrada del teniente coronel Tejero y sus guardias civiles. Esta información nunca ha sido desmentida.

sobre ello–, hay una cosa segura: como mínimo un agente del CESID subordinado al comandante Cortina prestó una ayuda decisiva al teniente coronel Tejero para que el asalto al Congreso fuera un éxito.

También fue un éxito el segundo movimiento del golpe: la ocupación de Valencia. A las cinco y media de aquella tarde, tras una mañana de desusado ajetreo en el edificio de la capitanía general, Milans del Bosch había reunido en su despacho a los generales que se hallaban bajo sus órdenes en la ciudad y estaba informándoles de lo que iba a ocurrir una hora después: habló del asalto al Congreso, de la toma de Madrid por la Acorazada Brunete, de la publicación de un bando en que declaraba el estado de excepción en la región de Valencia y de que todo ello contaba con la anuencia del Rey, quien estaría acompañado en la Zarzuela por el general Armada, responsable último del operativo y futuro presidente de un gobierno que lo nombraría a él jefe de la Junta de Jefes de Estado Mayor, el máximo organismo del ejército. Secundado por su segundo jefe de Estado Mayor, el coronel Ibáñez Inglés, y por su ayudante, el teniente coronel Mas Oliver, el general Milans –uno de los militares más prestigiosos del ejército español, uno de los más fervientemente franquistas, uno de los más declaradamente monárquicos– había sido el alma o una de las almas de la conjura: el golpe se había incubado en Valencia, allí se había dado alas a la compulsión golpista de Tejero, allí había concertado Milans sus planes con los de Armada, desde allí había conseguido para el golpe el apoyo o la benévola neutralidad de cinco de las once capitanías generales en que estaba dividida la geografía militar española (la II, con sede en Sevilla; la V, con sede en Zaragoza; la VII, con sede en Valladolid; la VIII, con sede en La Coruña; la X, con sede en las Baleares), desde allí había activado el día anterior la sublevación de la Acorazada Brunete en Madrid, desde allí se había erigido en el líder militar de los rebeldes. En vísperas del golpe Milans procuró cuidar los detalles: varios días atrás había hecho remitir a capitanía, desde la delegación valenciana del CESID, dos notas confidenciales –una, sobre un posible atentado terrorista de ETA; la otra, sobre posibles actos violentos protagonizados por militantes de sindicatos de izquierda– que, aunque calificadas con el mínimo índice de fiabilidad y basadas en informaciones falsas, debían servirle como cobertura adicional para el acuartelamiento de las unidades y la aplicación del estado de excepción previsto por el bando que en la mañana del 23 de febrero redactó a instancias suyas el coronel Ibáñez Inglés; también procuró cuidar los detalles el día del golpe: las dos notas del CESID habían sido elaboradas por algún miembro del servicio de inteligencia, pero Milans consideraba a ese organismo no un aliado sino un potencial enemigo del golpe, y una de las primeras medidas que adoptó tras declarar el estado de excepción fue retener al jefe del CESID en Valencia e impedir las actuaciones del organismo enviando a sus oficinas en la ciudad un destacamento compuesto por un comandante y varios soldados. Por lo menos en su territorio Milans tenía o creía tener bajo control todos los elementos necesarios para el golpe: aquella mañana había enviado a los jefes militares de la región órdenes encerradas en sobres lacrados que sólo debían abrir una vez que recibieran por teletipo una palabra clave («Miguelete») y, cuando a las seis de la tarde disolvió la reunión de generales que había convocado en capitanía y los envió a sus puestos de mando para dar inicio a las operaciones, nada parecía presagiar en Valencia el fracaso del golpe.

Nada lo presagiaba tampoco en El Pardo, a escasos kilómetros de Madrid, donde se hallaba el cuartel general de la División Acorazada Brunete, la unidad más potente, moderna y aguerrida del ejército, y también la más próxima a la capital. Nada lo presagiaba en todo caso hacia las cinco de la tarde, en el momento en que, casi al mismo tiempo que el teniente coronel Tejero vencía con la ayuda del capitán Gómez Iglesias los recelos de los oficiales captados para acompañarlo al Congreso y que el general Milans informaba a sus subordinados de la inminencia del golpe, tenía lugar una anómala reunión en el despacho del jefe de la división, el general José Juste. La reunión era anómala por varios motivos, el principal de los cuales es que había sido convocada a toda prisa por un simple comandante, Ricardo Pardo Zancada, a quien el día anterior el general Milans había hecho el encargo de sublevar la Brunete y tomar con ella Madrid. Pardo Zancada era por entonces un prestigioso jefe de Estado Mayor que había participado en alborotos contra el gobierno y estaba próximo a la conspiración de los coroneles o mantenía relaciones estrechas con algunos de ellos, en especial con el coronel San Martín, su superior inmediato y jefe de Estado Mayor de la división; también era estrecho el vínculo ideológico y personal que le unía a Milans desde que el general mandara la Brunete en la segunda mitad de los años setenta. Esto último explica que el domingo por la mañana Milans le hiciese llamar de urgencia y que, sin pedir aclaraciones ni dudarlo un instante, tras dar cuenta al coronel San Martín de aquella llamada intempestiva Pardo Zancada tomase el coche y partiese hacia Valencia. A la llegada del comandante a la ciudad después de un viaje de casi cuatro horas, Milans le refirió el plan del día siguiente tal y como al día siguiente se lo refirió a sus generales, y le encomendó la misión de sublevar su unidad con la ayuda de San Martín y de Luis Torres Rojas, un general que había tomado parte en reuniones preparatorias del golpe y había ostentado la jefatura de la Brunete antes de ser destituido de su cargo por un amago de rebelión y destinado al gobierno militar de La Coruña; aunque confiaba en que para levantar la división bastarían la aureola de guerrero invicto que lo rodeaba y la atmósfera insurreccional que, como en casi todas las unidades del ejército, se respiraba en ella, Milans hizo también que Pardo Zancada escuchara una conversación telefónica con el general Armada de la que el comandante dedujo que el Rey estaba al corriente del golpe. Pardo Zancada atendió a todo con sus cinco sentidos y, pese a la incertidumbre en que le sumieron las palabras de Milans y el diálogo entre Milans y Armada –el plan le parecía pobre, deshilvanado e inmaduro–, aceptó con entusiasmo el encargo; no se despejaron sus interrogantes cuando aquella medianoche, de regreso en Madrid, informó a San Martín, pero tampoco decreció su entusiasmo: ambos llevaban años esperando ese momento, y ambos convinieron en que la torpeza y la improvisación con que parecía haber sido preparado el golpe no les autorizaban a echarse atrás e impedir un triunfo que juzgaban sin duda seguro.

La mañana siguiente fue la más frenética de la vida del comandante Pardo Zancada: casi solo, sin la ayuda de Torres Rojas –a quien una y otra vez llamaba en vano a su despacho del gobierno militar de La Coruña–, sin la ayuda de San Martín –quien había partido a primera hora hacia un campo de maniobras cercano a Zaragoza para supervisar unos ejercicios tácticos en compañía del general Juste–, Pardo Zancada preparó a la Brunete para una misión que ésta aún desconocía y esbozó el programa de operaciones que debía desarrollar cada una de sus unidades: la toma de emisoras de radio y televisión, la toma de posiciones de espera en lugares estratégicos de Madrid –en el Campo del Moro, en el Retiro, en la Casa de Campo y en el parque del Oeste–, su despliegue posterior en la ciudad. A media mañana consiguió por fin hablar por teléfono con Torres Rojas, que se apresuró a tomar un vuelo regular hasta Madrid vestido con su uniforme de combate y su gorra de tanquista, dispuesto a rebelar a su antigua unidad con el prestigio de jefe duro y leal a sus oficiales que se había labrado en ella durante sus años recientes de mando. Pardo Zancada recogió a Torres Rojas en el aeropuerto de Barajas pasadas las dos de la tarde, y poco después almorzó con él en el comedor del Cuartel General en compañía de otros jefes y oficiales sorprendidos por la inesperada visita del antiguo general en jefe, al mismo tiempo que, en el parador de Santa María de la Huerta, donde estaba almorzando con el general Juste de camino a Zaragoza, el coronel San Martín recibía un aviso convenido de Pardo Zancada según el cual todo estaba dispuesto en la división para el golpe. En ese momento San Martín debió de vacilar: volver con Juste al Cuartel General suponía arriesgarse a que el jefe de la Brunete abortase el complot; no volver suponía tal vez excluirse de la gloria y los réditos del triunfo: la ambición de disfrutar de ellos, aliada con su soberbia de jefe todopoderoso de los servicios de inteligencia franquistas y con el conocimiento de las dificultades que entraña mover una división sin que quien lo haga sea su jefe natural, le convenció de que podría dominar a Juste y de que debía volver a su puesto de mando en El Pardo, lo que acabaría convirtiéndose en una de las causas del fracaso del golpe. Así es como a las cuatro y media de la tarde Juste y San Martín reaparecen por sorpresa en el Cuartel General y así es como unos minutos antes de las cinco, después de que se haya ordenado el acuartelamiento de las tropas, el comandante Pardo Zancada toma por fin la palabra para dirigirse a los jefes y oficiales de todas las graduaciones que él mismo ha convocado a aquella anómala reunión y que ahora abarrotan el despacho de Juste. El discurso de Pardo Zancada es breve: el comandante anuncia que en cuestión de minutos ocurrirá un hecho de gran trascendencia en Madrid; explica que a ese hecho le seguirá la toma de Valencia por el general Milans; también explica que Milans cuenta con que la Brunete ocupe la capital; también, que el operativo está dirigido desde la Zarzuela por el general Armada con el consentimiento del Rey. La reacción mayoritaria de la asamblea a las palabras de Pardo Zancada oscila entre la alegría reprimida y la seriedad expectante, pero no disconforme; los jefes y oficiales aguardan el veredicto de Juste, a quien Torres Rojas y San Martín tratan de ganar para la causa del golpe con palabras tranquilizadoras y con apelaciones al Rey, a Armada y a Milans, y a quien San Martín convence de que no llame a su superior inmediato, el general Quintana Lacaci, capitán general de Madrid, que no está al corriente de nada. Tras unos minutos de titubeos angustiosos, durante los cuales pasa por la cabeza de Juste la sublevación de 1936 y la posibilidad de que, si se opone al golpe, sus oficiales puedan arrebatarle el mando de la división y ejecutarlo en el acto, a las cinco y diez minutos de la tarde el jefe de la

Acorazada Brunete hace un gesto anodino –algunos de los presentes lo interpretan como un intento frustrado de ajustarse las gafas de concha o de atusarse el bigote exiguo y canoso, otros como un ademán de asentimiento o resignación–, acerca su butaca a la mesa del despacho y pronuncia tres palabras que parecen el penúltimo signo de que el golpe triunfará: «Bueno, pues adelante».

A esa misma hora, a apenas quinientos metros del Congreso, en la sede del Cuartel General del ejército en el palacio de Buenavista, todo está también dispuesto para que el último signo se produzca. Allí, en su recién estrenado despacho de segundo jefe de Estado Mayor del ejército, el general Alfonso Armada acaba de llegar de Alcalá de Henares, donde esa mañana ha participado en los festejos conmemorativos de la fundación de la Brigada Paracaidista, ha cambiado la uniformidad de festivo por la de diario y espera sin impaciencia, sin siquiera escuchar por la radio el debate de investidura del nuevo presidente del gobierno, la irrupción de algún subordinado anunciándole el asalto al Congreso. Pero lo que sobre todo espera Armada –acaso el militar más monárquico del ejército español, hasta hace cuatro años secretario del Rey, desde hace varios meses candidato de muchos en el pequeño Madrid del poder a presidir un gobierno de coalición o de concentración o de unidad– es la llamada subsiguiente del Rey pidiéndole que acuda a la Zarzuela a explicarle lo que ocurre en el Congreso. Armada tiene buenas razones para esperarlo: no sólo porque está seguro de que, después de casi tres lustros siendo su hombre de máxima confianza, el Rey se fía de él más que de nadie o de casi nadie, sino también porque tras su dolorosa salida de la Zarzuela ambos se han reconciliado y en las últimas semanas ha advertido al monarca en multitud de ocasiones sobre el riesgo de un golpe y le ha insinuado que conoce sus entresijos y que si finalmente se produce él podrá dominarlo. Entonces, una vez en la Zarzuela, Armada se hará cargo del problema, igual que solía hacerlo en los viejos tiempos: respaldado por el Rey, respaldado por el ejército del Rey, acudirá al Congreso y, sin necesidad de esforzarse demasiado por convencer a los partidos políticos de que acepten una solución que de todos modos la mayoría ya consideraba razonable mucho antes de que los militares se echaran a la calle, liberará a los diputados, formará un gobierno de coalición o de concentración o de unidad bajo su presidencia y devolverá la tranquilidad al ejército y al país. Eso es lo que Armada espera que ocurrirá y eso es lo que, según las previsiones de los golpistas, inevitablemente acabará ocurriendo.

De modo que a las seis de la tarde del 23 de febrero los elementos esenciales del golpe se encontraban dispuestos en el lugar asignado por los golpistas: seis autobuses cargados de guardias civiles a las órdenes del teniente coronel Tejero estaban a punto de salir del Parque de Automovilismo en dirección al Congreso (y uno más a las órdenes del capitán Muñecas se disponía a hacerlo desde Valdemoro); los mandos militares de la región de Valencia habían abierto los sobres lacrados con las instrucciones de Milans y, una vez repostadas y municionadas las unidades, los cuarteles se disponían a abrir sus puertas; los jefes de brigada y de regimiento de la Brunete acababan de salir del Cuartel General hacia sus puestos de mando respectivos con órdenes de operaciones redactadas por Pardo Zancada y aprobadas por Juste que contenían indicaciones concretas sobre objetivos prioritarios, zonas de despliegue y misiones de ocupación y vigilancia; aunque no en su despacho sino en el del general Gabeiras –su superior inmediato y jefe del Estado Mayor del ejército, que acababa de llamarle para discutir un asunto de rutina–, el general Armada aguardaba en el Cuartel General del ejército la llamada de la Zarzuela. Media hora más tarde el teniente coronel Tejero irrumpió en el Congreso y se desencadenó el golpe. La toma del Congreso fue un éxito acaso más fácil de lo esperado: ni los policías que custodiaban el edificio ni los guardaespaldas de los diputados ofrecieron la menor resistencia a los asaltantes, y pocos minutos después de su entrada en el hemiciclo, cuando tanto el interior como el exterior del Congreso se hallaban bajo su control y el estado de ánimo de sus hombres era de euforia, el teniente coronel Tejero llamaba por teléfono a Valencia para dar eufóricamente novedades al general Milans; fue un éxito fácil, pero no fue un éxito completo. Dado que debía ser el pórtico de un golpe blando, Tejero tenía órdenes de que la ocupación del Congreso fuera incruenta y discreta: se trataba sólo de suspender la sesión de investidura del nuevo presidente del gobierno, de retener a los parlamentarios y de mantener el orden a la espera de que el ejército ya sublevado los relevase a él y a sus guardias civiles y el general Armada diese una salida política al secuestro; milagrosamente, Tejero consiguió que la ocupación fuera incruenta, pero no que fuera discreta, y ése fue el primer problema para los golpistas, porque un tiroteo en el hemiciclo del Congreso retransmitido en directo por radio a todo el país dotaba de una escenografía de golpe duro a lo que quería ser un golpe blando o mantener la apariencia de un golpe blando y dificultaba que el Rey, la clase política y la ciudadanía transigiesen de grado con él. Hubiera podido ser mucho peor, por supuesto; si, como en un principio pareció inevitable a quienes escucharon el tiroteo en la radio (por no hablar de quienes lo padecieron en el hemiciclo), además de indiscreta la operación hubiese sido cruenta, entonces todo hubiera sido distinto: porque los muertos no tienen vuelta atrás, el golpe blando se hubiera convertido en un golpe duro, y quizá el baño de sangre en inevitable. Sin embargo, tal y como ocurrieron las cosas, pese a la violencia de la puesta en escena de la operación nada esencial se interponía en el camino de los golpistas pasados diez minutos del golpe: después de todo una puesta en escena es sólo una puesta en escena y, aunque sin duda el tiroteo del hemiciclo obligaría a realizar ciertos ajustes en el plan previsto, la realidad es que el Congreso estaba secuestrado, que el general Milans había proclamado el estado de guerra en su región y había lanzado sobre Valencia cuarenta tanques y mil ochocientos soldados de la División Motorizada Maestrazgo n.º 3, que la Acorazada Brunete estaba sublevada y sus carros de combate AMX-30 listos para salir de los acuartelamientos y que en la Zarzuela el Rey estaba a punto de llamar al Cuartel General del ejército para hablar con el general Armada. Si es verdad que la suerte de un golpe se decide durante sus primeros minutos, entonces también es verdad que, diez minutos después de su inicio, el golpe del 23 de febrero había triunfado.

SEGUNDA PARTE

UN GOLPISTA FRENTE AL GOLPE

La imagen, congelada, muestra el hemiciclo del Congreso de los Diputados desierto. O casi desierto: en el centro de la imagen, ligeramente escorado a la derecha, solo, estatuario y espectral en una desolación de escaños vacíos, Adolfo Suárez permanece sentado en su escaño azul de presidente. A su izquierda, el general Gutiérrez Mellado se halla de pie en el semicírculo central, los brazos caídos a lo largo del cuerpo, de espaldas a la cámara y mirando a los seis guardias civiles que disparan en silencio sus armas, como si quisiera impedirles la entrada en el hemiciclo o como si intentara proteger con su cuerpo el cuerpo de su presidente. Detrás del viejo general, más próximos al espectador, otros dos guardias acribillan el hemiciclo con fuego de subfusil mientras pistola en mano, desde la escalera de la tribuna de oradores, el teniente coronel Tejero exige a sus hombres con gestos de alarma y voces inaudibles de mando el final de aquel tiroteo que pulveriza las instrucciones que ha recibido. Por encima del presidente Suárez unas pocas manos de diputados escondidos brotan entre el rojo sin interrupción de los escaños; frente al presidente, debajo y alrededor de una mesa ocupada por libros abiertos y un quinqué encendido, se acurrucan tres taquígrafos y un ujier, desparramados por la alfombra historiada del semicírculo central; más acá, en la parte inferior de la imagen, casi mimetizadas con el azul de los escaños del gobierno, se distinguen las espaldas tumbadas de algunos ministros: una hilera de caparazones de crustáceos. Toda la escena está envuelta en una luz acuosa, escasa e irreal, como si transcurriera en el interior de un estanque o como si la única iluminación del hemiciclo procediera del barroco racimo de globos de luz que pende de una pared, en el extremo superior derecho de la imagen; tal vez por ello, toda la escena tiene también una sugestión de danza o de fúnebre retrato de familia y una avidez de significado que no satisfacen ni los elementos que la integran ni la ficción de eternidad que les presta su quietud ilusoria.

Pero si descongelamos la imagen la quietud se desvanece y la realidad recobra su andadura. Lentamente, mientras se espacian los disparos, el general Gutiérrez Mellado se vuelve, pone los brazos en jarras y, dando la espalda a los guardias civiles y al teniente coronel Tejero, observa el hemiciclo sin nadie, igual que un oficial puntilloso haciendo un inventario visual de estragos cuando aún no ha concluido del todo la batalla; mientras tanto, el presidente Suárez se retrepa en su escaño, enderezando un poco el tronco, y el teniente coronel consigue por fin que los guardias obedezcan sus órdenes y que se apodere del hemiciclo un silencio exagerado por el estruendo reciente, tan denso como el que sigue a un terremoto o a una catástrofe aérea. En ese momento el plano cambia; la imagen muestra ahora de frente al teniente coronel, pistola en alto en la escalera de la tribuna de oradores; a su izquierda, el secretario del Congreso, Víctor Carrascal –todavía en el regazo los papeles con la lista de diputados que hace sólo unos segundos recitaba monótonamente durante la votación de investidura–, observa con pánico, tirado en el suelo, a dos guardias civiles que apuntan al general Gutiérrez Mellado, quien los observa a su vez con los brazos en jarras. Entonces, advirtiendo de improviso que el viejo general sigue allí, de pie y desafiante, el teniente coronel baja a toda prisa las escaleras, se abalanza sobre él por la espalda, lo agarra del cuello e intenta derribarlo ante la mirada de los dos guardias civiles y de Víctor Carrascal, que en ese momento esconde la cara en sus brazos como si le faltara coraje para ver lo que va a ocurrir o como si sintiera una vergüenza incalculable por no poder evitarlo.

El plano vuelve a cambiar. Es un plano también frontal del hemiciclo, sólo que más amplio: los diputados yacen encogidos bajo los escaños y las cabezas de algunos de ellos se asoman con prudencia para ver lo que sucede en el semicírculo central, frente a la tribuna de oradores, donde el teniente coronel no ha conseguido tirar al suelo al general Gutiérrez Mellado, que se ha mantenido en pie agarrándose con todas sus fuerzas al apoyabrazos de su escaño. Ahora lo rodean el teniente coronel y tres guardias civiles, apuntándolo con sus armas, y el presidente Suárez, a apenas un metro del general, se incorpora en su escaño y se acerca a él, apoyándose también en el apoyabrazos: por un momento los guardias civiles parecen a punto de disparar; por un momento, en el apoyabrazos del escaño, la mano del joven presidente y la mano del viejo general parecen buscarse, como si los dos hombres quisieran afrontar juntos su destino. Pero el destino no llega, ni llegan los disparos, o no de momento, aunque los guardias civiles estrechan el cerco al general –ya no son cuatro sino ocho– y, mientras uno de ellos lo injuria y le exige a gritos que obedezca y se tumbe en la alfombra del semicírculo central, el teniente coronel se le acerca por la espalda y lo zancadillea y ahora casi consigue tirarlo, pero el general resiste otra vez aferrándose de nuevo al salvavidas del apoyabrazos. Sólo entonces el teniente coronel se da por vencido y él y sus guardias se alejan del general mientras el presidente Suárez vuelve a buscar su mano, la coge un instante antes de que el general se la aparte con rabia, sin quitar la mirada de sus agresores; el presidente, sin embargo, insiste, intenta apaciguar con palabras su ira, le ruega que vuelva a su escaño y consigue que entre en razón: tomándole de la mano como si fuera un niño, lo atrae hacia él, se levanta y le deja paso, y el viejo general –después de desabrocharse la chaqueta con un gesto que descubre del todo su camisa blanca, su chaleco gris y su corbata oscura– se sienta finalmente en su escaño.

1

He aquí un segundo gesto diáfano que acaso contiene como el primero muchos gestos. Igual que el gesto de Adolfo Suárez permaneciendo sentado en su escaño mientras las balas zumbaban a su alrededor en el hemiciclo, el gesto del general Gutiérrez Mellado enfrentándose furiosamente a los militares golpistas es un gesto de coraje, un gesto de gracia, un gesto de rebeldía, un gesto soberano de libertad. Tal vez sea también, por así decir, un gesto póstumo, el gesto de un hombre que sabe que va a morir o que ya está muerto, porque, con la excepción de Adolfo Suárez, desde el inicio de la democracia nadie había acaparado tanto odio militar como el general Gutiérrez Mellado, quien apenas se desató el tiroteo quizá sintió como casi todos los presentes que sólo podía saldarse con una masacre y que, suponiendo que él la sobreviviera, los golpistas no tardarían en eliminarlo. No creo que sea, en cambio, un gesto histriónico: aunque desde hacía cinco años ejerciese la política, el general Gutiérrez Mellado nunca fue esencialmente un político; fue siempre un militar, y por eso, porque siempre fue un militar, su gesto de aquella tarde fue antes que nada un gesto militar y por eso fue también de algún modo un gesto lógico, obligado, casi fatal: Gutiérrez Mellado era el único militar presente en el hemiciclo y, como cualquier militar, llevaba en los genes el imperativo de la disciplina y no podía tolerar que unos militares se insubordinaran contra él. No anoto esto último para rebajar el mérito del general; lo hago sólo para tratar de precisar el significado de su gesto. Un significado que por otra parte quizá no alcance a precisarse del todo si no imaginamos que, mientras se encaraba con los golpistas negándose a obedecerles o mientras les exigía a gritos que salieran del Congreso, el general pudo verse a sí mismo en los guardias civiles que desafiaban su autoridad disparando sobre el hemiciclo, porque cuarenta y cinco años atrás él había desobedecido el imperativo genético de la disciplina y se había insubordinado contra el poder civil encarnado en un gobierno democrático; o dicho de otra manera: tal vez la furia del general Gutiérrez Mellado no estaba hecha únicamente de una furia visible contra unos guardias civiles rebeldes, sino también de una furia secreta contra sí mismo, y tal vez no sea del todo ilícito entender su gesto de enfrentarse a los golpistas como el gesto extremo de contrición de un antiguo golpista.

El general no hubiese aceptado esta interpretación, o no la hubiese aceptado en público: no hubiese aceptado que cuarenta y cinco años atrás había sido un oficial rebelde que había apoyado un golpe militar contra un sistema político fundamentalmente idéntico al que él representaba ahora en el gobierno. Pero nadie se libra de su biografía, y la biografía del general le corrige: el 18 de julio de 1936, cuando contaba apenas veinticuatro años y era un teniente recién salido de la Academia de Artillería, afiliado a Falange y destinado en un regimiento acantonado a pocos kilómetros de Madrid, Gutiérrez Mellado contribuyó a sublevar su unidad contra el gobierno legítimo de la república, y el día 19, hasta que la insurrección militar fue aplastada en Madrid, se pasó la mañana encaramado en el tejado de su cuartel disparando con una ametralladora convencional a los Breguet XIX procedentes del aeródromo de Getafe que bombardeaban desde el amanecer a los rebeldes. El general nunca negó estos hechos, pero sí hubiera negado la comparación entre la democracia de 1936 y la de 1981 y entre los golpistas del 18 de julio y los del 23 de febrero: jamás se arrepintió en público de haberse sublevado en 1936, jamás hubiese admitido que el régimen político contra el que se insubordinó en su juventud era fundamentalmente idéntico al que había contribuido a crear en su vejez y ahora representaba, y siempre aseguró que el golpe de estado del general Franco había sido necesario porque la democracia de 1936, que había permitido en pocos meses trescientas muertes violentas en incidentes políticos, era de una imperfección escandalosa e insostenible y había abandonado el poder en la calle, de donde el ejército se había limitado a recogerlo. Éste o muy similar era el argumento del general (un argumento compartido por ese generoso sector de la derecha española que todavía no ha roto su adhesión histórica al franquismo); su incoherencia es manifiesta: ¿acaso no invocaban los golpistas de 1981 razones parecidas a los de 1936? ¿No afirmaban que la democracia de 1981 era escandalosamente imperfecta? ¿No afirmaban que el poder estaba en la calle, listo para que alguien lo recogiese? ¿Y no tenían tantas o casi tantas razones para afirmarlo como los golpistas de 1936? ¿Cuántos muertos hay que poner sobre la mesa para que un régimen democrático deje de serlo o resulte insostenible y termine volviendo necesaria una intervención militar? ¿Doscientos? ¿Doscientos cincuenta? ¿Trescientos? ¿Cuatrocientos? ¿No bastaría con menos? En la semana del 23 al 30 de enero de 1977, cuando el general Gutiérrez Mellado llevaba ya cuatro meses al frente de la vicepresidencia del primer gobierno de Adolfo Suárez, en España fueron asesinadas por motivos políticos diez personas, hubo quince heridos graves y dos secuestros de altísimas personalidades del régimen (Antonio María de Oriol y Urquijo, presidente del Consejo de Estado, y el general Emilio Villaescusa, presidente del Consejo Supremo de Justicia Militar); sólo en 1980 se produjeron más de cuatrocientos cincuenta atentados terroristas, más de cuatrocientos treinta heridos, más de ciento treinta muertos, lo que equivale a más de un atentado diario, a más de un herido diario, a casi un muerto cada tres días. ¿Era ésa una situación sostenible? ¿Era la democracia que la permitía una democracia real? ¿Era necesaria en 1977 o en 1981 una intervención militar? Una respuesta a esas preguntas es evidente: si, según declaró el general Gutiérrez Mellado hasta el final de sus días, a la altura de 1936 la república era un régimen insostenible, a la altura de febrero de 1981 la monarquía constitucional también lo era y no era el general quien tenía razón sino los guardias civiles que aquella tarde asaltaron el Congreso.

Pero hay también otra respuesta: una respuesta menos lógica pero más verdadera, y también más compleja. La respuesta es que una cosa es la teoría y otra la práctica: en teoría el general no renegó jamás de la sublevación del 18 de julio, tal vez ni siquiera, como cualquier otro militar de su generación, de Francisco Franco; en la práctica, por el contrario, y al menos desde el momento en que Adolfo Suárez le introdujo en política y le encargó los asuntos militares de su gobierno, el general no hizo otra cosa que renegar de Francisco Franco y de la sublevación del 18 de julio.

Me explico. Un cliché historiográfico afirma que el cambio de la dictadura a la democracia en España fue posible gracias a un pacto de olvido. Es mentira; o, lo que es lo mismo, es una verdad fragmentaria, que sólo empieza a completarse con el cliché opuesto: el cambio de la dictadura a la democracia en España fue posible gracias a un pacto de recuerdo. Hablando en general, la transición –el período histórico que conocemos con esa palabra equívoca, que sugiere la falsedad de que la democracia fue una consecuencia ineluctable del franquismo y no el fruto de una voluntariosa e improvisada concatenación de azares facilitada por la decrepitud de la dictadura– consistió en un pacto mediante el cual los vencidos de la guerra civil renunciaron a ajustar cuentas por lo ocurrido durante cuarenta y tres años de guerra y dictadura, mientras que, en contrapartida, tras cuarenta y tres años ajustándoles las cuentas a los vencidos los vencedores aceptaban la creación de un sistema político que acogiese a unos y a otros y que fuese en lo esencial idéntico al sistema derrotado en la guerra. Ese pacto no incluía olvidar el pasado: incluía aparcarlo, soslayarlo, darlo de lado; incluía renunciar a usarlo políticamente, pero no incluía olvidarlo. Desde el punto de vista de la justicia, el pacto entrañaba un error, porque suponía aparcar, soslayar o dar de lado el hecho de que los responsables últimos de la guerra fueron los vencedores, que la provocaron con un golpe de estado contra un régimen democrático, y porque también suponía renunciar a resarcir plenamente a las víctimas y a juzgar a los responsables de un oprobioso ajuste de cuentas que incluyó un plan de exterminio de los vencidos; pero, desde el punto de vista político –incluso desde el punto de vista de la ética política–, el pacto fue un acierto, porque su resultado fue una victoria política de los vencidos, que restauraron un sistema en lo esencial idéntico a aquel que habían defendido en la guerra (aunque uno se llamase república y el otro monarquía, ambos eran democracias parlamentarias), y porque quizá el error moral hubiese sido intentar ajustar las cuentas a quienes habían cometido el error de ajustar las cuentas, añadiendo oprobio al oprobio: eso es al menos lo que pensaron los políticos que hicieron la transición, como si todos hubieran leído a Max Weber y pensaran como él que no hay nada éticamente más abyecto que practicar una ética espuria que sólo busca tener razón, una ética que, «en lugar de preocuparse de lo que realmente corresponde al político, el futuro y la responsabilidad frente a él, se pierde en cuestiones, por insolubles políticamente estériles, sobre cuáles han sido las culpas en el pasado» y que, incurriendo en esta indignidad culpable, «pasa además por alto la inevitable falsificación de todo el problema», una falsificación que es el resultado del interés rapaz de vencedores y vencidos en conseguir ventajas morales y materiales de la confesión de culpa ajena. En cualquier caso, si los políticos de la transición pudieron cumplir el pacto que ésta implicaba, renunciando a usar el pasado en el combate político, no fue porque se hubieran olvidado de él, sino porque lo recordaban muy bien: porque lo recordaban y porque decidieron que era indigno y abyecto ajustar cuentas con el pasado para tener razón a riesgo de mutilar el futuro, tal vez de volver a sumergir el país en una nueva guerra civil. Durante la transición poca gente olvidó en España, y el recuerdo de la guerra estuvo más presente que nunca en la memoria de la clase política y de la ciudadanía; ésa es precisamente una de las razones por las que nadie o casi nadie se opuso al golpe del 23 de febrero: durante aquellos años todos deseaban evitar a cualquier precio el riesgo de repetir la salvaje orgía de sangre ocurrida cuarenta años atrás, y todos transmitieron ese deseo a una clase política que era sólo su reflejo. No era un deseo heroico, sediento de justicia (o de apocalipsis); era sólo un valeroso y razonable deseo burgués, y la clase política lo cumplió, valerosa y razonablemente: aunque en el otoño y el invierno de 1980 la clase política se condujo con una irresponsabilidad que a punto estuvo de devolver el país a la barbarie, entre 1976 y 1980 su comportamiento fue mucho menos incompetente de lo que auguraban sus dos últimos siglos de historia. Todo esto es válido, en especial, para la generación que había hecho la guerra y se conjuró para que nada semejante volviese a ocurrir. Todo esto es válido, sin duda, para el general Gutiérrez Mellado, quien, dijera lo que dijera en público, al menos desde su llegada al gobierno siempre actuó como quien renuncia de antemano a tener razón o a haberla tenido, es decir actuó como si supiera la verdad: que la democracia que estaba contribuyendo a construir era en lo esencial idéntica a la que cuarenta años atrás había contribuido a destruir, y que él era a su modo responsable de la catástrofe de la guerra. De ahí que, como si el general fuera también un héroe de la retirada –un profesional de la renuncia y la demolición que abandona sus posiciones socavándose a sí mismo–, toda su ejecutoria política estuviera orientada, no a discutir o reconocer sus culpas, sino a limpiarlas, asumiendo la responsabilidad de impedir un nuevo 18 de julio y desmontando, para impedirlo, el ejército que lo había provocado: su propio ejército, el ejército de la Victoria, el ejército de Francisco Franco. Y de ahí también que –además de un gesto de coraje y gracia y rebeldía, además de un gesto soberano de libertad y un gesto póstumo y un gesto militar– su gesto de enfrentarse a los guardias civiles rebeldes en el hemiciclo del Congreso pueda entenderse no sólo como una forma de ganarse un indulto definitivo para sus culpas de juventud, sino también como un resumen o emblema de sus dos principales empeños desde que cinco años atrás Adolfo Suárez lo nombrara su vicepresidente y le encargara la política de defensa del gobierno: someter el poder militar al poder civil y proteger al presidente de las iras de sus compañeros de armas.

2

A principios de septiembre de 1976, cuando ocupaba la jefatura del Estado Mayor del ejército y faltaban sólo unos días para que Adolfo Suárez lo metiera en política nombrándolo vicepresidente de su primer gobierno, el general Gutiérrez Mellado era uno de los militares más respetados por sus compañeros de armas; sólo unos meses más tarde era el más odiado. No falta quien atribuye este cambio fulminante a los errores de la política militar de Gutiérrez Mellado; es muy probable que los errores existieran, pero es indudable que, de no haber existido, el resultado hubiera sido el mismo: para el ejército –para la mayoría del ejército, pétreamente instalada en la mentalidad del franquismo– el error de Gutiérrez Mellado fue su apoyo sin condiciones a las reformas democráticas de Adolfo Suárez y su papel de aval militar y de pararrayos castrense del presidente. Ambas cosas las pagó caras: Gutiérrez Mellado vivió los últimos años de su vida entre el desprecio de sus compañeros de armas, tratando en vano de digerir su defección colectiva, convertido en una sombra del militar orgulloso que había sido, admirado por gentes cuya admiración le halagaba pero no le importaba mucho y recusado por gentes cuyo afecto no había hecho otra cosa que buscar. Amaba con pasión el ejército, y el odio que sintió caer sobre él lo derrotó; también fue la causa de la drástica metamorfosis que experimentó durante su breve carrera política: a principios de los años setenta, cuando se hallaba destinado en el Alto Estado Mayor a las órdenes del general Manuel Díez Alegría –un militar de talante liberal y ribetes ilustrados de quien a partir de entonces se consideró discípulo–, Gutiérrez Mellado era un hombre serio, cordial, sosegado y dialogante; menos de una década más tarde, cuando abandonó el gobierno después del 23 de febrero, se había convertido en un hombre hosco, nervioso, desconfiado e irascible, reacio a encajar con paciencia una objeción o una crítica. La política lo trituró: aunque en los años setenta había desarrollado una fuerte vocación política –fruto en parte de sus contactos con mandos militares de países democráticos, que le habían persuadido de la ineficacia del ejército español, del anacronismo tercermundista del papel tutelar que desempeñaba en el país y de su propia capacidad para llevar a cabo una reforma impostergable–, no estaba preparado para la política; aunque la reforma militar que impulsó desde el gobierno supuso la modernización de un ejército envejecido, menesteroso, arcaico, sobredimensionado y poco operativo, la reforma política, la intransigencia de sus compañeros y sus propios errores acabaron ocultándola; aunque su propósito principal fue apartar al ejército de la política («O se hace política y se deja de ser militar, o se es militar y se deja la política», decía), no consiguió que sus compañeros de armas aceptasen un divorcio que él fue el primero en aplicarse solicitando su pase a la reserva y convirtiéndose en general retirado, ni consiguió que no le acusasen de seguir siendo militar mientras hacía política; aunque se había pasado la vida entre militares, no parecía conocer la mentalidad de los militares de su tiempo, o quizá es que se resistía a conocerla o a reconocer que la conocía: nunca reconoció la evidencia de que la mayor parte del ejército no aceptaba la democracia o sólo la aceptaba a regañadientes; nunca reconoció la evidencia de que la mayor parte del ejército se resistía a someterse al poder civil encarnado en el gobierno y aspiraba a gozar de un margen de autonomía amplio que le permitiera, bajo el mando directo del Rey, administrarse con arreglo a criterios propios y orientar o vigilar la marcha del país; tal vez porque apenas había ejercido el mando directo en tropa, no entendió o había olvidado que en el trato con sus superiores un militar no quiere razones, sugerencias ni intercambios de pareceres, sino órdenes, y que en el ejército cualquier cosa que no sea una orden corre el riesgo de ser interpretado como un síntoma de debilidad. Estas y otras contradicciones, que no supo evitar o conciliar –quizá porque en los años en que le tocó gobernar era imposible hacerlo–, dejaron demasiados flancos abiertos a las críticas de quienes desde el principio de la transición se opusieron a la pérdida de poder del ejército como garante de la continuidad del franquismo, y al final terminaron por desbordarlo, así que cuando quiso darse cuenta ya había calado entre sus compañeros la insidia de que había traicionado al ejército y a la patria por sucia ambición política y afán de protagonismo público, y él carecía de prestigio y de poder suficientes para contrarrestarla.

Fue un calvario que empezó en la tarde del 21 de septiembre de 1976, cuando el general Gutiérrez Mellado asumió la vicepresidencia del primer gobierno de Adolfo Suárez en sustitución del general Fernando de Santiago. Aquella misma mañana De Santiago había amenazado al presidente con dimitir si, tal y como había anunciado el ministro de Relaciones Sindicales, se legalizaban los sindicatos de izquierdas; Suárez, que había heredado a De Santiago del gobierno de su antecesor y sabía que su franquismo sin fisuras iba a representar una traba para sus planes de reforma, atrapó al vuelo la oportunidad y aceptó su dimisión (o se la impuso), y en cuanto salió De Santiago de su despacho llamó a Gutiérrez Mellado y lo citó en presidencia para ofrecerle la vacante. Sólo había hablado con él en un par de ocasiones, pero no tenía ninguna duda de que era su hombre: todo el mundo conocía su pericia técnica, su disposición tolerante y sus ideas y su vocabulario de militar moderno, y no pocas personas con capacidad de influir sobre él –desde el Rey hasta el propio Díez Alegría– se lo habían encarecido como el general que necesitaba para renovar el ejército. Además, no era la primera vez que Suárez le ofrecía un ministerio: al formar su primer gobierno en julio de aquel año el presidente le había propuesto ocupar la cartera de Gobernación, pero Gutiérrez Mellado rechazó la oferta alegando que no poseía los conocimientos adecuados para desempeñar el cargo (un hecho que por sí mismo desmiente la pasión intransitiva por el poder que siempre le reprocharon sus enemigos); ahora, en cambio, no dudó en aceptarlo: la vicepresidencia abarcaba vastos poderes en asuntos de defensa, y en este ámbito el general sí consideraba que sabía lo que había que hacer y que estaba preparado para hacerlo. En cuanto al proyecto político que llevaría a cabo el gobierno del que iba a ser vicepresidente, no es ningún secreto que Gutiérrez Mellado era un hombre de pocas ideas políticas y de un conservadurismo elemental, de manera que lo más probable es que en aquel momento pensara, como lo pensaba casi todo el mundo, como tal vez lo pensaba el propio Suárez, que la tarea del gobierno no pasaría de adaptar las viejas estructuras del franquismo a la nueva realidad del país; por la misma razón es probable que sólo a medida que la realidad imponía su disciplina y que Suárez se sometía a la disciplina de la realidad Gutiérrez Mellado terminara comprendiendo –quizá con alguna perplejidad pero cuando ya era tarde, porque estaba demasiado comprometido con Suárez y con lo que Suárez representaba para echarse atrás– que el sistema político que estaba contribuyendo a construir no era en lo esencial distinto de aquel que medio siglo atrás había contribuido a destruir, y que construirlo significaba construir un ejército democrático sobre el ejército de Franco.

Designar a Gutiérrez Mellado vicepresidente del gobierno fue para Suárez una jugada redonda: el prestigio aún intacto del general tranquilizaba a los militares y a los ultraderechistas, garantizándoles con su presencia prominente en el gobierno que el ejército controlaba las reformas; tranquilizaba también a los llamados aperturistas del régimen y a la oposición democrática todavía ilegal, garantizándoles con su reputación de militar abierto a los cambios que las reformas iban en serio; y tranquilizaba a una inmensa mayoría del país a la que el recuerdo de la guerra imponía el temor a los sobresaltos, garantizándole que las reformas iban a producirse de forma ordenada y sin violencia. En cambio, aceptar la designación de Suárez fue para Gutiérrez Mellado entreabrir una brecha en su prestigio militar, y apenas hubo ocupado su cargo el general comprendió que quienes hasta entonces lo habían admirado o apreciado aprovecharían en adelante la más mínima oportunidad de arremeter contra él. Un desliz del propio gobierno les concedió la primera, y terminó de abrir la brecha. Pocos días después del nombramiento de Gutiérrez Mellado, el general De Santiago remitió un escrito a sus compañeros de armas en el que justificaba su dimisión como vicepresidente por considerar incompatible con su honor de soldado avalar con su presencia en el gobierno la vuelta a la legalidad de los sindicatos izquierdistas proscritos por el franquismo; esta declaración fue saludada y prolongada por el general Carlos Iniesta Cano en un artículo publicado en *El Alcázar* en el que juzgaba deshonroso para un militar aceptar el cargo que De Santiago había abandonado, y en el que acusaba al nuevo vicepresidente de perjuro. Resuelto a reprimir el menor atisbo de desacato castrense, Suárez decidió sancionar a los dos militares con su pase inmediato a la reserva; la medida era justa y valiente, pero también era ilegal y, cuando el gobierno reparó en su equivocación, no tuvo más remedio que retractarse de ella, lo que no evitó la primera campaña de prensa contra el general en los medios ultraderechistas, que envenenaron los cuarteles denunciando la complicidad de Gutiérrez Mellado con un gobierno dispuesto a saltarse las leyes para humillar al ejército.

Fue la primera vez que lo llamaron traidor. La segunda ocurrió siete meses más tarde, cuando su gobierno legalizó el partido comunista, pero entonces ya no fue únicamente una minoría del ejército quien recurrió al dicterio. Para los historiadores el episodio es central en el cambio de la dictadura a la democracia; para los investigadores del 23 de febrero es uno de los orígenes remotos del golpe; para el general Gutiérrez Mellado fue otra cosa: el cruce de una línea sin retorno en su vida personal y política. El partido comunista había sido durante cuarenta años la bestia negra del franquismo; también de los militares, que consideraban que cuarenta años atrás lo habían derrotado en el campo de batalla y que en modo alguno estaban dispuestos a permitir su retorno a la vida política. Es probable que, cuando llegó al poder en julio de 1976, Suárez no tuviera intención de legalizar a los comunistas, pero no que ignorara que su legalización podía constituir la piedra de toque de su reforma, porque los comunistas habían sido la principal y casi única oposición al franquismo y porque una democracia sin comunistas sería una democracia recortada, tal vez internacionalmente aceptable, pero nacionalmente insuficiente. Eso es en todo caso lo que Suárez comprendió poco a poco durante sus primeros meses de gobierno y lo que, después de superar muchas dudas, le convenció de que debía tomar la decisión de legalizar el partido comunista incluso con la oposición de los militares. Fue el 9 de abril de 1977 y fue una sacudida histórica. En los días siguientes, mientras el país empezaba a emerger de la incredulidad, el ejército estuvo al borde del golpe de estado: salvo Gutiérrez Mellado, los ministros militares del gobierno dijeron haber conocido la noticia por la prensa, el de Marina, almirante Pita Da Veiga, dimitió de su cargo, y el del Ejército, general Álvarez Arenas, convocó una reunión del Consejo Superior del Ejército en la que se oyeron insultos al gobierno y se amenazó con sacar las tropas a la calle, y de la que salió un duro comunicado de rechazo a la decisión gubernamental; toda la cólera de los militares convergió sobre el presidente (y, por defecto, sobre su vicepresidente): se repitieron amplificadas las acusaciones de perjuro y de traidor; se añadió la acusación de que los había engañado. Ninguna de las acusaciones carecía de base: no hay duda de que, al legalizar el partido comunista, Suárez violaba los principios del Movimiento que había jurado defender; además, es verdad que en cierto sentido engañó al ejército.

Siete meses atrás, el 8 de septiembre de 1976, Suárez había convocado una reunión de altos mandos militares en la sede de la presidencia del gobierno para explicarles personalmente la naturaleza y el alcance de los cambios políticos que proyectaba. Al encuentro asistieron los integrantes de los consejos superiores de los tres ejércitos –más de treinta generales y almirantes en total, entre ellos Gutiérrez Mellado– y en él, a lo largo de tres horas de charla ininterrumpida, Suárez desplegó toda su habilidad dialéctica y todas sus artes de seductor para convencer a los presentes de que nada debían temer de unas reformas que, como había dicho meses atrás ante las Cortes franquistas, iban a limitarse a «elevar a la categoría política de normal lo que a nivel de la calle es simplemente normal», y que, según entendieron quienes lo escuchaban (y Suárez no hizo nada para que no lo entendiesen), en definitiva equivalían a una sofisticada reformulación del franquismo, o a su prolongación disfrazada. Ése fue el meollo del discurso de Suárez; pero el momento crucial del encuentro (o el que el tiempo acabó convirtiendo en el momento crucial del encuentro) no se produjo mientras Suárez disertaba, sino mientras prodigaba bromas, abrazos y sonrisas entre los corrillos que se formaron cuando terminó de hacerlo. En uno de ellos alguien le preguntó qué ocurriría con el partido comunista; la respuesta del presidente fue cuidadosa pero terminante: Mientras tenga sus actuales estatutos, no se legalizará. Poco después se disolvió la reunión entre el entusiasmo y los vítores de los generales («Presidente, ¡viva la madre que te parió!», gritó el general Mateo Prada Canillas), que salieron de la sede de presidencia del gobierno convencidos de que el partido comunista no volvería a ser legal en España y de que Adolfo Suárez era una bendición para el país. Siete meses más tarde la realidad les demostró su error. No puede decirse sin embargo que aquella mañana Suárez mintiera a los militares: por un lado, la salvedad que contenía su respuesta a la pregunta clave («Mientras tenga sus actuales estatutos») era una forma de parapetarse contra el futuro, y lo cierto es que antes de legalizar el partido Suárez tuvo la astucia y la prudencia de acogerse a ella consiguiendo que el PCE modificara ciertos aspectos de sus estatutos; por otro lado, Suárez seguía sin saber en septiembre del 76 si legalizaría a los comunistas: no lo sabía en septiembre, ni en octubre, ni en noviembre, ni en diciembre, ni siquiera en enero, porque la transición no fue un proceso diseñado de antemano, sino una continua improvisación que adentró a Suárez en territorios que pocos meses antes ni siquiera imaginaba que pisaría. Pero sí puede decirse que Suárez embaucó a los militares dejándoles creer hasta el último momento que no legalizaría a los comunistas, aunque sólo a condición de que se añada en seguida que también embaucó a medio mundo, incluidos los propios comunistas, probablemente incluido él mismo. Con frecuencia algunos militares y políticos demócratas han reprochado a Suárez esta forma de proceder: para ellos, si el presidente les hubiese advertido con tiempo los militares hubiesen acatado su decisión sin escándalos ni amagos de rebeldía (y en consecuencia no hubiesen iniciado una conspiración permanente que culminó el 23 de febrero); el argumento me parece endeble, si no falaz: la prueba es que convencer a un ejército sólidamente anticomunista de la legitimidad del partido comunista acabó siendo una tarea de años, incompatible en cualquier caso con la velocidad que Suárez imprimió a sus reformas y que fue en definitiva una de las razones fundamentales de su éxito. Sea como sea, fuera o no fuera necesario embaucar al ejército y con él a medio mundo, el hecho es que en cuanto supieron que Suárez había legalizado a su enemigo de siempre ignorando u olvidando lo que les había prometido o lo que ellos creían que les había prometido, los generales cambiaron el entusiasmo y los vítores con que meses atrás lo aclamaran por la indignación virtuosa de quien se siente víctima de la fechoría de un renegado.

Nunca volvieron a fiarse de Suárez. Ni de Suárez ni del general Gutiérrez Mellado, quien no sólo acató la decisión de su presidente sino que, una vez legalizados los comunistas y celebradas las primeras elecciones democráticas en junio del 77, permaneció como único militar en el gobierno de Suárez, y que a partir de aquel momento pasó a convertirse en el objetivo predilecto de unos ataques que en el fondo no estaban dirigidos contra él, sino contra Suárez. Fue una campaña de años, feroz e inflexible, que supuso ataques diarios en la prensa, insultos personales, calumnias retrospectivas y motines periódicos, y que no eximió de su virulencia inusitada a quienes de cerca o de lejos trabajaron con él. Gutiérrez Mellado sobrevivió como pudo a ella, pero no todos sus colaboradores tuvieron la misma suerte o la misma entereza: incapaz de oírse llamar por más tiempo traidor de mierda y debelador del ejército, poco después del golpe de estado el general Marcelo Aramendi terminó con su vida de un pistoletazo en su despacho del Cuartel General del ejército. Las agresiones que encajó Gutiérrez Mellado no fueron menos crueles que las que quebrantaron la resistencia del general Aramendi, pero sí incomparablemente más asiduas y más publicitadas. Lo acusaron de cobardía y de doblez porque no había hecho la guerra en el frente y porque había desarrollado gran parte de su carrera en los servicios de inteligencia, una doble acusación quizá previsible en un ejército como el franquista, en el que la valentía, antes que una virtud, era una retórica de taberna, y en el que la pésima reputación de los servicios de inteligencia había sido consagrada por una frase atribuida a Franco, una frase a la que, como supo de primera mano el propio Gutiérrez Mellado, el franquismo procuró atenerse: A los espías se les paga, no se les condecora; además de previsible y estúpida, la acusación era falsa: aunque era cierto que casi desde el principio su carrera militar había estado vinculada al espionaje, Gutiérrez Mellado no sólo había combatido ametralladora en mano durante la sublevación del 18 de julio, sino que, convertido más tarde en uno de los jefes de la quinta columna madrileña, a lo largo de tres años se había jugado la vida en la oscuridad de la retaguardia republicana mucho más a menudo que la mayoría de los valentones que le recriminaban haber terminado la guerra sin pegar un solo tiro. Lo acusaron de liderar la UMD –una exigua asociación militar clandestina que en el ocaso del franquismo intentó promover la creación de un régimen democrático–, cuando la realidad es que, pese a estar personal e ideológicamente próximo a algunos de los oficiales integrados en ella, la combatió sin titubeos porque a su juicio resquebrajaba la disciplina de las Fuerzas Armadas y ponía en peligro su unidad, y que, una vez que sus miembros fueron juzgados y expulsados del ejército, se opuso a que fueran readmitidos en sus empleos, lo que no le impidió interceder a menudo para que cesara la persecución que sus compañeros de armas habían desencadenado contra ellos (y no, en cambio, contra los miembros de otras asociaciones también clandestinas, como la Unión Militar Patriótica, que abogaban por la perduración del franquismo y que por entonces campaban a sus anchas en el ejército). Lo acusaron de querer desmilitarizar la guardia civil –cosa que originó una campaña de artículos periodísticos, recogidas de firmas y festivales públicos en la que tuvo una briosa participación el teniente coronel Tejero–, cuando la realidad es que sólo pretendía que, sin dejar de ser militar, el cuerpo mejorara su eficacia pasando a depender del Ministerio del Interior en las funciones relativas al orden y la seguridad pública. Lo acusaron de querer pervertir, derogar o aplastar la ética del ejército con su reforma de las Reales Ordenanzas de Carlos III –el código que regía la moral militar desde que fuera promulgado en 1787 por el conde de Aranda–, cuando la realidad es que apenas pretendía adaptar la ética ultraconservadora de la institución a la ética del siglo XX, permeándola de los valores laicos y liberales de la sociedad democrática. Lo acusaron de todas las infamias posibles, y exploraron con microscopio su biografía en busca de basura con que ensuciar su reputación: desenterraron un episodio ocurrido cuarenta años atrás, durante la caza de brujas contra la masonería desatada por las autoridades franquistas al terminar la guerra, para asegurar que había sido cómplice o autor o inductor de un asesinato, el del comandante Isaac Gabaldón, acribillado a balazos una noche de julio de 1939 mientras, según ciertos testimonios, llevaba una carpeta con documentos que acusaban de pertenencia a la masonería a algunos de sus compañeros del SIMP, el servicio de inteligencia de Franco; Gutiérrez Mellado era uno de los integrantes del SIMP y, aunque el juez que instruyó la causa sentenció que el comandante había sido asesinado por partisanos de la república y absolvió a Gutiérrez Mellado y a los demás miembros del SIMP de todos los cargos que se les imputaban, el incidente ensombreció el principio de su carrera militar y fue usado al final para sembrar nuevas dudas sobre su lealtad al ejército y su honestidad personal.

La honestidad personal y la lealtad al ejército de Gutiérrez Mellado fueron, por lo que sabemos, incuestionables; por lo que sabemos, el general fue un hombre decente, congénitamente incapacitado para la astucia y el engaño, y quizá mal dotado por ello para el ejercicio de la política, o al menos para el ejercicio de la política en tiempos convulsos. Esto no significa por supuesto que puedan calificarse de falsas o injustas todas las acusaciones que se vertieron contra él. No todo en la política militar del general fueron aciertos; pero, dadas las circunstancias excepcionales con que tuvo que lidiar, muchas de las equivocaciones que cometió eran difícilmente evitables, si no directamente inevitables. Ocurrió por ejemplo con la política de ascensos, el mejor instrumento de que disponía el gobierno para purgar a las Fuerzas Armadas de su plomiza rémora franquista. Puesto que el escalafón era intocable en el ejército, en este asunto como en casi todos Gutiérrez Mellado se movió casi siempre entre dos fuegos: o respetaba el escalafón permitiendo que la vieja guardia radical copase los primeros escalones de mando y amenazase el decurso de la democracia, o se saltaba el escalafón ascendiendo a militares seguros a cambio de enfurecer a los militares postergados y de entregar argumentos a los partidarios del cuartelazo. Gutiérrez Mellado se enfrentó en no pocas ocasiones a esa disyuntiva irresoluble; la más conocida, la más ilustrativa también, tuvo lugar en mayo de 1979, cuando se produjo el nombramiento del nuevo jefe del Estado Mayor del ejército tras el pase a la reserva del general De Liniers. Los candidatos a sustituirlo eran el general Milans del Bosch, a la sazón capitán general de Valencia, y el general González del Yerro, a la sazón capitán general de Canarias; Gutiérrez Mellado no se fiaba de ninguno de los dos, así que hizo nombrar al general Gabeiras –un militar que carecía de crédito entre sus compañeros pero que gozaba de toda la confianza del vicepresidente–, para lo cual se vio obligado no sólo a ascenderle de forma artificiosa y precipitada, sino también a ascender con él a los generales que lo precedían en el escalafón con el fin de evitar acusaciones de amiguismo y de hacer mangas y capirotes con la normativa militar. La estratagema fue inútil, y el escándalo en los cuarteles monumental, por no hablar de la indignación de Milans y de González del Yerro. ¿Hubieran podido evitarse ambas cosas gestionando de otro modo el cambio en la cúpula del ejército? Tal vez, pero no es fácil imaginar de qué forma; lo que es fácil imaginar es qué hubiera sucedido si el 23 de febrero Milans se hubiese encontrado en Madrid al mando del Estado Mayor del ejército en vez de encontrarse en Valencia al mando de una región militar secundaria (lo mismo o casi lo mismo vale para González del Yerro, quien durante el 23 de febrero adoptó una actitud peligrosamente equívoca): con toda seguridad hubiese sido muchísimo más difícil que el golpe fracasara. En cambio, el 23 de febrero Gabeiras demostró ser, si no el jefe contundente que un ejército democrático hubiera necesitado para afrontar el golpe, sí al menos un militar leal, y en cualquier caso el episodio de su nombramiento fue sólo uno más de los muchos que enconaron la relación entre el gobierno y las Fuerzas Armadas y permitieron a la ultraderecha mantener los cuarteles en continuo pie de guerra contra el gobierno, propagando la especie de que la política militar de Gutiérrez Mellado era una suma de arbitrariedades caciquiles con que la democracia pretendía castigar al ejército, desmoralizándolo y eliminando cualquier rastro de su antiguo prestigio.

Pero el descontento militar que crucificó a Gutiérrez Mellado y acabó desembocando en el 23 de febrero no se alimentaba sólo de agravios profesionales, de vejaciones imaginarias y de intransigencia política; los militares golpistas no tenían razón, pero tenían razones, y algunas de ellas eran muy poderosas. No me refiero a la inquietud con que asistían hacia 1980 al deterioro de la situación política, social y económica, ni al disgusto sin disimulo que les producía –a ellos, que habían sido encargados por la Constitución del 78 de la defensa de la unidad de España pero que se sentían vinculados a ese mandato por un imperativo enterrado en su ADN– la proliferación de banderas y reivindicaciones nacionalistas y la descentralización impulsada por el Estado de las Autonomías, una combinación de palabras que para la inmensa mayoría de los militares era apenas un eufemismo que ocultaba o anticipaba la voladura controlada de la patria; me refiero a un asunto mucho más hiriente, en definitiva una de las causas directas del golpe de estado: el terrorismo, y en particular el terrorismo de ETA, que por aquellas fechas se encarnizaba con el ejército y la guardia civil ante la indulgencia de una izquierda que aún no había desprovisto a los etarras de su aureola de luchadores antifranquistas. Es fácil entender esta actitud de la izquierda: basta recordar para ello el funesto papel de sostén de la dictadura que durante cuarenta años desempeñaron el ejército, la guardia civil y la policía, por no mencionar la lista abultada de sus atrocidades; es imposible justificarla: si las Fuerzas Armadas debían proteger con todos sus medios a la sociedad democrática frente a sus enemigos, la sociedad democrática debía proteger con todos sus medios a las Fuerzas Armadas de la matanza a que estaban siendo sometidas, o al menos debía solidarizarse con sus miembros. No lo hizo, y la consecuencia de ese error fue que las Fuerzas Armadas se sintieron abandonadas por una parte considerable de la sociedad democrática y que terminar con aquella matanza se convirtió, a ojos de una parte considerable de las Fuerzas Armadas, en un argumento irresistible para terminar con la sociedad democrática.

Poca gente era tan consciente de ese estado de cosas como el general Gutiérrez Mellado, poca gente hizo tantos esfuerzos por enmendarlo y poca gente lo sufrió en sus carnes tanto como él, porque fue a él a quien la indignación militar espoleada por la ultraderecha hizo desde el principio responsable de permitir los asesinatos de sus compañeros de armas y de la condescendencia con que los recibía un sector del país. Esa indignación provocó contra el general repetidos actos de indisciplina y motines públicos que a su modo eran anuncios o prefiguraciones del 23 de febrero; no siempre fue el terrorismo la causa o la excusa de ellos –no siempre ocurrieron al calor de funerales por militares, guardias civiles o policías asesinados: también lo hicieron en reuniones informativas de altos mandos, en visitas de rutina a los cuarteles, incluso en ceremonias protocolarias o vinos de honor–, pero siempre fue la causa o la excusa de los más multitudinarios y violentos. Tal vez el más grave tuvo lugar la tarde del 4 de enero de 1979, en el Cuartel General del ejército, durante las honras fúnebres por el gobernador militar de Madrid Constantino Ortín, muerto la víspera en un atentado de ETA, y hay que decir que, como la mayoría de los alborotos militares de aquellos años, no se trató de un fruto espontáneo de la emoción del momento, sino de un acto preparado por una alianza previa de oficiales partidarios del golpe y de grupos ultraderechistas. La escena, que ha sido narrada en numerosas ocasiones por numerosos testigos presenciales, pudo ocurrir así:

Gutiérrez Mellado, amigo personal del general Ortín y único miembro del gobierno que asiste al acto, preside las exequias. El patio de armas del Cuartel General se halla abarrotado de una muchedumbre de militares. Bajo un cielo cerrado de invierno, la ceremonia se desarrolla en una atmósfera de duelo pero también de crispación inducida, hasta que en determinado momento, justo después de que la banda toque oración y el himno de infantería y de que los empleados de pompas fúnebres se hagan cargo del féretro mientras rompen filas las formaciones de jefes, oficiales y suboficiales alineadas frente a la tribuna de autoridades, empiezan a brotar aquí y allá gritos contra el gobierno e insultos contra su vicepresidente, quien es en seguida abordado por varios oficiales que lo zarandean con violencia, lo acorralan contra la puerta sur del patio, lo injurian y lo golpean. A escasos metros de donde esto ocurre, otro grupo de oficiales arrebata el féretro a los empleados de pompas fúnebres y, tras amenazar a la guardia que custodia el recinto con abrir a tiros sus puertas, consigue salir con el féretro a hombros a la calle Alcalá, donde una multitud que grita «¡Ejército al poder!» saluda enfervorizada a los varios cientos de jefes y oficiales insurrectos, se funde con ellos y los acompaña durante tres kilómetros por el centro de Madrid hasta el cementerio de La Almudena, mientras en un despacho del Cuartel General Gutiérrez Mellado, abatido, sin gafas y ajeno al ensayo de asonada militar que inunda las calles de la capital, intenta recuperarse de la humillación entre el puñado de compañeros de armas que acaba de impedir su linchamiento.

Ésa es la escena: para proteger su amor propio maltrecho, y el de su ejército, Gutiérrez Mellado siempre negó haber sido víctima de aquella tropelía, pero dos años después ya no pudo repetir la negativa, porque en la tarde del 23 de febrero las cámaras de televisión grabaron un ultraje que, con variantes más o menos atenuadas, él había conocido a menudo en la intimidad de los cuarteles. En este sentido, también, su gesto de enfrentarse en el hemiciclo del Congreso a los golpistas fue un resumen o un emblema de su carrera política; por lo mismo, fue la última batalla de una guerra despiadada contra los suyos que lo dejó exhausto, listo para el desguace: como Adolfo Suárez, Gutiérrez Mellado era el 23 de febrero un hombre políticamente acabado y personalmente roto, con la moral hundida y los nervios deshechos por cinco años de escaramuzas cotidianas. Es posible sin embargo que el 23 de febrero el general fuera al mismo tiempo un hombre feliz: aquella tarde abandonaba el poder Adolfo Suárez, y con su caída él se había prometido abandonar una carrera política que sin Adolfo Suárez quizá nunca hubiese emprendido.

Cumplió su promesa: no le impidieron hacerlo ni Leopoldo Calvo Sotelo, que al sustituir a Suárez en la presidencia le propuso continuar en el gobierno, ni el propio Suárez, que intentó captarlo para el partido con el que regresó a la política tras el 23 de febrero, y Gutiérrez Mellado se dispuso a pasar el resto de sus días como un jubilado, sin otra ocupación que presidir fundaciones benéficas, jugar largas partidas de cartas en compañía de su mujer y pasar largos veraneos en Cadaqués en compañía de amigos catalanes. Durante sus cinco años de trabajo político muchos de sus compañeros de armas lo habían aborrecido por intentar en vano terminar con el ejército de Franco y por colocar con éxito las bases del ejército de la democracia; su retirada no atenuó ese sentimiento: la primera petición de los altos mandos del ejército al ministro de Defensa posterior a su salida del gobierno fue que el general no se acercase por sus unidades, y tiempo después de que Gutiérrez Mellado abandonara el cargo de vicepresidente hubo que desistir de organizar un acto de desagravio concebido para contrarrestar una nueva campaña de prensa en su contra por temor a que la propuesta dividiera a las Fuerzas Armadas. Nunca volvió a pisar un cuartel, salvo el día en que la Academia donde se había hecho militar le brindó un homenaje de última hora y el general pudo experimentar –al menos mientras escuchaba sin derramar una sola lágrima la ovación de cinco minutos que puestos en pie le tributaron los cadetes que aquel día llenaban la sala de actos– la certeza ficticia y sentimental de que todos los sinsabores de sus años de gobierno estaban justificados. Murió poco después de aquella jornada engañosa, el 15 de diciembre de 1995, cuando el Opel Omega en que viajaba a Barcelona para dar una conferencia patinó sobre el hielo al tomar una curva y se salió de la calzada. Con él desapareció el político más fiel que tuvo a su lado Adolfo Suárez, el último militar español que ocupó un escaño en el Congreso, el último espadón de la historia de España. Quienes lo frecuentaron en sus años finales recuerdan a un hombre humilde, disminuido, silencioso y un poco ausente, que jamás hacía declaraciones a la prensa, que jamás hablaba de política, que jamás mencionó el 23 de febrero. No le gustaba recordar aquella tarde, sin duda porque no consideraba su gesto de enfrentarse a los guardias civiles golpistas como un gesto de coraje o de gracia o de rebeldía, ni siquiera como un gesto soberano de libertad o como un gesto extremo de contrición o como un emblema de su carrera, sino simplemente como el mayor fracaso de su vida; pero siempre que alguien conseguía que hablase de él lo despachaba con las mismas palabras: «Hice lo que me enseñaron en la Academia». No sé si alguna vez añadió que quien dirigía la Academia donde se lo enseñaron era el general Francisco Franco.

3

Vuelvo a una imagen de la grabación: de pie, con los brazos caídos a los costados y desafiando a los seis guardias civiles que acribillan el hemiciclo del Congreso, el general Gutiérrez Mellado –tanto como querer impedir la entrada de los rebeldes en el recinto, tanto como querer someter el poder militar al poder civil– parece querer proteger con su cuerpo el cuerpo de Adolfo Suárez, sentado a su espalda en la soledad de su escaño de presidente. Esa imagen es otro resumen o emblema: el emblema o resumen de la relación entre esos dos hombres.

La fidelidad de Gutiérrez Mellado a Adolfo Suárez fue una fidelidad sin condiciones desde el principio hasta el fin de su carrera política. Cabe en parte atribuir este hecho al sentido de la gratitud y la disciplina de Gutiérrez Mellado, a quien Suárez había convertido en el primer militar del ejército tras el Rey y en el segundo hombre más poderoso del gobierno; es seguro que se debió a la confianza total que depositó en la sagacidad política de Suárez y en su coraje, su juventud y su instinto. Suárez y Gutiérrez Mellado eran no obstante, al margen de la tarea política que los unió, dos hombres opuestos en casi todo: ambos, es verdad, compartían una granítica fe católica, ambos cultivaban un cierto dandismo, ambos eran delgados, frugales e hiperactivos, ambos amaban el fútbol y el cine, ambos eran buenos jugadores de cartas; pero prácticamente ahí terminaban sus afinidades: el primero era un experto en las añagazas del mus y el segundo en la limpia aristocracia del bridge, el primero era un provinciano de familia republicana y el segundo era un madrileño de pura cepa y de buena familia monárquica, el primero fue un estudiante desastrado y el segundo un estudiante de matrículas, el primero fue siempre un profesional del poder y el segundo fue siempre un profesional de la milicia, el primero poseía, en fin, una inteligencia política, un encanto personal, un don de gentes y un descaro de jefe de pandilla de barrio con los que practicó con destreza indiscriminada el arte de la seducción, mientras que la inteligencia técnica y la sobriedad de carácter del segundo tendieron a confinar su vida social en el círculo de su familia y de unos pocos amigos. A ambos los separaba, además, una diferencia más obvia y más importante: Suárez tenía exactamente veinte años menos que Gutiérrez Mellado; por edad hubieran podido ser padre e hijo, y es casi imposible resistirse a interpretar la relación que los unió como una extraña y descompensada relación paterno-filial en la que el padre ejercía de padre porque protegía al hijo pero también ejercía de hijo porque no discutía sus órdenes ni ponía en duda la validez de sus juicios.

Preceptivamente, la devoción política de Gutiérrez Mellado por Adolfo Suárez empezó en la primera oportunidad en que hablaron, o eso al menos le gustaba recordar al general. Es probable que se hubieran cruzado alguna vez a finales de los años sesenta, mientras Suárez dirigía Televisión Española y halagaba a los militares con programas sobre el ejército emitidos en horarios de máxima audiencia y con ramos de rosas que enviaba a sus mujeres acompañados por notas de gratitud en las que se disculpaba por ocupar a sus maridos fuera de las horas de servicio, pero no fue hasta el invierno de 1975 cuando estuvieron a solas por primera vez. En aquella época, recién fallecido Franco, Suárez acababa de ser nombrado ministro secretario general del Movimiento del primer gobierno del Rey; por su parte, Gutiérrez Mellado llevaba ya varios meses como comandante general y delegado del gobierno en Ceuta, y en uno de sus viajes a la capital solicitó audiencia al nuevo ministro para hablarle de un polideportivo pendiente de construcción en la ciudad. Suárez lo recibió, y una reunión que debía ser de trámite se prolongó durante varias horas, al cabo de las cuales el general salió del despacho de la calle Alcalá 44 encandilado por la simpatía irresistible, el lenguaje novedoso y la claridad de ideas del joven ministro, de modo que cuando a principios de julio Suárez fue encargado de formar gobierno ante la sorpresa apesadumbrada de gran parte del país Gutiérrez Mellado pudo experimentar sorpresa, pero no pesadumbre, porque para entonces ya estaba convencido de la valía excepcional del nuevo presidente. Éste, sólo tres meses más tarde, lo llamó a su lado para convertirlo a la vez en su guardaespaldas y su mano derecha, y ya no volvieron a separarse. Gutiérrez Mellado fue el vicepresidente primero y el único ministro invariable de los seis gobiernos que formó Suárez, pero la amistad que trabaron Suárez y Gutiérrez Mellado no fue sólo política. No mucho después de su incorporación al gobierno, Gutiérrez Mellado se mudó con su familia a uno de los edificios que integraban el complejo de la Moncloa, donde ya estaba instalado el hogar de la familia Suárez; a partir de aquellas fechas apenas dejaron de verse un solo día: trabajaban casi pared con pared, y a medida que transcurría el tiempo empezaron a compartir no sólo las horas de trabajo sino también las de ocio, unidos por una intimidad respetuosa que no desdeñaba las confidencias ni los largos silencios familiares, y que no hizo sino afianzarse mientras en los meses previos al golpe Suárez perdía a diario, entre los escombros de su poder y su prestigio, aliados políticos, colaboradores próximos y amistades de años. En esos momentos finales de la presidencia de Suárez y de su propia carrera política Gutiérrez Mellado era, además de un hombre políticamente acabado y personalmente roto, un hombre perplejo: no entendía la ingratitud del país con el presidente que había terminado con la dictadura y construido la democracia; menos aún entendía la frivolidad irresponsable de la clase política –en especial la de los políticos del partido del presidente, en especial la de los miembros del gobierno del presidente–, enzarzada en una lucha insensata por el poder mientras la democracia se desmoronaba en torno a ella. De ahí que intentara apaciguar sin que nadie le hiciera caso las rebeliones internas de UCD, y de ahí que al menos en una ocasión y con idéntico resultado aprovechara la ausencia de Suárez en un consejo de ministros para abroncar a sus miembros y exigirles a gritos lealtad a quien los había nombrado. De esa época datan dos anécdotas que hablan por sí solas. La primera ocurrió a las cinco de la tarde del 29 de enero de 1981 en la Moncloa, cuando, después de que Suárez anunciara a sus ministros su dimisión en un consejo extraordinario, Gutiérrez Mellado se levantó de su asiento e improvisó un brevísimo discurso que concluyó con este ruego: «Pido a Dios que justifique los servicios que usted, señor presidente, ha prestado a España»; la frase era sincera, no elocuente: lo que es elocuente es que la reunión se disolviese de inmediato sin que ningún ministro pronunciara en público una sola palabra de consuelo o de solidaridad con el presidente dimisionario. La segunda anécdota carece de fecha y de lugar precisos, pero lo más probable es que ocurriera en la Moncloa, tal vez en las dos semanas que precedieron a la anterior; si así fue, debió de ocurrir en un despacho a medio terminar que Suárez estrenó por entonces en la parte trasera del palacio, un enorme salón destartalado con grandes ventanas provisionales por las que entraba el aire de invierno y con cables sueltos colgando de las paredes que parecía el trabajo de un decorador encargado de convertir aquel espacio en una metáfora del desamparo de los últimos meses de Adolfo Suárez en el gobierno. Pudo ser allí y entonces, ya digo, pero también pudo no serlo: al fin y al cabo la realidad carece de la menor inclinación decorativa. En cualquier caso merecería haber sido allí y entonces donde, según el propio Suárez recordó en público a la muerte del general, éste le dijo tras un diálogo de postrimerías o un inventario de reveses y deserciones: «Dime la verdad, presidente: aparte del Rey, de ti y de mí, ¿hay alguien más que esté con nosotros?».

4

No. La respuesta es no: no hay nadie más que esté con ellos. O ésa es al menos la respuesta autocompasiva que en aquella ocasión se dio sin duda a sí mismo Adolfo Suárez y la respuesta vindicativa que continuaba dándose años más tarde, cuando contaba la anécdota de su amigo muerto (y tal vez por eso la contaba). Pero, aunque fuera autocompasiva y vindicativa, la respuesta no era falsa.

La imagen de Adolfo Suárez sentado a solas en el hemiciclo del Congreso durante la tarde del 23 de febrero es también un emblema de otra cosa: un emblema de su soledad casi absoluta en los meses que precedieron al golpe. Curiosamente, año y medio antes de esa fecha una fotógrafa captó en el mismo lugar una imagen parecida: sentado en su escaño de presidente, Suárez viste igual que el 23 de febrero –chaqueta oscura, corbata oscura, camisa blanca– y, aunque su postura sea un poco distinta a la que adoptó durante el tiroteo del 23 de febrero, a su derecha se extiende la misma desolación de escaños vacíos. Como en la imagen del 23 de febrero, Suárez está posando; como en la imagen del 23 de febrero, Suárez no parece estar posando (Suárez siempre posaba en público: ésa era su fortaleza; a menudo posaba en privado: ésa era su debilidad). La imagen es del 25 de septiembre de 1979, pero, de no mediar ciertas diferencias de color y de encuadre, podría confundirse con la del 23 de febrero de 1981, como si, más que fotografiar a Suárez, la fotógrafa hubiera fotografiado el futuro.

Aunque el secreto no se hizo público hasta un año después, en septiembre de 1979, cuando estaba en la cima de su poder y su prestigio, Suárez era ya íntimamente un político acabado. Antes apunté una razón de su súbito hundimiento: Suárez, que había sabido hacer lo más difícil –desmontar el franquismo y construir una democracia–, era incapaz de hacer lo más fácil –administrar la democracia que había construido–; matizo ahora: para Suárez lo más difícil era lo más fácil y lo más fácil era lo más difícil. No es sólo un juego de palabras: aunque no había creado el franquismo, Suárez había crecido en él, conocía a la perfección sus reglas y las manejaba con maestría (por eso pudo terminar con el franquismo fingiendo que solo cambiaba sus reglas); en cambio, aunque había creado la democracia y establecido sus reglas, Suárez se manejaba en ella con dificultad, porque sus hábitos, su talento y su temperamento no estaban hechos para lo que había construido, sino para lo que había destruido. Ésa fue al mismo tiempo su tragedia y su grandeza: la de un hombre que consciente o inconscientemente trabaja no para fortalecer sus posiciones, sino, por recurrir de nuevo al término de Enzensberger, para socavarlas. Como no sabía usar las reglas de la democracia y sólo sabía ejercer el poder como se ejerce en una dictadura, ignoraba al Parlamento, ignoraba a sus ministros, ignoraba a su partido. En el nuevo juego que había creado sus virtudes se convirtieron rápidamente en defectos –su desparpajo se convirtió en ignorancia, su osadía en temeridad, su aplomo en frialdad–, y el resultado fue que en muy poco tiempo Suárez dejó de ser el político brillante y resuelto que había sido durante sus primeros años de gobierno –cuando todo en su mente parecía conectar con todo, igual que si guardara en su interior un imán que atraía y ordenaba los fragmentos más insignificantes de la realidad y le permitía operar sobre ella sin temor, porque a cada momento tenía la certeza de conocer el fruto más remoto de cada acción y la causa más íntima de cada efecto– para convertirse en un político torpe, opaco y dubitativo, extraviado en una realidad que no entendía e incapacitado para manejar una crisis que su mal gobierno no hacía más que ahondar. Unidas a los celos, las rencillas y la avaricia de poder de la clase dirigente, estas carencias desataron desde el verano de 1980 la conspiración generalizada contra él que acabó propiciando el golpe; unidas al agotamiento producido por cuatro años durísimos en la presidencia del gobierno y a un carácter más complejo y más frágil de lo que sospechaban quienes sólo lo conocían de superficie, ellas desataron también su hundimiento personal.

Desde el verano de 1980 Suárez vivió prácticamente enclaustrado en la Moncloa, protegido por su familia y por un exiguo puñado de colaboradores. Parecía afectado por una extraña parálisis, o por una forma difusa de miedo, o quizá era vértigo, como si en algún momento de lucidez masoquista hubiese comprendido que no era más que un farsante y se hubiese propuesto a toda costa evitar el contacto social por temor a que lo desenmascarasen, y a la vez como si temiera que un oscuro anhelo de inmolación le estuviera impulsando a terminar él mismo con la farsa. Se pasaba horas y horas encerrado en su despacho leyendo informes relativos al terrorismo, al ejército, a la política económica o internacional, pero luego era incapaz de tomar decisiones sobre esos asuntos o simplemente de reunirse con los ministros que debían tomarlas. No acudía al Parlamento, no concedía entrevistas, apenas se dejaba ver en público y más de una vez no quiso o no pudo presidir de principio a fin las reuniones del consejo de ministros; ni siquiera encontró ánimos para asistir a los funerales de tres miembros vascos de su partido asesinados por ETA, ni a los de cuarenta y ocho niños y tres adultos que a finales de octubre murieron a causa de una explosión accidental de gas propano en un colegio del País Vasco. Su salud física no era mala, pero sí su salud anímica. No hay duda de que en torno a él sólo veía una oscuridad de ingratitudes, traiciones y desprecios, y de que interpretaba cualquier ataque a su trabajo como un ataque a su persona, cosa que quizá quepa atribuir de nuevo a sus dificultades para adaptarse a la democracia. Nunca acabó de entender que en la política de una democracia nada es personal, dado que en democracia la política es un teatro y nadie puede actuar en un teatro sin fingir lo que no siente; por supuesto, él era un político puro y, como tal, un actor consumado, pero su problema era que fingía con tanta convicción que acababa sintiendo lo que fingía, lo que le llevaba a confundir la realidad con su representación y las críticas políticas con las personales. Es verdad que en la cacería desatada contra él a lo largo de 1980 muchas de las críticas que recibía eran, antes que políticas, personales, pero no es menos verdad que cuando llegó al gobierno también había sido objeto de críticas personales, sólo que entonces el presidente estaba todavía acorazado por los privilegios de un sistema autoritario y que su entusiasmo de neófito las convertía en acicates de su voluntad y su fortaleza mental las neutralizaba, atribuyéndolas a las flaquezas de sus autores –a sus errores de juicio, a sus ambiciones frustradas, a su vanidad insatisfecha, a su rencor–; ahora, en cambio, desprotegido por la libertad, sometido a unas exigencias acuciantes y con las defensas diezmadas por la usura de casi un lustro de mandato en condiciones muchas veces extremas, tales críticas eran un instrumento cotidiano de martirio, sin duda porque se las repetía a sí mismo, y contra uno mismo no hay protección posible. Como todo político puro, Suárez sentía además una necesidad apremiante de ser admirado y querido y, como todo el mundo en el pequeño Madrid del poder franquista, había forjado en gran parte su carrera política a base de adulación, hechizando a sus interlocutores con su simpatía, sus ganas insaciables de agradar y su repertorio arborescente de anécdotas hasta convencerlos no sólo de que él era un ser extraordinario sino de que ellos eran todavía más extraordinarios que él, y de que por tanto iba a hacerles objeto de toda su confianza, su atención y su afecto. Para un hombre así, pura exterioridad, cuya autoestima dependía casi por completo de la aprobación de los otros, debió de ser una experiencia devastadora notar que sus trucos de prestidigitación ya no surtían efecto, que la clase dirigente del país le había tomado la medida y que el brillo de su seducción se había apagado, que nadie reía sus bromas ni se embelesaba con sus opiniones, que nadie sentía el embrujo de sus historias ni el privilegio de su compañía, que nadie se creía ya sus promesas ni aceptaba sus declaraciones de amistad eterna, que quienes lo habían admirado y lisonjeado lo despreciaban, que quienes le debían su carrera política y le habían entregado su lealtad lo traicionaban, que el mejor sentimiento que podía ya suscitar entre sus iguales era una mezcla de hastío y de desconfianza y que, como se encargaban de demostrarle a diario las encuestas desde el verano de 1980, el país entero estaba harto de él.

Políticamente solo y exhausto, personalmente perdido en un laberinto de autocompasión, de hartazgo y de desengaño, hacia noviembre de 1980 Suárez empezó a pensar en dimitir. Si no lo hacía era porque lo arrastraba la inercia o el instinto del poder y porque era un político puro y un político puro no abandona el poder: lo echan; también, quizá, porque en los momentos de euforia que punteaban su abatimiento un resto de coraje y de orgullo le persuadía de que, aunque nada de lo que hiciera en adelante podría superar lo que ya había hecho, sólo él podía arreglar lo que él mismo había malogrado. En aquellos días buscaba alivio y estímulo en los viajes al extranjero, donde su predicamento de hacedor de la democracia española continuaba todavía intacto; en el curso de uno de ellos, tras asistir a la toma de posesión del primer ministro peruano Belaúnde Terry en Lima, Suárez concedió a la periodista Josefina Martínez una de sus últimas entrevistas como presidente, y el resultado de esa charla fue un texto tan negro, tan amargo y tan sincero –tan lleno de lamentos por la ingratitud, la incomprensión y las ofensas e insultos personales de que se sentía objeto– que sus asesores impidieron que se publicara. «Yo suelo decir que me he empeñado en un combate de boxeo en el que no estoy dispuesto a pegar un solo golpe –le dijo Suárez a la periodista aquel día–. Quiero ganar el combate en el quince round por agotamiento del contrario... ¡Así que debo tener una gran capacidad de aguante!» Es falso que no diera un solo golpe (los dio, sólo que ya no tenía fuerzas para seguir dándolos), pero es verdad que tenía una gran capacidad de aguante, y sobre todo es verdad que así es como él se vio muchas veces en el otoño y el invierno de 1980: en el centro del ring, tambaleándose y ciego de sangre, de sudor y de párpados hinchados, con los brazos muertos a lo largo del cuerpo, resollando entre el griterío del público y el calor de los focos, anhelando en secreto el golpe definitivo.

5

El golpe definitivo se lo dio el Rey. Quizá era el único que podía dárselo: el Rey le había entregado el poder a Suárez y quizá sólo el Rey se lo podía arrebatar; lo hizo: le arrebató el poder, o como mínimo no escatimó esfuerzos para que Suárez lo entregara. Esto significa que, igual que gran parte de la clase política española, en el otoño y el invierno de 1980 el Rey también conspiraba a su modo contra el presidente del gobierno; esto significa que Gutiérrez Mellado se equivocaba: el Rey tampoco estaba con ellos.

El Rey había conocido a Suárez en enero de 1969, durante un viaje de vacaciones a Segovia en compañía de un cortejo que incluía a su secretario personal y líder futuro del 23 de febrero: el general Armada. Por entonces Suárez era gobernador civil de la provincia y el Rey un príncipe en precario a quien todavía faltaban unos meses para jurar ante las Cortes franquistas como sucesor de Franco, pero cuyo futuro de Rey ni siquiera estaba del todo claro para el propio Franco, porque pendía de una delicada telaraña de equilibrios que podía romperse después de su muerte. Los dos hombres simpatizaron en seguida; en seguida intuyeron que se necesitaban mutuamente: Suárez no era monárquico, pero se hizo de inmediato monárquico, sin duda porque sabía que, pese a los equilibrios y las incertidumbres, el futuro más verosímil de España era la monarquía y él no quería por nada del mundo perderse el futuro; en cuanto al Rey, hostigado y ninguneado por sectores muy influyentes del franquismo –empezando por la propia familia Franco–, necesitaba con urgencia aliados, y aquel joven sólo seis años mayor que él, discreto, prometedor, diligente, servicial y dicharachero, tuvo que parecerle a simple vista un buen aliado. El primer día Suárez se limitó a comer con la familia real en un restaurante de la ciudad, pero durante los meses siguientes el Rey volvió varias veces a una finca de la provincia, en la sierra de Guadarrama, y allí se anudó entre los dos hombres una complicidad de fines de semana que posiblemente acabó de convencer al futuro monarca de que, si sabía usar sus ganas de complacer, su ambición y su inteligencia rápida y práctica, Suárez podía llegar a ser para él mucho más que una compañía divertida. No es probable que al principio hablaran mucho de política, aunque es casi seguro que el Rey comprendió muy pronto que Suárez no tenía el cerebro fosilizado por el franquismo, que sabía mandar y que carecía de ideas políticas elaboradas; tampoco es probable que no sospechara que su principal idea política consistía en prosperar políticamente, y que por lo tanto su apego monárquico dependía en exclusiva de la capacidad de satisfacer sus aspiraciones que demostrara la Corona.

A partir de ese momento el Rey hizo cuanto pudo por promover la carrera política de Suárez. En noviembre de aquel mismo año medió para que el almirante Carrero Blanco lo nombrara director de Televisión Española, y Suárez tardó más tiempo en tomar posesión del cargo que en demostrarle al monarca que no se había equivocado apostando por él. Durante los cuatro años en que dirigió la única televisión del país orquestó una campaña de imagen que introdujo en todos los hogares la figura hasta entonces fugaz y desvaída del Príncipe: no dejó de registrar ni uno solo de sus viajes, ni uno solo de sus actos oficiales, ni una sola de sus apariciones públicas; su recién estrenada vocación monárquica (o su celo de converso) le llevó a enfrentarse en varias ocasiones con su ministro, sobre todo cuando se negó a transmitir en directo y por la primera cadena la boda de la nieta de Franco con Alfonso de Borbón, primo del príncipe y aspirante al trono, cuyo matrimonio alentaba en el círculo más íntimo del general el sueño de ver perpetuada en el poder a la familia Franco. Para aquella época, a principios de los años setenta, Suárez ya había empezado a postularse como ministro, pero no obtuvo el cargo hasta que a la muerte de Franco se formó el primer gobierno de la monarquía y el Rey, que careció de fuerza para imponer un presidente de su gusto y se vio obligado a heredar a Arias Navarro –una momia dubitativa e incapaz de finiquitar sus hipotecas franquistas–, tuvo la suficiente para imponer a Suárez, a quien Arias Navarro asignó la Secretaría General del Movimiento después de que lo convenciera Torcuato Fernández Miranda, por entonces principal consejero político del Rey y presidente de las Cortes y del Consejo del Reino, dos de los principales bastiones de poder de la dictadura. Sólo seis meses más tarde el Rey consiguió desembarazarse de Arias Navarro y, tras una serie de tejemanejes de Fernández Miranda en el Consejo del Reino –el organismo encargado de presentarle al monarca un trío de candidatos a la presidencia–, elegir como jefe del gobierno a Adolfo Suárez.

No era la única elección posible. Había candidatos mucho más evidentes, con más credenciales monárquicas, más preparación intelectual y más experiencia política; pero el Rey (o el Rey aconsejado por Fernández Miranda) calculó que en aquellos momentos tales virtudes eran más bien defectos: un gobierno, digamos, de José María de Areilza –un hombre culto, cosmopolita y adicto desde siempre a la Corona, bien relacionado con la oposición clandestina y favorito de muchos reformistas del régimen– o un gobierno de Manuel Fraga –el antiguo ministro de Franco y más tarde líder de la derecha– hubieran sido un gobierno de Areilza o de Fraga, porque tanto Fraga como Areilza poseían personalidades muy acusadas y proyectos políticos propios; un gobierno de Suárez, en cambio, no sería un gobierno de Suárez, sino un gobierno del Rey, porque Suárez (o ésa era al menos la creencia del Rey y de Fernández Miranda) carecía de proyecto político alguno y estaba dispuesto a llevar a cabo el que el Rey le encomendara y de la forma en que se lo encomendara. El proyecto del Rey era la democracia; más exactamente: el proyecto del Rey era alguna forma de democracia que permitiese arraigar la monarquía; más exactamente aún: el proyecto del Rey era alguna forma de democracia no porque le repugnase el franquismo o porque estuviese impaciente por renunciar a los poderes que había heredado de Franco o porque creyese en la democracia como panacea universal, sino porque creía en la monarquía y porque pensaba que en aquel momento una democracia era el único modo de arraigar en España la monarquía. Ahora bien, cambiar una dictadura por una democracia sin quebrar la legalidad era una operación muy compleja, quizá inédita, y al Rey le urgía controlarla de cerca, así que necesitaba que la condujese alguien cuya pasión por el poder lo volviese absolutamente fiel y absolutamente dócil, un hombre de su edad que no sintiese la tentación de tutelarle o de imponerse a él y con quien pudiese mantener una relación fluida. Suárez cumplía de entrada esas condiciones; también otras. Conocía de memoria a la clase política del franquismo y los pasillos, covachuelas y recovecos del sistema que había que desmontar, era joven, listo, rápido, fresco, realista, flexible, eficaz, y lo bastante encantador y marrullero para persuadir a la oposición de que todo iba a cambiar mientras persuadía a los franquistas de que nada iba a cambiar aunque todo cambiase. Por último, además del atrevimiento de la ignorancia y del arrojo de los que nada tienen que perder, poseía una confianza desorbitada en sí mismo y un temple coriáceo de ganador que debía permitirle realizar la tarea que iban a encargarle soportando las furiosas acometidas de unos y de otros sin claudicar ni quemarse por completo antes de tiempo.

Pero naturalmente acabó quemándose. Para cuando eso ocurrió, sin embargo, Suárez ya había cumplido con el Rey: a fin de arraigar la monarquía había levantado una democracia, quizá una democracia más completa o más profunda de lo que el Rey y él mismo en un principio imaginaron. Había hecho bien su trabajo. Sólo que a la altura de 1980 parecía empeñado en estropearlo. Porque a juicio del Rey como al de casi toda la clase dirigente española el problema era que, después de construir la democracia, Suárez se había creído capaz de gestionarla, y que su permanencia en el gobierno ya no hacía más que ahondar una crisis de la que él mismo era el causante. El otro problema es que el Rey se propuso solucionar ese problema, y que para ello arrimó el hombro a las maniobras destinadas a sustituir a Suárez que formaron la placenta del 23 de febrero. Probablemente se creyó en la obligación de hacerlo. Como toda la clase política, como el propio Suárez, el Rey estaba estrenando las reglas de la democracia, y aún no había asimilado su nuevo papel de figura institucional o simbólica sin poder político efectivo (o no había querido hacerlo); como si aún conservara la facultad de poner y quitar presidentes que había heredado de Franco y a la que había renunciado sancionando la Constitución del 78, quiso volver a intervenir en la política del país más allá de los límites impuestos por las reglas recientes de la monarquía parlamentaria. Su error no fue sólo fruto de la inexperiencia; también lo fue de la costumbre y del miedo. Durante el idilio de sus primeros años en el gobierno, Suárez había acostumbrado al Rey a consultarle cada uno de los pasos que daba, a convertir sus deseos en órdenes; ahora, en cambio, crecido por sus éxitos y convertido en presidente no por voluntad del monarca sino por los votos de los ciudadanos, Suárez abandonó sus formas sumisas y su proceder de fámulo y empezó a discrepar del Rey y a tomar decisiones no sólo al margen de su opinión, sino contra ella (apremiado por Estados Unidos, el Rey consideraba urgente entrar en la OTAN y Suárez no; apremiado por los militares, el Rey consideraba urgente apartar del gobierno a Gutiérrez Mellado y Suárez no; en los meses previos al 23 de febrero mantuvieron fuertes discusiones sobre asuntos que serían determinantes el 23 de febrero, en especial sobre el nombramiento del general Armada como segundo jefe de Estado Mayor del ejército, que el Rey consideraba necesario y Suárez peligroso); el Rey encajó mal la insubordinación o el afán de independencia de Suárez, a los que sin duda atribuía en parte la mala marcha del país, y esto acabó emponzoñando la relación entre los dos hombres: cuatro años atrás, tres años atrás, dos años atrás, Suárez acudía sin avisar a la Zarzuela y el Rey aparecía por sorpresa en la Moncloa sólo para tomarse un whisky con su amigo, improvisaban reuniones o despachos de trabajo, cenas de matrimonios y sesiones de cine en familia; ahora ese espíritu de camaradería se había evaporado, sustituido por un tira y afloja cada vez más irritante que incluía, además de diferencias de pareceres, llamadas del Rey a la Moncloa sin respuesta o con respuestas insolentemente postergadas y esperas vejatorias de Suárez en la Zarzuela. Puede que también intervinieran los celos entre dos hombres que se disputaban en España y fuera de ella la paternidad prestigiosa de la nueva democracia. Sin duda intervino el miedo. El Rey había nacido en el exilio, y sólo había recobrado el trono para él y para su familia a base de grandes dosis de inteligencia, de fortuna, de habilidad y de sacrificio; ahora tenía pánico a perderlo y, según le repetían tanto los líderes políticos como los cortesanos de la Zarzuela –y entre ellos su padre, enfrentado al presidente desde tiempo atrás–, el descrédito de Suárez no sólo estaba contaminando a la democracia, sino también a la monarquía, si es que en aquel momento ambas cosas podían separarse: aunque Suárez ya no era el presidente del Rey, como lo había sido cuando él lo nombró a dedo en 1976, sino el de los ciudadanos, que por dos veces lo habían elegido en las urnas, la mayoría de los ciudadanos seguía identificando al Rey con Suárez, de forma que el hundimiento de Suárez podía arrastrar consigo a la monarquía. Este argumento alarmante, especioso y reiterado debió de contribuir a que, forzando la neutralidad a que la ley le obligaba, el Rey se impusiera el deber y se arrogara el derecho de contribuir a la caída de Suárez. «A ver si me quitáis a éste de encima –le oyeron decir en el otoño y el invierno de 1980, refiriéndose a Suárez, numerosos visitantes de la Zarzuela–. Porque con éste vamos a la ruina.» No se limitó el Rey a incentivar con el peso de su autoridad el acoso a Suárez; también discutió con unos y con otros la forma de sustituirlo, y es muy probable que, a la vista de la lúgubre situación del país, como gran parte de la clase dirigente también él pensara que la democracia se había hecho de forma precipitada, que quizá convenía un golpe de bisturí con el fin de extirpar abscesos y suturar desgarrones, y que llegados a aquel punto un simple cambio de gobierno tal vez ya no bastara para enderezar las cosas, pero sobre todo es muy probable que en algún momento viera con buenos ojos o al menos barajara o permitiera creer que barajaba seriamente la propuesta de un gobierno de coalición o concentración o unidad presidido por un militar monárquico –y no había un militar más monárquico que su antiguo secretario Alfonso Armada, con quien sin duda discutió la cuestión en las semanas previas al golpe–, siempre y cuando la propuesta contase con el beneplácito de los partidos políticos y estuviese orientada a rectificar con un golpe de timón la derrota extraviada del país evitando que la democracia, que cinco años atrás había sido el instrumento de supervivencia de la Corona, acabase convirtiéndose en el de su perdición.

Suárez lo sabía. Sabía que el Rey ya no estaba con él. Mejor dicho: lo sabía pero no quería admitir que lo sabía, o al menos no quiso admitirlo hasta que ya no le quedó más remedio que admitirlo. En el otoño de 1980 Suárez sabía que el Rey lo consideraba el principal responsable de la crisis y que albergaba serias dudas sobre su capacidad para resolverla, pero no sabía (o no quería admitir que sabía) que el Rey abominaba de él cada vez que hablaba con un político, con un militar o con un empresario; Suárez también sabía que su relación con el Rey era mala, pero no sabía (o no quería admitir que sabía) que el Rey había perdido la confianza en él y que exhortaba a que sus adversarios lo echasen del poder. Finalmente el 24 de diciembre a Suárez ya no le quedó más remedio que admitir que sabía lo que sabía en realidad desde hacía varios meses. Aquella noche la televisión emitió el discurso navideño del Rey; casi siempre ha sido un discurso ornamental, pero en aquella ocasión no lo fue (y, como si quisiera subrayar que no lo era, el monarca apareció ante las cámaras solo y no acompañado por su familia, como había hecho hasta entonces). La política, dijo entre otras cosas el Rey aquella noche, debe ser considerada «como un medio para conseguir un fin y no como un fin en sí mismo». «Esforcémonos en proteger y consolidar lo esencial –dijo–, si no queremos exponernos a quedarnos sin base ni ocasión para ejercer lo accesorio.» «Al recapitular hoy sobre nuestras conductas –dijo–, debemos preguntarnos si verdaderamente hemos hecho lo necesario para sentirnos orgullosos.» «Es urgente –dijo–, que examinemos nuestro comportamiento en el ámbito de responsabilidad que a cada uno es propio, sin la evasión que siempre supone buscar culpas ajenas.» «Quiero invitar a reflexionar a los que tienen en sus manos la gobernación del país –recalcó–. Han de poner la defensa de la democracia y del bien común por encima de sus limitados y transitorios intereses personales, de grupo o de partido.» Ésas fueron algunas de las frases que el Rey pronunció en su discurso, y es imposible que Suárez no sintiera que estaban dirigidas a él; también, que no las interpretara como lo que probablemente eran: una acusación de aferrarse al poder como un fin en sí mismo, de proteger lo accesorio, que era su cargo de presidente, por encima de lo esencial, que era la monarquía; una acusación de comportarse irresponsablemente buscando culpables a sus propias culpas y poniendo su transitorio y limitado interés por encima del bien común; una forma pública y confidencial, en fin, de pedirle que dimitiera.

Desconozco cuál fue la reacción inmediata de Suárez al discurso del Rey. Pero sé que Suárez sabía dos cosas: una es que aunque el Rey no tenía el derecho legal de pedirle que dimitiera conservaba sobre él un derecho moral por haberle convertido en presidente cuatro años atrás; la otra es que –habiendo perdido el apoyo de la calle, del Parlamento, de su partido, de Roma y Washington, ciego y tambaleándose y resollando en el centro del ring entre el aullido del público y el calor de los focos– perder del todo el apoyo del Rey equivalía a perder su último apoyo y a encajar el golpe definitivo. Aquel mismo día Suárez debió de entender que su única alternativa era dimitir. No es contradictorio con ello el hecho de que, según algunas fuentes, en una reunión celebrada el 4 de enero en su refugio de montaña de La Pleta, en Lérida, el Rey le insinuara que debía dimitir, y que Suárez se negara a hacerlo. Puede ser: una agonía es una agonía, y algunos muertos se resisten a morir, aunque sepan que ya están muertos. Lo cierto es que sólo tres semanas después de la meridiana admonición navideña del monarca Suárez les dijo a sus más allegados que abandonaba la presidencia del gobierno. El día 27 se lo dijo al Rey en su despacho de la Zarzuela. El Rey no fingió: no le pidió que le explicara las razones de su dimisión, no hizo el menor amago protocolario de rechazarla ni le preguntó protocolariamente si la había meditado bien, tampoco tuvo una palabra de gratitud para el presidente que le había ayudado a conservar la Corona; se limitó a llamar a su secretario, el general Sabino Fernández Campo, y a decirle en cuanto entró en el despacho, mirándole a él pero señalando a Suárez con un dedo sin caridad: Éste se va.

6

El 29 de enero de 1981, veinticinco días antes del golpe, Adolfo Suárez anunció en un discurso televisado su dimisión como presidente del gobierno. La pregunta es forzosa: ¿cómo es posible que se marchase voluntariamente de la Moncloa quien había asegurado que sólo se marcharía de la Moncloa si perdía unas elecciones o si le sacaban de allí con los pies por delante? ¿No era Suárez un político puro y no es un político puro un político que no abandona el poder a menos que lo echen? La respuesta es que Suárez no se marchó voluntariamente del poder, sino que lo echaron: le echó la calle, le echó el Parlamento, le echaron Roma y Washington, le echó su propio partido, le echó su propio derrumbe personal, al final le echó el Rey. Hay otra respuesta, que es la misma: como era un político absolutamente puro, Suárez se marchó antes de que la suma de esos adversarios le echara y a fin de legitimarse ante el país, desbaratando así la alianza que se había formado contra él y preparando su regreso al poder.

Con la excepción del golpe del 23 de febrero –del que en realidad constituye un ingrediente básico–, ningún acontecimiento de la última historia española ha desatado mayor cantidad de especulaciones que la dimisión de Adolfo Suárez; no obstante, de todos los enigmas del 23 de febrero quizá el menos enigmático sea la dimisión de Adolfo Suárez. Aunque es imposible agotar los motivos que la desencadenaron, es posible descartar los más truculentos y publicitados. Suárez no dimitió porque le obligaran a hacerlo los militares ni dimitió para frenar un golpe militar: como presidente del gobierno adolecía de muchos defectos, pero entre ellos no figuraba la cobardía, y no hay ninguna duda de que, por muy aniquilado que estuviera, si los militares le hubiesen puesto una pistola en el pecho Suárez les hubiese ordenado inmediatamente que se pusieran en posición de firmes; tampoco hay ninguna duda de que si hubiera sabido que tramaban un golpe se hubiera aprestado a pararlo. La frase más recordada de su discurso de dimisión desmiente en apariencia este último aserto: «Como frecuentemente ocurre en la historia –dijo Suárez–, la continuidad de una obra exige un cambio de personas, y yo no quiero que el sistema democrático de convivencia sea, una vez más, un paréntesis en la historia de España». Esta declaración sacrificial, que sugería que su autor se inmolaba para salvar la democracia y que de forma retrospectiva pareció saturarse de significado el 23 de febrero, no figuraba en el borrador del discurso que Suárez envió en la víspera de su comparecencia televisiva a la Casa Real, la añadió a última hora y, pese a que al menos una de las personas que solía escribir y corregir sus textos la tachó del discurso, Suárez volvió a añadirla. Se trataba quizá de un subrayado dramático característico del personaje y de una pieza de su particular estrategia de dimisión, pero no de una impostura. Aunque no sabía que crecía en el país la placenta de un golpe contra la democracia, Suárez no ignoraba que las intrigas contra él eran también peligrosas para la democracia, porque pretendían sacarlo del poder sin pasar por unas elecciones y tensando al máximo los engranajes de un juego recién estrenado; no ignoraba (o por lo menos sospechaba) que se estaba preparando una moción de censura destinada a derribarlo; no ignoraba (o por lo menos sospechaba) que esa moción podría contar con el respaldo de una parte de su partido, y que podría por tanto triunfar; no ignoraba que para muchos la moción debía llevar a la presidencia a un general al frente de un gobierno de coalición o concentración o unidad; no ignoraba que el Rey miraba con buenos ojos o barajaba seriamente la maniobra, o que por lo menos permitía que algunos creyesen que la miraba con buenos ojos o la barajaba seriamente; no ignoraba que el militar más verosímil con que llevarla a cabo era Alfonso Armada, y que a pesar de que él se opusiera a ello el Rey estaba haciendo lo posible por traerse a su antiguo secretario a Madrid como segundo jefe de Estado Mayor del ejército. Todo esto sin duda le pareció peligroso para su futuro, pero –porque suponía poner a prueba los engranajes flamantes del juego democrático involucrando al ejército en una operación que abría las puertas de la política a unos militares reacios a comulgar con el sistema de libertades, si no impacientes por destruirlo– también le pareció peligroso para el futuro de la democracia: Suárez conocía sus normas y, aunque no se manejase bien con ellas, había inventado el juego o consideraba que había inventado el juego y no estaba dispuesto a permitir que se malograse, por la sencilla razón de que él era su inventor. Para evitar el riesgo de que se malograse el juego dimitió.

Pero, aunque estaba políticamente acabado y personalmente roto, también dimitió por la misma razón por la que lo hubiera hecho cualquier político puro: para poder seguir jugando; es decir: para no ser expulsado por las malas de la mesa de juego y verse obligado a salir del casino por la puerta falsa y sin posibilidad de volver. De hecho, es posible que Suárez pretendiera al presentar su dimisión imitar un órdago triunfal de Felipe González, que en mayo de 1979 había abandonado la dirección del PSOE, en desacuerdo con el hecho de que el partido siguiera definiéndose como marxista, y que apenas cuatro meses más tarde, una vez que el PSOE no acertó a sustituirlo y borró el término marxista de sus estatutos, había regresado a su cargo en olor de multitudes.* Es posible que Suárez intentara provocar una reacción semejante en su parti-

* Suárez contribuyó a su modo al éxito del órdago de González, y su contribución demuestra que también en ese momento le importó más la democracia que el poder: una vez dimitido González, el presidente del gobierno tuvo la oportunidad de facilitar la llegada a la dirección del PSOE de un grupo de marxistas –Enrique Tierno Galván, Luis Gómez Llorente, Francisco

do; si así fue, a punto estuvo de conseguirlo. El 29 de enero, justo el día en que Suárez dio a conocer por televisión su renuncia a la presidencia, estaba previsto en Palma de Mallorca el inicio del segundo congreso de UCD; la estrategia de Suárez tal vez consistía en anunciar por sorpresa su renuncia durante la jornada inaugural y en aguardar a que la conmoción así provocada encendiera una revuelta de las bases de la organización contra sus jefes de filas que le devolviese directamente o en el plazo de pocos meses el mando del partido y del gobierno. La mala suerte (quizá combinada con la astucia de alguno de sus adversarios en el gobierno) desbarató sus planes: una huelga de controladores aéreos obligó a aplazar el congreso unos días en el momento en que Suárez ya había comunicado su propósito de dimitir a varios ministros y jefes de filas de su partido, y el resultado de esta contrariedad fue que, convencido de que la primicia no podría mantenerse en secreto durante tanto tiempo, tuvo que dar a conocer su dimisión antes de lo previsto, de forma que cuando por fin se celebró el congreso en la primera semana de febrero el tiempo transcurrido desde el anuncio de su retirada había amortiguado el impacto de la noticia, que no le alcanzó para recuperar el poder perdido pero sí para hacerse con el control de la directiva de UCD, para ser el miembro de ésta más votado por sus compañeros y para que el congreso puesto en pie lo aclamara calurosamente.

Hay quizá todavía otra razón por la que dimitió Suárez, una razón tal vez más decisiva que todas las anteriores, porque constituye su fundamento y porque las dota de un sentido adicional y más hondo: Suárez dimitió como presidente del gobierno para legitimarse como presidente del gobierno. Es

Bustelo– a quienes probablemente hubiese batido sin dificultad en unas elecciones; no lo hizo: facilitó el regreso de González porque, aunque sabía que era un adversario electoral de mucha mayor envergadura, pensaba que un joven socialdemócrata como él era más útil para la estabilidad de la democracia que sus adversarios. He ahí otra prueba de que por encima de todo Suárez quería que el juego que había inventado funcionase.

una paradoja, pero Suárez es un personaje paradójico, y los casi cinco años en que permaneció en el poder no fueron en cierto modo para él sino eso: una pelea permanente, agónica y en definitiva inútil por legitimarse como presidente del gobierno. En julio de 1976, cuando el Rey le encargó que tomase el mando de la reforma política, Suárez sabía que era un presidente del gobierno legal, pero no ignoraba que –como él mismo le dijo a un periodista que lo abordó poco después de su nombramiento– no era un presidente legítimo, porque no estaba respaldado por los votos de los ciudadanos para llevar a cabo la reforma; en diciembre de 1976, cuando ganó por mayoría aplastante el referéndum sobre la Ley para la Reforma Política –el instrumento legal que permitía llevar a cabo la reforma–, Suárez sabía que esa victoria lo legitimaba para realizar el cambio desde la dictadura a la democracia o a alguna forma de democracia, pero no ignoraba que no estaba legitimado para ejercer de presidente, porque él había sido elegido por el Rey y un presidente del gobierno sólo era legítimo después de haber sido elegido por los ciudadanos en unas elecciones libres; en junio de 1977, cuando ganó las primeras elecciones libres, Suárez sabía que era un presidente democrático porque tenía la legitimidad del voto de los ciudadanos, pero no ignoraba que carecía de la legitimidad de las leyes, porque todavía gobernaba con las leyes del franquismo, y no con las de la democracia; en marzo de 1979, cuando ganó las primeras elecciones celebradas tras la aprobación de la Constitución, Suárez sabía que contaba con toda la legitimidad de los votos y las leyes, pero fue entonces cuando supo que no contaba con la legitimidad moral, porque fue entonces cuando la clase dirigente en pleno se lanzó a recordarle –y tal vez él se lo repitió a sí mismo, y contra sí mismo no tenía protección posible– que nunca había dejado de ser el chico de los recados del Rey, un mero falangistilla de provincias, un arribista del franquismo, un chisgarabís consumido por la ambición y un pícaro intelectualmente incapacitado para presidir el gobierno que nunca había concebido la política sino como un instrumento de medro personal, y cuyo afán insensato de poder le mantenía atado a la presidencia mientras a su alrededor el país entero se caía a pedazos. Así pues, desde la primavera de 1979 Suárez sabía que poseía toda la legitimidad política para gobernar, pero sólo un año más tarde descubrió que carecía de la legitimidad moral (o que le habían despojado de ella): la única forma que encontró de obtenerla fue dimitir.

Ese es en realidad el significado de su discurso de despedida en televisión, un discurso que contiene una respuesta individual a los reproches navideños del Rey y un reproche colectivo a la clase dirigente que le ha negado la legitimidad anhelada, pero que sobre todo contiene una vindicación de su integridad política, lo que, en un político como Suárez, refractario a distinguir lo personal de lo político, significa también una vindicación de su integridad personal. Orgullosamente, a fin de cuentas verazmente (aunque sólo a fin de cuentas), Suárez empieza aclarando al país que se marcha por decisión propia, «sin que nadie me lo haya pedido», y que lo hace para demostrar con actos («porque las palabras parecen no ser suficientes y es preciso demostrar con hechos lo que somos y lo que queremos») que es falsa la imagen que se ha impuesto de él, según la cual es «una persona aferrada al cargo». Suárez recuerda su papel en el cambio desde la dictadura a la democracia y afirma que no abandona la presidencia porque sus adversarios lo hayan derrotado o porque se haya quedado sin fuerzas para seguir peleando, lo que posiblemente no es cierto o no es del todo cierto, sino porque ha llegado a la conclusión de que su marcha del poder puede ser más beneficiosa para el país que su permanencia en él, lo que probablemente sí lo es: quiere que su renuncia sea «un revulsivo moral» capaz de desterrar para siempre de la práctica política de la democracia «la visceralidad», «la permanente descalificación de las personas», «el ataque irracionalmente sistemático» y «la inútil descalificación global»: todas aquellas agresiones de las que durante muchos meses se ha sentido víctima. «Algo muy importante tiene que cambiar en nuestras actitudes y comportamientos –afirma–.

Y yo quiero contribuir con mi renuncia a que ese cambio sea realmente inmediato.» Por lo demás, Suárez no dice que se retira de la política –aunque sí de la presidencia de su partido–; al revés: tras declarar su optimismo sobre el porvenir del país y sobre la capacidad de UCD para guiarlo, asegura que la política «va a seguir siendo la razón fundamental de mi vida». «Les doy las gracias por su sacrificio, por su colaboración y por las reiteradas pruebas de confianza que me han dado –termina–. Quise corresponder a ellas con entrega absoluta a mi trabajo y con dedicación, abnegación y generosidad. Les prometo que donde quiera que esté me mantendré identificado con sus aspiraciones. Que estaré siempre a su lado y que trataré, en la medida de mis fuerzas, de mantenerme en la misma línea y con el mismo espíritu de trabajo. Gracias a todos y por todo.»

Lo repito: el discurso, incluidos los buenos propósitos y la retórica emotiva, quiere ser una declaración moral además de política. Nada autoriza a dudar de su sinceridad: abandonando la presidencia Suárez intenta dignificar la democracia (y, en cierto sentido, protegerla); pero a las razones de ética política se suman razones de estrategia personal: para Suárez dimitir es también una forma de protegerse y dignificarse a sí mismo, recobrando su amor propio y su mejor yo con el fin de preparar su retorno al poder. Por eso dije antes que dimitir como presidente fue su último intento de legitimarse como presidente. Me corrijo ahora. No fue su último intento: fue el penúltimo. El último lo hizo en la tarde del 23 de febrero, cuando, sentado en su escaño mientras las balas zumbaban a su alrededor en el hemiciclo del Congreso y ya no eran suficientes las palabras y había que demostrar con actos lo que era y lo que quería, le dijo a la clase política y a todo el país que, aunque tuviera el pedigrí democrático más sucio de la gran cloaca madrileña y hubiera sido un falangistilla de provincias y un arribista del franquismo y un chisgarabís sin formación, él sí estaba dispuesto a jugarse el tipo por la democracia.

7

He dejado una pregunta pendiente, y vuelvo a ella: ¿conspiraban contra el sistema democrático los servicios de inteligencia en el otoño y el invierno de 1980? ¿Participó el CESID en el golpe de estado? La hipótesis no es sólo literariamente irresistible, sino históricamente verosímil, y de ahí en parte que éste siga siendo uno de los puntos más controvertidos del 23 de febrero. La hipótesis es verosímil porque no es infrecuente que en períodos de cambio de régimen político los servicios de inteligencia –liberados de sus antiguos patronos y aún no controlados del todo por los nuevos, o descontentos con sus antiguos patronos por promover la desaparición del antiguo régimen– tiendan a operar de forma autónoma y a constituir focos de resistencia al cambio, organizando o participando en maniobras destinadas a hacerlo fracasar. Es lo que en 1991 ocurrió por ejemplo en la Unión Soviética de Mijaíl Gorbachov. ¿Ocurrió también diez años antes en la España de Adolfo Suárez? ¿Era en 1981 el CESID un foco de resistencia al cambio? ¿Organizó el CESID el golpe del 23 de febrero? ¿Participó en él?

El general Gutiérrez Mellado tenía quizá una conciencia más clara que ningún otro político español del peligro que unos servicios de inteligencia desafectos podían representar para la democracia, porque había realizado en ellos gran parte de su carrera y conocía de primera mano sus interioridades; a la inversa: pocos políticos españoles debían de tener una conciencia más clara que Gutiérrez Mellado de la utilidad que podían tener para la democracia unos servicios de inteligencia leales a los nuevos gobernantes. Así que en junio de 1977, en cuanto Adolfo Suárez formó el primer gobierno democrático tras las primeras elecciones libres, Gutiérrez Mellado se apresuró a intentar dotar al estado de unos servicios modernos, eficaces y fiables. Para ello quiso de entrada fusionar los numerosos organismos de inteligencia de la dictadura en uno solo, el CESID, pero la cerrada resistencia que encontró su proyecto sólo le permitió unir los dos principales: el SECED y la tercera sección del Alto Estado Mayor del ejército. Eran servicios muy distintos: ambos estaban integrados por militares, pero la tercera sección del Alto se orientaba al espionaje exterior y tenía un carácter más técnico que político, mientras que el SECED se orientaba al espionaje interior y tenía un carácter mucho más político que técnico, porque había sido concebido a mediados de los años sesenta por el entonces comandante San Martín –el coronel golpista de la Acorazada Brunete durante el 23 de febrero– como una suerte de policía política encargada de velar por la ortodoxia franquista. El fracaso de Gutiérrez Mellado al tratar de unificar todos los organismos de inteligencia se repitió al tratar de modernizarlos: en 1981 el CESID era todavía un servicio de inteligencia insuficiente y primitivo, casi artesanal; su dotación humana era escasa y su estructura rudimentaria: lo componían apenas setecientas personas, poseía poco más de quince delegaciones repartidas por todo el país y estaba organizado en cuatro divisiones (Interior, Exterior, Contrainteligencia, y Cifra y Comunicaciones); al mando de ellas se encontraban un director y un secretario general; al margen de ellas –y sólo supervisada por el secretario general– se encontraba una unidad de élite: la AOME, la unidad de operaciones especiales dirigida por el comandante Cortina. De las dificultades que afrontó el servicio de inteligencia de Gutiérrez Mellado da una idea un hecho insólito: pese a que una de las principales misiones que le encomendó el general fuera el control de las tramas golpistas y pese a que existiera un área dedicada a ello en la División de

Interior, el área de Involución, los miembros del CESID no estaban oficialmente autorizados a entrar en los cuarteles e informar sobre lo que ocurría o se planeaba en ellos (esa tarea estaba reservada al servicio de información de la División de Inteligencia del ejército, la llamada Segunda Bis, que en la práctica bloqueaba las noticias y fomentaba el golpismo), de manera que todo cuanto el CESID sabía sobre el ejército lo sabía de forma oficiosa, lo que no impidió que en noviembre de 1978 el centro desarticulara gracias a un chivatazo el primer intento de golpe de estado del teniente coronel Tejero, la llamada Operación Galaxia. Del desorden que reinaba en el servicio de inteligencia da una idea un hecho no menos insólito que el anterior: a la altura del 23 de febrero, tras poco más de tres años de existencia, el CESID había tenido tres directores, ninguno de ellos era un experto en espionaje, todos habían sido poco menos que obligados a aceptar su cargo y todos consideraban poco menos que indigno investigar a sus compañeros de armas. Esto significa que, además de insuficiente y primitivo, en 1981 el CESID era también un servicio de inteligencia caótico y chapucero. ¿Significa también que no era fiable?

Tras la fusión en el CESID de los dos principales servicios de espionaje de la dictadura, la herencia que predominó en él fue la del SECED –la policía política del régimen: la rama de la inteligencia más adicta al franquismo–, pero Gutiérrez Mellado procuró que al mando del centro siempre estuvieran hombres procedentes de la tercera sección del Alto que gozaran de su total confianza. Quien llevaba la dirección efectiva del CESID el 23 de febrero no era el coronel Narciso Carreras, su director, sino el teniente coronel Javier Calderón, su secretario general. La trayectoria de Calderón es singular porque es característica de una reducidísima minoría de militares que, al modo de Gutiérrez Mellado, intentaron liberarse de la dependencia ideológica del franquismo y propiciar el cambio político: educado a fines de los cuarenta en el entorno del Colegio Pinilla –una escuela militar preparatoria que estimulaba un falangismo con inquietudes sociales de la que surgieron algunos miembros de la futura, exigua e ilegal Unión Militar Democrática (UMD)–, a principios de los setenta Calderón empezó a trabajar en el servicio de contrainteligencia de la tercera sección del Alto; poco más tarde ejerció de abogado defensor del capitán Restituto Valero, uno de los responsables de la UMD, y participó en GODSA, un gabinete de estudios o amago de partido que pretendía promover en el tardofranquismo un ensanchamiento del régimen y que apostó por Manuel Fraga como conductor de la reforma hasta que, desplazado y rebasado por Suárez, aquél se enrocó en el franquismo desnatado de Alianza Popular; en 1977, con la creación del CESID, Calderón se incorporó a su División de Contrainteligencia, y en 1979 Gutiérrez Mellado lo convirtió en el hombre fuerte del centro. El 23 de febrero Calderón mantuvo una conducta impecable: el CESID fue bajo su mando uno de los escasos organismos militares que se colocó desde el principio y de forma inequívoca al lado de la legalidad, contribuyendo notoriamente a frenar la salida de la Acorazada Brunete en Madrid (cosa que acabó siendo capital para la derrota de los golpistas); más dudas ofrece su conducta tras el 23 de febrero: el CESID había cosechado un fracaso rotundo al no detectar de antemano el golpe y, para no esquilmar del todo el crédito del centro, en los días que siguieron al 23 de febrero Calderón intentó acallar los rumores sobre la participación de algunos de sus hombres en la asonada, pero el hecho es que al final ordenó abrir una investigación y que acabó expulsando a quienes quedaron salpicados por sospechas de connivencia con los golpistas, incluido el comandante Cortina. Esta discutible forma de proceder de Calderón tras el golpe no puede sin embargo ocultar lo evidente, y es que a la altura de 1981 el hombre fuerte del CESID era uno de los pocos militares demócratas del ejército español, cuya labor en el servicio de inteligencia hizo de éste lo opuesto a un foco de resistencia al cambio político: por eso los militares de ultraderecha colocaron al CESID en el blanco de sus críticas; por eso el nombre de Calderón figuraba en todas las listas de compañeros de armas indeseables que publicaban periódicamente; por eso era un hombre del todo seguro para Gutiérrez Mellado, con quien antes del 23 de febrero mantenía una buena amistad que se afianzó después del 23 de febrero y que explica que en 1987, a raíz de la muerte de un hijo de Calderón por consumo de drogas, el general creara una Fundación de Ayuda a la Drogadicción a cuyo patronato incorporó a su amigo. No: Gutiérrez Mellado no consiguió poner en marcha unos servicios de inteligencia potentes, unitarios, modernos y eficaces, y a ese fracaso cabe atribuir el fracaso del CESID a la hora de prever el quién, el cuándo, el cómo y el dónde del 23 de febrero; pero el general sí consiguió poner en marcha unos servicios de inteligencia fiables: el CESID como organismo cooperó en el fracaso del golpe de estado, y no hay por el contrario ninguna prueba que lo vincule con sus preparativos o su ejecución.

Ninguna salvo la participación en el golpe de algunos de sus miembros. Porque a estas alturas ya sabemos que varios agentes del CESID –sin duda el capitán Gómez Iglesias, posiblemente el sargento Miguel Sales y los cabos Rafael Monge y José Moya– colaboraron con el teniente coronel Tejero en la tarde del golpe: el primero, persuadiendo a ciertos oficiales indecisos destinados en el Parque de Automovilismo de la Guardia Civil de que secundaran al teniente coronel en el asalto al Congreso; los últimos, escoltando hasta su objetivo a los autobuses de Tejero por las calles de Madrid. Esos cuatro agentes pertenecían a la AOME, la unidad de élite del comandante Cortina. ¿Actuaron de forma autónoma? ¿Actuaron por orden de Cortina? Ya que ni Calderón ni el CESID apoyaron ni organizaron el golpe del 23 de febrero, ¿lo apoyó o lo organizó la AOME? ¿Lo apoyó o lo organizó Cortina? Ésa es la pregunta que queda pendiente.

8

23 de febrero

No sé si el éxito o el fracaso de un golpe de estado se dirimen en sus primeros minutos; sé que a las siete menos veinticinco de la tarde, diez minutos después de su inicio, el golpe de estado era un éxito: el teniente coronel Tejero había tomado el Congreso, los tanques del general Milans del Bosch patrullaban las calles de Valencia, los tanques de la Acorazada Brunete se disponían a salir de sus cuarteles, el general Armada aguardaba la llamada del Rey en su despacho del Cuartel General del ejército; a las siete menos veinticinco de la tarde todo marchaba según lo previsto por los golpistas, pero a las siete menos veinte sus planes se habían torcido y el golpe empezaba a fracasar. La suerte de esos cinco minutos cruciales se jugó en el palacio de la Zarzuela. Se la jugó el Rey.

Desde el mismo día 23 de febrero no ha cesado de acusarse al Rey de haber organizado el 23 de febrero, de haber estado de algún modo implicado en el golpe, de haber deseado de algún modo su triunfo. Es una acusación absurda: si el Rey hubiese organizado el golpe, si hubiese estado implicado en él o hubiese deseado su triunfo, el golpe hubiese sin la menor duda triunfado. La verdad es lo evidente: el Rey no organizó el golpe sino que lo paró, por la sencilla razón de que era la única persona que podía pararlo. Afirmar lo anterior no equivale a afirmar que el comportamiento del Rey en relación con el 23 de febrero fuera irreprochable; no lo fue, como no lo fue el de la mayoría de la clase política: como a la clase política, al Rey se le pueden conceder muchos atenuantes –la juventud, la inmadurez, la inexperiencia, el miedo–, pero la realidad es que en los meses anteriores al 23 de febrero hizo cosas que no debió haber hecho. No debió abandonar la estricta neutralidad de su papel constitucional de árbitro entre instituciones. No debió alentar la sustitución de Suárez. No debió alentar o barajar soluciones alternativas a Suárez. No debió hablar con nadie ni permitir que nadie hablara con él de la posibilidad de sustituir el gobierno de Suárez por un gobierno de coalición o concentración o unidad presidido por un militar. No debió presionar hasta el límite al gobierno para que aceptase al general Armada como segundo jefe del Estado Mayor del ejército, autorizándole a concebir y propagar la idea de que lo traía a Madrid para convertirlo en presidente de un gobierno de coalición o concentración o unidad. No debió ser ambiguo y debió ser tajante: no debió permitir que ningún político, que ningún empresario, que ningún periodista, que ningún militar –sobre todo que ningún militar– imaginase siquiera que podía apoyar maniobras forzadamente constitucionales que tensaban las bisagras recién instaladas de la democracia entreabriendo sus puertas a un ejército deseoso de terminar con ella. Como casi toda la clase política, en los meses previos al 23 de febrero el Rey se comportó de forma como mínimo imprudente y –porque para los militares él no era sólo el jefe del estado, sino también el jefe del ejército y el heredero de Franco–, mucho más que la de la clase política su imprudencia dio alas a los partidarios del golpe. Pero el 23 de febrero fue el Rey quien se las cortó.

No resulta fácil reconstruir lo sucedido en la Zarzuela durante los primeros quince minutos del golpe; fueron momentos de enorme revuelo: no es sólo que los testimonios de los protagonistas sean escasos o se contradigan entre ellos; es que a veces los protagonistas se contradicen a sí mismos. Uso deliberadamente el plural: el protagonismo no correspondió sólo al Rey; también –de forma secundaria pero apreciable– a su secretario, Sabino Fernández Campo, en teoría la tercera autoridad de la Casa del Rey, pero en la práctica la primera. Fernández Campo era por entonces un general con experiencia política, con conocimientos jurídicos y con amplísimas relaciones militares, que no pertenecía a la aristocracia monárquica y que cuatro años atrás había sustituido en el cargo al general Armada, con quien al principio mantuvo una excelente relación que en los meses previos al golpe se había deteriorado, quizá porque tras algunos años de alejamiento de palacio Armada había conseguido acercarse de nuevo al Rey y su sombra había comenzado a planear otra vez sobre la Zarzuela. Fue Fernández Campo quien en la tarde del 23 de febrero, después de escuchar por la radio el tiroteo del Congreso, dio aviso al Rey, que se hallaba jugando una partida de squash con un amigo y que, igual que su secretario, desde el primer momento comprendió que estaba ante un golpe de estado. Lo que ocurre a continuación en la Zarzuela –lo que ocurre a lo largo de toda la noche en la Zarzuela– ocurre en unos pocos metros cuadrados, en el despacho del Rey y en el de Fernández Campo, que era el antedespacho del antedespacho del Rey. Éste, al llegar allí, se entera casi al mismo tiempo de que el Congreso ha sido asaltado y de que Milans del Bosch acaba de difundir un bando en el que declara el estado de excepción en Valencia y, puesto que Milans es un militar sólidamente monárquico cuya fidelidad se ha esmerado en cultivar, lo llama por teléfono; Milans lo tranquiliza o procura tranquilizarlo: no tiene por qué preocuparse, está como siempre a sus órdenes, sólo ha asumido todos los poderes en la región para salvaguardar el orden hasta que se solucione el secuestro del Congreso. Mientras el Rey habla con Milans, Fernández Campo consigue ponerse en contacto con Tejero gracias a un miembro de la Guardia Real que asistía de paisano a la sesión de investidura del nuevo presidente del gobierno y le informa de lo ocurrido desde una cabina y le proporciona un número de teléfono: Fernández Campo habla con Tejero, le prohíbe que, tal y como parece que ha hecho al irrumpir en el Congreso, invoque el nombre del Rey, le ordena que abandone de inmediato el Congreso; antes de que termine de hablar, no obstante, Tejero le cuelga. Es entonces cuando Fernández Campo llama al general Juste, jefe de la Acorazada Brunete. Lo hace porque sabe que la Brunete –la unidad más potente, moderna y aguerrida del ejército, y la más próxima a la capital– es determinante para el triunfo o el fracaso de un golpe; lo hace también porque le une a Juste una amistad de muchos años. Tras el imprevisto tiroteo en el Congreso, que ha dotado a lo que quiere ser un golpe blando de la escenografía de un golpe duro, el diálogo entre Juste y Fernández Campo constituye el segundo revés para los golpistas y el movimiento inicial del desmontaje del golpe. Al principio de la conversación ninguno de los dos generales habla abiertamente, en parte porque ambos ignoran de qué lado del golpe se situará su interlocutor, pero sobre todo porque a Juste lo acompañan en su despacho el general Torres Rojas y el coronel San Martín, que con el comandante Pardo Zancada encabezan la sublevación en la Brunete y que le han convencido de que lance sus tropas sobre Madrid con el argumento de que la operación ha sido ordenada por Milans, cuenta con el respaldo del Rey y está pilotada desde la Zarzuela por Armada; Torres Rojas y San Martín vigilan las palabras que Juste le dice a Fernández Campo, y éstas fluyen con dificultad al teléfono, sinuosas y plagadas de sobrentendidos, hasta que el jefe de la Brunete menciona el nombre de Armada y todo parece de repente cuadrar para él: Juste le pregunta a Fernández Campo si Armada se encuentra en la Zarzuela y Fernández Campo contesta que no; luego Juste le pregunta si esperan a Armada en la Zarzuela y Fernández Campo vuelve a contestar que no; luego Juste dice: Ah. Eso lo cambia todo.

Así empieza el contragolpe. La conversación entre Juste y Fernández Campo se prolonga todavía unos minutos, al término de los cuales el jefe de la Brunete ya ha comprendido que Torres Rojas, San Martín y Pardo Zancada le han engañado y que el Rey no avala la operación; Juste cuelga el teléfono, lo descuelga y llama a su superior jerárquico inmediato y máxima autoridad militar de la región de Madrid, el general Guillermo Quintana Lacaci. Para ese momento Quintana Lacaci ha hablado fugazmente con el Rey; como todos los capitanes generales, Quintana Lacaci es un franquista sin titubeos, pero, a diferencia de lo que harán casi todos los capitanes generales a lo largo de las horas siguientes, se ha puesto sin titubeos a las órdenes del Rey para lo que el Rey le ordene: parar el golpe o sacar los tanques; el Rey le ha agradecido su lealtad y le ha ordenado que no mueva sus tropas, de forma que cuando Quintana Lacaci recibe la llamada de Juste anunciándole que la Brunete se dispone a ocupar Madrid por orden de Milans, el capitán general monta en cólera: su subordinado ha saltado por encima de la cadena de mando y ha dado una orden de enorme trascendencia sin consultarlo con él; le ordena que la revoque: debe mantener acuartelada la división y obligar a que regresen aquellas unidades que ya han salido a la calle o se disponen a hacerlo. Juste acata la orden y a partir de ese momento empieza a dar marcha atrás, o lo intenta; lo intenta sin mucha fe, sin mucha energía, amedrentado por el ánimo de rebelión que se ha apoderado del Cuartel General de la Brunete y por la cercanía intimidante de Torres Rojas y San Martín –quienes por otra parte, paralizados por el vértigo o por el miedo, tampoco encuentran ni energía ni fe suficientes para arrebatarle el mando de la unidad e impedir el frenazo del golpe–, así que es sobre todo Quintana Lacaci quien inicia un violento forcejeo telefónico, erizado de gritos, amenazas, insultos y apelaciones a la disciplina, con los jefes de regimiento de la Brunete, que minutos atrás obedecieron eufóricos la orden de tomar Madrid y ahora se niegan a obedecer la contraorden o aplazan cuanto pueden, mediante excusas, evasivas y puntillismos castrenses, el momento de hacerlo, con la esperanza de que la crecida militar desborde los cuarteles e inunde la capital y a continuación el país entero. Eso, sin embargo, no va a ocurrir, aunque durante toda la tarde y la noche y la madrugada del 23 de febrero parece a punto de ocurrir, y si no ocurre no es sólo porque a los quince minutos del asalto al Congreso Quintana Lacaci (o Juste y Quintana Lacaci, o Juste y Quintana Lacaci por orden del Rey) haya accionado la maquinaria del contragolpe en Madrid, sino porque a esa misma hora ha tenido lugar un hecho todavía más importante, que desbarata del todo los planes de los golpistas: el Rey (o Fernández Campo, o el Rey y Fernández Campo) le ha negado el permiso para acudir a la Zarzuela al general Armada.

El Rey y Armada han hablado por teléfono justo después de que el Rey hablase con Milans y con Quintana Lacaci, pero no ha sido Armada quien ha llamado al Rey sino el Rey quien, tal y como habían previsto los golpistas (o tal y como había previsto Armada), ha llamado a Armada. Que lo haya hecho, como que haya llamado antes a Milans y Quintana Lacaci, es lógico: Armada se encuentra en el Cuartel General del ejército, en el palacio de Buenavista, y el Rey llama allí porque quiere mantener sujeta la cúpula del ejército y conocer las noticias de que ésta dispone; aunque quizá no sólo llama por eso, quizá no sólo busca poder e información: como está asustado, como sabe que aquello es un golpe pero no sabe si es con él o contra él y tal vez no puede pensar en nada salvo en conservar la Corona que le ha costado años de esfuerzos conseguir, en aquellos instantes de pánico y desconcierto el Rey quizá busca también (o sobre todo) protección. Las tres cosas puede proporcionárselas Armada. O al menos es lógico que el Rey piense que puede proporcionárselas Armada, su viejo preceptor, su secretario de siempre, el hombre que durante años le sacó de tantos aprietos y estuvo a su lado en el momento difícil de restaurar la monarquía, el hombre a quien cediendo a las presiones de Adolfo Suárez echó de su puesto de siempre en la Casa del Rey hace menos de un lustro y a quien desde que quiere prescindir de Adolfo Suárez vuelve a escuchar, el hombre que tantas veces en los últimos meses le ha advertido del peligro de un golpe de estado cuyos hilos conoce o intuye y tal vez pueda cortar, y que tantas veces y con tanta vehemencia le ha recomendado un golpe de timón para conjurar ese peligro, el hombre a quien contra la voluntad de Adolfo Suárez ha hecho venir a Madrid como segundo jefe del Estado Mayor del ejército, para tenerlo cerca y disponible y tal vez –o eso es al menos lo que desea o imagina Armada, como lo desean o lo imaginan tantos– para que dirija el golpe de timón presidiendo un gobierno de unidad y en todo caso para que le informe y aconseje y controle a las Fuerzas Armadas y apacigüe su malestar, y eventualmente para que le ayude en una situación como ésa. De manera que, cuando aún no han transcurrido quince minutos desde el inicio del golpe, el Rey llama al Cuartel General del ejército y, después de hablar con el jefe del Estado Mayor, general Gabeiras, pide que le pongan con el general Armada, que está sentado junto a él. El coloquio entre el Rey y Armada es breve. Igual que minutos antes ha hecho Milans, Armada intenta tranquilizar al Rey: la situación es grave, le dice, pero no desesperada; y puede explicársela: Subo a mi despacho, cojo unos papeles y voy para la Zarzuela, Señor. Aún no ha terminado el Rey de escuchar esas palabras (o ya ha terminado de escucharlas y, deseoso de que Armada le cuente lo que sabe, está a punto de decir: Sí, vente para acá, Alfonso) cuando entra en el despacho Fernández Campo e interroga al Rey en silencio. Es Armada, le contesta el Rey, tapando el auricular con la mano. Quiere venir. En ese momento Fernández Campo, que acaba de hablar con Juste y ha corrido al despacho del Rey para contarle la conversación, debe de pensar dos cosas a la vez: la primera es que, si se le permite entrar en la Zarzuela, Armada puede adueñarse de palacio, porque en una situación de emergencia como aquélla el Rey tal vez prefiera confiarse a su secretario de toda la vida, relegándolo a un segundo plano a él, que apenas lleva cuatro años en el cargo; la segunda es que, si como acaba de decirle Juste los rebeldes aseguran que Armada se halla en la Zarzuela dirigiendo la operación con el consentimiento del Rey, eso significa que el antiguo secretario está en el golpe o está relacionado de algún modo con el golpe o tiene la intención de sacar provecho del golpe. Ambos pensamientos convencen a Fernández Campo de que hay que impedir que Armada entre en la Zarzuela, así que habla con el Rey y después le pide el auricular y se pone al teléfono. Soy Sabino, Alfonso, le dice a Armada. Fernández Campo no le pregunta a Armada por qué ha mencionado Juste su nombre, por qué apelan a él los golpistas de la Brunete, pero Armada le repite lo que ya le ha dicho al Rey: la situación es grave, pero no desesperada; y puede explicársela: Subo a mi despacho, cojo unos papeles y voy para la Zarzuela, Sabino. Y es entonces cuando Fernández Campo pronuncia la frase final: No, Alfonso. Quédate ahí. Si te necesitamos te llamaremos.

No hubo más: aunque Armada insistió en que debía hablar personalmente con el Rey, la reiterada negativa de Fernández Campo le obligó a quedarse en el Cuartel General del ejército, con lo que el antiguo secretario no pudo acercarse al monarca y la pieza fundamental del golpe no encontró su punto de encaje. Ahora bien, ¿qué hubiera ocurrido si hubiera ocurrido lo contrario? ¿Qué hubiera ocurrido si también esa pieza hubiera encontrado su punto de encaje? Imaginemos por un momento que lo hubiera encontrado. Imaginemos por un momento qué hubiera ocurrido si todo hubiera ocurrido tal y como habían planeado los golpistas, o como había planeado Armada o como Armada y algunos golpistas podían imaginar que ocurriría. Imaginemos por un momento que, por los motivos que fuese, Juste no hubiera mencionado el nombre de Armada en su conversación con Fernández Campo; o que, aunque lo hubiera mencionado, Fernández Campo no hubiera recelado de Armada ni hubiera temido que le desplazase de su lugar de privilegio junto al Rey ni que estuviera involucrado en el golpe o que quisiera sacar provecho del golpe; o que, aunque Juste hubiera mencionado el nombre de Armada y Fernández Campo hubiera recelado de él, el Rey hubiera decidido confiar en su viejo secretario de siempre antes que en su nuevo secretario, o que al menos hubiera decidido que necesitaba saber qué es lo que su viejo secretario sabía del golpe y cómo proponía afrontarlo. Entonces el Rey le hubiera dicho a Armada por teléfono Sí, Alfonso, vente para acá, y Armada hubiera acudido a la Zarzuela, donde sin duda le hubiera explicado al Rey que lo que había ocurrido era lo que él llevaba meses previendo y temiendo y anunciándole, le hubiera explicado que, pese al tiroteo en el Congreso, tenía la certeza de que el designio de los rebeldes era bueno y monárquico y la seguridad de que él aún podía encauzar aquella efusión militar –«reconducir» es el verbo que quizá hubiera empleado– en beneficio del país y de la Corona. Luego, tal vez, se hubiera producido en la Zarzuela un pequeño y silencioso y casi invisible golpe palaciego y la autoridad y la influencia de Fernández Campo hubieran sido sustituidas por la influencia y la autoridad de Armada, y a continuación el Rey (o el Rey aconsejado por Armada) hubiese tal vez ordenado a la Junta de Jefes de Estado Mayor que, a la espera de que se solventase el problema de la ocupación del Congreso y los parlamentarios fuesen liberados, asumiese todos los poderes del gobierno, y tal vez también hubiese ordenado a los capitanes generales que a fin de mantener el sosiego en las calles y proteger la democracia imitasen a Milans del Bosch y tomasen el control de sus respectivas regiones militares, y la Junta de Jefes de Estado Mayor y los capitanes generales hubieran obedecido sin dudarlo un instante, no sólo porque se lo ordenaba el jefe de las Fuerzas Armadas y el jefe del estado y el heredero de Franco, sino porque el heredero de Franco y el jefe del estado y de las Fuerzas Armadas les ordenaba hacer lo que casi todos estaban deseando hacer desde hacía mucho tiempo. Luego, una vez asegurados el control de las instituciones y el orden de las ciudades, o al mismo tiempo que se aseguraban ambas cosas, una unidad de la Brunete hubiese tal vez relevado a los guardias civiles del teniente coronel Tejero y hubiese impuesto un cerco sin escándalo al Congreso ocupado, hubiese despejado los alrededores y hubiese retenido al gobierno y a los diputados de la forma menos aparatosa y humillante posible mientras aguardaban la comparecencia del enviado del Rey. Luego Armada hubiese comparecido en el Congreso como enviado del Rey y con el respaldo de todo el ejército, se hubiese reunido con los principales líderes políticos, se hubiese mostrado de acuerdo con ellos en que aquella situación de fuerza era totalmente inaceptable y les hubiese persuadido de que la única forma de arreglarla y sobre todo de salvar la democracia amenazada consistía en formar un gobierno de coalición o concentración o unidad presidido por él mismo, en definitiva el recurso que todos habían estado manejando en los últimos meses para apartar a la nación del precipicio en el que todos sabían que se cimbreaba. Y luego, persuadidos ya el gobierno y los diputados de que ésa era la mejor o la única solución posible a la emergencia (una solución que contaba con el visto bueno del Rey o que el Rey no rechazaría si el Congreso la aprobaba), todos hubiesen quedado en libertad y aquella misma tarde o aquella misma noche o al día siguiente, con los militares de vuelta en los cuarteles o aún en las calles, se hubiera reanudado la sesión de investidura interrumpida por el teniente coronel Tejero, sólo que el presidente elegido en ella no hubiese sido Leopoldo Calvo Sotelo sino Alfonso Armada, quien acto seguido hubiese formado su gobierno, un gobierno de coalición o de concentración o de unidad, un gobierno fuerte, estable y de todos que se hubiese enfrentado con eficacia a los grandes problemas de España –al terrorismo, a la desintegración del estado, a la crisis económica, a la pérdida de valores–, y que no sólo hubiese tranquilizado a los militares y a la clase política, a los empresarios y a los financieros, a Roma y Washington, sino al conjunto de la ciudadanía, que al poco tiempo hubiese salido a manifestarse en todas las capitales para celebrar el resultado feliz del golpe y la continuidad de la democracia, y que hubiese aplaudido la juiciosa actitud del Rey como impulsor de la nueva etapa política y hubiese fortalecido su confianza en la monarquía como institución indispensable para sacar al país del atolladero en que lo metían los errores y la irresponsabilidad temeraria de algunos políticos.

Eso es más o menos lo que hubiera podido ocurrir si Armada hubiera entrado en la Zarzuela y se hubiera ganado al Rey y la última pieza del golpe hubiera encontrado su punto de encaje. Quiero decir: eso es más o menos lo que Armada podía imaginar que ocurriría si triunfaba su proyecto de golpe blando; los demás golpistas, muchos de los demás golpistas, imaginaban un golpe duro –con las elecciones proscritas, los partidos políticos proscritos, los gobiernos autonómicos proscritos, la democracia proscrita–, pero lo que imaginaba o podía imaginar el cabecilla político del golpe era más o menos eso. Quizá era una imaginación disparatada. Quizá era un plan disparatado. Ahora, cuando sabemos que fracasó, es fácil pensar que lo era; la verdad es que era un plan imprevisible –entre otras razones porque es una regla universal que una vez que se saca a los militares de los cuarteles no es fácil devolverlos a ellos, y porque lo más probable es que, de haber triunfado, el golpe blando sólo hubiera sido una antesala del golpe duro–, pero no estoy tan seguro de que fuera disparatado: al fin y al cabo no hubiese sido la primera vez que un Parlamento democrático cede al chantaje de las armas, y el plan de Armada tenía además la virtud de disfrazar de salida negociada al secuestro del Congreso y de operación de salvamento de la democracia lo que en realidad era un simple golpe contra la democracia. No salió bien, y no lo hizo sobre todo porque en los primeros minutos del golpe, cuando se estaba dirimiendo su éxito o su fracaso, ocurrieron dos hechos imprevistos: el primero es que el secuestro del Congreso no se llevó a cabo con la discreción acordada y degeneró en un tiroteo, lo que ensució con una estética de golpe duro lo que quería ser un golpe blando y dificultó el aval del Rey, impidiéndole transigir en principio con una maniobra política cuya carta de presentación era un desmán tan estridente como aquél; el segundo es que el nombre de Armada apareció en boca de los golpistas antes de que el general tuviera la oportunidad de explicarle al Rey la naturaleza del golpe y hacerle su propuesta de arreglo, y que la desconfianza que la mención de Armada generó en el Rey y en Fernández Campo, con el añadido de la rivalidad entre Fernández Campo y Armada, hizo que ambos decidieran mantener al antiguo secretario alejado de la Zarzuela. Y fue así como, quince minutos después de haberse iniciado, el golpe embarrancó.

TERCERA PARTE

UN REVOLUCIONARIO FRENTE AL GOLPE

La imagen, congelada, muestra el hemiciclo del Congreso de los Diputados desierto. No, la imagen está congelada, pero el hemiciclo (mejor dicho: su ala derecha, que es la que en realidad muestra la imagen) no está desierto: Adolfo Suárez permanece todavía sentado en su escaño azul de presidente, todavía estatuario y espectral. Aunque ya no está solo: han transcurrido dos minutos desde la entrada del teniente coronel Tejero en el Congreso y junto al presidente, a su derecha, se sienta el general Gutiérrez Mellado; más a su derecha todavía, tres ministros que acaban de ocupar sus escaños también azules, siguiendo el ejemplo de ambos; a su izquierda, en el hall de entrada, en el semicírculo central, un grupo de guardias civiles intimida el hemiciclo con sus armas. Una luz acuosa, escasa e irreal envuelve la escena, como si tuviera lugar en el interior de un estanque o en el interior de una pesadilla o como si sólo estuviera iluminada por el barroco racimo de globos de luz que pende de una pared, en la esquina superior derecha de la imagen.

Que de repente se descongela: la descongelo. Ahora, en el silencio crepitante y atemorizado del hemiciclo, los guardias civiles deambulan por el hall de entrada, por el semicírculo central, por las cuatro escaleras de acceso a los escaños, buscando todavía su lugar en el dispositivo del secuestro; por encima de Adolfo Suárez y de la hilera de ministros sentados junto a él, entre la desolación de escaños vacíos, asoman una, dos, tres, cuatro tímidas cabezas de diputados que se debaten entre la curiosidad y el miedo. Luego el plano cambia, y por vez primera tenemos una imagen del ala izquierda del hemiciclo, donde además de algunos ministros se sientan los diputados del partido socialista y el partido comunista. Lo que vemos ahora es curiosamente parecido y curiosamente distinto a lo que hemos visto hasta ahora, casi como si lo que sucede en el ala izquierda del hemiciclo fuese un reflejo invertido de lo que sucede en el ala derecha. Aquí, en el ala izquierda, todos los escaños azules del gobierno están vacíos; también lo están todos los escaños rojos de los diputados, o todos salvo uno: en el extremo superior de la imagen, en el primer escaño de la séptima fila, justo al lado de la tribuna en cuyo suelo se amontonan los reporteros parlamentarios, un diputado permanece sentado y fumando. El diputado tiene sesenta y seis años, el gesto y la mirada rocosos tras las gafas de montura metálica, la frente tan amplia que es casi una calvicie; viste traje oscuro, corbata oscura, camisa blanca. Es Santiago Carrillo, secretario general del partido comunista: como Suárez, como Gutiérrez Mellado, Carrillo ha desobedecido la orden de tirarse al suelo y ha permanecido sentado mientras las balas acribillaban el hemiciclo y sus compañeros buscaban refugio bajo los escaños. Ha desobedecido la orden y ahora, transcurridos dos minutos desde el tiroteo, va a desobedecerla de nuevo: después de que un guardia civil pase junto a él sin dirigirle la palabra, sin mirarle siquiera, un secuestrador invisible para nosotros le ordena que imite a sus compañeros y se tire al suelo; Carrillo amaga con obedecer, pero no obedece: se remueve un poco en su asiento, parece que va a tumbarse o a arrodillarse, pero al final se coloca de lado, el brazo que sostiene el cigarrillo apoyado en el reposabrazos del escaño, en una postura tan extraña como forzada, que le permite fingir ante el secuestrador que ha obedecido su orden sin haberla obedecido en realidad.

El plano vuelve a cambiar: la imagen vuelve a abarcar el ala derecha del hemiciclo, donde se hallan Suárez, Gutiérrez Mellado, algunos ministros del gobierno y los diputados del partido que lo sostiene. Nada sustancial ha cambiado allí, salvo que hay cada vez más cabezas de diputados punteando el desierto de escaños vacíos: mientras el plano del ala derecha alterna con un plano frontal de la presidencia del Congreso (en cuya escalera de acceso continúa tumbado el secretario Víctor Carrascal, que se ha refugiado allí porque el asalto le ha sorprendido leyendo desde la tribuna de oradores la lista de los diputados durante la votación de investidura), Suárez y los ministros alineados junto a él continúan en sus escaños, los guardias civiles continúan deambulando arriba y abajo por el hemiciclo, de vez en cuando se oyen sus voces de mando y sus comentarios ininteligibles. Precisa-

mente tras uno de ellos aparece por la parte inferior izquierda de la imagen, terminando de bajar una de las escaleras de acceso a los escaños, una mujer cogida del brazo por un guardia civil; ambos cruzan el semicírculo central, salvando los cuerpos tumbados en el suelo de los ujieres y los taquígrafos, y desaparecen por el extremo inferior derecho de la imagen, hacia la salida del hemiciclo. La mujer es Anna Balletbó, diputada socialista por Barcelona, que está embarazada de muchos meses y a quien los asaltantes dejan en libertad. Apenas ha salido la diputada, se oye en el hemiciclo un estruendo de cristales rotos; el ruido alarma a los guardias y sus subfusiles apuntan a la parte superior del salón, también los diputados se vuelven al unísono hacia allí, pero al instante –porque se ha tratado de un incidente banal: sin duda una consecuencia tardía del tiroteo del principio– todo vuelve a ser como antes, el silencio vuelve a ser el de antes y el plano vuelve a cambiar y la imagen vuelve a mostrar a Santiago Carrillo en medio de una desolación de escaños vacíos, viejo, desobediente y fumando, sentado a solas en el ala izquierda del hemiciclo. En seguida, a una orden de un guardia, en la primera fila de escaños algunos ministros se incorporan y toman asiento, las caras descompuestas, las manos humillantemente visibles sobre el reposabrazos del escaño: reconocemos a Rodolfo Martín Villa, ministro de Administración Territorial; a José Luis Álvarez, ministro de Transportes; a Íñigo Cavero, ministro de Cultura; a Alberto Oliart, ministro de Sanidad; a Luis González Seara, ministro de Investigación y Universidades. Al cambiar de nuevo el plano y mostrar otra vez la cámara una imagen del ala derecha del hemiciclo, la vista repara en algo que hasta entonces le había pasado inadvertido: justo detrás de Adolfo Suárez, en la escalera lateral de acceso a los escaños, un diputado ha permanecido tumbado bocabajo desde que se produjeron los disparos; la vista repara en ello porque ahora el diputado se está moviendo y, lívido y despeinado, se da la vuelta a gatas mientras Adolfo Suárez se vuelve también por un instante y advierte –como lo advierte la vista– que se trata de Miguel Herrero de Miñón, portavoz de su grupo parlamentario y uno de sus críticos más duros dentro de UCD. Marcial, chulesco, pistola en mano, segundos después hace su aparición en el hall de entrada al hemiciclo un oficial de la guardia civil: es el teniente Manuel Boza, del

Subsector de Tráfico. En vez de adentrarse en el hemiciclo, el oficial se queda allí, a sólo unos metros de Suárez, observando el hemiciclo y observando a Suárez; da un paso adelante, luego da otro y, cuando ya está muy cerca del presidente, se dirige a él con un gesto áspero de violencia silenciosa, dice algo como si lo citara o como si lo escupiera, probablemente lo insulta; al principio Suárez no lo oye o finge no oírlo, pero después se vuelve hacia él y por un momento los dos hombres se sostienen la mirada en silencio, inmóviles, y al momento siguiente dejan de mirarse y el teniente sube la escalera lateral y se pierde en la parte superior del hemiciclo. Poco más tarde se oyen voces nítidas de mando (nítidas pero también indescifrables), y a continuación empieza a alzarse un sordo rumor de marejada mientras las imágenes muestran alternativamente el ala derecha y el ala izquierda del hemiciclo, como si quisieran ofrecer una vista panorámica de lo que ocurre; y lo que ocurre es que, obedeciendo la orden de uno de los secuestradores, los más de dos centenares de personas que hasta ese momento permanecían tumbados en el suelo empiezan a incorporarse y a recuperar su asiento: en el ala izquierda lo hacen primero los periodistas en la tribuna de prensa, luego los miembros del grupo comunista y finalmente los del socialista, de forma que en sólo unos segundos todos los diputados vuelven a ser visibles en sus escaños. Todos, incluido Santiago Carrillo, que a diferencia de los demás no ha tenido necesidad de levantarse porque nunca se tiró. Y que continúa fumando mientras la imagen se congela.

1

Es el tercer hombre, el tercer gesto; un gesto diáfano, como los dos anteriores, pero también un gesto doble, reiterado: cuando los golpistas interrumpen la sesión de investidura Carrillo desobedece la orden genérica de tumbarse y permanece en su escaño mientras los guardias civiles disparan sobre el hemiciclo, y dos minutos más tarde desobedece la orden concreta de uno de los secuestradores y permanece en su escaño mientras finge tumbarse. Como el de Suárez, como el de Gutiérrez Mellado, el de Carrillo no es un gesto azaroso ni irreflexivo: con perfecta deliberación Carrillo se niega a obedecer a los golpistas; como el de Suárez y el de Gutiérrez Mellado, el gesto de Carrillo es un gesto que contiene muchos gestos. Es un gesto de coraje, un gesto de gracia, un gesto de rebeldía, un gesto soberano de libertad. También es, como el de Suárez y el de Gutiérrez Mellado, un gesto por así decir póstumo, el gesto de un hombre que sabe que va a morir o que ya está muerto; igual que muchos diputados, en cuanto ve al teniente coronel Tejero Carrillo comprende que su entrada en el hemiciclo es el inicio de un golpe de estado, y en cuanto empiezan los disparos comprende que si sobrevive al tiroteo los golpistas lo pasarán por las armas: no ignora que, con la salvedad de Suárez y de Gutiérrez Mellado, a nadie odian tanto los militares de ultraderecha como a él, que representa a sus ojos la quintaesencia del enemigo comunista. Como el de Suárez, el gesto de Carrillo es también un gesto histriónico: Carrillo es un político puro, igual que Suárez, y por tanto un actor consumado, que elige morir de pie con un gesto elegante, fotogénico, y que siempre dijo que no se tiró bajo su escaño en la tarde del 23 de febrero por la misma razón escénica, representativa e insuficiente que Suárez siempre alegó: él era el secretario general del partido comunista y el secretario general del partido comunista no podía tirarse. Como el de Gutiérrez Mellado, el gesto de Carrillo es un gesto militar, porque Carrillo había ingresado medio siglo atrás en el partido comunista como quien ingresa en una orden militar y toda su biografía lo había preparado para un momento así: se crió en una familia de revolucionarios profesionales, desde que tenía uso de razón era un revolucionario profesional, en su juventud fue encarcelado varias veces, se enfrentó con pistoleros políticos, sobrevivió a una condena a muerte, conocía el fragor del combate, la brutalidad de tres años de guerra y el desarraigo de cuarenta de exilio y clandestinidad. Quizá haya más: quizá haya aún otra similitud entre el gesto de Carrillo y el de Gutiérrez Mellado, una similitud menos aparente pero más profunda.

Como Gutiérrez Mellado, Carrillo pertenece a la generación que hizo la guerra; como Gutiérrez Mellado, Carrillo no creyó en la democracia hasta muy avanzada su vida, aunque defendiese durante la guerra una república democrática; como Gutiérrez Mellado, Carrillo participó de joven en un levantamiento armado contra el gobierno de la república, la revuelta de Asturias, de cuyo comité revolucionario formó parte cuando apenas contaba diecinueve años; como Gutiérrez Mellado, Carrillo jamás se arrepintió públicamente de haberse rebelado contra la legalidad democrática, pero, también como Gutiérrez Mellado, al menos desde mediados de los años setenta no hizo otra cosa que arrepentirse con la práctica de haber participado en aquella rebelión. No pretendo equiparar la desesperada revuelta de proletarios que promovió Carrillo en octubre del 34 con el golpe militar de potentados que promovió Gutiérrez Mellado en julio del 36; afirmo sólo que, por muy comprensible que fuese –y sobran razones para comprenderla–, aquella revuelta fue un error y que, sobre todo a partir del momento en que se inició la transición y los comunistas empezaron a desempeñar un papel decisivo en ella, Carrillo obró como si lo hubiera sido, desactivando los mecanismos ideológicos y políticos que pudieran conducir a la repetición del error, un poco al modo en que desde su llegada al gobierno Gutiérrez Mellado se aplicó a desactivar los mecanismos ideológicos y políticos del ejército que cuarenta años atrás había provocado la guerra. No sólo eso: Carrillo –y con él toda la vieja guardia del partido comunista– también renunció a ajustar cuentas con un pasado oprobioso de guerra, represión y exilio, como si considerase una forma de añadir oprobio al oprobio intentar ajustarles las cuentas a quienes habían cometido el error de ajustar cuentas durante cuarenta años, o como si hubiera leído a Max Weber y sintiese como él que no hay nada más abyecto que practicar una ética que sólo busca tener razón y que, en vez de dedicarse a construir un futuro justo y libre, obliga a ocuparse en discutir los errores de un pasado injusto y esclavo con el fin de sacar ventajas morales y materiales de la confesión de culpa ajena. Al frente de la vieja guardia comunista, durante la transición y para hacer posible la democracia Carrillo firmó con los vencedores de la guerra y administradores de la dictadura un pacto que incluía la renuncia a usar políticamente el pasado, pero no lo hizo porque hubiese olvidado la guerra y la dictadura, sino porque las recordaba muy bien y estaba dispuesto a cualquier cosa para evitar que se repitieran, siempre y cuando los vencedores de la guerra y administradores de la dictadura aceptasen terminar con ésta y sustituirla por un sistema político que acogiese a vencedores y vencidos y que fuese en lo esencial idéntico a' que los derrotados habían defendido en la guerra. A cualquie cosa o casi a cualquier cosa, estuvo dispuesto Carrillo: a r nunciar al mito de la revolución, al ideal igualitarista del c munismo, a la nostalgia de la república derrotada, a la pr idea de justicia histórica... Porque lo que la justicia dicta la muerte de Franco era el retorno de la legitimidad rep cana conculcada cuarenta años atrás por un golpe de es la guerra subsiguiente, el juicio de los responsables del franquismo y la completa reparación de sus víctimas; Carrillo renunció a conseguir todo eso, y no sólo porque careciera de fuerza para conseguirlo, sino también porque entendía que a menudo los ideales más nobles de los hombres son incompatibles entre sí y que en aquel momento tratar de imponer en España el triunfo absoluto de la justicia era arriesgarse a provocar la absoluta derrota de la libertad, convirtiendo la justicia absoluta en la peor de las injusticias. Muchos izquierdistas, partidarios del *Fiat iustitia et pereat mundus*, le reprocharon amargamente esas renuncias, que fueron para ellos una forma de traición; no se las perdonaron, del mismo modo que muchos derechistas no les perdonaron las suyas a Suárez y a Gutiérrez Mellado: como la vieja guardia comunista, para levantar la democracia Carrillo renunció a los ideales de toda una vida y eligió la concordia y la libertad frente a la justicia y la revolución, y de ese modo se convirtió también en un profesional de la demolición y el desmontaje que alcanzó su plenitud socavándose a sí mismo, igual que un héroe de la retirada. Como los detractores de Suárez y de Gutiérrez Mellado, los detractores de Carrillo afirman que hubo en ello más cálculo de interés personal y puro afán de supervivencia política que convicción auténtica; no lo sé: lo que sí sé es que ese juicio de intenciones es políticamente irrelevante, porque olvida que, por innobles que sean, los motivos personales no anulan el error o el acierto de una decisión. Lo relevante, lo políticamente relevante, es que, dado que las decisiones que adoptó propiciaron la creación de un sistema político más justo y más libre que cualquiera de los que haya conocido España en su historia, y en lo esencial idéntico al que fue derrotado en la guerra (aunque uno fuera una república y el otro una monarquía, ambos eran democracias parlamentarias), al menos en este punto la historia le ha dado la razón a Carrillo, cuyo gesto de coraje y gracia y libertad y rebeldía frente a los golpistas en la tarde del 23 de febrero adquiere así un significado distinto: igual que el de Gutiérrez Mellado, es el gesto de un hombre que tras haber combatido a muerte la democracia la construye como quien expía un error de juventud, que la construye destruyendo sus propias ideas, que la construye negando a los suyos y negándose a sí mismo, que se apuesta entero en ella, que finalmente decide jugarse el tipo por ella.

El último gesto que yo reconozco en el gesto de Carrillo no es un gesto real; es un gesto imaginado o por lo menos un gesto que yo imagino, quizá de forma caprichosa. Pero si mi imaginación fuera veraz, entonces el gesto de Carrillo contendría un gesto de complicidad, o de emulación, y su historia sería la siguiente. Carrillo está sentado en el primer escaño de la séptima fila del ala izquierda del hemiciclo; justo enfrente y debajo de él, en el primer escaño de la primera fila del ala derecha, se sienta Adolfo Suárez. Cuando empiezan los disparos, el primer impulso de Carrillo es el que dicta el sentido común: de la misma forma que lo hacen los compañeros de la vieja guardia comunista sentados junto a él, que igual que él ingresaron en el partido como quien ingresa en una milicia de abnegación y peligro y han conocido la guerra, la cárcel y el exilio y quizá sienten también que si sobreviven al tiroteo serán pasados por las armas, instintivamente Carrillo se dispone a olvidar por un momento el coraje, la gracia, la libertad, la rebeldía y hasta su instinto de actor para obedecer las órdenes de los guardias y protegerse de las balas bajo su escaño, pero justo antes de hacerlo advierte que frente a él, debajo de él, Adolfo Suárez sigue sentado en su escaño de presidente, solo, estatuario y espectral en un desierto de escaños vacíos. Y entonces, deliberadamente, reflexivamente –como si en un solo segundo entendiera el significado completo del gesto de Suárez–, decide no tirarse.

2

Es un capricho, quizá no es una imaginación veraz, pero la realidad es que ambos eran mucho más que cómplices: la realidad es que en febrero de 1981 Santiago Carrillo y Adolfo Suárez llevaban cuatro años atados por una alianza que era política pero también era más que política, y que sólo la enfermedad y el extravío de Suárez acabarían rompiendo.

La historia fabrica extrañas figuras, se resigna con frecuencia al sentimentalismo y no desdeña las simetrías de la ficción, igual que si quisiera dotarse de un sentido que por sí misma no posee. ¿Quién hubiera podido prever que el cambio de la dictadura a la democracia en España no lo urdirían los partidos democráticos, sino los falangistas y los comunistas, enemigos irreconciliables de la democracia y enemigos irreconciliables entre sí durante tres años de guerra y cuarenta de posguerra? ¿Quién hubiera pronosticado que el secretario general del partido comunista en el exilio se erigiría en el aliado político más fiel del último secretario general del Movimiento, el partido único fascista? ¿Quién hubiera podido imaginar que Santiago Carrillo acabaría convertido en un valedor sin condiciones de Adolfo Suárez y en uno de sus últimos amigos y confidentes? Nadie lo hizo, pero quizá no era imposible hacerlo: por una parte, porque sólo los enemigos irreconciliables podían reconciliar la España irreconciliable de Franco; por otra, porque a diferencia de Gutiérrez Mellado y Adolfo Suárez, que eran profundamente distintos pese a sus parecidos superficiales, Santiago Carrillo y Adolfo Suárez eran profundamente parecidos pese a sus superficiales diferencias. Ambos eran dos políticos puros, más que dos profesionales de la política dos profesionales del poder, porque ninguno de los dos concebía la política sin poder o porque ambos actuaban como si la política fuera al poder lo que la gravedad a la tierra; ambos eran burócratas que habían prosperado en la inflexible jerarquía de organizaciones políticas regidas con métodos totalitarios e inspiradas por ideologías totalitarias; ambos eran demócratas conversos, tardíos y un poco a la fuerza; ambos estaban acostumbrados desde siempre a mandar: Suárez había ocupado su primer cargo político en 1955, con veintitrés años, y a partir de entonces había subido paso a paso todos los peldaños del Movimiento hasta alcanzar su cima y convertirse en presidente del gobierno; Carrillo llevaba más de tres décadas dominando el partido comunista con la autoridad del sumo sacerdote de una religión clandestina, pero antes de cumplir los veinte años dirigía las juventudes socialistas, con apenas veintiuno se había hecho cargo de la Consejería de Orden Público de la Junta de Defensa de Madrid en uno de los momentos más apremiantes de la guerra, con veintidós se había integrado en el Buró Político del PCE y en adelante no había dejado de acaparar puestos de responsabilidad en el partido y en la Internacional Comunista. Los paralelismos no terminan ahí: ambos cultivaban una visión personalista de la política, épica y estética a la vez, como si, antes que el trabajo lento, colectivo y laborioso de doblegar la resistencia de lo real, la política fuese una aventura solitaria punteada de episodios dramáticos y decisiones intrépidas; ambos se habían educado en la calle, carecían de formación universitaria y desconfiaban de los intelectuales; ambos eran tan correosos que casi siempre se sintieron invulnerables a las inclemencias de su oficio y ambos poseían una ambición sin complejos, una ilimitada confianza en sí mismos, una cambiante falta de escrúpulos y un talento reconocido para el juego de manos político y para la conversión de sus derrotas en victorias. Breve: en el fondo parecían dos políticos gemelos. Hacia 1983, cuando tras el golpe de estado ni Carrillo ni Suárez eran ya lo que habían sido y trataban de recomponer a trompicones su carrera política, Fernando Claudín –uno de los amigos y colaboradores más estrechos de Carrillo durante casi treinta años de militancia comunista– escribió lo siguiente sobre el eterno secretario general: «Carecía de los mínimos conocimientos de derecho político y constitucional, y no hizo ningún esfuerzo por adquirir algunos. Tampoco era su fuerte la economía, la sociología u otras materias que le permitiesen opinar con conocimiento de causa en la mayor parte de los debates parlamentarios (...) Su única especialidad era "la política en general", que suele traducirse en hablar de todo un poco sin profundizar en nada, y la maquinaria del partido, en la que, desde luego, nadie podía disputarle la competencia. Como siempre le había sucedido, no era capaz de encontrar tiempo para el estudio, absorbido siempre por reuniones de partido, entrevistas, conciliábulos, actos de representación y demás actividades de análogo tipo. La férrea voluntad que mostraba para otros menesteres, en especial para conservar el poder dentro del partido y para abrirse paso hacia él en el Estado, le faltaba por desgracia para adquirir conocimientos que dieran más solidez al ejercicio de esas funciones». Políticos gemelos: si admitimos que Claudín está en lo cierto y que la cita anterior define algunas flaquezas de Santiago Carrillo, entonces basta sustituir la palabra «partido» por la palabra «Movimiento» para que defina también algunas flaquezas de Adolfo Suárez.

Es posible que estas similitudes saltaran a la vista de ambos en cuanto se conocieron a finales de febrero de 1977, pero es seguro que ninguno de los dos hubiera sellado el pacto que selló con el otro si ambos no hubieran comprendido mucho antes que se necesitaban para prevalecer en política, porque en aquel momento Suárez tenía el poder del franquismo pero Carrillo tenía la legitimidad del antifranquismo, y Suárez necesitaba la legitimidad tanto como Carrillo necesitaba el poder; otra cosa es segura: como eran dos políticos puros, tampoco hubieran sellado ese pacto si no hubieran creído que el país podía prescindir de su alianza individual, pero no de la alianza colectiva entre las dos Españas irreconciliables que los dos representaban, y que también una y otra se necesitaban. Pese a ello, cabe presumir que para Suárez, criado en la claustrofobia maniquea de la dictadura, fuera una sorpresa reconocer su íntimo parentesco con el malvado oficial de la dictadura; cabe presumir también que la sorpresa de Carrillo fuera todavía mayor al comprobar que un joven falangista de provincias competía ventajosamente con su habilidad de político experimentado –cuya leyenda de guerra y exilio, cuyo prestigio internacional y cuyo poder absoluto en el partido tendían a devolverle una imagen de semidiós–, obligándole a liquidar en pocos meses la estrategia que había ideado y mantenido durante años para el posfranquismo y a seguir el camino que él había trazado.

La historia de esa liquidación y de sus consecuencias es en parte la historia del cambio de la dictadura a la democracia y sin ella no se puede entender el vínculo irrompible que unió durante años a Santiago Carrillo y a Adolfo Suárez; tampoco el 23 de febrero; tampoco, tal vez, el gesto gemelo de esos dos hombres gemelos en la tarde del 23 de febrero, mientras las balas zumbaban a su alrededor en el hemiciclo del Congreso. La historia empieza en algún momento de 1976. Pongamos que empieza el 3 de julio de 1976, el mismo día en que el Rey nombró a Adolfo Suárez presidente del gobierno en medio del estupor general. Para entonces, después de treinta y siete años de exilio, Santiago Carrillo llevaba seis meses viviendo clandestinamente en un chalet de la colonia del Viso, en Madrid, convencido de que necesitaba pulsar la realidad del país y sujetar la organización del partido en el interior a fin de que en aquel principio del posfranquismo los comunistas se hiciesen valer en tanto que fuerza política más numerosa, más activa y mejor organizada de la oposición al régimen. Para entonces había transcurrido un año exacto desde que Carrillo iniciara el desmontaje o socavamiento o demolición ideológica del PCE con el propósito de presentarse ante la sociedad española como un partido moderno y liberado de los viejos dogmatismos estalinistas: junto con Enrico Berlinguer y Georges Marchais –líderes de los comunistas italianos y franceses–, había fundado en julio del 75 el eurocomunismo, una versión ambigua y heterodoxa del comunismo que proclamaba su independencia de la Unión Soviética, su rechazo de la dictadura del proletariado y su acatamiento de la democracia parlamentaria. Para entonces hacía dos décadas exactas que el PCE había elaborado la llamada política de reconciliación nacional, lo que en la práctica significaba que el partido renunciaba a derrocar el régimen con las armas y confiaba en una huelga nacional pacífica que paralizase el país y entregase el poder en manos de un gobierno provisional compuesto por todos los partidos de la oposición democrática, cuyo primer cometido consistiría en convocar elecciones libres. Para entonces, sin embargo, Carrillo ya había cobrado conciencia de que, a pesar de que ésa siguiera siendo la política oficial del partido, las organizaciones antifranquistas carecían de fuerza para terminar por su cuenta con la prolongación del franquismo encarnada en aquel momento por la monarquía; no era menos consciente de que, si el objetivo era instaurar sin sangre una democracia en España, tarde o temprano los partidos políticos de la oposición tendrían que acabar negociando con representantes del régimen proclives a la reforma –ya que no se podía romper el franquismo para imponer la democracia había que negociar la ruptura del franquismo con franquistas lo bastante lúcidos o lo bastante resignados para aceptar que el único futuro del franquismo era la democracia–, un cambio de estrategia que no empezó a entreverse en la doctrina oficial del PCE hasta que a principios de 1976 el secretario general introdujo un matiz terminológico en su discurso y dejó de hablar de «ruptura democrática» para hablar de «ruptura pactada».

Así pues, Carrillo recibió la noticia inesperada de la designación de Suárez en un momento de total incertidumbre y de cierto desánimo, sabiendo que, aunque pareciera fuerte, su partido aún era débil, y que, aunque pareciera débil, el franquismo todavía era fuerte. Su respuesta a la noticia fue tan inesperada como la propia noticia, o al menos lo fue para los cuadros y militantes de su partido, que igual que la oposición democrática y los reformistas del régimen y la mayoría de la opinión pública juzgaron que la elección del último secretario general del Movimiento significaba el fin de las esperanzas liberalizadoras y el triunfo de los reaccionarios del régimen. El 7 de julio, cuatro días después del nombramiento de Suárez y apenas unas horas más tarde de que éste anunciara por televisión que el propósito de su gobierno consistía en conseguir la normalización democrática («Que los gobiernos del futuro sean resultado de la libre voluntad de los españoles», había dicho), Carrillo publicó en el semanario *Mundo Obrero*, órgano clandestino del PCE, un artículo lleno de benévolo escepticismo hacia el nuevo presidente: no creía que Suárez fuera capaz de cumplir sus promesas, ni siquiera estaba seguro de que fueran sinceras, pero reconocía que su lenguaje y su tono no eran los de un dirigente falangista al uso y que sus buenos propósitos merecían el beneficio de la duda. «El gobierno Suárez –concluía– podría servir para llevar la negociación que conduzca a la ruptura pactada.»

La predicción de Carrillo fue exacta. O casi exacta: Suárez no sólo llevó la negociación que condujo a la ruptura; también la formuló en unos términos que nadie esperaba: para Carrillo, para la oposición democrática, para los reformistas del régimen, la disyuntiva política del posfranquismo consistía en elegir entre la reforma del franquismo, cambiando su forma pero no su fondo, y la ruptura con el franquismo, cambiando su forma para cambiar su fondo; Suárez sólo tardó unos meses en decidir que la disyuntiva era falsa: entendió que en política la forma es el fondo, y que por tanto era posible realizar una reforma del franquismo que fuese en la práctica una ruptura con el franquismo. Lo entendió gradualmente, a medida que entendía que era imprescindible romper con el franquismo, pero tan pronto como tomó posesión de su cargo e hizo una declaración programática en la que anunciaba elecciones libres antes del 30 de junio del año siguiente Suárez inició una cautelosa serie de entrevistas con los líderes de la oposición ilegal para sondear sus intenciones y explicar su proyecto. Carrillo quedó al margen de ella; en aquel momento Suárez tenía prisa para todo, menos para hablar con Carrillo: aunque intuía que sin los comunistas su reforma política carecería de verosimilitud, de momento no se planteaba legalizar el partido, quizá sobre todo porque estaba seguro de que ésa era una medida inaceptable para la mentalidad franquista del ejército y de los sectores sociales que debía pastorear hacia la democracia o hacia alguna forma de democracia. Quien sí tenía prisa para hablar con él era Carrillo: Suárez había prometido en su primer discurso presidencial reunirse con todas las fuerzas políticas, pero la promesa no se había cumplido y, aunque aún no sabía si Suárez pretendía romper de verdad con el franquismo o simplemente reformarlo, Carrillo no quería correr el riesgo de que el país fuera hacia alguna forma de democracia sin la presencia de los comunistas, porque pensaba que eso prolongaría de forma indefinida la clandestinidad del partido y lo condenaría al ostracismo y quizá a la desaparición. Así que a mediados de agosto Carrillo toma la iniciativa y poco después consigue entrar en contacto con Suárez a través de José Mario Armero, jefe de la agencia de noticias Europa Press. La primera entrevista entre Carrillo y Armero se celebra en Cannes, a finales de agosto; la segunda se celebra en París a principios de septiembre. Ninguno de los dos encuentros produce resultados concretos (Armero asegura que Suárez va hacia la democracia y para ello pide paciencia a Carrillo: aún no se halla en condiciones de legalizar el PCE; Carrillo ofrece su ayuda para construir el nuevo sistema, no exige la legalización inmediata de su partido y afirma que éste no rechaza la monarquía si equivale a una democracia auténtica); pero ninguno de los dos encuentros es un fracaso. Al contrario: a partir de septiembre y a lo largo del otoño y el invierno del 76 Carrillo y Suárez continúan en contacto a través de Armero y de Jaime Ballesteros, hombre de confianza de Carrillo en la dirección del PCE. Y es entonces cuando empieza a anudarse entre ellos una extraña complicidad a través de persona interpuesta: como dos ciegos palpándose mutuamente sus facciones en busca de un rostro, durante meses Carrillo y Suárez ponen a prueba sus propósitos, su lealtad, su inteligencia y su astucia, adivinan intereses comunes, descubren afinidades secretas, admiten que deben entenderse; ambos comprenden que necesitan la democracia para sobrevivir y que se necesitan el uno al otro, porque ninguno de los dos posee la llave de la democracia pero cada uno de ellos posee una parte –Suárez el poder y Carrillo la legitimidad– que completa la que posee el otro: mientras insiste una y otra vez en entrevistarse con él, Carrillo se percata cada vez con más claridad de las dificultades que afronta Suárez, la mayor de las cuales deriva de la resistencia de una parte poderosa del país a la legalización del PCE; mientras la presión social en favor de un régimen democrático le empuja día a día a reconocer que el franquismo sólo es reformable con una reforma que signifique su ruptura y empieza a desmontar el esqueleto del régimen y dialoga con los líderes de las demás fuerzas políticas opositoras –a quienes no urge en absoluto la legalización del PCE: en general no creen que haya que correr ningún riesgo para que se realice antes de las prometidas elecciones–, Suárez comprende cada vez con más claridad que no habrá democracia creíble sin comunistas y que Carrillo mantiene su partido bajo control, ha jubilado sus ideales revolucionarios y está dispuesto a hacer cuantas concesiones sean necesarias para conseguir el ingreso del PCE en el nuevo sistema político. A distancia, la cautela y la desconfianza inicial de los dos hombres empiezan a disolverse; de hecho, es posible que hacia finales de octubre o principios de noviembre Suárez y Carrillo esbocen una estrategia para legalizar el partido, una estrategia implícita, confeccionada no con palabras sino con sobrentendidos, que acabará suponiendo un éxito total para Suárez y un éxito sólo relativo para Carrillo, que la acepta porque no tiene otra alternativa, porque a esas alturas ya ha asumido que es válida la forma de cambio político que Suárez propone y porque abriga la esperanza de que su éxito sea también total.

La estrategia consta de dos partes. Por un lado, Suárez hará lo posible para legalizar el PCE antes de las elecciones a cambio de que Carrillo persuada a los comunistas de que olviden su propósito de ruptura frontal con el franquismo y de que sólo conseguirán la legalidad y sólo se construirá una democracia mediante la reforma de las instituciones franquistas que está armando el gobierno, porque esa reforma supone en la práctica una ruptura; Carrillo cumple de inmediato esta parte del trato: en una reunión clandestina del Comité Ejecutivo del PCE celebrada el 21 de noviembre, el secretario general arrumba el programa táctico del partido durante el franquismo convenciendo a los suyos de que ya no sirve ni la ruptura democrática ni la ruptura pactada sino sólo la reforma con ruptura propuesta por Suárez. La segunda parte de la estrategia es más compleja y más peligrosa, y por eso quizá satisface la íntima propensión de Carrillo y de Suárez a la política como aventura. A fin de legalizar el PCE, Suárez necesita que el partido de Carrillo obligue al gobierno a aumentar el margen de tolerancia con los comunistas, que los vuelva cada vez más visibles, que les dé carta de naturaleza en el país con el propósito de que la mayoría de los ciudadanos entienda que no sólo son inofensivos para la democracia futura, sino que la democracia futura no puede construirse sin ellos. Esta progresiva legalización *de facto*, que debía facilitar la legalización *de iure*, adoptó la forma de un duelo entre el gobierno y los comunistas en el que ni los comunistas querían acabar con el gobierno ni el gobierno con los comunistas, y en el que ambos sabían con antelación (o por lo menos lo sospechaban o lo intuían) cuándo y dónde iba a golpear el adversario: los golpes de este falso duelo fueron golpes de efecto propagandísticos que incluyeron una huelga general que no consiguió paralizar al país pero sí poner en aprietos al gobierno, ventas masivas de *Mundo Obrero* por las calles de Madrid y masivos repartos de carnés del partido entre sus militantes, sendos reportajes de las televisiones francesa y sueca que mostraban a Carrillo circulando en coche por el centro de la capital, una sonada rueda de prensa clandestina en la que el secretario general del PCE –junto a Dolores Ibárruri, el mito por antonomasia de la resistencia antifranquista, demonizado e idealizado a partes iguales por gran parte del país– anunciaba entre palabras conciliadoras que se hallaba desde hacía meses en Madrid y que no pensaba marcharse, y por fin la detención policial del propio Carrillo, a quien ya en la cárcel el gobierno no podía expulsar del país sin infringir la legalidad y tampoco retener en ella en medio del escándalo nacional e internacional ocasionado por su captura, con lo que a los pocos días Carrillo salió en libertad convertido en ciudadano español de pleno derecho.

Fue un paso sin vuelta atrás en la legalización del PCE: una vez legalizado a la fuerza el secretario general, la legalización del partido era sólo cuestión de tiempo. Carrillo lo sabía y Suárez también; pero Suárez tenía tiempo y Carrillo no: la legalización de los demás partidos había empezado a producirse a partir de principios de enero, y él aún no estaba seguro de que Suárez fuera a cumplir su parte del trato, o de que no fuera a aplazar su cumplimiento hasta después de las elecciones, o de que no fuera a aplazarlo indefinidamente. A mediados de enero Carrillo necesitaba con urgencia despejar las dudas de Suárez, pero fue la realidad quien las despejó por él, porque fue entonces cuando un revoltijo mortífero de miedo y de violencia se apoderó de Madrid, y cuando el falso duelo que ambos mantenían a punto estuvo de terminar porque el país entero a punto estuvo de saltar por los aires. A las once menos cuarto de la noche del lunes 24 de enero, cuando Carrillo todavía no lleva un mes residiendo legalmente en España, cinco miembros de un bufete de abogados comunistas son acribillados a balazos por pistoleros de ultraderecha en un despacho situado en el número 55 de la calle Atocha. Era la apoteosis macabra de dos días de hecatombe. En la mañana de la víspera otro pistolero de ultraderecha había asesinado de un disparo a un estudiante en una manifestación proamnistía, y aquella misma tarde una estudiante falleció a causa del impacto de un bote de humo lanzado por fuerzas de orden público contra un grupo de personas que protestaba por la muerte del día anterior, mientras que sólo unas horas antes el GRAPO –una banda terrorista de ultraizquierda que tenía en su poder desde el 11 de diciembre a Antonio María de Oriol y Urquijo, uno de los más poderosos, acaudalados e influyentes representantes del franquismo ortodoxo– secuestraba al general Emilio Villaescusa, presidente del Consejo Supremo de Justicia Militar. Cuatro días después el GRAPO iba a asesinar todavía a dos policías nacionales y un guardia civil, pero en la noche del 24 Madrid vive ya un clima casi prebélico: se oyen explosiones y disparos en distintos puntos de la capital, y partidas de ultraderechistas siembran el terror en las calles. Añadida a los demás episodios de esos días sangrientos, la matanza de sus militantes de Atocha supone para el PCE un reto brutal destinado a provocar una respuesta violenta en sus filas que, provocando a su vez una respuesta violenta del ejército, aborte las incipientes reformas democráticas; pero los comunistas no responden: el Comité Ejecutivo ordena evitar cualquier manifestación o enfrentamiento callejero y hacer gala de toda la serenidad posible, y la consigna se cumple a rajatabla. Tras arduas negociaciones con el gobierno –que teme que cualquier chispa prenda el incendio buscado por la ultraderecha–, el partido consigue permiso para instalar la capilla ardiente de los abogados en el Palacio de Justicia, en la plaza de las Salesas, y también consigue que los féretros puedan ser trasladados a hombros de sus compañeros hasta la plaza de Colón. Así se hace poco después de las cuatro de la tarde del miércoles; las cámaras de televisión captan un espectáculo que sobrecoge el centro de Madrid; las imágenes se han emitido muchas veces: en medio de una marea de rosas rojas y puños cerrados y de un silencio y un orden impuestos por la dirección del partido y acatados por la militancia con una disciplina labrada en la clandestinidad, decenas de miles de personas colman la plaza de las Salesas y las calles adyacentes para despedir a los asesinados; algunos fotogramas muestran a Santiago Carrillo caminando entre la multitud, guardado por una muralla de militantes. El acto termina sin un solo incidente, con el mismo gran silencio con que empezó, convertido en una proclama de concordia que disipa todas las dudas del gobierno sobre el repudio del PCE a la violencia y que esparce por todo el país una oleada de solidaridad con los miembros del partido.

Según sus colaboradores más cercanos de entonces, es muy posible que ese mismo día Suárez tomara en secreto la decisión de legalizar a los comunistas; de ser así, es muy posible que ese mismo día Suárez decidiera que antes de hacerlo necesitaba conocer personalmente a su líder. El hecho es que apenas un mes más tarde, el 27 de febrero, los dos hombres se entrevistaron en una casa que poseía en las afueras de Madrid su mediador, José Mario Armero. El encuentro fue organizado con la máxima reserva: aunque para Carrillo no entrañaba ningún peligro, para Suárez entrañaba muchos, y por eso dos de las tres personas con quienes consultó –su vicepresidente, Alfonso Osorio, y Torcuato Fernández Miranda, presidente de las Cortes y del Consejo del Reino y su mentor político de los últimos años– se lo desaconsejaron vivamente, razonando que si llegaba a conocerse su reunión con el líder comunista clandestino el terremoto político sería formidable; pero el apoyo del Rey a Suárez, su confianza en la discreción de Carrillo y su fe en su buena estrella y en su talento de seductor le decidieron a correr el riesgo. No se equivocó. Años más tarde Suárez y Carrillo coincidirían en describir la entrevista como un flechazo: puede que lo fuera, pero lo cierto es que la necesidad los había unido mucho antes de que se conociesen; puede que lo fuera, pero lo cierto es que durante las siete horas seguidas que duró su cara a cara, mientras fumaban cigarrillo tras cigarrillo en presencia de Armero y del silencio de una casa de campo deshabitada, Carrillo y Suárez se portaron como dos ciegos que recobran de golpe la visión para reconocer a un gemelo, o como dos duelistas que cambian un falso duelo por un duelo real en el que ambos se emplean a fondo para terminar de embrujar al contrincante. El vencedor fue Suárez, quien apenas concluyeron los apretones de manos y las bromas de presentación desarmó a Carrillo hablándole de su abuelo republicano, de su padre republicano, de los muertos republicanos de su familia de perdedores de la guerra, y luego lo remató con protestas de modestia y con elogios de su experiencia política y su categoría de estadista; derrotado, Carrillo prodigó palabras de comprensión, de realismo y de cautela destinadas a tratar una vez más de convencer a su interlocutor de que él y su partido no sólo no constituían un peligro para su proyecto de democracia, sino que con el tiempo se convertirían en su principal garantía de éxito. El resto de la entrevista estuvo consagrado a hablar de todo y a no comprometerse a nada salvo a continuar respaldándose mutuamente y a consultarse las decisiones de importancia, y cuando los dos hombres se separaron de madrugada ninguno de ellos albergaba ya la menor duda: ambos podían confiar en la lealtad del otro; ambos eran los dos únicos políticos reales del país; ambos, una vez legalizado el PCE, celebradas las elecciones e instaurada la democracia, acabarían llevando juntos las riendas del futuro.

Los hechos no tardarían en erosionar esa triple certeza, pero ella continuó rigiendo el comportamiento de Suárez y de Carrillo durante los cuatro años en que Suárez permaneció todavía en el gobierno; nada la dotó de tanta consistencia como la forma en que por fin se produjo la legalización del partido comunista. Ocurrió el sábado 9 de abril, a poco más de un mes de la reunión entre ambos líderes, en plena desbandada de Semana Santa y después de que Suárez, sabedor de que la opinión pública había cambiado velozmente en favor de la medida que se disponía a adoptar, buscara todavía protegerse contra la cólera previsible de los militares y la ultraderecha con un dictamen jurídico de la Junta de Fiscales que abonaba la legalización; Carrillo también lo protegió, o hizo lo posible por protegerlo. Aconsejado por Suárez, el secretario general se había marchado de vacaciones a Cannes, donde la misma mañana del sábado supo por José Mario Armero que la legalización era inmediata y que Suárez le pedía dos cosas: la primera es que, para no irritar todavía más al ejército y a la ultraderecha, el partido celebrase sin estridencias el acontecimiento; la segunda es que, para evitar que el ejército y la ultraderecha pudieran acusar a Suárez de complicidad con los comunistas, una vez difundida la noticia Carrillo hiciese una declaración pública en la que criticase a Suárez o por lo menos se distanciase de él. Carrillo cumplió: los comunistas festejaron discretamente la noticia y su secretario general compareció ese mismo día ante la prensa para pronunciar unas palabras pactadas con el presidente del gobierno. «Yo no creo que el presidente Suárez sea un amigo de los comunistas –proclamó Carrillo–. Le considero más bien un anticomunista, pero un anticomunista inteligente que ha comprendido que las ideas no se destruyen con represión e ilegalizaciones. Y que está dispuesto a enfrentar a las nuestras las suyas». No bastó. Durante los días posteriores a la legalización el golpe de estado parece inminente. Suárez vuelve a recurrir a Carrillo; Carrillo vuelve a cumplir. Al mediodía del 14 de abril, mientras en un local de la calle Capitán Haya Santiago celebra el Comité Central del PCE su primera reunión legal en España desde la guerra civil, José Mario Armero convoca a Jaime Ballesteros, su contacto con los comunistas, en la cafetería de un hotel cercano. Ahora mismo la cabeza de Suárez no vale un duro, le dice Armero a Ballesteros. Los militares están a punto de levantarse. O nos echáis una mano o nos vamos todos a la mierda. Ballesteros habla con Carrillo, y al día siguiente, durante la segunda jornada de la reunión del Comité Central, el secretario general interrumpe la sesión para lanzar un mensaje dramático. «Nos encontramos en la reunión más difícil que hayamos tenido hasta hoy desde la guerra –dice Carrillo en medio de un silencio glacial–. En estas horas, no digo en estos días, digo en estas horas, puede decidirse si se va hacia la democracia o si se entra en una involución gravísima que afectará no sólo al partido y a todas las fuerzas democráticas de oposición, sino también a los reformistas e institucionales...

Creo que no dramatizo, digo en este minuto lo que hay.» Acto seguido y sin tiempo de que nadie reaccione, como si lo hubiera escrito él Carrillo lee un papel tal vez redactado por el presidente del gobierno que le ha entregado Armero a Ballesteros y que contiene la renuncia solemne y sin condiciones a algunos de los símbolos que han representado al partido desde sus orígenes y la aceptación de los que el ejército considera amenazados con su legalización: la bandera rojigualda, la unidad de la patria y la monarquía. Perplejos y temerosos, acostumbrados a obedecer sin rechistar a su primer mandatario, los miembros del Comité Central aprueban la revolución impuesta por Carrillo y el partido se apresura a dar la buena nueva en una conferencia de prensa en la que su equipo dirigente aparece recortado contra una asombrosa, descomunal e improvisada bandera monárquica.

No se produjo el golpe de estado, aunque el golpe del 23 de febrero empezó a fraguar entonces –porque los militares no le perdonaron a Suárez la legalización de los comunistas y a partir de aquel momento no dejaron de conspirar contra el presidente traidor–, pero el PCE sólo digirió con muchas dificultades tanto pragmatismo y tanta concesión arrancada con la amenaza del golpe de estado. Según las previsiones de Carrillo, el fruto de su prudencia pactista del último año y de medio siglo de monopolio del antifranquismo sería un triunfo electoral de millones de votos que convertiría a su partido en el segundo del país tras el partido de Suárez y los convertiría a él y a Suárez en los dos grandes protagonistas de la democracia; no fue así: igual que una momia que se deshace al ser exhumada, en las elecciones del 15 junio de 1977 el PCE apenas sobrepasó el nueve por ciento de los sufragios, menos de la mitad de lo esperado y menos de la tercera parte de lo obtenido por el PSOE, que asumió por sorpresa el liderazgo de la izquierda porque supo absorber la cautela y el desencanto de muchos simpatizantes comunistas y también porque ofrecía una imagen de juventud y modernidad frente a los envejecidos candidatos del PCE procedentes del exilio, la vieja guardia comunista que empezando por el propio Carrillo evocaba en los votantes el pasado espantable de la guerra y bloqueaba la renovación del partido con los jóvenes comunistas del interior. Aunque Carrillo nunca se sintió derrotado, Suárez había ganado de nuevo: para el presidente del gobierno la legalización del PCE fue un éxito en toda regla, porque hizo creíble la democracia integrando en ella a los comunistas, atajó a quien consideraba su rival más peligroso en las urnas y consiguió un aliado duradero; para el secretario general de los comunistas no fue un fracaso, pero tampoco fue el éxito que esperaba: aunque la legalización del PCE aseguró que la reforma de Suárez era de verdad una ruptura con el franquismo y que la consecuencia de la ruptura sería una democracia verdadera, las cesiones obligadas por la forma en que se llevó a cabo, abandonando los símbolos y diluyendo los postulados tradicionales de la organización, sirvieron para alejar el sueño de hacer del partido comunista el partido hegemónico de la izquierda. La respuesta del PCE a este fiasco electoral fue la que quizá cabía esperar de una organización marcada por una historia de asentimiento a los dictados del secretario general e imbuida de su inapelable misión histórica por una ideología en retirada: en vez de admitir sus errores a la luz de la realidad con el fin de corregirlos, atribuirle a la realidad sus propios errores. El partido se convenció (o más exactamente el secretario general convenció al partido) de que no había sido él sino los votantes quien se había equivocado: dos meses escasos de legalidad no habían podido contrarrestar cuarenta años de propaganda anticomunista, pero el PSOE no tardaría en demostrar su inmadurez y su inconsistencia y las siguientes elecciones les devolverían el papel de primer partido de la oposición que habían usurpado los socialistas, puesto que en España no había más partidos serios que el PCE y UCD ni más líderes políticos reales que Santiago Carrillo y Adolfo Suárez.

Inopinadamente, después de las primeras elecciones los pronósticos de Carrillo parecieron empezar a cumplirse y él pudo por un tiempo deslumbrar a sus camaradas con la ilusión de que la derrota había sido en realidad una victoria o la mejor preparación para la victoria. «De todos los líderes políticos españoles –escribía el periódico *Le Monde* en octubre de 1977–, Santiago Carrillo es sin duda el que se ha impuesto más rápidamente y con mayor autoridad en los últimos meses.» Así fue: en muy poco tiempo Carrillo conquistó en todo el país una vigorosa reputación de político responsable que contribuyó a que el PCE apareciese como un partido consistente y capaz de gobernar y a que cobrase una relevancia muy superior a la que le concedían sus pobres resultados electorales. Su entendimiento con Suárez era perfecto, y toda su estrategia política de esos años giraba en torno a una propuesta que pretendía institucionalizarlo y blindar la democracia que debían construir entre ambos o que pensaba que debían construir entre ambos: el gobierno de concentración. La fórmula sólo se asemejaba en el rótulo a la que discutió o apadrinó gran parte de la clase dirigente en los meses que precedieron al 23 de febrero (y que lo facilitó): no se trataba de un gobierno presidido por un militar sino de un gobierno presidido por Suárez y vertebrado por la UCD y el PCE aunque con el concurso de otros partidos políticos; según Carrillo, únicamente la fortaleza de un gobierno así podría dotar de estabilidad al país mientras se redactaba la Constitución, robustecer la democracia y conjurar el peligro de un golpe de estado, y los Pactos de la Moncloa –un importante conjunto de medidas sociales y económicas destinadas a superar la crisis económica nacional derivada de la primera crisis mundial del petróleo, que fue negociado por Carrillo y Suárez y luego firmado por los principales partidos políticos y ratificado por el Congreso en octubre del 77– constituyeron para el secretario general del PCE el anticipo de ese gobierno unitario. Carrillo reiteró una y otra vez su propuesta y, aunque en algún momento tuvo indicios de que Suárez pensaba aceptarla, el gobierno de concentración nunca llegó a formarse: es muy posible que Suárez hubiese gobernado a gusto en compañía de

Carrillo, pero lo más probable es que nunca llegara a planteárselo seriamente, quizá porque temía la reacción de los militares y de buena parte de la sociedad. Pese a ello, Carrillo continuó sosteniendo a Suárez con la certeza de que sostener a Suárez equivalía a sostener la democracia, cosa que hizo de él un soporte indispensable del sistema y que, aunque no le procuró el beneficio del poder, le procuró el respeto nacional e internacional: tras la firma de los Pactos de la Moncloa Carrillo fue ovacionado en el Congreso por los diputados de UCD puestos en pie y acogido en los foros de debate más conservadores del país; por esa misma época viajó por el Reino Unido y por Francia y se convirtió en el primer secretario general de un partido comunista que pudo entrar en Estados Unidos, donde fue saludado por la revista *Time* como «el apóstol del eurocomunismo». A corto plazo ése fue el resultado de su alianza con Suárez: durante ésos años Carrillo personificó una suerte de oxímoron, el comunismo democrático; a largo plazo el resultado fue su ruina.

Igual que ocurrió con Suárez, el inicio del declive de la carrera política de Carrillo se produjo en el momento exacto de su apogeo. En noviembre de 1977, durante su viaje triunfal por Estados Unidos, Carrillo anunció sin consultar a su partido que en su próximo congreso el PCE abandonaría el leninismo. En el fondo, se trataba de la consecuencia lógica del desmontaje o demolición o socavamiento de los principios comunistas que había iniciado años antes –la consecuencia lógica del intento de realizar el oxímoron del comunismo democrático que denominaba eurocomunismo–, pero si meses atrás aceptar la monarquía y la bandera rojigualda había sido difícil para muchos, el brusco abandono del vector ideológico invariable del partido a lo largo de su historia todavía lo era más, porque suponía un viraje tan radical que colocaba en la práctica al PCE en el límite del socialismo (o de la socialdemocracia) y mostraba además que la democratización del partido de puertas afuera no suponía su democratización de puertas adentro: el secretario general seguía dictando sin restricciones la política del PCE y gobernándolo de acuerdo con el llamado centralismo democrático, un método estaliniano que no tenía nada de democrático y lo tenía todo de centralista, porque se basaba en el poder omnímodo del secretario general, en la extrema jerarquización del aparato organizativo y en la obediencia acrítica de la militancia. Fue entonces cuando empezó a resquebrajarse a ojos vista la unanimidad del partido, y cuando Carrillo advirtió con asombro que su autoridad empezaba a ser discutida por sus camaradas: unos –los llamados renovadores– rechazaban su individualismo y sus métodos autoritarios y exigían mayor democracia interna, mientras que otros –los llamados prosoviéticos– rechazaban su revisionismo ideológico y su enfrentamiento con la Unión Soviética y exigían el retorno a la ortodoxia comunista; tanto unos como otros criticaban su apoyo imperturbable al gobierno de Adolfo Suárez y su ambición imperturbable de coaligarse con él. Pero la sumisa o disciplinada costumbre de conformidad con los dictados del secretario general dominaba todavía el ánimo de los comunistas y, dado que la promesa del poder opera sobre los partidos como un aglutinante, estas divergencias permanecieron más o menos soterradas en el PCE hasta las siguientes elecciones, las de marzo del 79: por eso Carrillo consiguió que en abril de 1978 el IX Congreso del partido adoptara el eurocomunismo y abandonara el leninismo. Sin embargo, un nuevo fracaso electoral –en los comicios de marzo el PCE experimentó un ligerísimo aumento de votos pero apenas alcanzó un tercio de los obtenidos por sus directos competidores socialistas– hizo que poco tiempo después las discrepancias emergieran con virulencia, Carrillo fue ya incapaz de convencer a los suyos de que la derrota era en realidad una victoria y de que había que continuar respaldando a Suárez y enfrentándose a los socialistas para arrebatarles su espacio político y su electorado, y durante los años siguientes los comunistas se sumieron en una sucesión de crisis internas cada vez más profundas, agravadas por su pérdida de influencia en la política del país: con el nuevo reparto de fuerzas resultante de las elecciones, con el final de la política de acuerdos entre todos los partidos tras la aprobación de la Constitución, a partir de 1979 Suárez dejó de necesitar a Carrillo para gobernar y buscó el apoyo de los socialistas y no de los comunistas, convirtiéndolos en un partido aislado y sin relevancia con el que apenas se contaba para la resolución de los grandes problemas, y cuyo líder había dilapidado además la aureola de hombre de estado que sólo unos meses atrás le rodeaba. Como le ocurrió por esa época a Suárez, el desprestigio de Carrillo en la política del país traducía su desprestigio en la política de su partido. Mientras las protestas contra la dirección nacional del PCE arreciaban, preparando revueltas en Cataluña y en el País Vasco, en Madrid algunos integrantes del Comité Ejecutivo plantaban cara al secretario general: en julio de 1980, al mismo tiempo que los jefes de filas de UCD se rebelaban contra Adolfo Suárez en una reunión celebrada en una finca de Manzanares el Real e iniciaban los movimientos para apartarlo del poder, varios miembros destacados del PCE convocaron a Carrillo en casa de Ramón Tamames –el líder más visible del llamado sector renovador– con el fin de exponerle los males del partido, reprocharle errores y poner en duda su liderazgo; era una escena inédita en la historia del comunismo español, pero se repitió a principios de noviembre en el seno del Comité Central, cuando Tamames llegó a proponer que la secretaría general se convirtiera en un órgano colegiado, casi como unos meses antes, en la reunión de Manzanares el Real, los jefes de filas de UCD le habían exigido a Suárez que repartiera con ellos el poder del partido y el gobierno. A diferencia de Suárez, Carrillo no cedió, pero para entonces su organización ya estaba dividida sin remedio entre renovadores, prosoviéticos y carrillistas, y en enero de 1981 esa división se consumó con la ruptura del PSUC, el partido comunista de Cataluña, lo que constituía sólo un anuncio de las feroces luchas intestinas que desgarrarían el PCE durante el año y medio siguiente y que se prolongarían de forma casi ininterrumpida hasta la práctica extinción del partido.

Así que en vísperas del 23 de febrero Santiago Carrillo no se hallaba en una situación muy distinta que Adolfo Suárez. Su época común de plenitud había pasado: ambos eran ahora dos hombres políticamente acosados y personalmente disminuidos, sin crédito ante la opinión pública, atacados con furia dentro de sus propios partidos, amargados por las ingratitudes y las traiciones de los suyos o por lo que ellos sentían como traiciones e ingratitudes de los suyos, dos hombres exhaustos y desorientados y sin reflejos, cada vez más maniatados por unos defectos que sólo unos años atrás parecían invisibles o no parecían defectos: su noción personalista del poder, su talento para el cambalache político, sus hábitos inveterados de burócratas de aparatos totalitarios y su incompatibilidad con los usos de la democracia que habían levantado. Socavando hasta su demolición los sistemas en que crecieron y que manejaban como pocos –uno el comunismo y el otro el franquismo–, ambos habían terminado peleando por sobrevivir entre los cascotes de su antiguo dominio. Ninguno de los dos lo consiguió, y en vísperas del 23 de febrero ya era evidente que ninguno de los dos lo conseguiría. Por aquella época su relación personal era escasa, porque se habían convertido en dos encajadores y un encajador está absorto en la tarea de encajar. Es probable que a veces se miraran de soslayo recordando los tiempos no tan lejanos en que resolvían juntos el destino del país con una pirotecnia rutilante de duelos falsos, fintas a cuatro manos, pactos sin palabras, reuniones secretas y grandes acuerdos de estado, y es seguro que la alianza de hierro que habían forjado en aquellos años seguía inalterable: en el otoño y el invierno de 1980 Carrillo fue uno de los pocos políticos de primera línea que no participó en las maniobras políticas contra Suárez que prepararon el 23 de febrero, y jamás mencionó golpes de bisturí o de timón como no fuera para denunciar que esa terminología tenebrosa y esos coqueteos con el ejército constituían la munición ideal del golpismo; para denunciarlo fuera de su partido y dentro de su partido: también había en el PCE de entonces abogados de soluciones políticas de choque, pero cuando Ramón Tamames pregonó por dos veces en la prensa su conformidad con un gobierno unitario presidido por un militar, Carrillo cogió al vuelo la ocasión de defender una vez más a Suárez fulminando a su principal adversario en el partido con una diagnosis demoledora: «Ramón desvaría». En vísperas del 23 de febrero Carrillo seguía aferrándose a Suárez como un náufrago se aferra a otro náufrago, seguía pensando que sostener a Suárez equivalía a sostener la democracia, seguía alertando contra el riesgo de un golpe de estado y seguía juzgando que su fórmula de gobierno de concentración con Suárez era la única forma de evitarlo y de impedir el desplome de lo que cuatro años atrás habían empezado a construir entre ambos. Por supuesto, para aquel momento la idea de gobernar con Suárez era impracticable; doblemente impracticable: porque ni Suárez ni él controlaban ya sus propios partidos y porque, aunque cuatro años atrás su alianza personal representaba una alianza colectiva entre las dos Españas irreconciliables de Franco, lo más probable es que a la altura del 23 de febrero Suárez y él ya no representaran a nadie o a casi nadie, y sólo se representaran a sí mismos. Pero es posible que en la tarde del golpe, mientras ambos permanecían en sus escaños en medio de los disparos y los demás diputados obedecían las órdenes de los golpistas y se tiraban al suelo, Carrillo sintiera una especie de satisfacción vengativa, como si aquel instante corroborara lo que siempre había creído, y es que Suárez y él eran los dos únicos políticos reales del país, o al menos los dos únicos políticos dispuestos a jugarse el tipo por la democracia. No me resisto a imaginar que, si es verdad que ambos cultivaban una concepción épica y estética de la política como aventura individual punteada de episodios dramáticos y decisiones intrépidas, ese instante compendia también su gemela concepción de la política, porque ninguno de los dos vivió un episodio más dramático que aquel tiroteo en el Congreso ni tomó una decisión más intrépida que la que ambos tomaron permaneciendo en sus escaños mientras las balas zumbaban a su alrededor en el hemiciclo.

3

¿Sólo se representaban a sí mismos? ¿Ya no representaban a nadie o a casi nadie?

No sé cuáles fueron las primeras palabras que pronunciaron Adolfo Suárez y el general Gutiérrez Mellado cuando vieron irrumpir en el hemiciclo del Congreso al teniente coronel Tejero, y no creo que tenga ninguna importancia saberlo; sí sé en cambio cuáles fueron las primeras palabras que pronunció Santiago Carrillo –porque además de él mismo las han recordado alguna vez sus compañeros de escaño–, y desde luego no son importantes. Lo que dijo Carrillo fue: «Pavía llega antes de lo que esperaba». Era un cliché: desde hace más de un siglo el nombre de Pavía es en España una metonimia de la expresión golpe de estado, porque el golpe de estado del general Manuel Pavía –un militar que según la leyenda había irrumpido a caballo en el Congreso de los Diputados el 3 de enero de 1874– era hasta el 23 de febrero de 1981 el atropello más espectacular padecido por las instituciones democráticas, y a partir del inicio de la democracia –y sobre todo a partir del verano de 1980, y sobre todo en el pequeño Madrid del poder obsesionado a partir del verano de 1980 por los rumores de golpe de estado– raro era el comentario sobre un golpe de estado que no contuviera el nombre de Pavía.* Pero que la

* Uno de los más sonoros se debió al número dos del partido socialista, Alfonso Guerra. «Si el caballo de Pavía entra en el Congreso –dijo Guerra–, su jinete será Suárez.» El pronóstico no fue muy atinado, aunque resume bas-

frase de Carrillo fuera un lugar común, y que no tenga ninguna importancia, no significa que carezca de interés, porque la realidad adolece de una curiosa propensión a operar con lugares comunes, o a dejarse colonizar por ellos; también se complace a veces –ya lo advertí antes– en fabricar extrañas figuras, y una de esas figuras es que el golpe del general Pavía parece anticipar lo que fue el 23 de febrero, y lo que quiso ser.

La historia se repite. Marx observó que los grandes hechos y personajes aparecen en la historia dos veces, una como tragedia y la otra como farsa, igual que si en momentos de profundas transformaciones los hombres, atemorizados por la responsabilidad, convocaran a los espíritus del pasado, adoptaran sus nombres, sus ademanes y sus lemas para representar con ese disfraz prestigioso y ese lenguaje postizo una nueva escena histórica como si de una conjuración de los muertos se tratase. En el caso del 23 de febrero la intuición de Marx es válida aunque incompleta. La leyenda es parcialmente falsa: el general Pavía no irrumpió a caballo en el Congreso, lo hizo a pie y a sus órdenes un destacamento de la guardia civil que desalojó a tiros a los parlamentarios de la primera república y precipitó un golpe de estado que la prensa conservadora llevaba meses propugnando como remedio contra el desorden en que se hallaba sumido el país, un golpe que condujo a la formación de un gobierno de unidad presidido por el general Serrano, quien prolongó durante menos de un año la agonía del régimen con una peculiar dictadura republicana hasta que un pronunciamiento del general Martínez Campos terminó con ella. Una intuición válida aunque incompleta: el golpe de Pavía fue una tragedia, pero el golpe de Tejero no fue una farsa, o no del todo, o sólo lo fue porque su fracaso impidió la tragedia, o sólo imaginamos ahora que lo fue porque tragedia más tiempo es igual a farsa; el golpe de Tejero fue, eso sí, un eco, un remedo, una conjuración de los muertos: Tejero aspi-

---

tante bien la opinión que muchos tenían en aquel momento del presidente del gobierno.

raba a ser Pavía; Armada aspiraba a ser Serrano, y cabe imaginar que, de haber triunfado el golpe, el gobierno de unidad o coalición o concentración de Armada no hubiera hecho más que prolongar agónicamente, con una peculiar democracia autoritaria o una peculiar dictadura monárquica, la vida de un régimen herido de muerte.

Hay todavía otro paralelismo entre el golpe de 1874 y el de 1981, entre el golpe de Pavía y el golpe de Tejero. Los grabados de la época muestran a los diputados de la primera república recibiendo la entrada en el hemiciclo de los guardias civiles rebeldes con gestos de protesta, plantando cara a los asaltantes; eso es otra leyenda, sólo que en esta ocasión no es parcial sino totalmente falsa. La actitud ante el golpe de los diputados de 1874 fue casi idéntica a la de los diputados de 1981: del mismo modo que los diputados de 1981 se escondieron bajo sus escaños en cuanto sonaron los primeros disparos, en cuanto sonaron los primeros disparos en los pasillos del Congreso los diputados de 1874 salieron despavoridos del hemiciclo, que al llegar los guardias civiles ya estaba vacío. Treinta años después de la asonada de Pavía, Nicolás Estévanez, uno de los diputados presentes en el Congreso, escribió: «No rehúyo la parte de responsabilidad que pueda corresponderme en la increíble vergüenza de aquel día; todos nos portamos como unos indecentes». Aún no han transcurrido treinta años desde la asonada de Tejero y, que yo sepa, ninguno de los diputados presentes el 23 de febrero en el Congreso ha escrito nada semejante. Lo haga o no en el futuro alguno de ellos, yo no estoy seguro de que ninguno se portara como un indecente; esconderse del tiroteo bajo un escaño no es un gesto muy lucido, pero no creo que pueda reprochársele a nadie: pese a que es posible que la mayoría de los parlamentarios presentes en la sala se avergonzaran de no haber permanecido en su sitio, y pese a que es seguro que la democracia hubiera agradecido que al menos determinadas personas lo hubieran hecho, no creo que nadie sea un indecente por buscar refugio cuando a su alrededor zumban las balas. Además, y como mínimo en 1981 –en 1874 también, creo–, la actitud de los diputados fue un reflejo exacto de la de la mayoría de la sociedad, porque apenas hubo un gesto de rechazo público al golpe en toda España hasta que ya de madrugada el Rey compareció en televisión condenando el asalto al Congreso y se dio por fracasada la intentona: salvo el jefe del gobierno provisional nombrado por el Rey, Francisco Laína, o el presidente del gobierno autonómico catalán, Jordi Pujol, en la tarde del 23 de febrero todos o casi todos los responsables políticos que no habían sido secuestrados por Tejero –dirigentes de partidos, senadores, presidentes y diputados autonómicos, gobernadores civiles, alcaldes y concejales– se limitaron a aguardar el desenlace de los acontecimientos, y algunos se escondieron o escaparon o intentaron escapar al extranjero; salvo el diario *El País* –que sacó una edición especial a las diez de la noche– y *Diario 16* –que la sacó a las doce–, apenas hubo un solo medio de comunicación que saliera en defensa de la democracia; salvo la Unión Sindical de Policías y el PSUC, el partido comunista catalán, apenas hubo una sola organización política o social que emitiera una nota de protesta y, cuando algún sindicato discutió la posibilidad de movilizar a sus afiliados, fue de inmediato disuadido de hacerlo con el argumento de que cualquier manifestación podía provocar nuevos movimientos militares. Por lo demás, aquella tarde la memoria de la guerra encerró a la gente en su casa, paralizó el país, lo silenció: nadie ofreció la menor resistencia al golpe y todo el mundo acogió el secuestro del Congreso y la toma de Valencia por los tanques con humores que variaban desde el terror a la euforia pasando por la apatía, pero con idéntica pasividad. Ésa fue la respuesta popular al golpe: ninguna. Mucho me temo que, además de no ser una respuesta lucida, no fuera una respuesta decente: aunque en aquellos momentos la consigna propagada por la Zarzuela y el gobierno provisional era mantener la serenidad y actuar como si nada hubiese ocurrido, el hecho es que había ocurrido algo y que nadie o casi nadie les dijo desde el primer momento a los golpistas que la sociedad no aprobaba aquel desafuero. Nadie o casi nadie se lo dijo, lo que obliga a preguntarse si habían cometido un error Armada, Milans y Tejero al imaginar que el país estaba maduro para el golpe, y al suponer que, en el caso de que éste hubiese conseguido su objetivo, la mayoría lo hubiese aceptado con menos resignación que alivio. También obliga a preguntarse si los diputados que el 23 de febrero se escondieron bajo sus escaños no encarnaban mejor la voluntad popular que quienes no se escondieron. En fin: quizá sea una exageración decir que en el invierno de 1981 Santiago Carrillo y Adolfo Suárez no representaban a nadie, pero a juzgar por lo ocurrido en la tarde del 23 de febrero no se diría que representaran a mucha gente.

4

Es verdad: la historia fabrica extrañas figuras y no rechaza las simetrías de la ficción, igual que si persiguiera con ese designio formal dotarse de un sentido que por sí misma no posee. La historia del golpe del 23 de febrero abunda en ellas: las fabrican los hechos y los hombres, los vivos y los muertos, el presente y el pasado; quizá no es la menos extraña la que aquella noche fabricaron en uno de los salones del Congreso Santiago Carrillo y el general Gutiérrez Mellado.

A las ocho menos cuarto de la tarde, cuando ya hacía más de una hora que un capitán de la guardia civil había anunciado desde la tribuna de oradores la llegada al Congreso de la autoridad militar encargada de tomar el mando del golpe, Carrillo vio desde su escaño que unos guardias civiles sacaban a Adolfo Suárez del hemiciclo. Como todos los demás diputados, el secretario general del PCE dedujo que los golpistas se llevaban al presidente para matarlo. Que lo hicieran no le extrañó, pero sí que media hora más tarde sacaran al general Gutiérrez Mellado y no lo sacaran a él, sino a Felipe González. Poco después se disipaba la extrañeza: un guardia civil le ordenó que se levantara y, metralleta en mano, le obligó a abandonar el hemiciclo; con él salieron Alfonso Guerra, número dos socialista, y Agustín Rodríguez Sahagún, ministro de Defensa. A los tres los condujeron a una estancia conocida como salón de los relojes, donde ya se hallaban Gutiérrez Mellado y Felipe González, pero no Adolfo Suárez, que había sido confinado a solas en el cuarto de los ujieres, a escasos metros del hemiciclo. Le indicaron una silla en un extremo del salón; Carrillo se sentó, y en las quince horas que siguieron prácticamente no se movió de allí, la vista casi siempre fija en un gran reloj de carillón obra de un relojero suizo del siglo XIX llamado Alberto Billeter; a su izquierda, muy cerca, tenía al general Gutiérrez Mellado; frente a él, en el centro de la estancia y dándole la espalda, se sentaba Rodríguez Sahagún, y más allá, de cara a la pared (o al menos así es como los recordaba cuando recordaba aquella noche), González y Guerra. En cada una de las puertas montaban guardia militares rebeldes armados con metralletas; el lugar carecía de calefacción, o nadie la había encendido, y una claraboya abierta en el techo al relente de febrero tuvo a los cinco hombres temblando de frío durante toda la noche.

Igual que sus compañeros, durante las primeras horas de encierro en el salón de los relojes Carrillo pensó que iba a morir. Pensó que debía prepararse para morir. Pensó que estaba preparado para morir y al mismo tiempo que no estaba preparado para morir. Temía el dolor. Temía que sus asesinos se rieran de él. Temía flaquear en el último instante. «No será nada –pensó, buscando coraje–. Será sólo un momento: te pondrán una pistola en la cabeza, dispararán y todo habrá terminado.» Quizá porque no es la muerte sino la incertidumbre de la muerte lo que nos resulta intolerable, este último pensamiento lo sosegó; dos cosas más lo sosegaron: una era el orgullo de no haber obedecido la orden de los militares rebeldes permaneciendo en su escaño mientras las balas zumbaban a su alrededor en el hemiciclo; la otra era que la muerte iba a librarlo del tormento al que lo estaban sometiendo sus compañeros de partido. «Qué tranquilo te vas a quedar –pensó–. Qué descanso no tener que tratar nunca más con tanto cabrón y tanto irresponsable. Qué descanso no tener que sonreírles nunca más.» Apenas empezó a pensar que quizá no iba a morir regresó el desasosiego. No recordaba exactamente cuándo había ocurrido (tal vez cuando entró por la claraboya el ruido de unos aviones sobrevolando el Congreso; tal vez cuando

Alfonso Guerra regresó del baño haciéndole muecas de ánimo a escondidas; sin duda conforme pasaba el tiempo y no llegaban noticias de la autoridad militar anunciada por los golpistas); lo único que recordaba es que, una vez que hubo aceptado que podía no morir, su mente se convirtió en un remolino de conjeturas. No sabía lo que ocurría en el hemiciclo ni lo que ocurría en el exterior del Congreso, no sabía si la operación de Tejero formaba parte de una operación más amplia o era una operación aislada, pero sabía que se trataba de un golpe de estado y estaba seguro de que su triunfo o su fracaso dependían del Rey: si el Rey aceptaba el golpe, el golpe triunfaría; si el Rey no aceptaba el golpe, el golpe fracasaría. No estaba seguro del Rey; ni siquiera sabía si seguía en libertad o si los golpistas lo habían apresado. Tampoco estaba seguro de cuál iba a ser la actitud del Congreso cuando compareciese la autoridad militar, suponiendo que compareciese: no sería la primera vez que, coaccionado por las armas, un Parlamento democrático entregaba el poder a un militar, pensaba. No sólo pensaba en Pavía; la mitad de su vida había transcurrido en Francia y recordaba que en 1940, coaccionada por el ejército alemán tras la debacle de la guerra, la Asamblea Nacional francesa había entregado el poder al mariscal Pétain, y que en 1958, coaccionada por su propio ejército en Argelia, se lo había entregado al general De Gaulle. Ahora, pensaba, podía ocurrir lo mismo, o algo semejante, y no estaba seguro de que los diputados se negaran a aceptar el chantaje: estaba seguro de Adolfo Suárez, estaba seguro de la vieja guardia de su partido (no de los jóvenes), estaba seguro de sí mismo; pero no estaba seguro de nadie más. En cuanto al hecho de que los golpistas lo hubiesen aislado precisamente con aquellos compañeros, a medida que pasaban las horas y sentía aumentar la esperanza de que el golpe se hubiera paralizado empezó a pensar que quizá lo habían hecho con el fin de atar corto a los líderes más representativos o más peligrosos, o con el de poder negociar con ellos cuando llegara el momento. Pero no sabía qué habría que negociar, ni con quién habría que negociarlo, ni siquiera si de verdad cabría la posibilidad de negociarlo, y el remolino continuaba girando.

Pasó la noche sentado junto al general Gutiérrez Mellado. No se dijeron una sola palabra, pero intercambiaron infinidad de miradas y de cigarrillos. A pesar de que casi tenían la misma edad y llevaban casi cuatro años compartiendo los pasillos del Congreso, se conocían poco, apenas habían hablado más que de forma ocasional o protocolaria, apenas los unía otra cosa que su amistad con Adolfo Suárez: casi todo lo demás los separaba; sobre todo los separaba la historia. Ambos lo sabían: la diferencia es que Gutiérrez Mellado, que creía saberlo con mayor precisión, nunca aludió a ello (no al menos en público), mientras que Carrillo lo hizo en varias ocasiones. En una entrevista concedida al cumplir noventa años, el antiguo secretario general del PCE recordaba que durante aquellas horas de cautiverio, mientras escuchaba la tos de bronquítico de Gutiérrez Mellado y lo veía deshecho y envejecido en su silla, pensó más de una vez en la extraña e irónica figura que el destino los estaba obligando a componer. «En 1936 este general era uno de los jefes de la quinta columna en Madrid –pensó–. Y yo era el consejero de Orden Público y tenía la misión de luchar contra la quinta columna. En aquel momento éramos enemigos a muerte y esta noche estamos aquí, juntos, y vamos a morir juntos.» Carrillo vislumbró la figura, pero no su forma exacta, porque los datos de que disponía no eran exactos: si lo hubieran sido habría descubierto que la figura era todavía más irónica y más extraña de lo que imaginaba.

La primera parte de la figura consta del punto de fuga de su biografía: el 6 de noviembre de 1936, apenas iniciada la guerra civil, Carrillo empezó a convertirse en el villano del franquismo y en el héroe del antifranquismo. Acababa de cumplir veintiún años y, como Gutiérrez Mellado sólo que desde la trinchera opuesta, era cualquier cosa menos el abanderado de la concordia en que habría de convertirse con el tiempo («¿Concordia? No –escribía a principios de 1934 en el periódico *El Socialista*–. ¡Guerra de clases! Odio a muerte a la burguesía criminal»). Llevaba algunos meses dirigiendo la JSU, las juventudes socialistas y comunistas unificadas, y aquel mismo día, a consecuencia de su paulatina radicalización ideológica pero también de su certidumbre de que con ello contribuía a defender la república contra el golpe de Franco, había ingresado en el partido comunista. La república, sin embargo, parecía a punto de ser derrotada. Desde hacía varios días Madrid era presa del pánico, con las tropas del ejército de África a sus puertas y las calles invadidas de miles de refugiados que huían en desbandada del terror franquista. Convencido de que la caída de la capital era inevitable, el gobierno de la república había escapado a Valencia y abandonado la defensa imposible de Madrid en manos del general Miaja, quien a las diez de la noche convocó en el Ministerio de la Guerra una reunión destinada a constituir la Junta de Defensa, el nuevo gobierno de la ciudad en el que debían estar representados todos los partidos que sostenían al gobierno fugitivo; la reunión se prolongó hasta muy tarde, y en ella se decidió confiar la Consejería de Orden Público al líder de la JSU: Santiago Carrillo. Pero tras esa reunión general se improvisó una reunión restringida, en el curso de la cual dirigentes comunistas y anarquistas organizaron un arreglo expeditivo para un problema secundario planteado en la primera reunión; un problema secundario en medio de las urgencias terminales de la defensa de Madrid, quiero decir: alrededor de diez mil presos atestaban las cárceles de la capital –la Modelo, San Antón, Porlier y Ventas–; muchos de ellos eran fascistas u oficiales rebeldes a quienes se había ofrecido la oportunidad de sumarse al ejército de la república y habían rechazado la oferta; Franco podía tomar la ciudad en cualquier momento –de hecho, había combates a doscientos metros de la Modelo–, y en ese caso los militares y los fascistas encerrados allí pasarían a engrosar las filas del ejército sublevado. No sabemos cuánto tiempo duró la reunión; sí que los participantes en ella resolvieron dividir a los prisioneros en tres categorías y aplicar la pena de muerte a los más peligrosos: fascistas y militares rebeldes.

Aquella misma madrugada comenzaron los fusilamientos en Paracuellos del Jarama, a poco más de treinta kilómetros de la capital, y durante las tres semanas siguientes más de dos mil presos franquistas fueron ejecutados sin fórmula de juicio.

Fue la mayor masacre perpetrada por los republicanos durante la guerra. ¿Participó Carrillo en aquella improvisada reunión restringida? ¿Tomó la decisión de llevar a cabo la matanza o intervino en la toma de la decisión? La propaganda franquista, que hizo de los fusilamientos de Paracuellos el epítome de la barbarie republicana, siempre aseguró que sí: según ella, Carrillo fue el responsable personal de la matanza, entre otras razones porque era imposible sacar ese ingente número de presos de las cárceles sin contar con el jefe de la Consejería de Orden Público; por su parte, Carrillo siempre defendió su inocencia: él se limitó a evacuar a los presos de las cárceles para evitar el riesgo de que se unieran a los franquistas, pero su jurisdicción terminaba en la capital y los crímenes ocurrieron fuera de ella y debían imputarse a los grupos de incontrolados que prosperaban al calor del desorden de guerra que reinaba en Madrid y sus alrededores. ¿Tenía razón la propaganda franquista? ¿Tiene razón Carrillo? Los historiadores han discutido hasta la saciedad el asunto; en mi opinión, las indagaciones de Ian Gibson, Jorge M. Reverte y Ángel Viñas son las que más nos acercan la verdad de los hechos. No cabe duda de la autoría comunista y anarquista de los asesinatos y de que éstos no fueron obra de incontrolados; tampoco de que sus inspiradores fueron los comunistas; tampoco de que Carrillo no dio la orden de cometerlos ni de que, hasta donde llegan las evidencias documentales, no tuvo una implicación directa en ellos. Según Viñas, la orden pudo partir de Alexander Orlov, agente de la NKVD soviética en España, pudo ser transmitida por Pedro Checa, hombre fuerte del PCE, y ejecutada por el también comunista Segundo Serrano Poncela, delegado de Orden Público de la Consejería de Orden Público. Lo anterior no exonera a Carrillo de toda responsabilidad en los hechos: no hay constancia de que participara en la reunión restringida posterior a la Junta de Defensa en que los fusilamientos se planificaron –no se decidieron: la decisión ya estaba tomada–, pero Serrano Poncela dependía de él y, aunque es probable que las ejecuciones de los primeros días se consumaran sin que Carrillo lo supiera, es muy difícil aceptar que las de los posteriores no llegaran a sus oídos. A Carrillo se le puede acusar de no haber intervenido para evitarlas, de haber hecho la vista gorda con ellas; no se le puede acusar de haberlas ordenado u organizado. No intervenir para evitar una atrocidad semejante es injustificable, pero quizá es comprensible si se hace el esfuerzo de imaginar a un muchacho recién salido de la adolescencia, recién ingresado en un partido militarizado cuyas decisiones no estaba en condiciones de discutir o contrarrestar, recién llegado a un cargo cuyos resortes de poder no dominaba por completo (aunque conforme se hacía con ellos terminó con gran parte de la violencia arbitraria que infestaba Madrid) y sobre todo desbordado por el caos y las exigencias avasalladoras de la defensa de una ciudad desesperada donde los milicianos caían como moscas en los arrabales y la gente moría a diario bajo las bombas (y que asombrosamente resistió todavía dos años y medio al asedio de Franco). Hacer el esfuerzo de imaginar estas cosas no es, insisto, tratar de justificar la muerte de más de dos mil personas: es sólo no renunciar por completo a entender el espanto real de una guerra. Carrillo lo entendió y por eso –y aunque probablemente en la España de los años ochenta muy pocos se atrevían a exculparlo de la responsabilidad directa de los asesinatos– nunca negó su responsabilidad indirecta en ellos. «No puedo decir que, si Paracuellos ocurrió siendo yo consejero –declaró en 1982–, yo sea totalmente inocente de lo que ocurrió.»

Ésa es la primera parte de la figura; describo a continuación la segunda. Durante los meses en que Carrillo dirigió la Consejería de Orden Público de Madrid Gutiérrez Mellado no era, como creía muchos años más tarde el secretario general del PCE, uno de los jefes de la quinta columna en la capital. Lo sería tiempo después, pero en la madrugada del 6 de noviembre, justo en el momento en que nacía el mito contrapuesto que iba a perseguir a Carrillo el resto de su vida –el mito del héroe de la defensa de Madrid y el mito del villano de los fusilamientos de Paracuellos–, Gutiérrez Mellado llevaba tres meses encerrado en la segunda galería de la primera planta de la cárcel de San Antón, porque el futuro general era uno de los muchos oficiales que, tras haber intentado en julio sublevar las guarniciones de Madrid contra el gobierno legítimo de la república y haber sido hecho prisionero, había rechazado el ofrecimiento de sumarse al ejército republicano para defender la capital del avance franquista; eso significa que Gutiérrez Mellado era también uno de los oficiales que el 7 de noviembre, tras la reunión restringida de los dirigentes comunistas y anarquistas que siguió a la primera reunión de la Junta de Defensa de Madrid la noche anterior, debió ser sacado de la cárcel junto a decenas de compañeros y ejecutado al atardecer en Paracuellos. Milagrosamente, a causa del desorden con que se llevó a cabo la operación, Gutiérrez Mellado sobrevivió a la saca de aquel día y a las sacas sucesivas que conoció la cárcel de San Antón hasta que el 30 de noviembre cesaron las ejecuciones. Porque ambos llevaban años luchando en la misma trinchera y convertidos en abanderados de la concordia que combatieron en su juventud, es imposible que para Gutiérrez Mellado Carrillo fuera todavía en 1981 el villano de Paracuellos, pero no lo es que en algún momento de la noche del 23 de febrero, mientras intercambiaba con él cigarrillos y miradas en el silencio helado y humillante del salón de los relojes, el general sí intuyera con toda su exactitud la extraña ironía que iba a hacerle morir junto al mismo hombre que, según probablemente creía (y probablemente lo creía porque él también comprendía el espanto real de la guerra), una noche de cuarenta y cinco años atrás había ordenado su muerte. Si es verdad que lo creyó, tal vez le hubiera importado saber que estaba en un error.

5

Después del golpe de estado la estrella política de Santiago Carrillo se eclipsó con rapidez. Había construido la democracia y se había jugado el tipo por ella en la tarde del 23 de febrero, pero la democracia había dejado de necesitarlo o ya no quería saber nada de él; su propio partido tampoco. A lo largo de 1981 el PCE continuó debatiéndose en la maraña de conflictos intestinos que lo desgarraban desde que cuatro años atrás su secretario general anunciara el abandono de las esencias leninistas del partido; aferrado a su cargo y a su vieja y autoritaria concepción del poder, Carrillo trató de conservar la unidad de los comunistas bajo su mando a base de purgas, sanciones y expedientes disciplinarios. El resultado de este ensayo de catarsis fue lamentable: los expedientes, sanciones y purgas provocaron más purgas, más sanciones y más expedientes, y hacia el verano de 1982 el PCE era un partido en trance de desmoronarse, con menos de la mitad de los militantes con que contaba apenas cinco años atrás y con una presencia social cada vez más reducida y precaria, roto en tres pedazos –los prosoviéticos, los renovadores y los carrillistas– e irreconocible para quien hubiera pertenecido a él en la exuberancia clandestina del tardofranquismo, cuando era el primer partido de la oposición, o en el optimismo inicial de la democracia, cuando aún parecía destinado a serlo. El propio Carrillo resultaba irreconocible: atrás había quedado el héroe de la defensa de Madrid, el mito de la lucha antifranquista, el líder internacionalmente respetado, el símbolo del nuevo comunismo europeo, el secretario general investido de la autoridad de un semidiós y el estratega capaz de convertir cualquier derrota en victoria, el fundador de la democracia a quien sus propios adversarios consideraban un estadista sólido, lúcido, pragmático, necesario; ahora era apenas el capitoste nervioso y a la defensiva de un partido tangencial, enzarzado en abstrusos debates ideológicos y en peleas internas donde la ambición se disfrazaba de pureza de principios y el rencor acumulado de anhelos de cambio, un político menguante con maneras de brontosaurio comunista y lenguaje avejentado de *aparatchik*, perdido en un laberinto autofágico de paranoias conspirativas. Durante aquellos meses de suplicio personal y estertores políticos Carrillo ni siquiera evitó el ademán exasperado de usar el recuerdo del 23 de febrero para defenderse de los rebeldes del PCE (o para atacarlos): lo hizo en reuniones donde sus camaradas le abucheaban –«Si el teniente coronel Tejero no consiguió que me tirara al suelo, menos van a conseguir que me calle aquí», dijo entre el griterío de un acto celebrado el 12 de marzo del 81 en Barcelona– y lo hizo en reuniones de los órganos del partido, recriminándoles a los dirigentes que la noche del golpe quedaron a cargo de la organización su ineptitud o su falta de coraje para responder con movilizaciones populares al levantamiento del ejército; tal vez también lo hizo (o al menos así lo sintieron sus detractores) favoreciendo un cuadro del pintor comunista José Ortega que le retrata erguido en el hemiciclo del Congreso durante la tarde del 23 de febrero, mientras el resto de los diputados salvo Adolfo Suárez y Gutiérrez Mellado –en el lienzo dos figuras modestas comparadas con la figura panorámica del secretario general– se protegen bajo sus escaños de los disparos de los golpistas.

Todo fue inútil. Las elecciones generales de octubre de 1982, las primeras tras el golpe de estado, dieron la mayoría absoluta al partido socialista y permitieron la formación del primer gobierno de izquierdas desde la guerra, pero fueron la sentencia de muerte política de Santiago Carrillo: el PCE perdió la mitad de sus votos, y a su secretario general no le quedó más remedio que presentar su dimisión ante el Comité Ejecutivo. Renunció a su cargo, no al poder; Carrillo era un político puro y un político puro no abandona el poder: lo echan. Como la de Suárez antes del golpe, la retirada de Carrillo tras el golpe no fue una retirada definitiva sino táctica, pensada para mantener el control del partido a distancia y en espera del momento propicio para su retorno: consiguió colocar al frente de la secretaría general a un sustituto adicto y maleable (o que en un principio le pareció adicto y maleable), continuó siendo miembro del Comité Ejecutivo y del Comité Central y retuvo el cargo de portavoz del partido en el Congreso. Allí, con sus cuatro misérrimos diputados, ni siquiera alcanzó a formar grupo parlamentario propio y se vio obligado a integrarse en el llamado grupo mixto, un grupo de aluvión donde convivían partidos con una mínima representación en el Congreso; y allí volvió a encontrarse con Adolfo Suárez, que intentaba resucitar a la política tras su dimisión como presidente del gobierno y acababa de fundar el CDS, un partido con el que había arañado la mitad de la misérrima representación parlamentaria obtenida por Carrillo. Y allí estaban otra vez, gemelos e incombustibles, unidos en su última aventura pública por el vicio de la política, por los votos de los ciudadanos y por la normativa parlamentaria, jibarizados por el sistema político que habían armado a cuatro manos como si la historia quisiera fabricar con ellos una nueva figura: cinco años atrás cambiaban una dictadura por una democracia y ahora eran dos diputados prácticamente invisibles excepto como iconos fatigosos de una época que el país entero parecía impaciente por superar.

Ninguno de los dos se resignó a ese papel adjetivo. Durante los tres años siguientes Carrillo continuó como pudo haciendo política en el Congreso y en el partido, donde peleó hasta el final por mantener el control del aparato y por tutelar a su sucesor. No tardaron en producirse desavenencias entre ambos, y en abril de 1985 Carrillo fue finalmente cesado de todos sus cargos y reducido a la condición de militante de base; era una expulsión encubierta, y su orgullo no la toleró: de inmediato abandonó el partido y, en compañía de un grupo de fieles, fundó el Partido de los Trabajadores de España, una organización que al poco tiempo demostró su previsible irrelevancia y que en 1991 solicitó su ingreso en el PSOE, su adversario encarnizado durante cuatro décadas de franquismo y tres lustros de democracia. Haciendo de la necesidad virtud, Carrillo interpretó ese gesto como una forma de cerrar un círculo personal, como un gesto de reconciliación con su propia biografía: de joven, el mismo día en que nació el mito del héroe de Madrid y del villano de Paracuellos, había abandonado el partido socialista de su familia, de su infancia y su adolescencia para integrarse en el partido comunista; de viejo recorría el camino inverso: abandonaba el partido comunista para integrarse en el partido socialista. Por supuesto, nadie aceptó esa interpretación, aunque es muy posible que el suyo fuera de verdad un gesto simbólico: un simbólico reconocimiento de que, tras una vida consagrada a denostar el socialismo democrático (o la socialdemocracia), era el socialismo democrático (o la socialdemocracia) el resultado inevitable del desmontaje o socavamiento o demolición ideológica del comunismo que había iniciado años antes. Tal vez fuera también un gesto de insumisión, una última maniobra de político puro: aunque a sus setenta y seis años cumplidos ya no aspirara a ocupar puestos decisorios, quizá no había renunciado aún a influir desde su atalaya de viejo líder experimentado sobre los jóvenes y todopoderosos socialistas en el gobierno. Fuera lo que fuese, finalmente su gesto quedó en nada: el PSOE acogió a los demás miembros del PTE, pero a él lo convenció con buenas palabras y quién sabe si con el íntimo propósito de humillarlo de que, dada su trayectoria política, lo más conveniente para todos era que no formalizara su ingreso en el partido.

Fue el colofón desabrido de su carrera política. Lo que ocurrió después no ayudó a desmentirlo. Apartado de la política activa, escribiendo artículos en los periódicos y opinando con su eterna voz agrietada, monocorde y cachazuda en tertulias de radio y programas de televisión, pegado a su cigarrillo vitalicio, durante sus últimos años de vida Carrillo pareció encaramarse al pedestal venerable de los padres de la patria. Sólo lo pareció. Por debajo de los homenajes ocasionales y del respeto que los medios de comunicación y las instituciones dispensaban a su figura fluía una corriente adversa tan terca como poderosa: la derecha nunca dejó de asociar su nombre con los horrores de la guerra ni de inventarle nuevas iniquidades a su pasado, y hasta el final de sus días apenas pudo comparecer en un acto público sin que camadas de radicales tratasen de boicotearlo con insultos e intentos de agresiones físicas; en cuanto a la izquierda, el rechazo que en ella suscitaba Carrillo era menos ruidoso y más sutil, pero secretamente quizá no menos enconado, sobre todo entre sus antiguos camaradas o entre los herederos de sus antiguos camaradas o entre los herederos de los herederos de sus antiguos camaradas: sus antiguos camaradas le profesaban una inquina perdurable de viejos feligreses sometidos a su férula, que en el fondo era también (o al menos lo era para muchos) una inquina perdurable contra sí mismos por haber pertenecido a una iglesia donde Carrillo era adorado como un sumo sacerdote; haciendo suya una maldad de Felipe González, los herederos de sus antiguos camaradas le culpaban de haber conseguido en cinco años de democracia lo que Franco no había conseguido en cuarenta de dictadura: anular al partido comunista; en cuanto a los herederos de los herederos de sus antiguos camaradas, lo denigraban repitiendo sin saberlo, endurecida por la ignorancia y por la impunidad presuntuosa de la juventud, una antigua acusación: para ellos –*Fiat iustitia et pereat mundus*–, habían sido la ambición personal de Carrillo y su complicidad con Adolfo Suárez las que, sumadas a su revisionismo ideológico, a su política claudicante y a sus errores de estrategia, habían obligado a la izquierda a pactar desventajosamente con la derecha el cambio de la dictadura a la democracia y habían impedido que se restituyera la legalidad republicana suprimida por la victoria de Franco en la guerra, se resarciera por completo a las víctimas del franquismo y se juzgara a los responsables de cuarenta años de dictadura. Ninguno de ellos tenía razón, pero es absurdo negar que todos tenían parte de razón y que –aunque sería bueno saber qué hicieron exactamente los camaradas y los herederos de los camaradas y los herederos de los herederos de los camaradas de Carrillo en la tarde del 23 de febrero, mientras él se jugaba el tipo por la democracia– en cierto modo Carrillo fue esencialmente un fracasado, porque, salvo el de reconciliar con una democracia la España irreconciliable de Franco, todos los grandes proyectos que emprendió en su vida fracasaron: intentó hacer una revolución para llegar al poder por la fuerza y fracasó; intentó ganar una guerra justa y fracasó; intentó derribar un régimen injusto y fracasó; intentó reformar el comunismo para llegar al poder por las urnas y fracasó. Vive sus últimos años rodeado del falso respeto de casi todos y del verdadero respeto de unos pocos. Habrá sido muchas cosas, pero nunca ha sido un necio ni un pusilánime, y es posible que a su alrededor sólo vea un paisaje calcinado de ideales en ruinas y esperanzas derrotadas.

Durante esa época final su amistad con Adolfo Suárez permaneció intacta. Ambos habían abandonado la actividad política por las mismas fechas, en 1991, y a lo largo de los diez años siguientes su relación se volvió más asidua y más íntima. Se reunían con frecuencia; se reían mucho; intentaban en vano no hablar de política. Hacia el invierno de 2001 Carrillo empezó a sospechar que su amigo estaba enfermo. En junio del año siguiente, con motivo de la celebración oficial de los veinticinco años de democracia, Suárez hizo una de sus ya escasas apariciones públicas y declaró a la prensa que José María Aznar, que a la sazón llevaba seis años en la Moncloa, era el mejor presidente del gobierno de la democracia. El ditirambo provocó numerosos comentarios; el de Carrillo fue acogido por los resabiados como un cinismo de perro viejo dispuesto a faltar a un amigo por una gracia de sociedad: «Adolfo no está bien: creo que padece una lesión cerebral». Poco después visitó a Suárez en su casa de La Florida, una urbanización de las afueras de Madrid. Lo encontró igual que siempre, o igual que siempre lo encontraba en aquella época, pero en un determinado momento Suárez le habló de los largos paseos a solas que daba por la urbanización y Carrillo lo interrumpió. No deberías salir solo, le dijo. Pueden darte un susto. Suárez sonrió. ¿Quién?, dijo. ¿ETA? No le dejó contestar: Si tienen huevos que vengan a buscarme, dijo. Y a continuación Carrillo le vio interpretar con palabras el papel estelar de una escena de western: un día cualquiera salía solo de su casa y, mientras paseaba por un parque cercano, tres terroristas armados se abalanzaban sobre él, pero antes de que pudieran apresarlo se revolvía, sacaba su pistola y los desarmaba de tres disparos; luego, después de advertirles que la próxima vez dispararía a matar y que si no acataban el imperio de la ley y la voluntad democrática de los ciudadanos iban a pasarse el resto de sus vidas en la cárcel, los entregaba atados de pies y manos a la justicia.

No volvió a ver a Adolfo Suárez. O eso es al menos lo que Carrillo me dijo en la única ocasión en que estuve con él, una mañana de primavera de 2007. La cita fue al mediodía y en su casa, un piso modesto de un edificio situado en la plaza de los Reyes Magos, en el barrio del Niño Jesús, muy cerca del parque del Retiro. Por esas fechas Carrillo era ya un nonagenario, pero tenía el mismo aspecto de sus sesenta años; si acaso, su cuerpo parecía un poco más pequeño y el armazón de sus huesos un poco más frágil, su cráneo un poco más calvo, su boca un poco más sumida, su nariz un poco más blanda, sus ojos un poco menos sarcásticos y más cordiales tras las gafas de doble vidrio. Mientras estuvimos juntos se fumó un paquete entero de cigarrillos; hablaba sin rencor y sin orgullo, con un prurito de precisión auxiliado por una memoria irreprochable. Yo le pregunté sobre todo acerca de los años del cambio político, de la legalización del PCE y del 23 de febrero; él me habló sobre todo acerca de Adolfo Suárez («Habiendo trabajado en la universidad habrá usted conocido a muchos tontos cultos, ¿verdad? –me preguntó por dos veces–. Pues Suárez era todo lo contrario»). Durante las más de tres horas que duró la conversación permanecimos sentados frente a frente en su despacho, una habitación exigua y forrada hasta el techo de libros; sobre su mesa de trabajo había más libros, papeles, un cenicero lleno de colillas; por una ventana entreabierta que daba a la calle llegaba un rumor de niños jugando; detrás de mi interlocutor, recostada en un estante, una foto del 23 de febrero presidía la habitación: la foto de portada de *The New York Times* en que Adolfo Suárez, joven, valeroso y desencajado, sale de su escaño en busca de los guardias civiles que zarandean al general Gutiérrez Mellado en el hemiciclo del Congreso.

6

La pregunta sobre los servicios de inteligencia continúa pendiente, aunque ahora es otra. Sabemos que el CESID dirigido por Javier Calderón no organizó ni participó como tal en el golpe, sino que se opuso a él, pero también sabemos que varios miembros de la unidad de élite del CESID dirigida por el comandante José Luis Cortina, la AOME, colaboraron con el teniente coronel Tejero en el asalto al Congreso (sin duda lo hizo el capitán Gómez Iglesias, que en el último momento persuadió a ciertos oficiales indecisos de que secundaran al teniente coronel; posiblemente lo hicieron el sargento Miguel Sales y los cabos José Moya y Rafael Monge, escoltando a los autobuses de Tejero hasta su objetivo); la pregunta por tanto es: ¿organizó o apoyó la AOME el 23 de febrero? ¿Organizó o apoyó el comandante Cortina el 23 de febrero? En realidad, es imposible contestar estas dos preguntas sin contestar dos preguntas previas: ¿quién era el comandante Cortina? ¿Qué era la AOME?

Exteriormente, la biografía de José Luis Cortina presenta muchas similitudes con la de Javier Calderón, con quien inició en los años setenta una amistad que llega hasta hoy mismo; pero las similitudes son sólo exteriores, porque Cortina es un personaje mucho más complejo y más ambiguo que el antiguo secretario general del CESID, alguien descrito con admirativa uniformidad por quienes mejor lo conocen como un auténtico hombre de acción y a la vez como un virtuoso del camuflaje: un personaje dodecafronte, según escribió

Manuel Vázquez Montalbán después de entrevistarlo. Como Calderón, Cortina se formó en el falangismo con inquietudes sociales del Colegio Pinilla, sólo que la vocación política de Cortina fue desde siempre mucho más sólida que la de Calderón y le llevó en los años sesenta a militar en grupúsculos radicales de la izquierda falangista que, como el Frente Social Revolucionario, sin salirse del redil del régimen pretendían renovarlo o purificarlo con injertos filomarxistas y simpatías por la Cuba de Fidel Castro. Este batiburrillo ideológico no infrecuente en la juventud politizada de la época le deparó algún encontronazo con el servicio de inteligencia del ejército y con la policía, pero también relaciones con militantes de la oposición al franquismo, en particular con los comunistas. Cortina no pasó a formar parte de los servicios de inteligencia hasta 1968, cuando, recién cumplidos los treinta años y tras licenciarse en la Academia militar con uno de los primeros números de su promoción –la 14, la misma del Rey–, fue cooptado por el Alto Estado Mayor para organizar la primera unidad de operaciones especiales de los servicios de inteligencia, la SOME, en la que trabajó hasta mediados de los setenta. Para entonces se habían atemperado sus ímpetus seudorrevolucionarios y, como Calderón y como su hermano Antonio, con quien siempre compartió ideas y proyectos políticos, participó en GODSA, el gabinete de estudios o amago de partido político que se vinculó a Manuel Fraga para buscar con él una reforma sin ruptura del franquismo y que se apartó de él (o lo hicieron muchos de sus miembros) en cuanto estuvo claro que la monarquía apostaba por la reforma con ruptura de Suárez; como Calderón, por esa época Cortina ejerció de abogado defensor de uno de los militares antifranquistas de la Unión Militar Democrática: el capitán García Márquez. Por fin, en el otoño de 1977, recién creado el CESID tras las primeras elecciones democráticas, su primer director le encargó la creación de la unidad de operaciones especiales del centro, la AOME, que dirigió hasta que unas semanas después del 23 de febrero el juez lo procesó por su presunta participación en el golpe.

Desde el punto de vista político Cortina era hacia principios de los años ochenta un militar de fidelidad monárquica que, aunque cuatro años atrás había aceptado sin reticencias el sistema democrático, ahora pensaba como buena parte de la clase política (y a diferencia de Calderón, atado a la lealtad de Gutiérrez Mellado) que Adolfo Suárez había hecho mal la democracia o la había estropeado, que el sistema había entrado en una crisis profunda que amenazaba la Corona, y que la mejor forma de sacarla de esa crisis era la formación de un gobierno de coalición o concentración o unidad en torno a un militar de las características del general Armada, a quien Cortina conocía bien y a quien además se hallaba unido a través de su hermano Antonio, que mantenía una buena amistad con el general y que había continuado su carrera política en las filas de la Alianza Popular de Manuel Fraga; desde el punto de vista técnico, desde el punto de vista de su quehacer en el espionaje, nada define mejor a Cortina que la propia naturaleza de la AOME.

Aunque estuviera integrada en el CESID, la AOME no compartía su caos organizativo ni su precariedad de medios; al contrario: tal vez era una de las pocas unidades de los servicios de inteligencia españoles equiparable a las unidades de los servicios de inteligencia occidentales. El mérito correspondió por entero a su fundador: Cortina mandó durante cuatro años la AOME gozando de una casi completa autonomía; su solo vínculo jerárquico con el CESID era Calderón, quien no supervisaba la unidad sino que en la práctica se limitaba a solicitar de ella, a petición de las distintas divisiones del centro, informaciones que luego el comandante se ocupaba de obtener sin rendir cuentas a nadie de su forma de obtenerlas. Como todas las de parecidas características en los servicios de inteligencia occidentales, la AOME era una unidad secreta dentro del propio servicio secreto, en cierto modo también para el propio servicio secreto. Su estructura era sencilla. Constaba de tres grupos operativos que se subdividían en dos subgrupos que a su vez se subdividían en tres equipos, cada uno de los cuales estaba integrado por siete u ocho personas y dotado de tres o cuatro vehículos y un transmisor personal con que comunicarse con los demás miembros del equipo y con la emisora de los vehículos; a cada equipo se le asignaba una tarea y cada agente tenía una especialidad: fotografía, transmisiones, cerrajería, explosivos, etc. Además de con esos tres grupos operativos, la AOME contó desde muy pronto con su propia escuela, donde cada año se dictaba un curso de técnicas de inteligencia que permitía instruir a los alumnos en métodos sofisticados de información y elegir a los más aptos para llevar a cabo las misiones encomendadas, siempre las más expuestas del CESID: seguimientos, escuchas, entradas clandestinas en domicilios y oficinas, secuestros. La naturaleza de tales actividades explica que quienes las realizaban llevaran una vida semiclandestina incluso en el interior del propio CESID, cuyos miembros ignoraban la identidad de los agentes de la AOME y la ubicación de las sedes secretas de la unidad, cuatro chalets de la periferia de Madrid conocidos respectivamente como París, Berlín, Roma y Jaca. Este hermetismo quizá sólo podía mantenerse, por lo demás, gracias a una suerte de espíritu de secta; según aseguran quienes estuvieron a sus órdenes en aquellos años, Cortina consiguió insuflar ese espíritu en sus casi doscientos hombres y consiguió de ese modo formar con ellos una élite compacta que se imaginaba a sí misma como una orden de caballería disciplinada por la lealtad a su jefe y a un lema compartido con otras unidades del ejército: «Si es posible, está hecho; si es imposible, se hará».

Ése era a grandes rasgos el comandante José Luis Cortina; eso era a grandes rasgos la AOME. Dadas las características personales del comandante y dadas las características organizativas y operativas de la unidad que mandaba, siempre instalada en el borde de la legalidad o más allá de ella, siempre operando de forma encubierta y sin fiscalización externa, no cabe duda de que la AOME de Cortina pudo apoyar el golpe del 23 de febrero mientras el CESID de Calderón se oponía a él; dada la cohesión interna de que Cortina dotó a la AOME, es muy improbable que sus miembros pudieran actuar sin la autorización o el conocimiento del comandante. No digo que sea imposible (al fin y al cabo la cohesión interna de la unidad demostró no carecer de fisuras, porque fueron miembros de la AOME quienes, tras el 23 de febrero, denunciaron la participación de sus compañeros y del propio Cortina en el golpe de estado; al fin y al cabo, aunque quizá el capitán Gómez Iglesias había sido encargado meses atrás por Cortina de la vigilancia de Tejero, en el último momento pudo sumarse al golpe sin consultar con Cortina, llevado por la antigua amistad y la comunión de ideas que le unían al teniente coronel); digo que es muy improbable. ¿Fue eso lo que ocurrió? ¿Organizó o apoyó el comandante Cortina el 23 de febrero? Y si lo hizo, ¿por qué lo hizo? ¿Para apoyar con la fuerza el gobierno de Armada? ¿O apoyó el golpe lo justo para ser un triunfador si el golpe triunfaba y lo combatió lo justo para ser un triunfador si el golpe fracasaba? ¿O lo apoyó como un agente doble, o como un agente provocador, sumándose al golpe para controlarlo desde dentro y hacerlo fracasar? Todas estas hipótesis se han planteado alguna vez, pero es imposible tratar de contestar esas cinco preguntas sin antes tratar de contestar cinco preguntas previas: ¿conoció Cortina con antelación el quién, el cuándo, el cómo y el dónde del 23 de febrero? ¿Estuvo Cortina en contacto con Armada y con los demás golpistas en los días previos al 23 de febrero? ¿Qué hizo exactamente Cortina en vísperas del 23 de febrero? ¿Qué hizo exactamente Cortina el 23 de febrero? ¿Qué ocurrió exactamente en la AOME el 23 de febrero?

7

23 de febrero

A las siete menos veinte de la tarde, cuando pasaban quince minutos del asalto al Congreso y el Rey impedía la entrada del general Armada en la Zarzuela, el golpe de estado embarrancó. Esto no significa que en ese momento, con el gobierno y los parlamentarios secuestrados, con la región de Valencia sublevada y con la Acorazada Brunete amenazando Madrid, el golpe ya no tuviese otro destino que el fracaso; significa sólo que, además del golpe, en ese momento ya estaba en marcha el contragolpe, y que a partir de entonces y hasta poco después de las nueve los planes de los golpistas quedaron en suspenso, a la espera de que nuevas unidades del ejército se uniesen a la asonada.

El puesto de mando del contragolpe se hallaba situado en la Zarzuela, en el despacho del Rey, donde éste permaneció toda la noche en compañía de su secretario, Sabino Fernández Campo, de la Reina, de su hijo el príncipe Felipe –entonces un muchacho de trece años– y de un ayudante de campo, mientras los salones aledaños de palacio se llenaban de familiares, amigos y miembros de la Casa Real que atendían o realizaban llamadas o comentaban los acontecimientos. Aunque de acuerdo con la Constitución no pasaba de ser el jefe simbólico de las Fuerzas Armadas, cuyo mando efectivo residía en el presidente del gobierno y el ministro de Defensa, en aquella situación excepcional el Rey actuó como comandante en jefe del ejército y desde el primer instante empezó a impartir a sus compañeros de armas órdenes de respetar la legalidad. En un principio, con el fin de sustituir al gobierno secuestrado el Rey aprobó una propuesta según la cual todos los poderes del ejecutivo pasaban a manos de la Junta de Jefes de Estado Mayor, el máximo órgano en la jerarquía del ejército, pero se apresuró a retirar su aprobación en cuanto alguien –tal vez Fernández Campo, tal vez la propia Reina– le hizo ver que esa medida suponía relegar el poder civil en favor del militar y sancionar en la práctica el golpe; este paso en falso abortado a tiempo mostró en la Zarzuela la necesidad de constituir un gobierno suplente de civiles, lo que se hizo antes de las ocho de la noche reuniendo un grupo de secretarios y subsecretarios de estado bajo el mando del director general de Seguridad, Francisco Laína. Para esa hora, sin embargo, la principal preocupación del Rey no era el teniente coronel Tejero, que mantenía bajo su control el Congreso, ni el general Milans, que mantenía sublevada la región de Valencia, ni los conjurados de la Acorazada Brunete, que a pesar de las contraórdenes del jefe de la división y del capitán general de Madrid no habían renunciado a sumarse al golpe, ni siquiera el general Armada, sobre quien cada vez convergían más sospechas a medida que los golpistas alegaban su nombre (lo invocaba Tejero, lo invocaba Milans, lo invocaban los conjurados de la Brunete); la principal preocupación del Rey eran los capitanes generales.

Se trataba de casi una docena de generales que ejercían un dominio de virreyes sobre las once regiones militares en que estaba dividido el país. Todos ellos eran franquistas: todos habían hecho la guerra con Franco, casi todos habían combatido en la División Azul junto a las tropas de Hitler, todos se adscribían ideológicamente a la ultraderecha o mantenían buenas relaciones con ella, todos habían aceptado la democracia por sentido del deber y a regañadientes y muchos consideraban que la intervención del ejército en la política del país era hacia 1981 indispensable o conveniente. En los días previos al 23 de febrero Milans había conseguido desde la jefatura de la III región militar el apoyo explícito o implícito para su causa de cinco de los capitanes generales (Merry Gordon, jefe de la II región; Elícegui, de la V; Campano, de la VII; Fernández Posse, de la VIII; Delgado, de la IX), pero cuando apenas iniciado el golpe el Rey y Fernández Campo empezaron a llamarlos uno a uno por teléfono y tuvieron que definirse, ninguno de ellos secundó con claridad a Milans. Tampoco acataron sin titubeos, no obstante, la autoridad del Rey; lo hubieran hecho si el Rey les hubiera ordenado sacar las tropas a la calle, pero, dado que la orden que partió de la Zarzuela fue exactamente la opuesta, todos los capitanes generales salvo dos (Quintana Lacaci, en Madrid, y Luis Polanco, en Burgos) se debatieron durante toda la tarde y la noche en un tremedal de dudas, de un lado urgidos por las arengas telefónicas de Milans y sus apelaciones al honor militar y la salvación de España y los compromisos adquiridos, y de otro sujetados por el respeto al Rey y a veces por la reticencia o la prudencia de los segundos escalones de mando, quizá fascinados por el vértigo de revivir en su vejez la épica insurreccional de su juventud de oficiales de Franco y conscientes de que el respaldo de cualquiera de ellos al golpe podía decantarlo del lado de los golpistas –decidiendo la intervención de sus demás compañeros y obligando entre todos al Rey a congelar o suprimir un régimen político que todos detestaban–, pero conscientes también de que ese mismo respaldo podía arruinar su hoja de servicios, aniquilar sus apacibles previsiones de retiro y condenarlos a pasar el resto de sus días en una prisión militar. Es probable que aquellos generales tuvieran un alto concepto de sí mismos, pero, a juzgar por lo ocurrido el 23 de febrero, salvo excepciones sólo demostraron ser un puñado de militares cobardes y sin honor, podridos de molicie y de bravuconería: si hubieran sido militares de honor no hubiesen dudado un segundo en ponerse a las órdenes del Rey protegiendo la legalidad que habían jurado defender; si no hubieran sido militares de honor pero hubieran sido valientes hubiesen hecho lo que les exigían sus ideales y sus tripas y hubiesen sacado los tanques a la calle. Salvo excepciones, no hicieron ni una cosa ni la otra; salvo excepciones, su comportamiento fluctuó entre lo bochornoso y lo esperpéntico: así ocurrió por ejemplo con el general Merry Gordon, jefe de la II región, quien había prometido ponerse del lado de Milans y se pasó la tarde y la noche en la cama, postrado por una sobredosis de ginebra; o con el general Delgado, jefe de la IX región, quien improvisó su cuartel general en un restaurante de las afueras de Granada donde permaneció a resguardo de las vicisitudes del golpe y sin pronunciarse a favor o en contra hasta que más allá de la medianoche consideró que la situación se había despejado y regresó a su despacho en capitanía; o con el general Campano, jefe de la VII región, quien no paró de buscar estratagemas que le permitieran sumarse al golpe protegiéndose de una eventual acusación de golpista; o con el general González del Yerro, jefe del mando unificado de las Canarias (el equivalente a la XI región militar), quien se mostró dispuesto a colaborar en el golpe a condición de que no fuera Armada sino él quien ocupase la jefatura del gobierno resultante. Las anécdotas podrían multiplicarse, pero la categoría es siempre la misma: salvo Milans, ningún capitán general apoyó abiertamente el golpe, pero, salvo Quintana Lacaci y Polanco, ningún capitán general se opuso abiertamente a él. Pese a ello, y también pese a que durante toda la tarde y la noche las noticias que llegaban a la Zarzuela sobre las capitanías generales variaban de minuto en minuto y con frecuencia eran o parecían contradictorias, es muy posible que antes de las nueve de la noche el Rey tuviera la certeza razonable de que a menos que un imprevisto diese un vuelco a la situación los capitanes generales no iban a atreverse por el momento a desobedecer sus órdenes.

Pero el imprevisto aún podía producirse, y el vuelco también: el Rey había apagado una parte de la rebelión, pero no la había sofocado. Los puntos de mayor incandescencia entre las siete y las nueve de la noche eran el Congreso y la Acorazada Brunete, la unidad más decisiva para el triunfo del golpe. Lo ocurrido durante aquellas dos horas en la Brunete es inexplicable; inexplicable a menos que se admita que un vértigo de cobardía o de indecisión similar al que se adueñó de los capitanes generales se adueñó también de los golpistas de la Brunete. Persuadido por éstos de que la operación contaba con el beneplácito del Rey, en los minutos previos al golpe el jefe de la Brunete, general Juste, había dado orden de salir hacia Madrid a todas sus unidades, pero antes de las siete, tras hablar con la Zarzuela y recibir órdenes tajantes del general Quintana Lacaci –su inmediato superior jerárquico–, Juste había dado la contraorden; muchos jefes de regimiento seguían sin embargo mostrándose renuentes a obedecerla y algunos de los más fogosos –el coronel Valencia Remón, el coronel Ortiz Call, el teniente coronel De Meer– buscaban excusas o coraje con que sacar sus tropas a la calle, seguros de que bastaba poner un carro de combate en el centro de Madrid para disipar los escrúpulos o las vacilaciones de sus compañeros de armas y decidir el triunfo del golpe. No encontraron ninguna de las dos cosas, pero sobre todo no las encontraron los cabecillas golpistas de la división (el general Torres Rojas, sustituto de Juste según los planes de los conjurados, el coronel San Martín, jefe del Estado Mayor, y el comandante Pardo Zancada, encargado por Milans de poner en marcha la operación), ni tampoco ninguno de los demás jefes y oficiales que se agitaban en medio de la zozobra del Cuartel General: como tantos otros militares durante los años anteriores al golpe, muchos habían prodigado amenazas al gobierno con bravatas de cuarto de banderas, pero cuando llegó el momento de ponerlas en práctica no fueron capaces de arrebatarle el mando al débil y dubitativo Juste y, aunque es verdad que durante las primeras horas del golpe Torres Rojas y San Martín intentaron todavía convencer a Juste de que anulara la contraorden de salida, lo cierto es que lo hicieron con escasa convicción, y que las presiones que ejercían sobre el jefe de la Brunete se esfumaron cuando poco después de las ocho de la tarde, obedeciendo dócilmente las órdenes de sus superiores, Torres Rojas se marchó del Cuartel General y regresó en avión regular a su destino en La Coruña.

Entre tanto, tascado el freno del golpe en la Brunete, en el Congreso y sus inmediaciones parecía calmarse poco a poco el revuelo formidable levantado por el secuestro de los parlamentarios. Allí las dos horas posteriores al inicio del golpe habían sido dementes. Mientras a medida que avanzaba la tarde Madrid se convertía en una ciudad fantasmal (una ciudad sin bares ni restaurantes abiertos, sin taxis ni apenas circulación, con calles despobladas por donde bandas de ultraderechistas campaban a sus anchas coreando consignas, destrozando escaparates e intimidando a los escasos transeúntes al tiempo que la gente se encerraba en su casa y se pegaba a aparatos de radio y televisión que a ratos no emitían más que música militar o música clásica, porque desde antes de las ocho de la tarde la radio y la televisión públicas habían sido ocupadas por un destacamento mandado por un capitán de la Brunete), frente a la fachada del Congreso, al otro lado de la Carrera de San Jerónimo, los salones y escalinatas del hotel Palace empezaron a hervir de militares de todas las armas y graduaciones, de periodistas, fotógrafos, locutores de radio, curiosos, borrachos y chiflados, y casi en seguida se instaló en la oficina del gerente del hotel un pequeño gabinete de crisis compuesto entre otros por el general Aramburu Topete, director general de la guardia civil, y por el general Sáenz de Santamaría, jefe de la policía nacional, dos militares leales que llegaron a las cercanías del Congreso poco después del asalto y que apenas comprendieron que el secuestro podía prolongarse durante un tiempo imposible de prever montaron dos cordones de seguridad –uno de la policía nacional, otro de la guardia civil– con el fin de aislar el edificio y dominar la vorágine de sus alrededores. Tardaron horas en conseguir ambas cosas, si es que en verdad las consiguieron; de hecho, grupos vociferantes de partidarios de los golpistas acosaron durante toda la noche la Carrera de San Jerónimo y, desde los primeros minutos del secuestro hasta los últimos, militares, policías y guardias civiles vestidos de uniforme o de paisano entraron a placer en el Congreso sin que nadie supiera con certeza si quien entraba lo hacía para unirse a Tejero y sus hombres o para averiguar sus intenciones, para solidarizarse con su causa o para minarles la moral, para llevarles noticias del exterior o para recogerlas del interior e informar a las autoridades, para parlamentar con ellos o para fisgonear; más aún: muchas personas que acudieron a las cercanías del Congreso en los primeros momentos del golpe aseguran que, en medio de aquella barahúnda, nadie parecía tener en absoluto claro si los guardias civiles y policías de Aramburu y Sáenz de Santamaría habían rodeado el edificio para reducir a los asaltantes o para velar por su seguridad, para impedir que nuevos contingentes de militares o civiles los reforzasen o para franquearles la entrada, para rechazar el golpe o para alentarlo. Era una impresión errónea, o al menos se volvió cada vez más errónea conforme el golpe se clarificaba, y, aunque quizá nunca llegaron a tener un dominio absoluto del cerco y a impermeabilizar del todo el Congreso, hacia las ocho de la tarde Aramburu y Sáenz de Santamaría habían conseguido al menos ordenar el asedio a los rebeldes y poner fin a los improvisados intentos de acabar con el secuestro de forma expeditiva, alejando su temor a que un estallido de violencia entre partidarios y opositores al golpe precipitara con la intervención masiva del ejército el vuelco que anhelaban los golpistas.* Dos de esos intentos se habían producido muy pronto: el primero tuvo lugar media hora después del asalto al Congreso y lo protagonizó el coronel de la policía nacional Félix Alcalá-Galiano; el segundo

* El miedo a las consecuencias de un enfrentamiento armado sirvió también para disuadir a Francisco Laína, jefe del gobierno provisional, de llevar a cabo un proyecto que manejó hasta bien entrada la noche –tomar por la fuerza el Congreso ocupado con una compañía de operaciones especiales de la guardia civil– y que tras muchas dudas y discusiones acabó descartando, convencido por Aramburu y Sáenz de Santamaría de que Tejero y sus hombres estaban dispuestos a repeler el ataque y de que éste sólo podría acabar con una matanza.

tuvo lugar apenas cinco minutos más tarde y lo protagonizó el propio general Aramburu. Circulan versiones distintas de lo ocurrido en ambos casos; las más verosímiles son las siguientes:

El coronel Alcalá-Galiano es uno de los primeros altos mandos militares en llegar a la Carrera de San Jerónimo tras el inicio del golpe. Cuando lo hace acaba de hablar con el general Gabeiras, jefe del Estado Mayor del ejército, que le ha dado la orden de entrar en el Congreso y arrestar o eliminar al teniente coronel Tejero. Alcalá-Galiano obedece: entra en el edificio, localiza a Tejero y, mientras habla con él, busca su oportunidad de apresarlo o matarlo; en determinado momento de la conversación, sin embargo, Tejero es reclamado al teléfono desde Valencia por el segundo jefe de Estado Mayor de Milans, coronel Ibáñez Inglés, quien al saber que Alcalá-Galiano se halla en el Congreso le ordena a Tejero que lo desarme y lo arreste de inmediato, pero el teniente coronel ni siquiera alcanza a intentarlo, porque Alcalá-Galiano ha tenido la precaución y la astucia de escuchar por otro teléfono el diálogo entre los dos rebeldes y tiene luego la habilidad de conseguir, entre bromas esforzadas y buenas palabras de conocidos y compañero de armas, que Ibáñez Inglés retire la orden y Tejero le permita regresar a la calle. Por lo que respecta a la tentativa del general Aramburu, es mucho menos sutil o sinuosa, mucho más comprometida también. Tan pronto como llega a la Carrera de San Jerónimo, poco después de que Alcalá-Galiano haya salido del Congreso, Aramburu se dirige a la verja de entrada en compañía de dos de sus ayudantes y exige hablar con el jefe de los sublevados; segundos después aparece el teniente coronel Tejero, la pistola en la mano, la mirada y los gestos desafiantes, y sin más preámbulos el general le da la orden terminante de que desaloje el edificio y se entregue. Aramburu es el jefe de la guardia civil y por tanto el mando con más autoridad del cuerpo al que pertenece el teniente coronel, pero éste no se arredra y, blandiendo su arma mientras un grupo de guardias civiles rebeldes encañona a Aramburu, contesta: «Mi general, antes que entregarme le pego un tiro y después me mato». La réplica de Aramburu es instintiva y consiste en echar mano a su pistola, pero uno de sus dos ayudantes le sujeta del brazo, impide que saque el arma y consigue que la escaramuza se cierre sin otra violencia que la de la indisciplina y con Aramburu alejándose del Congreso furioso y atónito, convencido de que la resolución de Tejero augura un asedio dilatado.

Este episodio tuvo lugar hacia las siete de la tarde. Para entonces, pasados los gritos y el tiroteo inicial de los asaltantes y el pánico y el estupor de los parlamentarios, los periodistas y los invitados que ocupaban el hemiciclo, en el interior del Congreso se respiraba un aire enrarecido de pesadilla, o así lo recuerdan muchos de los que permanecían allí, casi como si la sesión de investidura del nuevo presidente del gobierno continuara desarrollándose en una dimensión distinta, o como si apenas minúsculos detalles espantosos o ridículos la alteraran, volviéndola sutilmente irreal. Por el ancho pasillo que circunvala el hemiciclo caminaban como siempre los parlamentarios, sólo que lo hacían cabizbajos y humillados, con el miedo pintado en la cara, escoltados por guardias civiles que los acompañaban al baño y oyendo las voces de mando y los gritos de júbilo de los golpistas resonando por los despachos y los pasillos; a ratos los lavabos parecían tan llenos de gente como en los descansos de las sesiones plenarias, sólo que los políticos y periodistas encajados en los mingitorios no cambiaban los intrascendentes comentarios de siempre, sino únicamente susurros de incertidumbre, de agonía, de autocompasión o de humor negro; también como en los descansos de cualquier sesión plenaria, se había formado la multitud de siempre en el bar, por aquel entonces situado en la entrada principal del edificio viejo, y los camareros servían consumiciones, las cobraban y recibían propinas, sólo que la clientela no estaba compuesta por políticos y periodistas sino por oficiales, suboficiales y números de la guardia civil armados con Cetmes y subfusiles Star que proferían frente a la barra palabras de ánimo, tacos, exabruptos y desahogos patrióticos, y sólo que los carajillos, whiskys, coñacs, ginebras, gin-tonics y cervezas superaban largamente el número habitual. En cuanto al hemiciclo, tras la irrupción de los golpistas reinaba allí un silencio ominoso entrecortado por las toses de los parlamentarios y por las órdenes ocasionales de los guardias civiles; el silencio se heló cuando, diez minutos después de iniciado, un capitán subió a la tribuna de oradores para anunciar la llegada de una autoridad militar encargada de tomar el mando del golpe, y se hizo trizas cuando poco después Adolfo Suárez se levantó de su escaño y exigió hablar con el teniente coronel Tejero, provocando una algarabía de revuelta que a punto estuvo de desencadenar un nuevo tiroteo, y que terminó cuando los guardias civiles consiguieron a base de gritos y amenazas sentar de nuevo al presidente. Minutos más tarde, sin duda para fortalecer la moral de sus hombres y debilitar la de los secuestrados, Tejero anunció que Milans había decretado la movilización general en Valencia. No fue el único anuncio de este tipo que a lo largo de la noche hicieron los rebeldes desde la tribuna de oradores: en un determinado momento un oficial les leyó a los parlamentarios el bando de guerra promulgado por Milans en Valencia; en otro, un guardia civil les leyó novedades favorables a los golpistas transmitidas por agencias de prensa; en otro, poco antes ya de la medianoche, Tejero proclamó que varias regiones militares –la II, la III, la IV y la V– habían aceptado a Milans como nuevo presidente del gobierno. Estas noticias fueron las únicas que acerca de lo que ocurría en el exterior del Congreso recibieron los diputados durante las primeras horas del secuestro; o casi las únicas: también circulaban de forma fragmentaria y confusa las que escuchaba a escondidas en un transistor el ex vicepresidente del gobierno Fernando Abril Martorell, quien más de una vez las hizo correr maquilladas para infundir ánimo en sus compañeros. Por supuesto, no consiguió animar a nadie, no como mínimo en aquellas primeras horas, cuando ni uno solo de los hechos que ocurría en el hemiciclo –ni siquiera el hecho de que la autoridad militar anunciada no llegase, ni siquiera el hecho de que los asaltantes hubieran permitido la salida del Congreso a quienes no ostentasen la condición de parlamentarios– servía para apaciguar el desasosiego de los diputados: durante mucho rato el cataclismo pareció ineludible y los nervios, la rabia y el comportamiento brutal de los guardias civiles no amainaron, y hacia las siete y media, después de que el parpadeo repetido de la iluminación de la sala hiciera temer a los secuestradores un corte deliberado del fluido eléctrico que fuese el prólogo de un intento de sacarlos del Congreso por la fuerza, el teniente coronel Tejero redobló la vigilancia de los accesos al hemiciclo y exigió a voz en grito a sus hombres que en caso de apagón hicieran fuego al menor roce o movimiento extraño, y acto seguido ordenó descuartizar algunas sillas para armar frente a la tribuna de oradores una pira con que suplir la posible falta de luz, cosa que propagó un escalofrío entre los diputados, convencidos de que una hoguera provocaría el incendio automático de aquel recinto tapizado de gruesas alfombras y maderas nobles. Ese escalofrío fue sólo un anticipo del que recorrió el hemiciclo a las ocho menos veinte de la tarde, en el momento en que varios guardias civiles sacaron de allí a Adolfo Suárez y luego, sucesivamente, al general Gutiérrez Mellado, a Felipe González, a Santiago Carrillo, a Alfonso Guerra, a Agustín Rodríguez Sahagún. Los seis salieron de la sala en medio de un mutismo horrorizado, algunos blancos como el yeso, todos tratando de mantener la entereza, o de fingirla, y la mayoría de sus compañeros los vio partir con el pálpito de que serían ejecutados y de que no otra era la suerte que los golpistas les reservaban a muchos de ellos. El presentimiento no los abandonó durante buena parte de la noche, porque los diputados no empezaron sino muy lentamente a apartar el temor de un baño de sangre y a acariciar la esperanza de que los golpistas sólo hubieran aislado a sus líderes para negociar con una autoridad militar a la que nunca llegaron a ver una salida al golpe que nunca llegaron a negociar.

Ésa era la situación hacia las ocho y media o las nueve de la noche del 23 de febrero: con el Congreso secuestrado, la región de Valencia sublevada, la Acorazada Brunete y los capitanes generales todavía devorados por las dudas y el país entero sumido en una pasividad temerosa, resignada y expectante, el golpe de los rebeldes parecía bloqueado por el contragolpe de la Zarzuela, y parecía también a la espera de que alguien –los rebeldes o la Zarzuela– lo desbloquease, sacándolo del paréntesis en que lo habían encerrado el fracaso parcial de los primeros y el éxito parcial de la segunda. Fue entonces cuando arrancaron dos movimientos opuestos y determinantes, uno lanzado desde el Cuartel General del ejército, en el palacio de Buenavista, y otro desde la Zarzuela, uno en favor del golpe y otro en favor del contragolpe. Hacia las siete y media u ocho de la tarde, mientras el Rey y Fernández Campo aún estaban sondeando a los capitanes generales y exigiéndoles que mantuvieran acuarteladas sus tropas, en la Zarzuela había empezado a discutirse la posibilidad de que el Rey compareciera en televisión con un mensaje que despejase cualquier equívoco sobre su rechazo al asalto del Congreso y reiterase la orden de defender la legalidad que ya les había hecho llegar por teléfono y por télex a Milans y a los demás capitanes generales; la idea se trocó en seguida en urgencia, pero antes de que en la Casa Real pudiesen plantearse la forma de satisfacerla hubo que afrontar un problema previo: de momento era imposible grabar y emitir la alocución del monarca porque los estudios de radio y televisión en Prado del Rey estaban ocupados por un destacamento de caballería de la Brunete; así que la Zarzuela se movilizó durante los minutos siguientes para desalojar de allí a los golpistas, hasta que por fin, después de averiguar que el destacamento ocupante pertenecía al Regimiento de Caballería Villaviciosa 14, mandado por el coronel Valencia Remón, el marqués de Mondéjar, jefe de la Casa del Rey y general de caballería, consiguió que su compañero de arma retirara a sus hombres, y poco más tarde la Zarzuela solicitaba a la televisión recién liberada un equipo móvil para que el Rey pudiera grabar con él su mensaje.

Ése fue el arranque del primero de los dos movimientos opuestos, el movimiento contra el golpe. El segundo, el movimiento a favor del golpe, posiblemente empezó a fermentar en la mente de los cabecillas rebeldes no mucho después de que el Rey prohibiera la entrada de Armada en la Zarzuela, y debió de afianzarse en ella a medida que comprendieron que el Rey no iba a apoyar en principio el golpe y que en principio los capitanes generales tampoco estaban dispuestos a hacerlo; en el fondo, el movimiento no era más que una variante casi obligada del plan original del golpe: en el plan original Armada acudía al Congreso ocupado desde la Zarzuela y, con el respaldo explícito del Rey y del ejército en pleno, formaba un gobierno de coalición o concentración o unidad bajo su presidencia a cambio de la libertad de los diputados y del retorno del ejército a sus cuarteles; en esta casi obligada variante Armada acudía al Congreso con el mismo propósito, sólo que no desde la Zarzuela sino desde el Cuartel General del ejército, donde tenía su puesto de mando como segundo jefe de Estado Mayor, y con todo el respaldo explícito o implícito que fuera capaz de recabar, empezando por el respaldo del Rey. Para los golpistas el movimiento era más arduo y más inseguro que el originalmente planeado, porque nadie sabía con cuántos apoyos podría contar Armada en aquellas circunstancias, pero, dada la inesperada reacción de rechazo al golpe por parte del Rey, también era, repito, casi obligado, o lo era para Milans y para Armada: Milans había actuado a cara descubierta sacando sus tropas a la calle y negándose a retirarlas, de modo que ya no tenía otra opción que seguir adelante, empujando a Armada a llevar hasta el final el plan previsto, aunque fuera en peores condiciones de las previstas; por lo que se refiere a Armada, que había permanecido inmóvil y casi emboscado en el Cuartel General del ejército, procurando no realizar ningún ademán que delatara su implicación en el golpe, el movimiento entrañaba riesgos adicionales, pero también podía suponer ventajas: si el movimiento triunfaba, Armada terminaría como presidente del gobierno, tal y como preveía el plan original, pero si fracasaba limpiaría las sospechas que se habían acumulado sobre él desde el principio del golpe, permitiéndole aparecer como el sacrificado aunque frustrado negociador de la liberación del Congreso. Es probable que hacia las nueve de la noche tanto Milans como Armada hubieran llegado cada uno por su cuenta a la conclusión de que ese movimiento era necesario. Sea como fuere, media hora más tarde Milans llamó al palacio de Buenavista y pidió que le pusieran con Armada, en aquel momento la máxima autoridad del Cuartel General del ejército en ausencia del general Gabeiras, que se hallaba reunido con la Junta de Jefes de Estado Mayor en su sede de la calle Vitruvio. La conversación, larga y enrevesada, fue la primera que los dos generales golpistas mantuvieron aquella noche, y a partir de entonces, para muchos de los que en seguida tuvieron noticia de ella, el golpe de estado pareció empezar a desbloquearse; la realidad es que simplemente se internaba en una fase distinta.

CUARTA PARTE

TODOS LOS GOLPES DEL GOLPE

La imagen, congelada, muestra el ala izquierda del hemiciclo del Congreso de los Diputados: a la derecha se encuentran los escaños, ocupados al completo por los parlamentarios; en el centro, la tribuna de prensa atestada de periodistas; a la izquierda la mesa del Congreso, de perfil, con la tribuna de oradores en primer término. La imagen es la imagen acostumbrada de una sesión plenaria del Congreso en los primeros años de la democracia; salvo por dos detalles: el primero son las manos de los ministros y diputados, unánimemente apoyadas en el reposabrazos delantero de sus escaños; el segundo es la presencia de un guardia civil en el hemiciclo: está apostado en la esquina izquierda del semicírculo central, enfrentando a los diputados con el dedo en el gatillo de su subfusil de asalto. Estos dos detalles aniquilan cualquier ilusión de normalidad. Son las seis y treinta y dos minutos de la tarde del lunes 23 de febrero y hace nueve minutos exactos que el teniente coronel Tejero ha irrumpido en el Congreso y que empezó el golpe de estado.

Nada esencial varía en la escena si descongelamos la imagen: el guardia armado del subfusil vigila a izquierda y derecha dando pasitos mullidos por la alfombra del semicírculo central; los parlamentarios parecen petrificados en sus escaños; un silencio sólo roto por un murmullo de toses domina el hemiciclo. Ahora el plano cambia y la imagen abarca el semicírculo central y el ala derecha del hemiciclo: en el semicírculo central los taquígrafos y un ujier se incorporan después de haber pasado los últimos minutos tumbados en la alfombra, y el secretario del Congreso, Víctor Carrascal –a quien el principio del golpe sorprendió dirigiendo la votación nominal de investidura de Leopoldo Calvo Sotelo como nuevo presidente del gobierno en sustitución de Adolfo Suárez–, permanece rígido, de pie y fumando bajo la tribuna de oradores; en cuanto al ala derecha del hemiciclo, todos los mi-

nistros y diputados siguen allí, sentados en sus escaños, la mayoría con las manos visibles en el reposabrazos, la mayoría inmóviles. Adolfo Suárez no pertenece a esa mayoría, y no únicamente porque sus manos no estén a la vista, sino porque no para de moverse en su escaño; en realidad, no ha parado de moverse desde que cesó el tiroteo y el general Gutiérrez Mellado volvió a sentarse junto a él tras su enfrentamiento con los guardias civiles: inquieto, ha estado volviéndose a su izquierda, a su derecha, hacia atrás, ha encendido un cigarrillo tras otro, ha cruzado y descruzado sin cesar las piernas; ahora se halla casi de espaldas al hemiciclo, mirando al grupo de guardias civiles que controla la entrada, igual que si buscara a alguien, tal vez al teniente coronel Tejero. Pero si es a él a quien busca no lo encuentra, y cuando vuelve a mirar hacia delante advierte que, a un gesto de un guardia civil, Víctor Carrascal está cediéndole su lugar bajo la mesa de la presidencia a un ujier y, con un cigarrillo en una mano y la lista de los diputados en la otra, sube las escaleras de la mesa del Congreso, se coloca en la tribuna de oradores, deja en el atril sus papeles bruscamente inservibles, levanta la vista y mira a derecha e izquierda con una expresión mitad de desconcierto y mitad de súplica, como si de repente le pareciera absurdo o ridículo o peligroso haberse encaramado allí arriba y estuviera implorando un lugar donde ocultarse, o como si en las miradas expectantes de sus compañeros acabara de leer que piensan que los golpistas le han ordenado subir hasta allí para decir algo o para reanudar la votación donde la ha interrumpido, y él tratara de deshacer el equívoco.

Pero el equívoco se deshace solo. Un minuto después de que Víctor Carrascal haya subido a la tribuna de oradores, un capitán de la guardia civil ocupa su lugar para dirigir unas palabras al pleno del Congreso. El capitán se llama Jesús Muñecas y es el oficial de mayor confianza con que cuenta aquella tarde el teniente coronel Tejero, además de haber sido uno de sus apoyos más firmes durante las jornadas previas al golpe. El teniente coronel le ha pedido que tranquilice a los diputados y, después de examinar un instante el hemiciclo desde el hall –igual que un orador precavido que inspecciona las condiciones del lugar donde debe realizar su parlamento, para adecuarlo a ellas–, con su subfusil en una mano y su tricornio en la otra sube hasta la tri-

buna de oradores. No obstante, apenas inicia el oficial su parlamento alguien desconecta voluntaria o involuntariamente la cámara que nos lo está mostrando y, tras ofrecer varios planos nerviosos y fugacísimos del capitán, la imagen se cierra con un fundido en negro. Hay por fortuna otra cámara, situada en el ala izquierda del hemiciclo, que permanece todavía en funcionamiento y que, antes de que el capitán termine su alocución, vuelve a mostrárnoslo, casi imperceptible, apenas un borroso perfil uniformado en el extremo derecho de la imagen. Lo que sí es en cambio perceptible con absoluta claridad son sus palabras, que resuenan en el hemiciclo en medio de un silencio absoluto. Las palabras del capitán son exactamente éstas: «Buenas tardes. No va a ocurrir nada, pero vamos a esperar un momento a que venga la autoridad militar competente para disponer... lo que tenga que ser y lo que él mismo... diga a todos nosotros. O sea que estense tranquilos. No sé si esto será cuestión de un cuarto de hora, veinte minutos, media hora... me imagino que no más. Y la autoridad que hay, competente, militar por supuesto, será la que determine qué es lo que va a ocurrir. Por supuesto que no pasará nada. O sea que estén ustedes todos tranquilos». Nada más: el capitán ha hablado con voz nítida, acostumbrada a mandar, aunque no sin alguna vacilación ni sin que dos subrayados limítrofes –al pronunciar por segunda vez la palabra competente y la palabra militar– hayan traicionado el tono esforzadamente neutro de su parlamento con un énfasis coercitivo. Nada más: el capitán baja las escaleras de la tribuna de oradores y, mientras se confunde con los guardias civiles que lo han escuchado desde el hall del hemiciclo, la imagen vuelve a congelarse.

1

¿Quién era la autoridad competente? ¿Quién era el militar cuya llegada estuvieron esperando en vano los parlamentarios secuestrados a lo largo de la tarde y la noche del 23 de febrero? Desde el mismo día del golpe ése ha sido uno de los enigmas oficiales del golpe; también uno de los yacimientos más explotados de la insaciable novelería que lo envuelve. De hecho, apenas habrá un político de la época que no haya propuesto su hipótesis sobre la identidad del militar, y no hay libro sobre el 23 de febrero que no haya elaborado la suya: unos aseguran que se trataba del general Torres Rojas, quien –después de arrebatarle el mando de la Acorazada Brunete al general Juste y de tomar con la división el control de Madrid– relevaría con sus tropas al teniente coronel Tejero en el Congreso; otros argumentan que era el general Milans, que acudiría a Madrid desde Valencia en nombre del Rey y de los capitanes generales sublevados; otros conjeturan que era el general Fernando de Santiago, antecesor de Gutiérrez Mellado en el cargo de vicepresidente del gobierno y miembro de un grupo de generales en la reserva que conspiraba desde hacía tiempo en favor de un golpe; otros sostienen que era el propio Rey, que comparecería en el Congreso para dirigirse a los diputados en su calidad de jefe del estado y de las Fuerzas Armadas. Esos cuatro nombres no agotan el número de los candidatos; hay incluso quien fomenta el enredo no añadiendo un candidato más a la lista sino omitiendo el nombre del suyo: en 1988 Adolfo Suárez aseguró que sólo había dos personas que conocieran la identidad del militar, y que una de ellas era él. Naturalmente, no había nadie más interesado en alimentar el misterio que los propios golpistas. En esa tarea sobresalió el teniente coronel Tejero, quien durante el juicio del 23 de febrero declaró que en una de las reuniones previas al golpe el comandante Cortina había identificado a la autoridad militar que acudiría al Congreso con un nombre en clave: el Elefante Blanco; es muy posible que el testimonio de Tejero fuese sólo una fantasía destinada a añadir confusión a la confusión de la vista oral, pero algún periodista la acogió en sus crónicas y de ese modo consiguió llenar el hueco de un nombre propio con la energía de un símbolo y prolongar hasta hoy la salud del enigma. Un enigma que no es un enigma, porque la verdad es otra vez lo evidente: el militar anunciado sólo podía ser el general Armada, que de acuerdo con los planes de los golpistas llegaría al Congreso desde la Zarzuela y, con la autorización del Rey y el respaldo del ejército sublevado, liberaría a los parlamentarios a cambio de que aceptasen formar un gobierno de coalición o concentración o unidad bajo su presidencia. Eso era lo previsto y, si es cierto que el Elefante Blanco era el nombre en clave del militar anunciado, Armada era el Elefante Blanco.

2

Armada era el Elefante Blanco y el militar anunciado en el Congreso y el líder de la operación, pero quienes la ejecutaron fueron el general Milans y el teniente coronel Tejero. Los tres urdieron la trama del golpe. ¿Había una trama detrás de la trama? También desde el mismo día del golpe se empezó a especular con la existencia de una trama civil escondida tras la trama militar, una trama al parecer integrada por un grupo de ex ministros de Franco, magnates y periodistas radicales que habría manejado en la sombra a los militares y los habría inspirado y financiado. El hecho de que el tribunal que juzgó el 23 de febrero sólo procesara a un civil acabó de convertir esa trama oculta en otro de los enigmas oficiales del golpe.

La especulación no carecía de base, pero en lo fundamental era falsa. Hay una regla que raramente se incumple: cuando se dispone a dar un golpe de estado, el ejército se cierra en sí mismo, porque a la hora de la verdad los militares sólo se fían de los militares; en este caso la regla no se incumplió, y el enigma de la llamada trama civil tampoco es un enigma: si se exceptúa la intervención de algún civil concreto como Juan García Carrés –jefe del Sindicato de Actividades Diversas franquista y amigo personal de Tejero, quien fue el único civil procesado en el juicio por su papel de enlace entre el teniente coronel y el general Milans en los meses previos al golpe–, tras los militares rebeldes no hubo trama civil alguna: ni ex ministros y líderes u hombres de referencia de grupos franquistas como José Antonio Girón de Velasco o Gonzalo Fernández de la Mora, ni banqueros como la familia Oriol y Urquijo, ni periodistas como Antonio Izquierdo –director de *El Alcázar*–, ni ninguno de los demás miembros de la ultraderecha que se han mencionado con frecuencia manejaron ni inspiraron directamente el golpe, porque Armada, Milans y Tejero no tenían necesidad de que ningún civil inspirara una operación militar y porque no permitieron que ningún civil se inmiscuyera en sus planes más que de forma anecdótica (ni siquiera permitieron que García Carrés participara en la principal reunión preparatoria del golpe: acudió a ella, pero Milans le obligó a marcharse para evitar interferencias civiles); en cuanto a la financiación, el golpe del 23 de febrero fue pagado con dinero del estado democrático, que era quien financiaba al ejército.* Es cierto no obstante que miembros conspicuos de la ultraderecha –incluidos algunos de los mencionados más arriba– tenían magníficas relaciones con los golpistas y quizá sabían con antelación quién iba a dar el golpe y dónde y cómo y cuándo lo iba a dar; también es cierto que llevaban años alentándolo y que, a pesar de las diferencias a menudo irreconciliables que los separaban, de haber triunfado la versión más dura del golpe quizá hubieran sido reclamados por los militares para administrarlo, y en cualquier caso lo hubieran celebrado con entusiasmo. Todo eso es cierto, pero no basta para implicar a ese grupo de civiles en los preparativos del golpe, una operación estrictamente militar que de conseguir sus objetivos confiaba en obtener el aplauso no sólo del círculo minoritario de la ultraderecha y que, a juzgar por la respuesta popular e institucional al golpe y por la pura lógica de las cosas, lo más probable es que lo hubiese obtenido. Se

* Aquí hay que hacer una salvedad: los dos millones y medio de pesetas con que Tejero compró seis autobuses de segunda mano y unas decenas de gabardinas y anoraks que sus guardias civiles debían usar en el asalto al Congreso –y que en la precipitación del último momento se quedaron sin usar–. El origen de ese dinero no está claro; la versión que merece más crédito afirma que lo facilitó Juan García Carrés y procedía de su patrimonio personal o de aportaciones ajenas próximas al general en la reserva Carlos Iniesta Cano.

dice que cuando el presidente del consejo de guerra que juzgaba a José Sanjurjo por el intento de golpe de estado de agosto de 1932 le preguntó al general quién respaldaba su intentona la respuesta del militar fue la siguiente: «Si hubiera triunfado, todo el mundo. Y usted el primero, señoría». Es mejor no engañarse: lo más probable es que, si hubiera triunfado, el golpe del 23 de febrero hubiese sido aplaudido por una parte apreciable de la ciudadanía, incluidos políticos, organizaciones y sectores sociales que lo condenaron una vez que fracasó; años después del 23 de febrero Leopoldo Calvo Sotelo lo dijo así: «Qué duda cabe que si hubiera triunfado Tejero y hubiera habido un golpe de Armada, pues a lo mejor la manifestación en su apoyo no hubiera sido de un millón de personas, como lo fue la del día 27 en Madrid en apoyo de la democracia, aunque quizá hubiera sido de ochocientas mil gritando: "¡Viva Armada!"». Esto es lo que esperaban los golpistas, y no era una esperanza infundada; que confiaran en la aprobación de la sociedad civil no significa sin embargo, insisto, que estuviesen dirigidos por civiles: aunque la ultraderecha clamaba por un golpe de estado, el 23 de febrero no existió una trama civil tras la trama militar o, si existió, quien la urdió no fue sólo la ultraderecha, sino también toda una clase dirigente inmadura, temeraria y ofuscada que, en medio de la apatía de una sociedad desengañada de la democracia o del funcionamiento de la democracia tras las ilusiones del final de la dictadura, creó las condiciones propicias para el golpe. Pero esa trama civil no estaba detrás de la trama militar: estaba detrás y delante y alrededor de la trama militar. Esa trama civil no era la trama civil del golpe: era la placenta del golpe.

3

Armada, Milans y Tejero. Fueron los tres protagonistas del golpe; entre ellos urdieron la trama: Armada fue el jefe político; Milans fue el jefe militar; Tejero fue el jefe operativo del detonante del golpe, el asalto al Congreso. Pese a sus similitudes, eran tres hombres dispares que se lanzaron al golpe guiados por motivaciones políticas y personales dispares; puede que las últimas no sean menos importantes que las primeras: aunque la historia no se rija por motivaciones personales, detrás de cada acontecimiento histórico hay siempre motivaciones personales. Las similitudes entre Armada, Milans y Tejero no explican el golpe; tampoco lo explican sus diferencias. Pero sin entender sus similitudes es imposible entender por qué organizaron el golpe, y sin entender sus diferencias es imposible entender por qué fracasó.

Armada era el más complejo de los tres, quizá porque mucho antes que un militar era un cortesano; un cortesano a la vieja usanza, cabría añadir, como el miembro del séquito de una monarquía medieval retratado con los anacronismos de rigor por un dramaturgo romántico: intrigante, escurridizo, soberbio, ambicioso y meapilas, aparentemente liberal y profundamente integrista, un experto en los protocolos, simulaciones y trampantojos de la vida palaciega provisto de las maneras untuosas de un prelado y del semblante de un payaso tristón. A diferencia de la inmensa mayoría de los altos mandos militares de la época, Armada llevaba la monarquía en las venas, porque pertenecía por los cuatro costados a una familia de la aristocracia monárquica (su padre, también militar, se había criado con Alfonso XIII y había sido preceptor de su hijo don Juan de Borbón, padre del Rey); él mismo era ahijado de la reina María Cristina, madre de Alfonso XIII, y ostentaba el título de marqués de Santa Cruz de Rivadulla. Igual que todos los altos mandos militares de la época, Armada era un franquista medular: había hecho tres años de guerra con Franco, había hecho la campaña de Rusia con la División Azul, había hecho su carrera militar en el ejército de Franco y, gracias a un acuerdo entre Franco y don Juan de Borbón, en 1955 se había convertido en preceptor del príncipe Juan Carlos. A partir de ese momento su relación con el futuro Rey se volvió cada vez más cercana y más intensa: en 1964 es nombrado ayudante del jefe de la Casa del Príncipe, en 1965 secretario de la Casa del Príncipe y en 1976 secretario de la Casa del Rey. En el curso de esos casi tres lustros, durante los cuales Juan Carlos dejó de ser un muchacho para convertirse en adulto y pasó de Príncipe a Rey, la influencia de Armada sobre él fue enorme: como primera autoridad efectiva del entorno del monarca (la primera autoridad teórica era el marqués de Mondéjar, jefe de la Casa del Rey), el general controlaba su agenda, diseñaba estrategias, escribía discursos, filtraba visitas, organizaba viajes, proyectaba y dirigía campañas e intentaba orientar la vida política y personal de Juan Carlos. Es seguro que lo consiguió y que el Rey llegó a desarrollar un grado notable de dependencia y de afecto por él, y es muy probable que el privilegio de la cercanía del monarca y la autoridad que durante mucho tiempo ejerció sobre palacio, aliadas con su innata arrogancia de patricio y con el éxito de la proclamación de la monarquía tras cuatro décadas de incertidumbres, inculcaran en Armada la certeza de que su destino estaba unido al del Rey y de que la Corona sólo tenía porvenir en España si él continuaba tutelándola.

La primera mitad de esa certeza se desvaneció en el verano de 1977, poco después de las primeras elecciones democráticas. Fue por aquella época cuando el Rey le comunicó a Armada que debía abandonar su cargo. El cese no se hizo efectivo hasta el otoño, pero según una opinión compartida por quienes lo conocían el general encajó la noticia como una orden de destierro y atribuyó íntimamente su caída en desgracia al influjo creciente de Adolfo Suárez sobre el monarca. La atribución era justa: el Rey había nombrado a Suárez presidente del gobierno contra el criterio de Armada –partidario de mantener en la presidencia a Arias Navarro o de sustituirlo por Manuel Fraga, y en todo caso de una monarquía franquista o de una democracia restringida que entregase amplios poderes a la Corona– y, desde el momento mismo de la designación del nuevo presidente, los enfrentamientos entre ambos fueron constantes: tuvieron ásperas discrepancias a propósito del secuestro del general Villaescusa y de Antonio María de Oriol y Urquijo, que Suárez consideró al principio obra de la ultraderecha y Armada de la ultraizquierda, a propósito de la legalización del PCE, que Armada juzgó una traición al ejército y un golpe de estado subrepticio, a propósito de unas cartas enviadas por Armada con membrete de la Casa Real en las que solicitaba el voto para el partido de Manuel Fraga durante la campaña electoral de 1977, a propósito de una proyectada ley del divorcio, a propósito de casi todo. Suárez toleró mal las injerencias del secretario del Rey, a quien no reconocía legitimidad para discutir sus decisiones y a quien pronto consideró una traba para la reforma política; por ese motivo, cuando sintió reforzada su autoridad después de su victoria en las primeras elecciones democráticas, el presidente le pidió con insistencia al Rey que sustituyera a su secretario y, aprovechando la ocasión para emanciparse de su viejo tutor de juventud, el Rey acabó cediendo. Armada no se lo perdonó a Suárez. Nunca le había inspirado el menor respeto y nunca imaginó que se convertiría en su rival y su verdugo: lo había tratado con frecuencia desde los tiempos en que Suárez dirigía Radiotelevisión Española y había recurrido a sus servicios para promocionar la figura por entonces precaria y desvaída del Príncipe, y su opinión del futuro presidente no debía de ser muy distinta de la de tantos otros que a principios de los setenta lo consideraban un chisgarabís servil y diligente y un plebeyo sin escrúpulos convertido a la causa de la monarquía por seca ambición personal; el hecho de que fuera aquel advenedizo quien le apartase del Rey sólo contribuyó a endurecer la hostilidad que a partir de aquel momento sintió contra él. Armada siempre la negó, pero basta hojear sus memorias, publicadas dos años después del golpe, para tropezarse a cada paso con venenosas alusiones al presidente del gobierno; de Arias Navarro, antecesor de Suárez, afirma: «No se le puede culpar de los problemas posteriores, ni de la pérdida de los valores que la Historia y la tradición nos dicen que son el alma de España. Son *otros* los que han propiciado esta situación» (la cursiva es suya); de Manuel Fraga, que según su criterio hubiera debido ocupar el lugar de Suárez, afirma: «La vida es así y sacrifica muchas veces a los mejores para dar paso y puestos de responsabilidad a los atrevidos y sin ideas ni escrúpulos». No hacen falta grandes dotes deductivas para adivinar quién era el atrevido sin ideas ni escrúpulos que había provocado la pérdida del alma de España.

Armada no se resignó a su exilio de la Zarzuela. Al dejar palacio recuperó con asiduas proclamas de entusiasmo su carrera militar, primero como profesor de táctica en la Escuela Superior del Ejército y después como director de Servicios Generales en el Cuartel General, pero durante los tres años siguientes vivió roído por la inquina contra Adolfo Suárez y por la idea fija de recuperar su lugar junto al Rey. El cargo de secretario había sido ocupado por Sabino Fernández Campo –un amigo personal de quien esperaba que facilitase su regreso a la corte, tal vez como jefe de la Casa del Rey– y, a través de él y de amigos que aún permanecían en palacio, se desvivió por mantener el contacto con la Zarzuela, haciendo llegar al Rey informes o recados, felicitando personalmente a los miembros de la familia real las Navidades, los cumpleaños y los santos y buscando un lugar en sus audiencias y recepciones públicas, convencido de que tarde o temprano el monarca comprendería su error y le llamaría de nuevo a su lado para restablecer una relación de la que el antiguo secretario continuaba pensando que pendía el futuro de la Corona en España. A principios de 1980 Armada fue nombrado gobernador militar de Lérida y jefe de la División de Montaña Urgell número 4; entre sus obligaciones protocolarias se contaba la de cumplimentar a la familia real en sus visitas invernales a la zona para practicar el esquí, y eso facilitó la reanudación de las relaciones entre el general y el Rey: se vieron una vez en el mes de febrero, cenaron un par de veces en primavera. Aquella reconciliación, aquel retorno de la antigua confianza se produjo en el momento en que el Rey perdía la confianza en Suárez y en que el desplome de éste y la crisis del país parecían confirmar los pronósticos de Armada, y la ambición política y la mentalidad palaciega del antiguo secretario real quizá interpretaron esa coincidencia como un anuncio de que estaba llegando la hora de la revancha: Suárez le había sacado del poder y la caída de Suárez podía significar su retorno al poder. El año 1980 no hizo nada por corregir esa interpretación, y menos aún los meses anteriores al golpe, cuando a medida que se alejaba de Suárez el Rey se acercaba a Armada –reuniéndose a menudo con él en privado, discutiendo con él la situación política y militar y la sustitución del presidente, consiguiéndole un destino de primer orden en Madrid–, casi como si Suárez y él fueran dos validos disputándose el favor del Rey y éste buscara la forma de sustituir a uno por el otro. Probablemente eso fue lo que pensó Armada en vísperas del 23 de febrero y por eso el golpe no sólo fue para él un modo de recobrar la democracia restringida o la monarquía franquista que había sido desde el principio su ideal político, sino también una forma de acabar con Adolfo Suárez y de –recobrando del todo el favor del Rey– recobrar multiplicado el poder que Suárez le había arrebatado.

Para Milans el golpe del 23 de febrero fue algo en gran parte distinto, no porque a él no lo movieran resortes personales, sino porque en el fondo Milans era un hombre en gran parte distinto de Armada. No así en la superficie: como Armada, Milans era un militar de raigambre aristocrática; como Armada, Milans profesaba una doble fidelidad al franquismo y a la monarquía. Pero, a diferencia de Armada, Milans era más franquista que monárquico, y sobre todo era mucho más militar. Hijo, nieto, biznieto y tataranieto de egregios militares golpistas –su padre, su bisabuelo y su tatarabuelo alcanzaron el grado de teniente general, su abuelo fue capitán general de Cataluña y jefe del Cuarto Militar de Alfonso XIII–, a la altura de 1981 Milans representaba mejor que nadie, con su perfil accidentado de viejo guerrero y su nutrido currículum bélico, no ya el ejército de Franco, sino el ejército de la Victoria. En 1936, siendo un cadete en la Academia de Infantería, ingresó en el santoral del heroísmo franquista tras defender el Alcázar de Toledo durante los dos meses y medio que duró el asedio republicano: allí recibió su primera herida de guerra; en los seis años que siguieron recibió otras cuatro, tres de ellas combatiendo con la VII Bandera de la Legión en Madrid, en el Ebro y en Teruel, y la última con la División Azul en Rusia. Regresó a España con el grado de capitán y el pecho forrado de medallas, entre ellas algunas de las más codiciadas en el ejército: una Laureada de San Fernando colectiva, una medalla militar individual, dos colectivas, cinco cruces de guerra, tres rojas del mérito militar y una Cruz de Hierro nazi. Ningún militar español de su generación podía presumir de semejante hoja de servicios en campaña y, pese a que fue el único de ellos que obtuvo los diplomas de Estado Mayor de los tres ejércitos, a la muerte de Franco nadie encarnaba mejor que Milans el prototipo de militar de intemperie y de ideas sucintas, alérgico a los despachos y los libros, directo, expeditivo, visceral y sin doblez que idealizó el franquismo. Tampoco en este sentido podía estar Milans más alejado de las sinuosidades áulicas de Armada; ni, por supuesto, de las torpezas o las blanduras en el ejercicio del mando, la mentalidad técnica, la curiosidad intelectual y la inclinación reflexiva y tolerante de Gutiérrez Mellado. No menciono al azar su nombre: si es quizá imposible entender la actuación de Armada el 23 de febrero sin entender su rencor contra Adolfo Suárez, quizá es imposible entender la actuación de Milans aquel día sin entender su aversión por Gutiérrez Mellado.

Aunque Milans y Gutiérrez Mellado se conocían desde hacía mucho tiempo, la animosidad de Milans no tenía un origen remoto; nació en cuanto Gutiérrez Mellado hubo aceptado integrarse en el primer gobierno de Suárez y creció a medida que el general se convertía en el aliado más fiel del presidente y trazaba y ponía en práctica un plan cuyo objetivo consistía en terminar con los privilegios de poder concedidos por la dictadura al ejército y en convertir a éste en un instrumento de la democracia: Milans no sólo se sintió personalmente postergado y humillado por la política de ascensos de Gutiérrez Mellado, quien hizo cuanto pudo por apartarlo de los primeros puestos de mando y ahorrarle así tentaciones golpistas; parapetado en sus ideas ultraconservadoras y en su devoción por Franco, también padeció como una injuria que Gutiérrez Mellado pretendiera desmantelar el ejército de la Victoria, al que él consideraba el único garante legítimo del legítimo estado ultraconservador fundado por Franco y en consecuencia la única institución capacitada para evitar otra guerra (como la ultraderecha, como la ultraizquierda, Milans era alérgico a la palabra reconciliación, a su juicio un simple eufemismo de la palabra traición: varios miembros de su familia habían sido asesinados durante la contienda, y Milans sentía que un presente digno no podía fundarse en el olvido del pasado, sino en su recuerdo permanente y en la prolongación del triunfo del franquismo sobre la república, lo que valía tanto para él como el triunfo de la civilización sobre la barbarie). Milans encontró en esas dos ofensas personales argumentos suficientes para condenar a Gutiérrez Mellado a la condición de arribista dispuesto a violar su juramento de lealtad a Franco a cambio de satisfacer sus sucias ambiciones políticas; esto explica que favoreciese con todos los medios a su alcance, incluida la presidencia de la junta de fundadores de *El*

Alcázar, una salvaje campaña de prensa que no dejó de explorar ni uno solo de los recovecos de la vida personal, política y militar de Gutiérrez Mellado en busca de ignominias con que persuadir a sus compañeros de armas de que el hombre que estaba llevando a cabo una depuración alevosa de las Fuerzas Armadas carecía del menor atisbo de integridad moral o profesional; y esto explica también que, apenas llegó Gutiérrez Mellado al gobierno, Milans pasara a encarnar la resistencia del ejército a las reformas militares de Gutiérrez Mellado y a las reformas políticas que las permitían: entre finales de 1976 y principios de 1981 el ejército apenas conoció una protesta contra el gobierno, un incidente disciplinario de gravedad o un amago de conspiración donde no estuviese mezclado Milans o donde no se invocase el nombre de Milans. Alardeaba de no haber engañado nunca a nadie y de no esconder jamás sus intenciones, y durante esos años –primero como jefe de la Acorazada Brunete y luego como capitán general de Valencia– esgrimió con frecuencia la amenaza del golpe: le gustaba hacerlo entre bromas («Majestad –le dijo al Rey mientras tomaban unas copas tras una visita del monarca a la Brunete–. Si me tomo otro cubata saco los tanques a la calle»); la primera vez que lo hizo de verdad fue en una tumultuosa reunión del Consejo Superior del ejército celebrada el 12 de abril de 1977, tres días después de que Adolfo Suárez legalizase el PCE con el apoyo de Gutiérrez Mellado y contra lo que él mismo les había prometido a los militares o contra lo que los militares creían que les había prometido. «El presidente del gobierno dio su palabra de honor de no legalizar el partido comunista –dijo aquel día Milans ante sus compañeros de armas–. España no puede tener un presidente sin honor: deberíamos sacar los tanques a la calle.» En los casi tres años en que estuvo al mando de la capitanía general de Valencia expresiones parecidas se volvieron frecuentes en sus labios. «No se preocupe, señora –se le oyó decir más de una vez a las damas que lo halagaban en las recepciones exhortándolo a convertirse en el salvador de la patria en peligro–. Yo no me retiro sin sacar los tanques a la calle.» Cumplió con su palabra justo a tiempo: el 23 de febrero le faltaban sólo cuatro meses para recibir el pase a la reserva; también cumplió con sus genes golpistas y monárquicos, puesto que, pese a ser un franquista acérrimo, su golpe no aspiraba a ser un golpe contra la monarquía, sino con la monarquía. Como Armada, que estaba seguro de poder dominar aquel día la Zarzuela con su autoridad de antiguo secretario del Rey, el 23 de febrero Milans pecó de soberbia: se consideraba a sí mismo el militar más prestigioso del ejército y creyó que su vitola ilusoria de general invencible bastaría para arrastrar a los demás capitanes generales a una aventura incierta y para sublevar la Brunete sin haberla preparado para ello. No consiguió ni una cosa ni la otra, y ésa es una de las causas de que el golpe del 23 de febrero no acabara siendo lo que Milans había previsto que fuese: una forma de desquitarse de las humillaciones que Gutiérrez Mellado les había infligido a él y a su ejército y también una forma de –recobrando bajo el mando del Rey los fundamentos del estado instaurado por Franco– recobrar para el ejército de la Victoria el poder que Gutiérrez Mellado le había arrebatado.

El último protagonista del golpe fue el teniente coronel Tejero. Es el icono del golpe y es evidente que tenía vocación de icono y que su aspecto de guardia civil de viñeta costumbrista o de guardia civil de poema de Lorca o de guardia civil de película de Berlanga –el cuerpo robusto, el mostacho tupido, la mirada ardiente, la voz gangosa y el acento andaluz– beneficiaba su vocación de icono; pero también es evidente que no era el fantoche irreflexivo que quiere el cliché del 23 de febrero y que el país entero se empeñó en construir después del 23 de febrero, como si la mala conciencia colectiva por la nula oposición al golpe necesitara demostrarse a sí misma que sólo un demente podía asaltar a tiros el Congreso y que por tanto el golpe no fue más que una fantochada a la que no hacía falta resistirse porque estaba de antemano destinada al fracaso. No es verdad: Tejero no era en absoluto un chiflado de verbena; era algo mucho más peligroso: era un idealista dispuesto a convertir en realidad sus ideales, dispuesto a mantener a cualquier precio la lealtad a quienes consideraba los suyos, dispuesto a imponer el bien y a eliminar el mal por la fuerza; el 23 de febrero Tejero también demostró ser muchas otras cosas, pero sólo porque antes era un idealista. Que los ideales de Tejero nos parezcan perversos y anacrónicos no califica la bondad o la maldad de sus intenciones, porque el mal se fabrica a menudo con el bien y tal vez el bien con el mal; mucho menos autoriza a atribuir su fechoría a una pintoresca enajenación: si Tejero hubiese sido un enajenado no hubiera preparado durante meses y llevado a cabo con éxito una operación compleja y peligrosa como la toma del Congreso, no hubiera conseguido mantener el control casi absoluto que mantuvo del secuestro durante las diecisiete horas y media que duró, no hubiera sabido jugar sus bazas ni hubiera maniobrado para conseguir sus objetivos con la serena racionalidad con que lo hizo; si hubiera sido un enajenado, si hubiera llevado su locura hasta el final, tal vez el secuestro del Congreso hubiera acabado con una degollina y no con la negociación con la que acabó una vez que tuvo la certeza de que el golpe había fracasado. La realidad es que Tejero era un oficial técnicamente competente a quien se confiaron puestos de la máxima responsabilidad –como la comandancia de la guardia civil de San Sebastián– y que, aunque su idealismo fogoso y emocional provocaba los recelos de sus mandos y sus compañeros, también provocaba la devoción de sus subordinados. Sobra añadir que era un energúmeno empachado por toneladas de papilla patriótica, un moralista obcecado por la vanidad de la virtud y un megalómano con un ansia indomable de protagonismo. Por temperamento y por mentalidad estaba muy lejos de Armada, pero no de Milans. Como Milans, Tejero se consideraba a sí mismo un hombre de acción, y lo era; la diferencia es que Milans lo había sido sobre todo durante su juventud en una abierta guerra civil mientras que Tejero lo había sido sobre todo durante su madurez en la guerra solapada del País Vasco. Como Milans, Tejero soñaba con una utopía de España como cuartel –un lugar radiante de orden, fraternidad y armonía regulado por los toques de ordenanza bajo el imperio radiante de Dios–; la diferencia es que Milans aceptaba la conquista gradual de la utopía mientras que Tejero aspiraba a realizar la revolución de inmediato. Como Milans, Tejero era ante todo un franquista; la diferencia es que, precisamente porque pertenecía a una generación posterior a la de Milans y no había conocido la guerra ni otra España que la España de Franco, Tejero era si cabe todavía más franquista que Milans: idolatraba a Franco, se regía por la tríada de mayúsculas Dios, Patria y Milicia, su enemigo a muerte era el marxismo, es decir el comunismo, es decir la Antiespaña, es decir los enemigos de la utopía de España como cuartel, que debían ser erradicados del solar patrio antes de que consiguieran envenenarlo. Esto último formaba parte desde luego de la vulgata retórica de la ultraderecha en los años setenta, pero para el sentimentalismo literal de Tejero constituía a la vez una descripción exacta de la realidad y un mandamiento ético: en Tejero se daba una fusión acabada entre patriotismo y religión y, como dice Sánchez Ferlosio, «es cuando hay Dios cuando todo está permitido; así que nadie tan ferozmente peligroso como el justo, cargado de razón». De ahí que, igual que para toda la ultraderecha, para Tejero Santiago Carrillo viniera a representar algo semejante a lo que Adolfo Suárez representaba para Armada y Gutiérrez Mellado para Milans: la personificación de todos los infortunios de la patria y, en la medida en que su histérico egocentrismo le permitía sentirse la personificación de la patria, la personificación de todos sus infortunios; y de ahí también que, porque la fusión entre patriotismo y religión deshumaniza al adversario y lo convierte en el Mal, en cuanto vislumbró el retorno a España de la Antiespaña su fanatismo escatológico le impusiera el deber de acabar con ella, y que a partir de entonces cambiara su historial militar por un historial de rebeldías.

El fulminante de esa traca de indisciplinas fue lo que Tejero consideraba la manifestación sin máscaras de la Antiespaña: el terrorismo. Durante el juicio por el 23 de febrero su abogado defensor evocó un episodio ocurrido tras el asesinato a manos de ETA de uno de los guardias civiles que se hallaban a sus órdenes en la comandancia de la guardia civil de Guipúzcoa; más que un hecho fue una imagen, una imagen truculenta pero no amañada: la imagen del teniente coronel inclinándose sobre el cadáver destrozado por una explosión e incorporándose con los labios y el uniforme manchados de la sangre de su subordinado. Es muy probable que Tejero nunca supiera o quisiera o pudiera vivir el terrorismo más que como una salvaje agresión íntima, y no hay duda de que fue el terrorismo lo que lo convirtió en un insumiso crónico y lo saturó de razón conforme el estado se mostraba incapaz de atajarlo y una parte de la sociedad indiferente ante los estragos que causaba entre sus compañeros de armas. En enero de 1977, poco después del asesinato de uno de sus hombres, el teniente coronel era cesado de su mando en Guipúzcoa y sometido a un arresto de un mes por enviarle un telegrama sarcástico al ministro del Interior que acababa de legalizar la bandera vasca mientras, según repetía él cada vez que mencionaba el incidente, la ciudad de San Sebastián se llenaba de banderas españolas ardiendo; en octubre del mismo año se le apartó de la comandancia de Málaga y se le impuso de nuevo un arresto de un mes por prohibir con las armas en la mano una manifestación autorizada con el argumento de que ETA acababa de matar a dos guardias civiles y toda España debía estar de luto; en agosto de 1978, mientras los partidos políticos discutían el proyecto de Constitución, fue arrestado durante catorce días por publicar en *El Imparcial* una carta abierta al Rey en la que le pedía que, como jefe del estado y de las Fuerzas Armadas, impidiese la aprobación de un texto que no incluía «algunos de los valores por los que creemos que vale la pena arriesgar nuestras vidas», que promulgase una ley apta para terminar con la matanza del terrorismo y que acabase «con los apologistas de esta farsa sangrienta, aunque sean parlamentarios y se sienten entre los padres de la Patria»; en noviembre de 1978 fue detenido y procesado por planear un golpe que anticipaba el golpe del 23 de febrero –la llamada Operación Galaxia: se trataba de secuestrar al gobierno en el palacio de la Moncloa y, con la ayuda del resto del ejército, obligar después al Rey a formar un gobierno de salvación nacional–, pero menos de un año más tarde salía de la cárcel en régimen de reclusión atenuada y a mediados de 1980 el tribunal le condenaba a una pena insignificante que por lo demás ya había cumplido, y que le convenció de que podía volver a intentarlo sin correr más riesgo que el de pasar una pequeña y confortable temporada en prisión, convertido en el héroe semisecreto del ejército y en el héroe clamoroso de la ultraderecha. Fue entonces cuando contrajo la pasión de la notoriedad; fue entonces cuando se incrustó en su cerebro la obsesión del golpe; fue entonces cuando empezó a preparar el 23 de febrero. La idea fue de él: él la parió y la acunó y la crió; Milans y Armada quisieron adoptarla, subordinándola a sus fines, pero para ese momento el teniente coronel ya se sentía su propietario y, cuando en la noche del 23 de febrero creyó comprender que los dos generales perseguían el triunfo de un golpe distinto del que él había procreado, Tejero prefirió el fracaso del golpe al triunfo de un golpe que no era el suyo, porque pensó que el triunfo del golpe de Milans y de Armada no garantizaba la realización inmediata de su utopía de España como cuartel y la liquidación de la Antiespaña que nadie mejor que Santiago Carrillo personificaba, o porque para Tejero el golpe de estado era antes que nada una forma de acabar con Santiago Carrillo o con lo que Santiago Carrillo personificaba y de –recobrando el orden radiante de fraternidad y armonía regulado por los toques de ordenanza bajo el imperio radiante de Dios abolido al llegar la democracia– recobrar lo que Santiago Carrillo o lo que para él personificaba Santiago Carrillo le había arrebatado.

Tejero lo comprendió bien: no es sólo que los tres protagonistas del golpe fueran profundamente distintos y actuaran a impulsos de motivaciones políticas y personales distintas; es que cada uno de ellos perseguía un golpe distinto y que en la noche del 23 de febrero los dos generales trataron de usar el golpe concebido por el teniente coronel para imponer el suyo: Tejero estaba contra la democracia y contra la monarquía y su golpe quería ser en lo esencial un golpe similar en el fondo al golpe que en 1936 intentó derribar la república y provocó la guerra y después el franquismo; Milans estaba contra la democracia, pero no contra la monarquía, y su golpe quería ser en lo esencial un golpe similar en la forma y en el fondo al golpe que en 1923 derribó la monarquía parlamentaria e instauró la dictadura monárquica de Primo de Rivera, es decir un pronunciamiento militar llamado a devolverle al Rey los poderes que había entregado al sancionar la Constitución y, quizá tras una fase intermedia, a desembocar en una junta militar que sirviese de sustento a la Corona; por último, Armada no estaba contra la monarquía ni (al menos de manera frontal o explícita) contra la democracia, sino sólo contra la democracia de 1981 o contra la democracia de Adolfo Suárez, y en lo esencial su golpe quería ser un golpe similar en la forma al golpe que llevó a la presidencia de la república francesa al general De Gaulle en 1958 y en el fondo a una especie de golpe palaciego que debía permitirle desempeñar con más autoridad que nunca su antiguo papel de mano derecha del Rey, convirtiéndole en presidente de un gobierno de coalición o concentración o unidad con la misión de rebajar la democracia hasta convertirla en una semidemocracia o en un sucedáneo de democracia. El golpe del 23 de febrero fue un golpe singular porque fue un solo golpe y fueron tres golpes distintos: antes del 23 de febrero Armada, Milans y Tejero creyeron que su golpe era el mismo, y esta creencia permitió el golpe; durante el 23 de febrero Armada, Milans y Tejero descubrieron que su golpe era en realidad tres golpes distintos, y este descubrimiento provocó el fracaso del golpe. Eso fue lo que ocurrió, al menos desde el punto de vista político; desde el punto de vista personal lo que ocurrió fue todavía más singular: Armada, Milans y Tejero dieron en un solo golpe tres golpes distintos contra tres hombres distintos o contra lo que para ellos personificaban tres hombres distintos, y esos tres hombres –Suárez, Gutiérrez Mellado y Carrillo: los tres hombres que habían cargado con el peso de la transición, los tres hombres que más se habían apostado en la democracia, los tres hombres que más tenían que perder si la democracia era destruida– fueron precisamente los tres únicos políticos presentes en el Congreso que demostraron estar dispuestos a jugarse el tipo frente a los golpistas. Esta triple simetría forma también una extraña figura, quizá la figura más extraña de todas las extrañas figuras del 23 de febrero, y la más perfecta, como si su forma sugiriese un significado que somos incapaces de captar, pero sin el cual es imposible captar el significado del 23 de febrero.

4

Eran tres traidores; quiero decir: para tantos a quienes debían lealtad por familia, por clase social, por creencias, por ideas, por vocación, por historia, por intereses, por simple gratitud, Adolfo Suárez, Gutiérrez Mellado y Santiago Carrillo eran tres traidores. No sólo lo eran para ellos; lo fueron para muchos más, en cierto sentido lo son objetivamente: Santiago Carrillo traicionó los ideales del comunismo minando su ideología revolucionaria y colocándolo en el umbral del socialismo democrático, y traicionó cuarenta años de lucha antifranquista declinando hacer justicia con los responsables y cómplices de la injusticia franquista y obligando a su partido a realizar las concesiones reales, simbólicas y sentimentales que impusieron su pragmatismo y su pacto de por vida con Adolfo Suárez; Gutiérrez Mellado traicionó a Franco, traicionó al ejército de Franco, traicionó al ejército de la Victoria y a su utopía radiante de orden, fraternidad y armonía regulada por los toques de ordenanza bajo el imperio radiante de Dios; Suárez fue el peor, el traidor total, porque su traición hizo posible la traición de los demás: traicionó al partido único fascista en el que había crecido y al que debía cuanto era, traicionó los principios políticos que había jurado defender, traicionó a los jerarcas y magnates franquistas que confiaron en él para prolongar el franquismo y traicionó a los militares con sus veladas promesas de frenar la Antiespaña. A su modo, Armada, Milans y Tejero pudieron imaginarse a sí mismos como héroes clásicos, campeones de un ideal de triunfo y conquista, paladines de la lealtad a unos principios nítidos e inamovibles que aspiraban a alcanzar la plenitud imponiendo sus posiciones; Suárez, Gutiérrez Mellado y Carrillo renunciaron a hacerlo a partir del momento en que empezaron su tarea de retirada y demolición y desmontaje y buscaron su plenitud abandonando sus posiciones, socavándose a sí mismos sin saberlo. Los tres cometieron errores políticos y personales a lo largo de su vida, pero esa valerosa renuncia los define. En el fondo Milans tenía razón (como la tenían los ultraderechistas y los ultraizquierdistas de la época): en la España de los años setenta la palabra reconciliación era un eufemismo de la palabra traición, porque no había reconciliación sin traición o por lo menos sin que algunos traicionasen. Suárez, Gutiérrez Mellado y Carrillo lo hicieron más que nadie, y por eso muchas veces se oyeron llamar traidores. En cierto modo lo fueron: traicionaron su lealtad a un error para construir su lealtad a un acierto; traicionaron a los suyos para no traicionarse a sí mismos; traicionaron el pasado para no traicionar el presente. A veces sólo se puede ser leal al presente traicionando el pasado. A veces la traición es más difícil que la lealtad. A veces la lealtad es una forma de coraje, pero otras veces es una forma de cobardía. A veces la lealtad es una forma de traición y la traición una forma de lealtad. Quizá no sabemos con exactitud lo que es la lealtad ni lo que es la traición. Tenemos una ética de la lealtad, pero no tenemos una ética de la traición. Necesitamos una ética de la traición. El héroe de la retirada es un héroe de la traición.

5

Recapitulo: el golpe del 23 de febrero fue un golpe exclusivamente militar, liderado por el general Armada, tramado por el propio general Armada, por el general Milans y por el teniente coronel Tejero, alentado por la ultraderecha franquista y facilitado por una serie de maniobras políticas mediante las cuales gran parte de la clase dirigente del país pretendía terminar con la presidencia de Adolfo Suárez. Ahora bien: ¿cuándo empezó todo? ¿Dónde empezó todo? ¿Quién lo empezó todo? ¿Cómo empezó todo? No hay protagonista, testigo o investigador del golpe que no tenga respuestas a esas preguntas, pero apenas hay dos respuestas que sean idénticas. Pese a ser contradictorias, muchas de ellas son válidas; o pueden serlo: segmentar la historia es realizar un ejercicio arbitrario; en rigor, es imposible precisar el origen exacto de un acontecimiento histórico, igual que es imposible precisar su exacto final: todo acontecimiento tiene su origen en un acontecimiento anterior, y éste en otro anterior, y éste en otro anterior, y así hasta el infinito, porque la historia es como la materia y en ella nada se crea ni se destruye: sólo se transforma. El general Gutiérrez Mellado dijo más de una vez que el golpe del 23 de febrero nació en noviembre de 1975, en el mismo momento en que, después de ser proclamado Rey ante las Cortes franquistas, el monarca declaró que su propósito consistía en ser el Rey de todos los españoles, lo que significaba que su propósito consistía en terminar con las dos Españas irreconciliables que perpetuó el franquismo. Es una opinión aceptada por muchos que el golpe empezó el 9 de abril de 1977, cuando el ejército sintió que Suárez lo había engañado legalizando el partido comunista y que había traicionado a España dando carta de naturaleza en el país a la Antiespaña. No faltará quien elija situar el inicio de la trama en el mismo palacio de la Zarzuela, algunos meses después, el día en que Armada supo que debía abandonar la secretaría de la Casa del Rey, o, mejor aún, algunos años después, cuando el monarca empezó a favorecer con sus palabras y sus silencios las maniobras políticas contra Adolfo Suárez y cuando consideró o permitió creer que consideraba la posibilidad de sustituir el gobierno presidido por Suárez por un gobierno de coalición o concentración o unidad presidido por un militar. Quizá lo más sencillo o lo menos inexacto sería remontarse un poco más atrás, justo hasta el día de finales del verano de 1978 en que todas las portadas de los periódicos le brindaron al teniente coronel Tejero la fórmula del golpe que desde hacía tiempo rumiaba y que en los meses siguientes creció como una tenia en su cerebro: el 22 de agosto de ese año, el comandante sandinista Edén Pastora tomó al asalto el Palacio Nacional de Managua y, después de mantener secuestrados durante varios días a más de un millar de políticos afines al dictador Anastasio Somoza, consiguió liberar a un grupo numeroso de presos políticos del Frente Sandinista de Liberación Nacional; la audacia del guerrillero nicaragüense deslumbró al teniente coronel y, superpuesta al recuerdo decimonónico de los guardias civiles del general Pavía disolviendo por la fuerza el Parlamento de la primera república, catalizó su obsesión golpista e inspiró primero la llamada Operación Galaxia, que apenas unas semanas más tarde intentó ejecutar sin éxito, y finalmente el golpe del 23 de febrero. Tal vez si se exceptúa la primera de ellas –demasiado vaga, demasiado imprecisa–, cualquiera de las conjeturas mencionadas podría valer como origen del golpe, o al menos como punto de partida para explicarlo. Yo me atrevo a elegir otro, no menos arbitrario pero quizá más apto para hacer lo que me propongo hacer en las páginas que siguen: describir la trama del golpe, un tejido casi inconsútil de conversaciones privadas, confidencias y sobrentendidos que a menudo sólo puede intentar reconstruirse a partir de testimonios indirectos, forzando los límites de lo posible hasta tocar lo probable y tratando de recortar con el patrón de lo verosímil la forma de la verdad. Naturalmente, no puedo asegurar que todo lo que cuento a continuación sea verdad; pero puedo asegurar que está amasado con la verdad y sobre todo que es lo más cerca que yo puedo llegar de la verdad, o de imaginarla.

Madrid, julio de 1980. A principios de ese mes ocurrieron en la capital dos hechos que podemos suponer simultáneos o casi simultáneos: el primero fue un almuerzo del teniente coronel Tejero con un emisario del general Milans; el segundo fue la llegada a la Zarzuela de un informe enviado por el general Armada. Conocemos el contexto en que ocurrieron: en el verano de aquel año ETA mataba a mansalva, la segunda crisis del petróleo desarbolaba la economía española y, tras ser barrido en varias elecciones autonómicas y sufrir una humillante moción de censura socialista, Adolfo Suárez parecía negado para gobernar mientras perdía de forma acelerada la confianza del Parlamento, la confianza de su partido, la confianza del Rey y la confianza de un país que a su vez parecía perder de forma también acelerada la confianza en la democracia o en el funcionamiento de la democracia. El almuerzo golpista se celebró en un mesón del centro de la capital y a él asistieron, además de Tejero, el teniente coronel Mas Oliver, ayudante de campo del general Milans, Juan García Carrés, amigo personal de Tejero y enlace entre ambos, y tal vez el general en la reserva Carlos Iniesta Cano. Aunque fuera a través de un intermediario, era el primer contacto entre Milans y Tejero, y en él se habló de política pero sobre todo se habló del proyecto de asalto al Congreso concebido por Tejero, y días o semanas más tarde, en otro almuerzo similar, siempre a través de su ayudante de campo Milans le encargó al teniente coronel que estudiara la idea y le informara de sus progresos; a pesar de que estaba a la espera de que el Consejo de Justicia Militar ratificara la sentencia que un consejo de guerra había dictado contra él en el mes de mayo por su implicación en la Operación Galaxia, y a pesar de que sospechaba que estaba siendo vigilado, Tejero empezó de inmediato los preparativos del golpe y durante los meses siguientes, mientras seguía en contacto con Milans a través de Mas Oliver, tomó fotografías del edificio del Congreso, se informó de las medidas de seguridad que lo protegían y alquiló una nave industrial en la ciudad de Fuenlabrada donde guardó prendas de vestir y seis autobuses que había comprado con la intención de camuflar y transportar a su tropa el día del golpe.

Así arrancó la conjura capitaneada por Milans, una operación militar que permaneció en secreto hasta que estalló el 23 de febrero. La llegada a la Zarzuela del informe del antiguo secretario del Rey marca por otra parte el inicio de una serie de movimientos más o menos públicos bautizados después con el nombre de Operación Armada y destinados a llevar al general a la presidencia del gobierno, una operación política en principio independiente de la anterior pero a la larga confluyente con ella, lo que convertiría a Armada en el líder de ambas: la operación militar acabó siendo el ariete de la operación política y la operación política acabó siendo la coartada de la operación militar. El texto del informe recibido en la Zarzuela había sido entregado por Armada al secretario del Rey, Sabino Fernández Campo, y era obra de un catedrático de derecho cuya identidad desconocemos; constaba de sólo unos pocos folios, y en ellos, tras realizar una descripción del deterioro que padecía el país, su autor proponía como remedio al caos político la salida del poder de Adolfo Suárez a través de una moción de censura respaldada por el PSOE, por la derecha de Manuel Fraga y por sectores disidentes de UCD; la maniobra debía concluir con la formación de un gobierno unitario presidido por una personalidad independiente, tal vez un militar.

Ése era el contenido del informe. No sabemos si el Rey lo leyó, aunque sí sabemos que lo leyó Fernández Campo y que nadie en la Zarzuela lo comentó de momento con Armada, pero en las semanas siguientes, mientras corría el rumor de que el PSOE preparaba una nueva moción de censura contra Adolfo Suárez, el texto circuló por despachos, redacciones de periódicos y agencias de noticias, y en muy poco tiempo la hipótesis de un gobierno de unidad presidido por un militar como salvavidas contra el hundimiento del país había llegado a todos los rincones del pequeño Madrid del poder. «Sé que el PSOE está barajando la posibilidad de llevar a un militar a la presidencia del gobierno –declaró Suárez a la prensa en algún momento del mes de julio; y añadió–: Me parece descabellado». Pero muchos no lo consideraban descabellado; es más: durante los meses de julio, agosto y septiembre la idea pareció permear la vida política española como un murmullo ubicuo, transformada en una opción plausible. Se buscaba a un general: había un acuerdo unánime en que debía tratarse de un militar prestigioso, liberal, con experiencia política, bien relacionado con el Rey y capaz de concitar la aprobación de partidos políticos de derecha, de centro y de izquierda y de reunirlos en un gobierno que contagiara optimismo, impusiera orden, atajara la crisis económica y terminara con ETA y con el peligro de un golpe de estado; se hacían quinielas: dado que el retrato robot del general redentor cuadraba en apariencia con sus facciones políticas y personales, en todas ellas figuraba el nombre de Alfonso Armada. Es muy posible que gente próxima a él, como Antonio Cortina –hermano del jefe de la AOME y miembro destacado de la Alianza Popular de Manuel Fraga–, promocionara su candidatura, pero es indudable que nadie hizo tanto por ella como el propio Armada. Aprovechando sus frecuentes viajes desde Lérida a Madrid, donde conservaba el domicilio familiar, y aprovechando sobre todo las vacaciones veraniegas, Armada multiplicó su presencia en cenas y comidas de políticos, militares, empresarios y financieros; a pesar de que desde su salida de la Zarzuela sus encuentros con el monarca habían sido sólo esporádicos, en esas reuniones Armada se investía de su antigua autoridad de secretario real para presentarse como intérprete no sólo del pensamiento del Rey, sino también de sus deseos, de tal modo que, en un ir y venir de dobles sentidos, insinuaciones y medias palabras que décadas de astucias palaciegas le habían enseñado a manejar con destreza, quien hablaba con Armada terminaba convencido de que era el Rey quien hablaba por su boca y de que todo cuanto Armada decía lo decía también el Rey. Por supuesto, era falso, pero, como toda buena mentira, contenía una parte de verdad, porque lo que Armada decía (y lo que todo el mundo pensaba que el Rey decía por boca de Armada) era una combinación sabiamente equilibrada de lo que pensaba el Rey y de lo que a Armada le hubiera gustado que pensase el Rey: Armada aseguraba que el Rey estaba muy inquieto, que la mala situación del país le preocupaba mucho, que el permanente desasosiego del ejército le preocupaba mucho, que sus relaciones con Suárez eras malas, que Suárez ya no le hacía caso y que su torpeza y su negligencia y su irresponsabilidad y su apego insensato al poder estaban poniendo en riesgo al país y a la Corona, y que ésta vería en definitiva con muy buenos ojos un cambio de presidente (lo cual traducía con exactitud lo que en aquel momento pensaba el Rey); pero Armada también decía (y todo el mundo pensaba que el Rey lo decía por boca de Armada) que aquélla era una circunstancia excepcional que exigía soluciones excepcionales y que un gobierno de unidad compuesto por líderes de los principales partidos políticos y presidido por un militar era una buena solución, y dejaba entender que él mismo, Armada, era el mejor candidato posible a encabezarla (todo lo cual traducía con exactitud lo que a Armada le hubiera gustado que pensase el Rey y quizá lo que en parte por influencia de Armada llegó en algún momento a pensar, pero no lo que en aquel momento pensaba). Hacia mediados o finales de septiembre, mientras el antiguo secretario del monarca regresaba a su destino en Lérida y su presencia escaseaba en Madrid y se reanudaba el curso político tras las vacaciones, la Operación Armada pareció perder fuelle en los mentideros de la capital, como si hubiera sido apenas una excusa para entretener el ocio sin noticias del sopor veraniego; pero lo que en realidad ocurrió fue otra cosa, y es que, aunque en los mentideros de la capital quedó enterrada por la descomposición del gobierno y el partido de Suárez y por el alud de operaciones contra el presidente que empezaba a modelar la placenta del golpe, la Operación Armada seguía vivísima en la mente de su protagonista y de quienes a su alrededor continuaban considerándola la forma idónea de dar el golpe de timón o bisturí que para tantos necesitaba el país. Armada mantenía buenas relaciones con políticos del gobierno, del partido que lo apoyaba y de la derecha –incluido su líder: Manuel Fraga–, y durante sus encuentros del verano todos habían acogido sus perífrasis promocionales con interés suficiente para autorizarle a confiar en que llegado el momento todos lo aceptarían como sustituto de Suárez; Armada no conocía en cambio a los dirigentes socialistas, cuyo concurso era necesario para su operación, y en las primeras semanas del otoño se le presentó la posibilidad de entrevistarse con ellos. No pudo hacerlo con Felipe González (como quizá era su propósito), pero sí con Enrique Múgica, número tres del PSOE y encargado de asuntos militares del partido; páginas atrás he descrito la entrevista: se celebró el 22 de octubre en Lérida y fue un éxito para Armada, quien salió de ella con la certeza de que los socialistas no sólo comulgaban con la idea de un gobierno de unidad presidido por un militar, sino también con la idea de que ese militar fuera él. No obstante, igual que el informe del constitucionalista que había remitido a la Zarzuela en julio y que su campaña de propaganda veraniega en los salones del pequeño Madrid del poder, la entrevista con el PSOE fue para Armada una simple maniobra preparatoria de la maniobra central: ganar al Rey para la Operación Armada.

El 12 de noviembre el Rey y Armada se entrevistaron en La Pleta, un refugio de montaña situado en el valle de Arán que la familia real usaba para practicar el esquí. El encuentro formaba parte de las obligaciones o cortesías protocolarias del gobernador militar de Lérida, pero el Rey y su antiguo secretario no se habían visto en mucho tiempo –probablemente desde la primavera anterior–, y la conversación se prolongó más allá de los límites del protocolo. Los dos hombres hablaron de política: como para entonces ya hacía con tanta gente, es muy posible que el Rey despotricara de Suárez y expresase su alarma por la marcha del país; como era una hipótesis que estaba en la calle y que había llegado a la Zarzuela por diversas vías, es posible que el Rey y el general hablaran del gobierno de unidad presidido por un militar: en tal caso, es seguro que Armada se mostró favorable a él, aunque ninguno de los dos mencionara su candidatura a la presidencia; pero de lo que sin duda hablaron sobre todo fue del descontento militar, que el Rey temía y que Armada exageró, lo que quizá explica que el Rey pidiera al general que se informara y le informase. Esta solicitud fue la razón o la excusa del siguiente movimiento de Armada. Apenas cinco días más tarde el antiguo secretario real viajó a Valencia para entrevistarse con Milans, consciente de que no había en el ejército un militar más descontento que Milans y de que cualquier intriga golpista partía o desembocaba en Milans, o lindaba con él. Los dos generales se conocían desde los años cuarenta, cuando ambos habían combatido en Rusia con la División Azul; su amistad nunca había sido íntima, pero su antigua adhesión monárquica los distinguía de sus compañeros de armas y representaba un nexo añadido que aquella tarde y a solas –tras un almuerzo en capitanía acompañados de sus mujeres y del teniente coronel Mas Oliver, ayudante de campo de Milans, y el coronel Ibáñez Inglés, segundo jefe de su Estado Mayor– les permitió exponerse a las claras sus proyectos, o por lo menos se lo permitió a Milans. Ambos coincidían en el calamitoso diagnóstico de la situación del país, un diagnóstico compartido por medios de comunicación, partidos políticos y organizaciones sociales nada sospechosas de simpatías ultraderechistas; también coincidían en la conveniencia de que el ejército tomara cartas en el asunto, aunque discrepaban en el modo de hacerlo: con su acostumbrada franqueza, Milans se declaró dispuesto a encabezar un golpe monárquico, habló de remotas reuniones de generales en Játiva, o tal vez en Jávea, y de reuniones recientes en Madrid y en Valencia, y es probable incluso que ya en aquel primer encuentro se refiriera a la operación planeada por Tejero, de quien continuaba recibiendo noticias gracias a su ayudante de campo. Por su parte, Armada habló de su conversación con el Rey o inventó varias conversaciones con el Rey y una intimidad con el monarca que ya no existía o que no existía como antes –el Rey estaba angustiado, dijo; el Rey estaba harto de Suárez, dijo; el Rey pensaba que era necesario hacer algo, dijo–, y habló de sus sondeos políticos del verano y el otoño y del proyecto de formar un gobierno de unidad bajo su presidencia que lo nombraría a él, Milans, jefe de la Junta de Jefes de Estado Mayor del ejército; también contó que el Rey aprobaba ese recurso de emergencia, y razonó que sus dos proyectos eran complementarios porque su proyecto político podía necesitar la ayuda de un empujón militar, y que en cualquier caso ambos perseguían objetivos comunes y que por el bien de España y de la Corona debían actuar de forma coordinada y mantenerse en contacto.

Convencido de que Armada hablaba en nombre del Rey, ansioso por convencerse de ello, Milans aceptó el trato, y de esa forma la Operación Armada se dotó de un ariete militar: a través de Milans el antiguo secretario real sujetaba a los militares golpistas y podía esgrimir la amenaza o la realidad de la fuerza en el momento en que más conviniera a sus propósitos. Fue un cambio de rasante. Hasta aquel momento la Operación Armada era una operación solamente política que quería imponerse por medios solamente políticos; a partir de aquel momento era una operación más que política, puesto que guardaba en la recámara el recurso de un golpe militar para el caso de que no pudiera imponerse por medios solamente políticos. La diferencia era obvia, aunque lo más probable es que Armada no quisiera percibirla, no al menos todavía: lo más probable es que se dijese a sí mismo que su entrevista con Milans había sido sólo su forma de cumplir el encargo informativo del Rey enfriando de paso la vehemencia golpista del capitán general; además, como si buscara contribuir a su ceguera voluntaria, los meses de noviembre y diciembre se poblaron de acontecimientos que Armada tal vez leyó como presagios de un triunfo sin violencia de la operación solamente política: mientras el malestar del ejército se manifestaba con nuevos escándalos –el 5 de diciembre varios cientos de generales, jefes y oficiales boicotearon un acto en la Escuela de Estado Mayor en protesta por una decisión gubernamental– y mientras circulaba por Madrid el runrún de que un grupo de capitanes generales había pedido al Rey la dimisión de Adolfo Suárez y de que se preparaba una nueva moción de censura contra el presidente, algunos líderes de partidos políticos acudían a la Zarzuela para expresar su alarma por el deterioro de la situación y para proclamar la necesidad de un gobierno fuerte que terminara con la insoportable debilidad del gobierno de Suárez. Estos signos propicios o que Armada pudo interpretar como signos propicios parecieron recibir el refrendo público de la Corona cuando poco antes de que terminara el año, en su mensaje televisado de Navidad, el Rey le dijo a todo el que quiso entenderlo –y el primero en entenderlo fue Adolfo Suárez– que su apoyo al presidente del gobierno había terminado.

Quizá era el gesto que Armada llevaba esperando desde su salida de la Zarzuela: caído en desgracia su adversario, desprovisto de la confianza y la protección real, para la soberbia y la mentalidad cortesana de Armada era el momento de recobrar acrecentado el lugar de favorito del Rey que Suárez había hecho lo posible por arrebatarle, convirtiéndose en jefe de su gobierno en aquellos tiempos de dificultad para la Corona. Este presentimiento le animó a estrechar el asedio al monarca. Durante las vacaciones de Navidad, Armada estuvo al menos dos veces con el Rey, una en la Zarzuela y otra en La Pleta, donde la familia real pasó los primeros días de enero. Volvieron a hablar largamente, y en esas conversaciones el antiguo secretario real pudo acumular evidencias de que regresaba la privanza con el Rey que llevaba casi un lustro añorando; no eran evidencias ficticias: preocupado por el futuro de la monarquía, renuente a aceptar el papel de árbitro institucional sin poder auténtico que le asignaba la Constitución, el Rey buscaba recursos con que capear la crisis, y es absurdo imaginar que rechazase los que podía ofrecerle o los que pensaba que podía ofrecerle el hombre que tantos obstáculos le había ayudado a superar en su juventud. Aunque sólo conocemos el testimonio de Armada acerca de lo hablado en esos conciliábulos con el Rey, podemos dar algunas cosas por seguras o por muy probables: es seguro o muy probable que, además de insistir ambos en la negra opinión de Suárez y del momento político, Armada hablara de los rumores de una moción de censura contra Suárez y de los rumores de un gobierno de unidad, que se mostrara partidario de éste y que de forma más o menos elíptica se propusiera como candidato a presidirlo, subrayando que su perfil monárquico y liberal respondía al perfil del presidente confeccionado por los medios de comunicación, las organizaciones sociales y los partidos políticos, muchos de los cuales (siempre según Armada) ya le habían dado o insinuado su beneplácito; es seguro o muy probable que el Rey dejara hablar a Armada y no lo contradijese y que, si no lo había hecho antes, empezase ahora a considerar seriamente la propuesta del gobierno de unidad presidido por un militar, fuera o no éste Armada, siempre y cuando contase con la aprobación del Congreso y con un engarce constitucional que Armada consideraba garantizado; es seguro que, además de insistir ambos en su negra opinión del momento militar, Armada la exasperaría al máximo y hablaría de su visita a Milans, presentándose a sí mismo como un freno a la fogosidad intervencionista del capitán general de Valencia, dosificando con zorrería la información sobre sus proyectos o amenazas y sin entrar en detalles perjudiciales para sus propios fines (es improbable por ejemplo que mencionara a Tejero y su relación con Milans); también es seguro que el Rey le pidió a Armada que continuara teniéndole al corriente de lo que sucedía o se tramaba en los cuarteles; también, que prometió encontrarle un destino en la capital. La razón de esta promesa no debió de ser una sola: el Rey sin duda pensaba que el hecho de hallarse destinado Armada lejos de Madrid dificultaba su acceso a noticias más abundantes y exactas acerca del ejército; sin duda creía que situarlo en un lugar central de la jerarquía castrense podría ayudarle a frenar un golpe; sin duda quería tenerle cerca para poder recurrir a él en cualquier contingencia, incluida tal vez la de que presidiera un gobierno de coalición o concentración o unidad. Quizá hubo todavía más razones. Sea como sea, el Rey se apresuró a cumplir lo prometido y, pese a la drástica oposición de Suárez, que desconfiaba más que nunca de las maquinaciones del antiguo secretario real, consiguió que el ministro de Defensa reservase para Armada la plaza de segundo jefe de Estado Mayor del ejército. Provisto de ese nombramiento futuro, de sus muchas horas de cercanía al Rey y de una propuesta concreta, tan pronto como terminaron las vacaciones de la familia real en Lérida Armada volvió a viajar a Valencia con su mujer y volvió a ver a Milans.

Ocurrió el 10 de enero y fue la última vez que los dos líderes del 23 de febrero hablaron cara a cara antes del golpe. Lo que Armada le dijo aquel día a Milans es que el Rey compartía los puntos de vista de ambos acerca de la situación política y que su próximo regreso a Madrid como segundo jefe de Estado Mayor del ejército era la plataforma ideada por el monarca para convertirlo en presidente de un gobierno de unidad cuya formación sólo podía ser cuestión de semanas, el tiempo que tardase en cristalizar una moción de censura victoriosa contra Adolfo Suárez; por lo tanto, concluyó Armada, era el momento de detener las operaciones militares en curso, supeditándolas a la operación política: se trataba de aglutinar bajo un mando único y un único proyecto todas las tramas golpistas dispersas, para poder desactivarlas en cuanto triunfase la operación política o, si no quedaba otro remedio porque la operación política fracasaba, para poder reactivarlas con el fin de que triunfase. Ese propósito definido por Armada y aceptado por Milans fue el que dominó una reunión celebrada ocho días más tarde en el domicilio madrileño del ayudante de campo del capitán general de Valencia, en la calle General Cabrera; a ella asistieron, convocados por el propio Milans, varios generales en la reserva –entre ellos Iniesta Cano–, varios generales en activo –entre ellos Torres Rojas– y varios tenientes coroneles –entre ellos Tejero–; en cambio, fiel a una estrategia consistente en no hablar nunca del golpe en presencia de más de una persona y en buscar coartadas para cualquier movimiento hipotéticamente comprometedor (de ahí que siempre hablara a solas con Milans y que siempre acudiera a Valencia en compañía de su esposa y con el pretexto de resolver asuntos privados), Armada puso una excusa de última hora y no asistió al cónclave. Dado que éste fue el más concurrido de los que prepararon el golpe, y el más importante desde el punto de vista del operativo militar, lo que en él se discutió es bien conocido: durante el juicio del 23 de febrero varios asistentes dieron versiones similares, y años después lo harían también algunos asistentes que en su momento eludieron ser procesados. Quien llevó la batuta de la reunión fue Milans. El capitán general de Valencia asumió el mando de los proyectos de golpe más o menos germinales en que se hallaban involucrados los presentes y explicó el plan de Armada tal y como Armada se lo había explicado a él, recalcando que todo se hacía bajo los auspicios del Rey; asimismo, después de que Tejero expusiera los detalles técnicos de su operación, Milans definió el dispositivo básico que habría de desplegarse en el momento elegido: Tejero tomaba el Congreso, él tomaba la región de Valencia, Torres Rojas tomaba con la Brunete Madrid y Armada acompañaba al Rey en la Zarzuela mientras los demás capitanes generales, cuya complicidad habría recabado previamente, se sumaban a ellos tomando sus respectivas regiones y de ese modo cerraban el golpe; éste, por lo demás –según repitió una y otra vez Milans–, era un simple proyecto, y su realización no iba a ser necesaria si, tal y como él esperaba, Armada ponía en marcha en un plazo razonable de tiempo su proyecto solamente político; Milans aclaró incluso qué entendía por un plazo razonable de tiempo: treinta días.

Aún no habían transcurrido quince cuando parecieron pulverizarse los planes de los golpistas. El 29 de enero Adolfo Suárez anunció en un mensaje televisado su dimisión como presidente del gobierno. Pese a que hacía muchos meses que la clase dirigente la pedía a gritos, la noticia sorprendió a todo el mundo, y cabe imaginar que en el primer momento Armada pensara con razón que Suárez había dimitido para abortar las operaciones políticas dirigidas contra él, entre ellas la Operación Armada; pero igualmente cabe imaginar que en el segundo momento el general intentase convencerse de que, lejos de complicarle las cosas, la dimisión de Suárez se las simplificaba, puesto que le ahorraba el trámite incierto de la moción de censura y dejaba su futuro político en manos del Rey, a quien la Constitución otorgaba la potestad de proponer el nuevo presidente del gobierno previa consulta con los líderes parlamentarios. Fue en ese momento cuando Armada decidió presentar sin subterfugios su candidatura al Rey y presionarle a fondo para que la aceptara. Lo hizo en una cena a solas con el monarca, una semana después de la dimisión de Suárez. Para aquel entonces Armada sentía que todo conspiraba a su favor, y la prueba es que, sin duda aconsejado por él, días atrás Milans había vuelto a reunir a su gente o a parte de su gente en General Cabrera para asegurarle que el golpe quedaba congelado hasta nuevo aviso porque la caída del presidente del gobierno y el traslado inmediato de Armada a Madrid significaban que el golpe era innecesario y que la Operación Armada había arrancado: a la mañana siguiente de la dimisión de Suárez los periódicos se llenaron de hipótesis de gobiernos de coalición o de concentración o de unidad, los partidos políticos se ofrecían a participar en ellos o buscaban apoyos para ellos y el nombre de Armada corría de boca en boca en el pequeño Madrid del poder, promocionado por personas de su entorno como el periodista Emilio Romero, que el 31 de enero proponía al general en su columna de *ABC* como nuevo presidente del gobierno; tres días más tarde el Rey llamó por teléfono a Armada y le dijo que acababa de firmar el decreto de su nombramiento como segundo jefe de Estado Mayor del ejército y que preparara las maletas porque volvía a Madrid. En esa óptima coyuntura para Armada se celebró su cena con el Rey, a lo largo de la cual el antiguo secretario reiteró sus razonamientos con ahínco: la necesidad de un golpe de bisturí o de timón que alejase el peligro de un golpe de estado, la conveniencia de un gobierno de unidad presidido por un militar y el carácter constitucional de tal solución; también se ofreció a asumir la presidencia del gobierno y aseguró o dejó entender que contaba con el apoyo de los principales partidos políticos. Ignoro cuál fue la reacción del Rey a las palabras de Armada; no hay que descartar que dudara, y un motivo para no descartarlo es que, aunque UCD ya había propuesto a Leopoldo Calvo Sotelo como sucesor de Suárez, el Rey aún tardó once días en presentar su candidatura al Congreso: es muy improbable que en la ronda obligada de consultas con los líderes de los partidos políticos, previa a la presentación de la candidatura, se mencionase siquiera el nombre de Armada, pero en ella sin duda se habló de gobiernos de coalición o de concentración o de unidad; además de esa demora, otro motivo invita a no descartar que el Rey dudara: mucha gente y desde hacía mucho tiempo abogaba por una salida excepcional que, sin violentar en teoría la Constitución, no supusiese una aplicación automática de la Constitución, y él tenía una confianza absoluta en Armada y pudo pensar que un gobierno presidido por el general y apoyado por todos los partidos políticos calmaría al ejército, ayudaría al país a superar la crisis y fortalecería la Corona. No hay que descartar que dudara, pero lo cierto es que, por los motivos que fuese –tal vez porque comprendió a tiempo que forzar la Constitución suponía poner en peligro la Constitución y que poner en peligro la Constitución suponía poner en peligro la democracia y que poner en peligro la democracia suponía poner en peligro la Corona–, el Rey decidió aplicar al pie de la letra la Constitución y presentar el 10 de febrero al Congreso la candidatura de Leopoldo Calvo Sotelo.

Ése fue el final de la Operación Armada, el final de la operación solamente política; a partir de aquel punto quedaba excluido que el antiguo secretario del Rey alcanzara la presidencia de un gobierno de coalición o de concentración o de unidad por el cauce parlamentario. Ante Armada ya sólo se abrían dos alternativas: una consistía en olvidar sus ambiciones y en convencer a Milans de que olvidara la operación militar y en que Milans convenciera a su vez a Tejero y a los demás conjurados de que olvidaran la operación militar; la otra consistía en descongelar la operación militar y en usarla a modo de ariete para imponer por la fuerza una receta política que no había podido imponerse por medios solamente políticos. Ni Armada ni ninguno de los demás conjurados se planteó siquiera la primera alternativa; ni Armada ni ninguno de los demás conjurados renunció en ningún momento a la segunda, así que fue la alternativa militar la que acabó ganando. Bien es verdad que las circunstancias de aquel mes no le pusieron difícil la victoria, porque en las tres semanas previas al 23 de febrero los conjurados acaso sintieron que la realidad les exigía perentoriamente el golpe, esgrimiendo un último arsenal de argumentos para terminar de persuadirles de que sólo un levantamiento del ejército podía impedir la extinción de la patria: el 4 de febrero, el mismo día en que se publicaba un durísimo documento de la Conferencia Episcopal contra la ley del divorcio, un grupo de diputados proetarras interrumpió con un alboroto de gritos y cánticos patrióticos el primer discurso del Rey ante el Parlamento vasco; el 6 apareció el cadáver de un ingeniero de la central nuclear de Lemóniz secuestrado por ETA; el 13 murió en el hospital penitenciario de Carabanchel el etarra Joseba Arregui, y en los días siguientes la tensión política se desbocó: durante una bronca sesión parlamentaria la oposición acusó al gobierno de tolerar la tortura, hubo enfrentamientos públicos entre el Ministerio del Interior y el Ministerio de Justicia, hubo destituciones de funcionarios y acto seguido un plante policial que incluyó la dimisión de su directiva al completo; el 21, en fin, ETA secuestró al cónsul de Uruguay en Pamplona y a los de Austria y El Salvador en Bilbao. En medio de aquellas jornadas convulsas Armada vio dos veces al Rey, una el día 11 y otra el día 13, ambas en la Zarzuela: en la primera, durante los funerales por Federica de Grecia, suegra del Rey, apenas pudo hablar con el monarca; en la segunda, durante su presentación preceptiva como segundo jefe de Estado Mayor del ejército, lo hizo durante una hora. A lo largo de la entrevista Armada se mostró nervioso e irritado: no se atrevió a reprocharle al Rey que no le hubiera nombrado presidente del gobierno, pero sí le dijo que había cometido un error gravísimo nombrando a Calvo Sotelo; según Armada, también le anunció un inminente movimiento militar al que se incorporarían varios capitanes generales, entre ellos Milans, igual que se lo anunció al general Gutiérrez Mellado, a quien aquella mañana visitó de forma asimismo preceptiva al salir de la Zarzuela. Como mínimo este último anuncio me parece improbable: al menos el general Gutiérrez Mellado lo negó ante el juez. Es seguro en cambio que tres días más tarde Armada abrió las compuertas del golpe: el 16 de febrero se entrevistó en su flamante despacho del Cuartel General del ejército con el coronel Ibáñez Inglés, segundo jefe del Estado Mayor de Milans y enlace habitual entre ambos, y le dijo que la operación política había fracasado; quizá no le dijo más, pero no hacía falta: eso bastaba para que Milans supiera que, a menos que aceptara que todo quedase en nada, había que seguir adelante con la operación militar.

El golpe era ya irrevocable. Al cabo de sólo cuarenta y ocho horas de la entrevista entre Armada e Ibáñez Inglés, justo el día en que se iniciaba en el Congreso el debate de investidura de Calvo Sotelo como presidente del gobierno, Tejero telefoneó a Ibáñez Inglés: le dijo que había vencido el plazo otorgado por Milans para que triunfase la Operación Armada, que las sesiones del debate de investidura, con el gobierno y todos los diputados reunidos en el Congreso, eran una oportunidad de realizar lo convenido que tardaría mucho tiempo en volver a presentarse, le aseguró que contaba con un grupo de capitanes dispuestos a secundarlo, que los últimos acontecimientos –la ofensa al Rey en el Parlamento vasco, el asesinato del ingeniero de Lemóniz a manos de ETA, las consecuencias de la muerte del etarra Arregui– los habían soliviantado y ya no podía retenerlos por más tiempo, y que en suma iba a tomar el Congreso con Milans o sin Milans; la advertencia de Tejero a Ibáñez Inglés disipó las reservas que todavía albergaba el capitán general de Valencia: no podía parar al teniente coronel, el fracaso político de Armada le dejaba sin opciones, se había comprometido demasiado como para echarse atrás en el último momento. Milans dio en consecuencia el visto bueno a Tejero, y el mismo día 18 el teniente coronel organizó una cena con varios capitanes de confianza a los que desde hacía algún tiempo hablaba vagamente de un golpe de estado (le había mentido a Ibáñez Inglés: no es que no pudiera retener por más tiempo a los capitanes, sino que no podía retenerse por más tiempo a sí mismo); aquella noche concretó: les contó su proyecto, consiguió que se comprometieran a ayudarle a sacarlo adelante, discutió con ellos la posibilidad de asaltar el Congreso durante la votación de investidura de dos días después, aplazó la decisión de la fecha del asalto hasta el día siguiente. El día siguiente era jueves 19 de febrero. Por la mañana Tejero comprendió que preparar su golpe de mano le llevaría bastante más de veinticuatro horas y que por tanto no podría darlo el viernes, pero alguien –tal vez uno de sus capitanes, tal vez uno de los ayudantes de Milans– le hizo notar que la mayoría parlamentaria de que disponía Calvo Sotelo no alcanzaba para que éste resultara elegido en la primera votación, y que el presidente del Congreso debería convocar una segunda que en ningún caso podría celebrarse antes del lunes, lo que les concedía un mínimo de cuatro días para los preparativos; fuera cual fuera el día que eligiese el presidente del Congreso, aquél fue el día elegido: el día de la segunda votación de investidura.

De ese modo quedó emplazado el golpe, y en este punto mi narración se bifurca. Hasta ahora he referido los hechos tal como ocurrieron o tal como me parece que ocurrieron; dado que en lo que sigue intervienen miembros del CESID, con los datos que he expuesto hasta ahora acerca del servicio de inteligencia no puedo elegir entre dos versiones de los hechos que colisionan entre sí. Dejo la elección para más adelante y paso a exponer las dos.

La primera versión es la versión oficial; es decir: la versión de la justicia; también es la menos problemática. Desde el día 19 Tejero y Milans –uno en Madrid, el otro en Valencia– trabajan en los preparativos del golpe, pero a partir del día 20, cuando el presidente del Congreso fija la fecha y la hora de la segunda votación de investidura y les entrega sin saberlo a los golpistas la fecha y la hora del golpe –el lunes 23, no antes de las seis de la tarde–, los trabajos se aceleran. Tejero ultima los pormenores de su plan, busca recursos con que llevarlo a cabo, habla por teléfono en diversas ocasiones con los ayudantes de Milans (el teniente coronel Mas Oliver y el coronel Ibáñez Inglés) y habla personalmente con varios oficiales de la guardia civil, sobre todo con su grupo de capitanes; son al menos cuatro: Muñecas Aguilar, Gómez Iglesias, Sánchez Valiente y Bobis González. Los dos primeros son buenos amigos de Tejero y los conocemos bien: Muñecas es el capitán que en la tarde del 23 de febrero se dirigió a los parlamentarios secuestrados desde la tribuna del Congreso para anunciarles la llegada de una autoridad militar; Gómez Iglesias es el capitán adscrito a la AOME –la unidad de operaciones especiales del CESID– que posiblemente había sido encargado por el comandante Cortina de la vigilancia de Tejero y que, según esta primera versión de los hechos, el 23 de febrero actuó a espaldas de su jefe, porque sin conocimiento de Cortina ayudó al teniente coronel a vencer las últimas reticencias de algunos oficiales que debían acompañarlo en la tarde del golpe y tal vez también le proporcionó hombres y material de la AOME con que escoltar la marcha de sus autobuses hacia el Congreso. En cuanto a Milans, durante esos cuatro días organiza con sus dos ayudantes la sublevación de Valencia, obtiene promesas de apoyo o neutralidad de otros capitanes generales, monta a toda prisa la rebelión en la Acorazada Brunete a través del comandante Pardo Zancada (a quien en la víspera del golpe hace acudir a Valencia para darle instrucciones al respecto) y habla por teléfono como mínimo en tres ocasiones con Armada. La última conversación tiene lugar el 22 de febrero: desde el despacho del hijo del coronel Ibáñez Inglés, Milans habla con Armada en presencia de Ibáñez Inglés, del teniente coronel Mas Oliver y del comandante Pardo Zancada, y lo hace repitiendo en voz alta las palabras de su interlocutor para que sus acompañantes las escuchen, como si no acabara de fiarse del todo de Armada o como si necesitase que sus subordinados se fiasen del todo de él; los dos generales repasan: Tejero tomará el Congreso, Milans tomará Valencia, la Brunete tomará Madrid y Armada tomará la Zarzuela; lo fundamental: todo se hace a las órdenes del Rey. Cuando Milans cuelga el teléfono son las cinco y media de la tarde. Poco más de veinticuatro horas después se desencadenó el golpe.

Ésa es la primera versión; la segunda no la contradice y sólo difiere de ella en un extremo: aparece el comandante Cortina. Se trata de una versión sospechosa porque es la versión de los golpistas o, más concretamente, la versión de Tejero: ateniéndose a la línea común de defensa empleada por los acusados durante el juicio del 23 de febrero, y basándose en una supuesta complicidad entre Cortina y Armada y el Rey, Tejero intenta exculparse inculpando a Cortina (y con Cortina a los servicios de inteligencia), inculpando a través de Cortina a Armada (y con Armada a la cúpula del ejército) e inculpando a través de Cortina y Armada al Rey (y con el Rey a la institución central del estado); todo esto no convierte automáticamente en falso, claro está, el testimonio de Tejero. De hecho, durante la vista oral del juicio el teniente coronel dio algunos detalles muy precisos que acreditaban su versión; el tribunal, sin embargo, no le creyó, porque erró en otros y porque Cortina tenía una coartada impecable para cada una de sus acusaciones, cosa que obligó a absolverle, aunque no ha impedido que se siga sospechando de él: Cortina es un experto en la fabricación de coartadas y, como escribió una periodista que cubrió las sesiones del juicio, no hace falta ser un lector de novelas policíacas para saber que un hombre inocente casi nunca tiene coartadas, porque ni siquiera imagina que algún día podrá necesitarlas. De ahí en parte la dificultad de elegir con los datos que he expuesto hasta ahora entre las dos versiones de los hechos. Doy a continuación la segunda:

En la tarde del día 18 o la mañana del día 19, cuando Milans y Tejero toman la decisión de lanzarse al golpe, el capitán Gómez Iglesias, que en efecto lleva meses vigilando al teniente coronel por orden de Cortina, le comunica la noticia a su jefe en la AOME. Cortina no informa a sus superiores, no delata a los golpistas; en vez de hacerlo, se pone en contacto con Armada, quien según le ha dicho Tejero a Gómez Iglesias es el líder del golpe o uno de los líderes del golpe o está involucrado en el golpe y actúa por orden del Rey. Armada tiene una larga relación con Cortina y, porque quiere usar al comandante o porque no tiene otra alternativa, le cuenta lo que sabe; por su parte, Cortina se pone a las órdenes de Armada. A continuación, de acuerdo con Armada, quizá por orden de Armada, Cortina pide a Gómez Iglesias que le concierte una entrevista con Tejero: busca conocer de primera mano los planes del teniente coronel, recordarle los objetivos del golpe y reforzar la cadena de mando de los conjurados. Tejero confía plenamente en Gómez Iglesias y piensa que le conviene disponer de hombres y material de la AOME para asaltar el Congreso, así que accede a la entrevista, y en la misma noche del día 19 los dos oficiales se reúnen en el domicilio de Cortina, un piso de la calle Biarritz, en la zona del parque de Las Avenidas, donde el comandante vive con sus padres. Cortina se presenta ante el teniente coronel como hombre de confianza o portavoz de Armada; le alecciona: subraya que la operación se realiza por orden del Rey con el propósito de salvar la monarquía, establece claramente que su jefe político es Armada aunque su jefe militar sea Milans, le repite el diseño general del golpe y la salida prevista para él (habla de un gobierno presidido por Armada, pero no de un gobierno de coalición o concentración o unidad), le hace preguntas técnicas sobre el modo en que piensa llevar a cabo su parte del plan, le asegura que puede contar con hombres y medios de la AOME e insiste en que el asalto debe ser incruento y discreto y en que su misión concluye en el momento en que una unidad del ejército lo releve y Armada se haga cargo del Congreso ocupado. Eso es todo: los dos hombres se despiden hacia las tres de la madrugada y hasta el 23 de febrero permanecen en contacto a través de Gómez Iglesias, pero al día siguiente de la entrevista Tejero llama a Valencia para cerciorarse de que Cortina es de verdad una pieza del golpe y, tras una conversación telefónica entre Milans y Armada, desde Valencia le dicen que confíe en Cortina y que siga sus instrucciones. Mientras tanto, en algún momento del mismo viernes, o tal vez en la mañana del sábado, Armada decide siguiendo el consejo de Cortina que él también debe reunirse con Tejero y, de nuevo a través de Gómez Iglesias, Cortina arregla para la noche del sábado día 21 una cita entre los dos hombres con el fin de que el general conozca al teniente coronel, le aclare personalmente la naturaleza de la operación y le dé las últimas órdenes. La entrevista se celebra, y en ella Armada vuelve a darle a Tejero las mismas instrucciones que éste recibió de Cortina dos días atrás: la operación debe ser discreta e incruenta, el teniente coronel debe entrar en el Congreso en nombre del Rey y de la democracia y debe salir de allí en cuanto llegue la autoridad militar que se hará cargo de todo (Armada no cree necesario aclarar que esa autoridad militar será él mismo, pero sí que se identificará con una contraseña: «Duque de Ahumada»); todo se hace a las órdenes del Rey para salvar la monarquía y la democracia mediante un gobierno que él presidirá, pero cuya composición no especifica. Según declararía Tejero en el juicio, la recurrencia de las palabras monarquía y democracia en el discurso del general lo escama (no lo escama en cambio que Armada vaya a presidir el gobierno: lo sabe desde hace tiempo y da por hecho que será un gobierno militar); Tejero, sin embargo, no pide explicaciones, ni mucho menos protesta: Armada es un general y él sólo un teniente coronel y, aunque en su fuero interno Milans sigue siendo el líder del golpe porque es el jefe a quien admira y a quien se siente de verdad vinculado, el capitán general de Valencia ha impuesto a Armada como líder político y Tejero lo acepta; además, no es monárquico pero se resigna a la monarquía, y está seguro de que en labios de Armada la palabra democracia es una palabra hueca, una mera pantalla con que ocultar la realidad descarnada del golpe. La entrevista se celebró en un piso secreto de la AOME o en un piso que ocasionalmente usaba el jefe de la AOME, un local situado en la calle Pintor Juan Gris al que Cortina condujo a Tejero después de citarse con él en el cercano hotel Cuzco; Armada y Tejero hablaron a solas, pero mientras lo hacían Cortina permaneció en el hall del piso, y cuando terminaron de hacerlo el comandante volvió a acompañar al teniente coronel hasta la entrada del hotel Cuzco, donde se despidieron. Cortina y Armada nunca han admitido que este episodio sucediera, y en el juicio Tejero no pudo probarlo: la coartada de Cortina era perfecta; en esta ocasión, la de Armada también lo era. Siempre según Tejero, la entrevista duró poco tiempo, no más de los treinta minutos transcurridos entre las ocho y media y las nueve de la noche. Menos de cuarenta y ocho horas después se desencadenó el golpe.

6

Ésas son las dos versiones de los antecedentes inmediatos del 23 de febrero. Imaginemos ahora que la segunda versión es la verdadera; imaginemos que Tejero no miente y que cuatro o cinco días antes del golpe Cortina supo por Gómez Iglesias que el golpe iba a ocurrir y que Armada era su cabecilla o uno de sus cabecillas, y que decidió unirse a la operación poniéndose a las órdenes del general. Si eso fue lo que hizo, quizá no sea inútil preguntarse por qué lo hizo.

Hay una teoría que ha gozado de cierta fortuna, según la cual Cortina intervino en el golpe al modo de un agente doble: no con el propósito de que el golpe saliera bien sino con el de que saliera mal, no con el propósito de destruir la democracia sino con el de protegerla. Los valedores de esta teoría sostienen que Cortina se enteró de que el golpe iba a ocurrir cuando ya era tarde para desactivarlo; sostienen que comprendió que se trataba de una operación improvisada y mal organizada y que decidió precipitarla para no dar tiempo a que los golpistas terminasen de ponerla a punto y para asegurar así su fracaso; sostienen que por eso empujó al golpe a Tejero en su entrevista del día 19, fijándole la fecha del asalto al Congreso. Bonito, pero falso. En primer lugar porque Tejero no necesitaba que nadie le empujase a dar un golpe que ya estaba decidido a dar, ni que nadie fijase una fecha que él mismo fijó o que fijaron los avatares del debate de investidura de Calvo Sotelo en el Congreso; y en segundo lugar porque, aunque se enterara de que el golpe iba a producirse con pocos días de antelación, Cortina pudo perfectamente desactivarlo: bastaba con que comunicase lo que sabía a sus superiores, quienes en sólo unas horas hubieran podido detener a los golpistas igual que habían hecho antes del 23 de febrero con los golpistas de la Operación Galaxia e igual que harían después del 23 de febrero con otros golpistas.

Mi teoría es más obvia, más prosaica y más entreverada. Para empezar recordaré que la relación entre Cortina y Armada era real: ambos se conocían desde 1975, en una época en que Cortina frecuentaba la Zarzuela; un hermano de Cortina, Antonio –más que un hermano un íntimo de Cortina–, era amigo de Armada y promotor de la candidatura de Armada a la presidencia de un gobierno de unidad; el propio Cortina aprobaba la idea de ese gobierno y quizá la candidatura de Armada. Dicho esto, mi teoría es que, si es verdad que estuvo en el golpe, Cortina estuvo en él para que triunfara y no para que fracasara: porque, como Armada y Milans, tenía la convicción de que el país estaba maduro para el golpe y porque pensó que merecía la pena correr el riesgo de usar las armas para imponer una solución política que no había podido imponerse sin las armas; también porque pensó que sumándose al golpe podría manejarlo o influir sobre él y orientarlo en la dirección más conveniente; también porque pensó que, escudado detrás de buenas coartadas, el riesgo personal que corría no era grande, y que si actuaba con inteligencia podría beneficiarse del golpe tanto si triunfaba como si fracasaba (si el golpe triunfaba habría sido uno de los artífices de su triunfo; si fracasaba sabría maniobrar para presentarse como uno de los artífices de su fracaso); también porque, aunque su relación con el Rey no era tan estrecha como vocearon los golpistas tras el golpe –lo más probable es que no fuera mucho más estrecha que la que el monarca mantenía con otros compañeros de promoción con los que se reunía en comidas o cenas de hermandad–, Cortina era un militar firmemente monárquico y pensó que, tanto si triunfaba como si fracasaba, el golpe blando de Armada podría operar como un descompresor, distendiendo una vida política y militar tirante al máximo en aquellos días, ventilando con su sacudón una atmósfera viciada y convirtiéndose en un profiláctico contra la amenaza cada vez más acuciante de un golpe duro, antimonárquico y lo bastante bien planificado para resultar imparable, y porque en definitiva pensó que, como él, la monarquía saldría ganando con el golpe tanto si triunfaba como si fracasaba, igual que si hubiese leído a Maquiavelo y recordase aquel consejo según el cual «un príncipe sabio debe, cuando tenga la oportunidad, fomentarse con astucia alguna oposición a fin de que una vez vencida brille él a mayor altura».

Como cualquiera de los demás conjurados, Cortina pudo razonar en vísperas del 23 de febrero que sólo había tres formas de que el golpe fracasase: la primera era una reacción popular; la segunda era una reacción del ejército; la tercera era una reacción del Rey. Como cualquiera de los demás conjurados, Cortina pudo pensar que la primera posibilidad era remota (y, si lo hizo, el 23 de febrero le dio la razón con creces): en 1936 el golpe de Franco había fracasado y había provocado una guerra porque la gente se había echado a la calle con el apoyo del gobierno y con las armas en la mano para defender la república; secuestrados el gobierno y los diputados en el Congreso, amedrentada por el recuerdo de la guerra, desencantada de la democracia o del funcionamiento de la democracia, apoltronada y sin armas, en 1981 la gente no sabría más que aplaudir el golpe o resignarse a él, a lo sumo ofrecer una débil resistencia minoritaria. Como cualquiera de los demás conjurados, Cortina pudo también pensar que la segunda posibilidad era igualmente remota (y, si lo hizo, el 23 de febrero volvió a darle la razón con creces): en 1936 el golpe de Franco había fracasado y había provocado una guerra porque una parte del ejército había permanecido a las órdenes del gobierno y se había unido a la gente en defensa de la república; en 1981, en cambio, el ejército era casi uniformemente franquista y por lo tanto serían excepciones los altos mandos que se opusiesen a un golpe de estado, no digamos los que se opusiesen a un golpe de estado patrocinado por el Rey. Quedaba una tercera posibilidad: el Rey. Era, de hecho, la única posibilidad, o al menos la única posibilidad que Cortina o cualquiera de los demás conjurados podía juzgar de antemano factible: cabía imaginar que –a pesar de que el golpe no fuera contra el Rey sino con el Rey, a pesar de que no fuera un golpe duro sino un golpe blando, a pesar de que no pretendiera en teoría destruir la democracia sino rectificarla, a pesar de que la presión que ejercerían sobre él los sublevados y gran parte del ejército sería enorme y a pesar incluso de que el gobierno resultante del golpe debería contar con la aprobación del Congreso y podría ser presentado por Armada no como un triunfo del golpe sino como una solución al golpe– el Rey decidiese no patrocinar el golpe y hacer uso de su condición de heredero de Franco y de jefe simbólico de las Fuerzas Armadas para detenerlo, tal vez recordando el ejemplo disuasorio de su abuelo Alfonso XIII y de su cuñado Constantino de Grecia, que aceptaron la ayuda del ejército para mantenerse en el poder y al cabo de menos de una década fueron destronados.* Ahora bien, ¿qué ocurriría en el caso de que el Rey se opusiese al golpe? Es cierto que nadie podía preverlo, porque una vez iniciado el golpe casi todo era posible, inclusive que un golpe con el Rey capitaneado por los dos generales más monárquicos del ejército se convirtiese en un golpe contra el Rey que acabase llevándose por delante la monarquía; pero también es cierto que, en el caso de que el Rey se opusiese al golpe, lo más probable era que el golpe fracasase, porque era muy improbable que un golpe monárquico degenerase en un golpe antimonárquico, igual que es cierto que, si el golpe fra-

* Es posible sin embargo que a los golpistas monárquicos el ejemplo de Alfonso XIII y Constantino de Grecia no les pareciera en absoluto disuasorio para la Corona; su razonamiento quizá era inverso al que pudo hacer el Rey el 23 de febrero: para ellos fue precisamente la ayuda del ejército la que permitió al abuelo y al cuñado del Rey prorrogar por unos años su permanencia en el poder y la que, si hubieran sabido administrarla con inteligencia, hubiera impedido el final de la monarquía en España y Grecia.

casaba por la intervención del Rey, éste se convertiría a todos los efectos en el salvador de la democracia, lo que sólo podría significar el reforzamiento de la monarquía. Insisto: no digo que ése fuera para la monarquía el único resultado posible del golpe si el Rey se oponía a él; lo que digo es que, como cualquiera de los demás conjurados, antes de unirse al golpe Cortina pudo llegar a la conclusión de que los riesgos que el golpe entrañaba para la monarquía eran muy inferiores a los beneficios que podía acarrearle, y de que en consecuencia el golpe era un buen golpe porque triunfaría tanto si triunfaba como si fracasaba: el triunfo del golpe fortalecería la Corona (eso es al menos lo que pudo pensar Cortina y lo que pensaban Armada y Milans); igualmente lo haría su fracaso. Hubiera o no leído a Maquiavelo y hubiera o no recordado su consejo, ése pudo ser el razonamiento de Cortina; suponiendo que lo fuera, también en este punto el 23 de febrero le dio la razón, y también se la dio con creces.

7

Lo anterior son sólo conjeturas: la pregunta principal –la pregunta principal sobre Cortina, la pregunta principal sobre el papel de los servicios de inteligencia el 23 de febrero– sigue en pie, y por eso con los datos que he expuesto hasta ahora aún no podemos decidirnos por ninguna de las dos versiones alternativas de lo sucedido en los días previos al golpe. Estamos seguros de que el CESID de Javier Calderón no participó como tal en el golpe, pero no estamos seguros de que la AOME de Cortina participara en el golpe. Estamos seguros de que un miembro de la AOME, el capitán Gómez Iglesias, colaboró con Tejero en la preparación y la ejecución del golpe, pero no estamos seguros de que lo hiciera por orden de Cortina y no por iniciativa propia, por solidaridad o por amistad con el teniente coronel; tampoco estamos seguros de que otros miembros de la AOME –el sargento Sales y los cabos Monge y Moya– participaran en el golpe escoltando a los autobuses de Tejero hacia su objetivo, y no sabemos si, suponiendo que lo hubieran hecho, lo hicieron por orden de Gómez Iglesias, que a pesar del riguroso control que Cortina mantenía sobre sus hombres los habría captado para la operación a espaldas de Cortina, o lo hicieron por orden de Cortina, que se habría sumado al golpe con su unidad o con parte de su unidad porque consideró que era un buen golpe tanto si triunfaba como si fracasaba. En este punto principal tenemos conjeturas y tenemos posibilidades, pero no tenemos certezas, ni siquiera tenemos probabilidades; quizá podamos acercarnos a ellas si tratamos de contestar dos preguntas que todavía quedan pendientes: ¿qué hizo exactamente Cortina el 23 de febrero? ¿Qué ocurrió exactamente en la AOME el 23 de febrero?

A pesar del carácter hermético de la AOME, contamos con numerosos testimonios directos de lo ocurrido en la unidad aquella noche. Son testimonios a menudo contradictorios –a veces, violentamente contradictorios– , pero permiten establecer algunos hechos. El primero es que el comportamiento del jefe de la AOME fue en apariencia irreprochable; el segundo es que esa apariencia se resquebraja a la luz del comportamiento de ciertos miembros de la AOME (y a la luz que esa luz arroja sobre ciertas zonas del comportamiento del jefe de la AOME). En el momento en que se produjo el asalto al Congreso, Cortina se hallaba en la escuela de la AOME, un chalet situado en la calle Miguel Aracil. Oyó el tiroteo por la radio y de inmediato se trasladó a otra de las sedes secretas de la unidad, ésta situada en la avenida Cardenal Herrera Oria; allí se encontraba su puesto de mando, la Plana Mayor, y desde allí, auxiliado por el capitán García-Almenta, segundo jefe de la AOME, empezó a impartir órdenes: dado que sabía o supuso que el asalto al Congreso era el preludio de un golpe de estado y que podía provocar tensiones en la unidad, Cortina ordenó que todos sus subordinados permanecieran en sus puestos y prohibió cualquier comentario a favor o en contra del golpe; luego mandó localizar todos los equipos que se encontraban operando en las calles, organizó el despliegue de sus hombres por Madrid en misiones de información e impuso medidas especiales de seguridad en todas sus bases. Por fin, sobre las siete y media, partió hacia la sede central del CESID en Castellana 7, donde permaneció hasta que bien entrada la madrugada se dio por fracasado el golpe, siempre a las órdenes de Javier Calderón, siempre en contacto con la Plana Mayor de su unidad y siempre ofreciendo a sus jefes la información que recibía de ella y que acabaría resultando decisiva para frenar el golpe en la capital. Hasta aquí –y repito: hasta bien entrada la madrugada–, la actuación de Cortina: una actuación que parece descartar su implicación en el golpe, pero que en absoluto permite excluirla (en realidad, colaborar con el contragolpe era, a medida que la noche avanzaba y se alejaba la posibilidad de que el golpe triunfase, la mejor forma de resguardarse contra el fracaso del golpe, porque era una forma de resguardarse contra la acusación de haberlo apoyado); menos aún permite excluirla lo que sabemos de la actuación de algunos de sus subordinados. Sobre todo de uno de ellos: el cabo Rafael Monge. Monge era el jefe de la SEA, una unidad secreta dentro de la unidad secreta de Cortina integrada por hombres de su máxima confianza y cuya misión principal pero no única consistía por aquella época en preparar a agentes destinados a infiltrarse entre los simpatizantes de ETA en el País Vasco; a esta unidad pertenecían también el sargento Miguel Sales y el cabo José Moya.* En la tarde del 23 de febrero, después de llegar sobre las siete a la escuela de la AOME en Miguel Aracil, Monge viajó en compañía del capitán Rubio Luengo al chalet donde se hallaba la Plana Mayor; alterado y eufórico, Monge le dijo a Rubio Luengo lo siguiente: le dijo que había conducido los autobuses de Tejero hasta el Congreso, le dijo que lo había hecho junto con otros miembros de la AOME, le dijo que lo había hecho por orden de García-Almenta (Rubio Luengo relacionó inmediatamente la triple confesión de Monge con una orden de García-Almenta recibida aquella misma mañana en la escuela: debía entregar al propio Monge, a Sales y a Moya tres vehículos con placas falsas, transmisores de mano y emisores de frecuencia baja, indetectables incluso para el resto de los equipos de la AOME). No fue

* Entre las singularidades de la AOME se contaba el hecho de que, aunque era una unidad militar, en ella el grado tenía un valor muy relativo: un teniente podía mandar a un capitán, un sargento podía mandar a un teniente, un cabo podía mandar a un sargento; lo esencial en la AOME no era el grado sino la capacidad de cada agente (o lo que Cortina juzgaba la capacidad de cada agente) y así se explica que en la SEA el sargento Sales fuera un subordinado del cabo Monge. Esta anomalía provocó celos, agravios y rivalidades entre los agentes que sin duda influyeron en el estallido de acusaciones mutuas que se produjo en la unidad a raíz del golpe de estado.

la única vez que Monge narró aquella tarde su intervención en el golpe; lo hizo también unos minutos más tarde, cuando, después de hablar en la Plana Mayor con García-Almenta, éste ordenó al sargento Rando Parra que lo acompañara en coche hasta las cercanías del Congreso, donde el jefe de la SEA debía recoger un coche de la unidad; en el trayecto, Monge le dijo a Rando Parra más o menos lo mismo que le había dicho a Rubio Luengo –había escoltado a Tejero en su asalto, no lo había hecho solo, había obedecido órdenes de García-Almenta– y añadió que, tras cumplir su misión, había abandonado el coche que ahora iban a buscar en la calle Fernanflor, junto al Congreso.

Esa noche ocurrieron muchas otras cosas en la AOME –hubo idas y venidas frenéticas en todas las sedes, hubo un flujo constante de información suministrada por los equipos desplegados en Madrid y sus alrededores, hubo muchos hombres que mostraron su alegría por el golpe y unos pocos que se callaron su tristeza y al menos dos que entraron de madrugada en el Congreso y salieron de él con noticias frescas, entre ellas que Armada era el verdadero líder del golpe–, pero la confesión reiterada de Monge a Rubio Luengo y Rando Parra es decisiva. ¿Es también totalmente fiable? Por supuesto, tras el 23 de febrero Monge se retractó: dijo que todo había sido una fantasía improvisada ante sus compañeros para alardear de una ilusoria hazaña golpista; la explicación no es increíble (según sus jefes y colegas Monge era un militar aventurero y bravucón, y no ha habido día más propicio que el 23 de febrero para alardear de hazañas golpistas, y también antigolpistas): la vuelve poco creíble el hecho de que Monge contara la historia no una sino al menos dos veces, no sólo en el calor del primer momento del golpe sino también en el frío del segundo, cuando ya había pasado por el puesto de mando de la unidad y había hablado con sus superiores, al menos con García-Almenta; la vuelve definitivamente increíble el hecho de que Monge dejara en las proximidades del Congreso la prueba de su participación en el asalto.* Ahora bien, si aceptamos que el testimonio sobre el terreno de Monge es veraz –y no veo cómo podríamos rechazarlo–, entonces la actuación de la AOME el 23 de febrero parece aclararse, y también la de Cortina: los tres miembros de la unidad –los tres miembros de la SEA: Monge, Sales y Moya– colaboraron efectivamente en el asalto al Congreso, pero no lo hicieron a espaldas de Cortina y por orden de Gómez Iglesias, con quien no tenían la menor relación de carácter orgánico –en esos días, además, Gómez Iglesias estaba de baja temporal en la unidad, porque se hallaba realizando un oportuno curso de circulación en el mismo acuartelamiento del que partieron los autobuses

* Pese a todo, hay responsables de los servicios de inteligencia de la época que siguen sosteniendo que el relato de Monge es inventado o que la participación del cabo en el golpe fue anecdótica, casual y estrictamente individual; esto último es lo que por ejemplo sostiene el propio Cortina. Según él, en la tarde del 23 de febrero Monge estaba trabajando en la llamada Operación Mister, un dispositivo organizado por la AOME y ejecutado por la SEA con el fin de mantener bajo vigilancia a Vincent Shields, segundo jefe de la CIA en España, quien de acuerdo con informaciones llegadas al CESID podía estar a su vez espiando, desde su propia casa en la calle Carlos III y mediante potentes equipos de grabación, las recepciones del Rey en el palacio de Oriente (el alto riesgo de la operación –al fin y al cabo se trataba de seguir a un miembro de una estación de espionaje amiga– habría obligado a hacer uso de medios inhabituales como los emisores de frecuencia baja); Monge habría concluido sobre las seis de la tarde las tareas de vigilancia y, cuando se disponía a regresar a la sede de la AOME, se cruzó por azar con los autobuses de Tejero en la plaza Beata María Ana de Jesús y se sumó espontáneamente a ellos. Por buena voluntad que uno ponga en hacerlo, es harto difícil creer esta historia, porque es harto difícil imaginar a los ocupantes de un autobús de guardias civiles contándole a un desconocido como Monge, en pleno centro de Madrid, que se disponen a asaltar el Congreso y dar un golpe de estado; la escena ya no es de Luis García Berlanga: es de Paco Martínez Soria (o de Monty Python); la escena ya no es disparatada: es imposible. Por lo demás, esto no significa que la versión exculpatoria de Cortina no contenga una parte de verdad: la Operación Mister existió, y la SEA estuvo vigilando la casa de Shields durante algún tiempo, pero ésa no era la única misión que en aquellos días realizaba la SEA –ni siquiera la principal– y sus miembros nunca usaron para realizarla los medios excepcionales que usaron aquel día. En fin: lo razonable es pensar que la Operación Mister fue utilizada tras el 23 de febrero como coartada para ocultar la intervención de la AOME en el golpe.

de Tejero–, sino por orden de García-Almenta, y es concebible que Gómez Iglesias reclutara hombres y actuara en favor del golpe sin contar con una orden de Cortina, pero es inconcebible que lo hiciera García-Almenta, a quien no unía ningún vínculo personal con Tejero y que sólo pudo saber con antelación del golpe a través de Cortina. Así pues, es altamente probable que el 23 de febrero el jefe de la AOME ordenara a varios miembros de su unidad –al menos Gómez Iglesias, García-Almenta y los tres integrantes de la SEA– que apoyaran el golpe.* De este modo se explicaría que en la madrugada del día 24, cuando el fracaso de la intentona era ya inevitable y regresó desde la sede central del CESID hasta la sede central de la AOME, Cortina se reuniera en dos ocasiones, a puerta cerrada y durante largo tiempo, con Gómez Iglesias y García-Almenta, sus dos principales cómplices, posiblemente para asegurar coartadas y acorazarse contra cualquier sospecha; y de este modo se explicaría también que el día 24 Cortina realizara una ronda de reuniones en todas las sedes de la AOME con el fin de despejar los rumores que corrían por la unidad –casi todos procedentes de las infidencias de Monge–, establecer un relato oficial e inmaculado de lo ocurrido en ella el día anterior y eximir de cualquier responsabilidad en el golpe al general Armada, de quien Cortina había hecho grandes elogios ante sus hombres en las jornadas previas, como si quisiera prepararlos para lo que debía ocurrir. Además, la altísima probabilidad de que Cortina estuviera en el golpe nos entrega retroactivamente otras probabilidades, nos obliga a inclinarnos por una de las dos versiones de los antecedentes inmedia-

* Según uno de los miembros de la AOME que denunció a sus compañeros golpistas tras el 23 de febrero, Cortina habría creado meses atrás la SEA precisamente para preparar el golpe. Pero Cortina no pudo saber del golpe con una antelación de meses sino de días, así que la hipótesis no tiene sentido; sí lo tiene en cambio que, una vez que decidió participar en el golpe, Cortina apoyase el asalto al Congreso con la SEA, una unidad especial, aislada o aislable del resto de la AOME y compuesta por algunos de los hombres más seguros de que disponía.

tos del golpe y nos autoriza a contestar la pregunta principal sobre Cortina y sobre el papel de los servicios de inteligencia en el 23 de febrero: es muy probable que, al saber por Gómez Iglesias que Tejero se lanzaba a un golpe liderado por Armada, Cortina se pusiera en contacto con el general (si es que los dos hombres no estaban ya en contacto; en todo caso, Cortina reconoce haber visto a Armada un día indeterminado de esa semana, según él para felicitarlo por su nombramiento como segundo jefe de Estado Mayor del ejército); es muy probable que, ya colocado a las órdenes de Armada, Cortina se ocupara de aclararle a Tejero personalmente o a través de Gómez Iglesias la naturaleza, los objetivos y la jerarquía del golpe y le prometiera la ayuda de sus hombres para asaltar el Congreso; es muy probable que, concertara o no la entrevista entre Tejero y Armada y se celebrara o no ésta, Cortina sirviera para que Armada transmitiese a Tejero las últimas instrucciones sobre la operación; es muy probable, en suma, que en los días previos al golpe Cortina se convirtiera en una especie de ayudante de Armada, en una especie de jefe de Estado Mayor del líder del golpe. Es muy probable que eso fuera lo que ocurrió. Eso es lo que yo creo que ocurrió.

8

23 de febrero

Hacia las nueve de la noche –con el Congreso secuestrado, la región de Valencia ocupada, la Acorazada Brunete y los capitanes generales devorados todavía por las dudas y el país entero sumido en un silencio pasivo, temeroso y expectante–, el golpe de Armada y Milans permanecía bloqueado por el contragolpe del Rey. La incertidumbre era absoluta: de un lado los rebeldes convocaban bajo el amparo fraudulento del Rey el corazón franquista y la furia acumulada del ejército; del otro lado el Rey, eximido en principio de la tentación de contemporizar con los rebeldes –puesto que un tiroteo en el Congreso retransmitido por radio cambiaba el pórtico de un golpe blando con el que cabía la posibilidad de transigir por el pórtico de un golpe duro que era obligatorio rechazar–, convocaba la disciplina del ejército y su lealtad al heredero de Franco y jefe del estado y de las Fuerzas Armadas. Cualquier movimiento de tropas, cualquier enfrentamiento civil, cualquier incidente podía decantar el golpe del lado de los golpistas, pero a aquella hora el Rey, Armada y Milans eran quizá quienes disponían de más poder para decidir su triunfo o su fracaso.

Los tres obraron como si lo supieran. A fin de someter a los sublevados y devolverlos a sus cuarteles, pero también de dejar claro ante el país su rechazo del asalto al Congreso y su defensa del orden constitucional, poco antes de las diez de la noche el Rey solicitó a los estudios de televisión hasta entonces tomados por los golpistas un equipo móvil con que grabar su alocución al ejército y la ciudadanía; a fin de conseguir que el golpe triunfase aunque fuera de un modo distinto al planeado, más o menos a esa misma hora Milans llamó a Armada al Cuartel General del ejército. La conversación es importante. Es la primera que los dos generales mantienen desde el inicio del golpe, pero no es una conversación privada, o no del todo: Milans habla desde su despacho en la capitanía general de Valencia, rodeado de los oficiales de su Estado Mayor; en ausencia del jefe del Estado Mayor del ejército, general Gabeiras (que en aquel momento asiste a una reunión de la Junta de Jefes de Estado Mayor en otro lugar de Madrid), Armada habla desde el despacho de su superior en el palacio de Buenavista, y lo hace rodeado de los generales del Estado Mayor Central. Milans le propone a Armada una solución al golpe que según él cuenta con el asentimiento de varios capitanes generales; es una solución tal vez inevitable para los golpistas, que probablemente Armada ya ha considerado en secreto y que viene a ser una casi obligada variante del plan original: puesto que éste ha fracasado y el Rey se resiste a aceptar el golpe y Armada no ha podido entrar en la Zarzuela y salir de allí con una autorización expresa del monarca para negociar con los parlamentarios secuestrados, el único modo de arreglar las cosas consiste en que Armada –cuyo comportamiento ya ha empezado a despertar los recelos de algunos pero cuya precisa relación con el golpe nadie puede imaginar todavía– acuda al Congreso ocupado desde el Cuartel General del ejército, hable con los diputados y forme con ellos el previsto gobierno de unidad bajo su presidencia a cambio de que Tejero los libere, de que Milans revoque el estado de excepción y de que la normalidad regrese al país. Aunque sea mucho más arduo y más inseguro que el original, el plan improvisado de Milans tiene notables ventajas para Armada: si consigue su objetivo y es nombrado presidente del gobierno, el antiguo secretario del Rey podrá presentar el triunfo del golpe como un fracaso del golpe y su gobierno como una prudente salida pactada a la situación provocada por el golpe, como el vericueto de urgencia –temporal, tal vez insatisfactorio pero imperioso– que ha tomado el retorno del orden constitucional violado por el asalto al Congreso; pero, si no consigue su objetivo, nadie podrá acusarlo de otra cosa que de haberse esforzado por liberar a los parlamentarios negociando con los golpistas, lo que debería disipar las suspicacias que se han acumulado sobre él desde el inicio del golpe. De manera que Armada acepta la proposición de Milans, pero, para no delatar su complicidad con el general sublevado ante los generales que lo rodean en el Cuartel General del ejército –a quienes ha ido repitiendo frases escogidas de su interlocutor–, públicamente la desecha de entrada: como si jamás hubiese pasado por su cabeza la ambición de ser presidente del gobierno y jamás hubiese hablado de ello con Milans, muestra su sorpresa ante la idea y la rechaza con escándalo, gesticulando mucho, formulando objeciones y escrúpulos casi insuperables; luego, lentamente, sinuosamente, finge ceder a la presión de Milans, finge dejarse convencer por sus argumentos, finge entender que no hay otra salida aceptable para Milans y para los capitanes generales de Milans o que ésa es la mejor salida o la única salida, y al final acaba declarándose dispuesto a realizar el sacrificio por el Rey y por España que se exige de él en aquella hora trascendental para la patria. Cuando Armada cuelga el teléfono todos los generales que han asistido a la conversación (Mendívil, Lluch, Castro San Martín, Esquivias, Sáenz Larumbe, Rodríguez Ventosa, Arrazola, Pérez Íñigo, tal vez algún otro) conocen o imaginan ya la propuesta de Milans, pero Armada se la repite. Todos los generales la aprueban, todos convienen con Armada en que debe acudir al Congreso con el consentimiento del Rey y, cuando alguien se pregunta en voz alta si aquella fórmula cabe en la Constitución, Armada se hace traer un ejemplar de la Constitución, lee en voz alta los cinco puntos de que consta el artículo 99 y convence a sus subordinados de que, suponiendo que obtenga el apoyo de la mayoría simple de los parlamentarios, el Rey puede convalidar sin romper la norma constitucional su nombramiento como presidente del gobierno.

Es entonces cuando Armada vuelve a hablar por teléfono con la Zarzuela, cosa que no ha hecho desde que el Rey (o el Rey por boca de Fernández Campo) le impidiera la entrada en palacio quince minutos después del inicio del golpe. El general habla primero con el Rey; como la que acaba de mantener con Milans, la conversación tampoco es del todo privada: varias personas escuchan las palabras del monarca en la Zarzuela; varias personas escuchan las palabras de Armada en el Cuartel General del ejército. Armada le dice al Rey que la situación es más grave de lo que cree, que a cada minuto que pasa las cosas empeoran en el Congreso, que Milans no piensa retirar sus tropas y que varias capitanías generales están en la práctica sublevadas, que el ejército corre el riesgo de dividirse y que existe un serio peligro de confrontación armada, tal vez de guerra civil; luego le dice que Milans y varios capitanes generales consideran que él es la única persona preparada para resolver el problema, y que le han hecho una propuesta que tiene la aprobación de los demás capitanes generales y también la de los generales que lo acompañan en el palacio de Buenavista. ¿Qué propuesta?, inquiere el Rey. Tan pendiente del Rey como de los generales que lo escuchan, en vez de contestar la pregunta Armada continúa interpretando su papel de servidor abnegado: la idea le parece una extravagancia, casi un despropósito, pero, puesto que Milans, los capitanes generales y el resto del ejército aseguran que no hay otra solución, él está dispuesto a sacrificarse por el bien de la Corona y de España y a cargar con la responsabilidad y con los costes personales que eso supone. ¿Qué propuesta?, repite el Rey. Armada le expone la propuesta; cuando termina de hacerlo el Rey no sabe aún que su antiguo secretario es el líder del golpe –ni siquiera es probable que lo sospeche–, pero sí que intenta conseguir con el golpe lo que no pudo conseguir sin el golpe. Tal vez porque desconfía del ascendiente que Armada conserva todavía sobre él, o porque no quiere que le recuerde las conversaciones en que discutieron la posibilidad de que ocupara la presidencia del gobierno, o porque piensa que su actual secretario sabrá manejarlo mejor que él, el Rey le pide a Armada que espere un momento y le entrega el teléfono a Fernández Campo. Los dos amigos vuelven a hablar, sólo que ahora son rivales antes que amigos, y los dos lo saben: Fernández Campo sospecha que Armada intenta sacar partido del golpe; Armada sabe que Fernández Campo teme su capacidad de influir sobre el Rey –por eso lo responsabiliza de que hace unas horas el monarca no le permitiera entrar en la Zarzuela– e intuye cómo reaccionará cuando le anuncie que la única salida practicable al golpe es un gobierno bajo su presidencia. La intuición de Armada se confirma o él siente que se confirma: después de volver a hablar de riesgos, de sacrificios personales y del bien de la Corona y de España, Armada le expone a Fernández Campo la propuesta de Milans y el secretario del Rey lo interrumpe. Es un disparate, dice. Yo también lo creo, miente Armada. Pero si no queda más remedio estoy dispuesto... Fernández Campo vuelve a interrumpirlo, le repite que lo que dice es un disparate. ¿Cómo se te ocurre que los diputados van a votarte a punta de metralleta?, pregunta. ¿Cómo se te ocurre que el Rey va a aceptar un presidente del gobierno elegido por la fuerza? No hay otra solución, contesta Armada. Además, nadie me elegirá por la fuerza. Tejero obedece a Milans, así que en cuanto yo llegue al Congreso le cuento la idea de Milans y él aparta a sus hombres y me deja hablar con los líderes de los partidos y hacerles la propuesta; pueden aceptarla o no, nadie los obligará a nada, pero te aseguro que la aceptarán, Sabino, incluidos los socialistas: he hablado con ellos. Todo es perfectamente constitucional; y aunque no lo fuera: ahora lo importante es sacar a los diputados de allí y solucionar la emergencia; luego ya habrá tiempo de entrar en sutilezas jurídicas. Lo que seguro que no es constitucional es lo que está pasando ahora en el Congreso. Fernández Campo deja hablar a Armada, y cuando Armada termina de hablar le dice que todo lo que dice es una locura; Armada insiste en que no es una locura, y Fernández Campo zanja la discusión negándole el permiso para acudir al Congreso en nombre del Rey.

Unos minutos más tarde la discusión se repite. Entretanto han llegado al Cuartel General del ejército noticias de que Tejero desea o acepta hablar con Armada, y en la Zarzuela surgen voces partidarias de permitir la gestión del antiguo secretario real –si fracasa, habrá fracasado él; si triunfa, al menos pasará el peligro de un baño de sangre–, pero lo que hace que Armada vuelva a hablar con la Zarzuela es el regreso al palacio de Buenavista del general Gabeiras, jefe del Estado Mayor del ejército. Armada le expone a su superior inmediato el plan de Milans; convencido de que se trata de un buen plan y de que nada se pierde con que Armada intente llevarlo a cabo, esperando ser más persuasivo que su subordinado Gabeiras llama de nuevo a la Zarzuela. Habla con el Rey y con Fernández Campo, y a los dos les reitera las razones de Armada, pero los dos vuelven a rechazarlas; luego Armada se pone al teléfono y habla con Fernández Campo, que le dice otra vez que lo que propone es un disparate, y después con el Rey, que por toda respuesta se limita a preguntarle si se ha vuelto loco. La disputa se prolonga, van y vienen las llamadas desde el Cuartel General a la Zarzuela y Armada insiste y Gabeiras insiste y tal vez las voces de la Zarzuela insisten y sin duda insisten Milans y los capitanes generales y los generales que apoyan a Armada y Gabeiras en el palacio de Buenavista, y por fin, casi al mismo tiempo que llega a la Zarzuela el equipo móvil de televisión que debe grabar el mensaje real, el Rey y Fernández Campo acaban cediendo. Es una locura, le repite Fernández Campo a Armada por enésima vez. Pero no puedo impedirte que vayas al Congreso; si quieres hacerlo, hazlo. Tiene que quedar claro que vas por tu cuenta, eso sí, y sólo para liberar al gobierno y a los diputados: no invoques al Rey, propongas lo que propongas es cosa tuya y no del Rey, el Rey no tiene nada que ver con esto. ¿Está claro?

Eso es todo lo que Armada necesita, y cuando faltan veinte minutos para la medianoche, con la única compañía de su ayudante, el comandante Bonell, el general sale del palacio de Buenavista en dirección al Congreso. Varios generales, incluido Gabeiras, se han ofrecido a acompañarlo, pero Armada ha exigido ir solo: su doble juego no admite testigos; ha recibido de Gabeiras permiso para ofrecerle a Tejero, a cambio de la libertad de los diputados, un avión con que salir del país hacia Portugal y dinero con que financiar un exilio transitorio; ha hecho la pantomima de pedirle a Milans que le pida a Tejero una contraseña que le franquee la entrada al Congreso (y Milans le ha dado de parte de Tejero la misma contraseña que Armada probablemente le dio a Tejero dos días atrás: «Duque de Ahumada»); ha hecho la pantomima de despedirse de los generales del Cuartel General blandiendo un ejemplar de la Constitución (y los generales lo han despedido a su vez con la certeza o la esperanza de que regresará convertido en presidente del gobierno). El Cuartel General se halla sólo a unos cientos de metros de la Carrera de San Jerónimo, así que apenas unos minutos después de salir de él en coche oficial Armada llega a las proximidades del Congreso, entra en el hotel Palace y habla con el grupo de militares y civiles que gestionan el cerco a Tejero, entre ellos los generales Aramburu Topete y Sáenz de Santamaría y el gobernador civil de Madrid, Mariano Nicolás: Armada ofrece confusas explicaciones sobre su embajada, pero aclara que está allí a título individual, no institucional; por lo demás, las noticias que trae son tan alarmantes –según él, cuatro capitanes generales respaldan a Milans– y la confianza de sus interlocutores en su prestigio es tan grande que todos le urgen a que entre a negociar cuanto antes con Tejero, quien reclama su presencia desde hace tiempo. Así lo hace, y a las doce y media de la noche, mientras la noticia de que se dispone a pactar con los golpistas el final del secuestro se difunde entre los militares, periodistas y curiosos que pululan por el hotel Palace y sus inmediaciones, Armada llega a la verja del Congreso con la única compañía del comandante Bonell.

Lo que ocurre a continuación es uno de los episodios centrales del 23 de febrero; también uno de los más problemáticos y debatidos. A la entrada del Congreso el general Armada da la contraseña a los guardias civiles que la custodian: «Duque de Ahumada». Es una cautela superflua, porque durante toda la tarde y la noche numerosos militares y civiles han entrado y salido del Congreso con casi total libertad, pero los guardias avisan al capitán Abad y éste avisa al teniente coronel Tejero, que acude de inmediato y se cuadra ante el general, sin duda aliviado por la llegada de la autoridad militar esperada y el líder político del golpe. Luego, seguidos por el capitán Abad y por el comandante Bonell, los dos hombres caminan hacia la puerta del edificio viejo del Congreso, la que da entrada al hemiciclo donde aguardan los diputados. Según Tejero, Armada se disculpa por el retraso, afirma que ha habido ciertos problemas que por fortuna ya se han resuelto y que, tal y como le explicó el sábado por la noche, en aquel punto concluye su misión: ahora él se encargará de negociar con los líderes parlamentarios y de conseguir que le propongan como presidente de un gobierno de unidad. Tejero pregunta entonces qué ministerio ocupará en ese gobierno el general Milans, y acto seguido Armada comete el mayor error de su vida; en vez de mentir, en vez de eludir la pregunta, dejándose llevar por su arrogancia natural y su instinto de mando contesta: Ninguno. Milans será el presidente de la Junta de Jefes de Estado Mayor. En ese momento, a punto ya de franquear la entrada del edificio viejo, Tejero se detiene y sujeta a Armada por el antebrazo. Un momento, mi general, dice el teniente coronel. Esto tenemos que hablarlo. Durante los dos o tres minutos siguientes Armada y Tejero permanecen en el patio que separa el edificio nuevo y el edificio viejo del Congreso, hablando, la mano de Tejero siempre fija en el antebrazo de Armada, observados a pocos metros por el comandante Bonell y el capitán Abad, que no entienden lo que está ocurriendo. Bonell y Abad tampoco entienden que, pasados los dos o tres minutos, Armada y Tejero no entren en el edificio viejo, como se disponían a hacer, sino que crucen el patio y entren en el edificio nuevo y en seguida aparezcan tras los grandes ventanales de un despacho de la primera planta. A continuación los dos hombres pasan casi una hora encerrados allí, discutiendo, pero Bonell y Abad (y los oficiales y guardias civiles que contemplan junto a ellos la escena desde el patio) sólo pueden intentar deducir sus palabras de sus gestos, como si estuvieran asistiendo a una película muda: nadie distingue claramente la expresión de sus caras pero todos los ven hablar, primero con naturalidad y más tarde con énfasis, todos los ven acalorarse y manotear, todos los ven pasear arriba y abajo, en determinado momento algunos creen ver a Armada sacando de su guerrera unas gafas de leer y más tarde otros creen verle descolgando un teléfono y hablando por él durante unos minutos antes de entregárselo a Tejero, que habla también por el aparato y luego se lo devuelve a Armada, por lo menos un guardia civil recuerda que hacia el final vio a los dos hombres inmóviles, de pie y en silencio, apenas separados por unos metros, mirando a través de las ventanas como si de repente hubieran advertido que estaban siendo observados aunque en realidad con la mirada vuelta hacia dentro, sin ver nada excepto su propia furia y su propia perplejidad, como dos peces boqueando en el interior de una pecera sin agua. Así que ni el comandante Bonell ni el capitán Abad ni ninguno de los oficiales y guardias civiles que asistieron desde el patio del Congreso a la discusión entre Armada y Tejero pudieron captar ni deducir una sola de las palabras que se cruzaron en ella, pero todos supieron que la negociación había fracasado mucho antes de que los dos hombres reaparecieran en el patio y se separaran sin saludarse militarmente, sin mirarse siquiera, y sobre todo mucho antes de que le oyeran pronunciar a Armada, mientras pasaba a su lado en dirección a la Carrera de San Jerónimo y al hotel Palace, una frase que todos los que la escucharon tardarían en olvidar: «Este hombre está completamente loco».

No lo estaba. Es posible reconstruir con bastante exactitud lo ocurrido entre Armada y Tejero en el edificio nuevo del Congreso, porque contamos con los testimonios directos y contrapuestos de ambos protagonistas; también contamos con numerosos testimonios indirectos. Tal y como yo lo reconstruyo o lo imagino, lo que ocurrió es lo siguiente:

Apenas se quedan los dos hombres a solas en el despacho, Armada vuelve a explicarle al teniente coronel lo que ya le ha explicado en el patio: su misión ha concluido y ahora debe permitirle entrar a parlamentar con los diputados para ofrecerles su libertad a cambio de la formación de un gobierno de unidad bajo su presidencia; añade que, dado que las cosas no han salido exactamente como habían previsto y la violencia y el estrépito del asalto al Congreso han provocado una reacción negativa en la Zarzuela, lo más conveniente es que en cuanto los diputados acepten sus condiciones el teniente coronel y sus hombres salgan hacia Portugal en un avión que ya les está esperando en el aeródromo de Getafe, con dinero suficiente para pasar una temporada en el extranjero hasta que las cosas se calmen un poco y puedan regresar a España. El teniente coronel escucha con cuidado; de momento pasa por alto la oferta de dinero y exilio, pero no la mención del gobierno de unidad. En las reuniones previas al golpe se le ha explicado que el resultado del golpe será un gobierno de unidad, pero, fiel a su utopía del país como cuartel, él siempre ha dado por hecho que ese gobierno sería un gobierno de militares. Le pregunta a Armada qué entiende por un gobierno de unidad; Armada se lo explica: un gobierno integrado por personalidades independientes –por militares, empresarios, periodistas–, pero sobre todo por miembros de todos los partidos políticos. Perplejo, Tejero pregunta qué políticos integrarían ese gobierno; Armada husmea el peligro, divaga, trata de no contestar, pero termina revelando que su gobierno no sólo incluirá a políticos de derecha y de centro, sino también a socialistas y comunistas. Hay quien asegura incluso que Armada lleva escrita una lista de gobierno a fin de poder negociarla con los líderes de los partidos políticos y que, arrinconado por Tejero, accede a leérsela.* Sea como sea, en este punto el teniente coronel estalla: él no ha asaltado el Congreso para entregarles el gobierno a socialistas y comunistas, él no

* La existencia de esa lista no es segura. La dieron a conocer diez años después del golpe los periodistas Joaquín Prieto y José Luis Barbería. La fuente de Prieto y Barbería es Carmen Echave, una militante de UCD que trabajaba en el equipo de uno de los vicepresidentes del Congreso y que, por su condición de médico, aquella noche gozó de libertad de movimientos para atender las urgencias de los diputados; gracias a ello, Echave oyó al parecer recitar la lista de Armada a uno de los oficiales de Tejero. Existiera o no, se la leyera o no Armada a Tejero, la lista es sólidamente plausible: conviven en ella líderes políticos y periodistas próximos a Armada, como Manuel Fraga y Luis María Anson, militares con ciertas credenciales democráticas, como los generales Manuel Saavedra Palmeiro y José Antonio Sáenz de Santamaría, dirigentes empresariales que habían abogado en público por un gobierno de unidad, como Carlos Ferrer Salat, y numerosos políticos de derecha, de centro y de izquierda que también lo habían hecho o con los que Armada había mantenido contactos en los meses previos al golpe o a quienes con razón o sin ella Armada consideraba proclives a aceptar una solución como la que él encarnaba, o simplemente a quienes le hubiese convenido que la aceptasen. Aunque hay quien afirma haber tenido noticias de posibles gobiernos de Armada con anterioridad al 23 de febrero, antes del golpe la mayoría de las personas que figuran en esa lista la desconocían por completo. La lista es la siguiente: Presidente: Alfonso Armada. Vicepresidente para asuntos políticos: Felipe González (secretario general del PSOE). Vicepresidente para asuntos económicos: José María López de Letona (ex gobernador del Banco de España). Ministro de Asuntos Exteriores: José María de Areilza (diputado de Coalición Democrática). Ministro de Defensa: Manuel Fraga (presidente de Alianza Popular y diputado de Coalición Democrática). Ministro de Justicia: Gregorio Peces Barba (diputado del PSOE). Ministro de Hacienda: Pío Cabanillas (diputado de UCD). Ministro del Interior: general Manuel Saavedra Palmeiro. Ministro de Obras Públicas: José Luis Alvarez (ministro de Transportes y Comunicaciones y diputado de UCD). Ministro de Educación y Ciencia: Miguel Herrero de Miñón (diputado y portavoz del grupo parlamentario de UCD). Ministro de Trabajo: Jordi Solé Tura (diputado del PCE). Ministro de Industria: Agustín Rodríguez Sahagún (ministro de Defensa y diputado de UCD). Ministro de Comercio: Carlos Ferrer Salat (presidente de la CEOE, patronal de los empresarios). Ministro de Economía: Ramón Tamames (diputado del PCE). Ministro de Transportes y Comunicaciones: Javier Solana (diputado del PSOE). Ministro de Autonomías y Regiones: general José Antonio Sáenz de Santamaría. Ministro de Sanidad: Enrique Múgica Herzog (diputado del PSOE). Ministro de Información: Luis María Anson (presidente de la agencia EFE de noticias).

ha dado un golpe de estado para que gobierne España la Antiespaña, él no piensa coger un avión y marcharse como un fugitivo mientras se organiza a su costa ese enjuague ignominioso, él sólo acepta una junta militar presidida por el general Milans. Enfrentado a aquel amago de rebelión en el interior de la rebelión, Armada intenta que el teniente coronel se avenga a razones: una junta militar es una quimera y un error, el gobierno de unidad es el mejor desenlace del golpe y además el único posible, Milans está de acuerdo y no aceptará otra cosa, el Rey no aceptará otra cosa, el ejército no aceptará otra cosa, el país no aceptará otra cosa; las circunstancias son las que son, y Tejero debe entender que es mil veces preferible el triunfo de un golpe blando que el fracaso de un golpe duro, porque, aunque las formas sean distintas, los objetivos del golpe duro son los mismos que los del golpe blando; también debe entender que el golpe duro no cuenta con ningún apoyo ni tiene la más mínima posibilidad de triunfar y que, para él y para sus hombres, es mil veces preferible una pequeña temporada en el extranjero como exiliados de lujo que una larga temporada en prisión como delincuentes de la democracia. Tejero contesta que no quiere ni oír hablar de exilios, de gobiernos de unidad y de golpes blandos. Insiste: Yo no he llegado hasta aquí para eso. Entonces (entonces o un poco antes, o un poco después: imposible situarlo con precisión) Armada también estalla, y los dos hombres intercambian gritos, reproches y acusaciones, hasta que Armada apela al recurso último de la disciplina y Tejero replica: Yo sólo obedezco órdenes del general Milans. Es en ese momento cuando Armada recurre a Milans. Por el teléfono del despacho, intervenido desde hace horas por la policía como todos los demás teléfonos del Congreso, Armada habla con Milans, le explica lo que ocurre, le pide que convenza a Tejero de la bondad de su plan y entrega el auricular al teniente coronel. Milans le repite a Tejero los argumentos de Armada: la única solución es un gobierno de unidad para todos y un exilio temporal para el teniente coronel y sus hombres; Tejero le repite a Milans sus propios argumentos: el exilio es una salida indigna, un gobierno de socialistas y comunistas no es ninguna solución, no acepta más solución que una junta militar presidida por él, mi general. ¿Quién ha hablado de una junta militar?, replica Milans. Yo no soy un político, y usted tampoco: aquí de lo que se trataba era de poner las cosas a disposición de Su Majestad, y de que él y Armada decidieran; ya han decidido, así que misión cumplida: obedezca a Armada y deje que él se haga cargo de todo. Se lo ordeno. Yo no puedo obedecer esa orden, mi general, contesta Tejero. Y usted lo sabe. No me pida que haga lo que no puedo hacer. La conversación entre los dos hombres se prolonga todavía por espacio de unos minutos, pero la cadena de mando del golpe ya está rota y Milans no consigue que Tejero le obedezca; fracasado Milans, Armada hace todavía un último intento, también inútil: ni siquiera la advertencia de que un grupo de operaciones especiales está preparándose para tomar al asalto el Congreso consigue vencer la terquedad del teniente coronel, que antes de que Armada se marche lo amenaza con una masacre si alguien intenta poner fin al secuestro por la fuerza.

De esa forma terminó la entrevista entre Tejero y Armada, o de esa forma imagino que terminó. El general salió del Congreso exactamente a la una y veinticinco minutos de la madrugada; cinco minutos antes la televisión había emitido el mensaje grabado por el Rey en la Zarzuela, un mensaje que hacía ya varias horas que diversos medios anunciaban y en el que el Rey había proclamado que estaba con la Constitución y con la democracia. Los dos hechos resultaron determinantes para el desenlace del golpe, pero el segundo fue considerado por la mayor parte del país como el signo seguro de que el golpe había fracasado; no era verdad: la verdad es que el fracaso de Armada en el Congreso y la emisión del mensaje televisado del Rey sólo significaban que, tal y como había sido concebido originalmente, el golpe había fracasado: el golpe ya no podía ser el golpe de Armada y de Milans, pero sí podía ser todavía el golpe de Tejero (y Armada y Milans aún podían incorporarse a él); el golpe ya no podía ser un golpe blando: tenía que ser un golpe duro; el golpe ya no podía ser con el Rey o con la coartada fraudulenta del Rey: tenía que ser un golpe contra el Rey. Esto lo volvía desde luego un golpe mucho más peligroso, porque podía partir al ejército en dos mitades enfrentadas, una leal al Rey y otra rebelde; pero en absoluto lo volvía un golpe imposible, porque no era en absoluto imposible que, en vista de que el Rey no estaba con ellos, los militares con el corazón más franquista y con más furia acumulada optaran por seguir el ejemplo de Tejero y aprovechar aquella oportunidad tal vez irrepetible para agruparse ya sin coartadas en torno al golpe que venían reclamando desde hacía años. El golpe de Armada y Milans había muerto en el despacho del edificio nuevo del Congreso no porque Tejero estuviera loco, como pensó o fingió pensar Armada, sino porque, ebrio de poder, de egolatría, de notoriedad y de idealismo, dispuesto a salir del Congreso por la puerta grande del triunfo o del fracaso (pero sólo por la puerta grande), el teniente coronel rompió una cadena de mando demasiado débil y trató de imponerles su golpe a Armada y Milans: no un golpe que desembocara en un gobierno de unidad sino un golpe que desembocara en una junta militar, no un golpe con la monarquía contra la democracia sino un golpe contra la monarquía y contra la democracia; el golpe de Armada y Milans fracasó porque en su entrevista con Armada en el Congreso Tejero se jugó el todo por el todo y prefirió el fracaso del golpe al triunfo de un golpe distinto del suyo, pero a la una y media de la madrugada todavía faltaba por saber cuántos militares aceptarían el desafío de Tejero, cuántos compartían su idea excluyente del golpe y su utopía del país como cuartel y cuántos estaban dispuestos a correr un riesgo verdadero para realizarla, lanzándose a un golpe duro que colocara al Rey ante la disyuntiva de aceptar su resultado o renunciar a la Corona.

La comparecencia del Rey en televisión y el fracaso de Armada en el Congreso no marcaron por tanto el final del golpe, sino el inicio de una fase distinta del golpe: la última. Ambos hechos se produjeron casi al mismo tiempo; esa sincronía inevitablemente disparó las conjeturas. La más tenaz fue elaborada y propagada por los golpistas de cara al juicio por el 23 de febrero y afirma que la Zarzuela retuvo el mensaje real hasta conocer el resultado de la entrevista entre Armada y Tejero y que sólo autorizó a que se emitiera por televisión cuando supo que el general había fracasado; también afirma que, si Armada no hubiese fracasado, si Tejero hubiese dejado que el general negociase con los diputados y éstos hubiesen accedido a formar con él un gobierno de unidad para dar salida al golpe, el Rey hubiese aceptado el acuerdo, su mensaje no se hubiese emitido y el golpe hubiese triunfado con su beneplácito: a fin de cuentas, con el gobierno de unidad presidido por Armada y respaldado por el Congreso el Rey conseguía lo que buscaba cuando le encargó a Armada el golpe. Se trata de una conjetura tramposa –una más de las muchas que sirvieron durante el juicio del 23 de febrero para intentar culpar al Rey e intentar exculpar a los golpistas–, porque parte de la falsedad de que el Rey ordenó el golpe y porque mezcla lo verificable con lo inverificable, pero en cierto sentido no es insensata. En lo verificable es falsa; está demostrado que el Rey no aguardó a conocer el resultado de la gestión de Armada para permitir que la televisión emitiera su mensaje: dejando de lado el unánime testimonio en contra de los directivos y técnicos de televisión, que aseguran haber puesto en pantalla el mensaje en cuanto llegó a sus manos, es un hecho que Armada salió del Congreso cinco minutos después de que se emitieran las palabras del Rey, que no pudo avisar a la Zarzuela de su fracaso desde el interior del Congreso –hubiese tenido que hacerlo en presencia de Tejero y éste hubiese sido el más interesado en airearlo durante el juicio– y que, cuando llegó al hotel Palace y supo por quienes dirigían el cerco a los asaltantes que el Rey acababa de hablar por televisión, el general mostró su sorpresa y su disgusto, en teoría porque la intervención del monarca podía dividir al ejército y provocar un conflicto armado, pero en la práctica porque no se resignaba a su fracaso (y sin duda también porque empezó a sentir que había calculado mal, que se había expuesto demasiado negociando con Tejero, que las sospechas que se cernían sobre él se volvían cada vez más densas y que, si los golpistas eran derrotados, no le iba a resultar tan sencillo como pensó en un principio esconder su auténtico papel en el golpe tras la fachada de mero negociador infructuoso de la libertad de los parlamentarios secuestrados). Hasta aquí lo verificable; luego está lo inverificable: ¿qué hubiera ocurrido si Armada hubiera podido negociar con los parlamentarios la creación de un gobierno de unidad? ¿Lo hubieran aceptado? ¿Lo hubiera aceptado el Rey? El plan de Armada puede parecer inverosímil, y tal vez lo era, pero la historia abunda en inverosimilitudes y, como recordaba aquella noche Santiago Carrillo mientras permanecía encerrado en la sala de los relojes del Congreso, no hubiese sido la primera vez que un Parlamento democrático cede al chantaje de su propio ejército y presenta esa derrota como una victoria o como una prudente salida negociada –temporal, tal vez insatisfactoria pero imperiosa– a una situación límite: Armada tuvo siempre presente que veinte años atrás, poco antes de que él se instalara en París como estudiante de la Escuela de Guerra, el general De Gaulle había llegado de una forma parecida a la presidencia de la república francesa, y sin duda pensó que el 23 de febrero podría adaptar a España el modelo De Gaulle para dar un golpe encubierto. Por lo que al Rey se refiere, cabe preguntarse si se hubiese negado a sancionar un acuerdo adoptado por los representantes de la soberanía popular, o incluso si hubiese podido hacerlo. Sea cual sea la respuesta que se elija dar a esa pregunta, una cosa me parece indudable: de haber aceptado los líderes parlamentarios las condiciones de Armada, el mensaje real no hubiese representado ningún obstáculo para que se cumpliesen, porque ni una sola de sus frases rechazaba que el gobierno presidido por Armada pudiera convertirse en el expediente de circunstancias del retorno al orden constitucional violado con el asalto al Congreso o porque el perímetro de las palabras del Rey tenía la suficiente amplitud para abarcar, si hubiese sido preciso, la solución de Armada. El mensaje era una reelaboración de un télex que a las diez y media de la noche se había remitido desde la Zarzuela a los capitanes generales y decía textualmente lo que sigue: «Al dirigirme a todos los españoles, con brevedad y concisión, en las circunstancias extraordinarias que en estos momentos estamos viviendo, pido a todos la mayor serenidad y confianza y les hago saber que he cursado a los Capitanes Generales de las Regiones Militares, Zonas Marítimas y Regiones Aéreas la orden siguiente: "Ante la situación creada por los sucesos desarrollados en el Palacio del Congreso de los Diputados y para evitar cualquier posible confusión, confirmo que he ordenado a las autoridades civiles y a la Junta de Jefes de Estado Mayor que tomen todas las medidas necesarias para mantener el orden constitucional dentro de la legalidad vigente. Cualquier medida de carácter militar que, en su caso, hubiera de tomarse, deberá contar con la aprobación de la Junta de Jefes de Estado Mayor". La Corona, símbolo de la permanencia y la unidad de la Patria, no puede tolerar en forma alguna acciones o actitudes de personas que pretendan interrumpir por la fuerza el proceso democrático que la Constitución votada por el pueblo español determinó en su día a través de referéndum». Estas palabras –pronunciadas por un monarca enfundado en su uniforme de capitán general y con el rostro transfigurado por las horas más difíciles de sus cuarenta y tres años de vida– son una palmaria declaración de lealtad constitucional, de apoyo a la democracia y de rechazo del asalto al Congreso, y así fueron interpretadas cuando el Rey las pronunció y han sido interpretadas desde entonces; la interpretación me parece correcta, pero las palabras tienen amo, y es evidente que, si Armada hubiese conseguido pactar con los líderes políticos el gobierno previsto por los golpistas y presentar como solución al golpe lo que era en realidad el triunfo del golpe, esas mismas palabras hubieran continuado significando desde luego una condena de los asaltantes del Congreso, pero hubieran podido pasar a significar un espaldarazo para quienes, como Armada y los líderes políticos que hubieran aceptado formar parte de su gobierno, habían conseguido terminar con el secuestro de los parlamentarios y restaurar así la legalidad y el orden constitucional quebrantados. En definitiva: no es que el discurso del Rey se redactase previendo o deseando que Armada saliese triunfante del Congreso; es que sus palabras constituían una condena del golpe de Tejero, no necesariamente una condena del golpe de Armada.

Nunca sabremos si, de haber salido Armada triunfante del Congreso, el Rey hubiese rechazado su triunfo negándose a sancionar un gobierno de unidad arrancado mediante chantaje, pero sabemos que el fracaso de Armada encogió el perímetro de las palabras del mensaje real hasta cerrarles a los golpistas todas las puertas de la Zarzuela y plantar al monarca públicamente y sin vuelta atrás frente al golpe de Tejero, frente al golpe de Milans, frente al golpe de Armada, frente a todos los golpes del golpe. Repito que eso no significa que a la una y veinticinco de la madrugada el golpe hubiese fracasado; había fracasado el golpe blando de Armada y Milans, pero no el golpe duro de Tejero: el teniente coronel continuaba ocupando el Congreso, Milans continuaba ocupando Valencia y una parte del ejército continuaba todavía al acecho, indiferente al mensaje del Rey o irritada o desconcertada por él, aguardando un mínimo movimiento de tropas que terminase con las dudas, reuniese la furia acumulada en los corazones franquistas y entregase la victoria a los partidarios del golpe. Y fue en ese instante cuando apareció la excusa que tantos llevaban toda la tarde esperando, el mínimo movimiento que podía presagiar la avalancha rebelde: a la una y treinta y cinco minutos de la madrugada, diez minutos después de que se hubiera consumado la derrota del antiguo secretario real, una columna mandada por un comandante de la Acorazada Brunete e integrada por catorce vehículos ligeros y más de un centenar de soldados intentaba romper el equilibrio del golpe sumándose a los varios centenares de guardias civiles que mantenían secuestrado el Congreso. Y de ese modo el golpe empezó a adentrarse en su última fase.

QUINTA PARTE

¡VIVA ITALIA!

La imagen, congelada, muestra el ala derecha del hemiciclo del Congreso en la tarde del 23 de febrero. Ha transcurrido casi un cuarto de hora desde la irrupción de los guardias civiles sublevados y el capitán Jesús Muñecas acaba de anunciar desde la tribuna de oradores la llegada del militar responsable de tomar el mando del golpe. En este preciso momento la cámara –la única cámara que sigue todavía en funcionamiento– propone un plano fijo y frontal de esa zona del hemiciclo, con la figura de Adolfo Suárez en el centro casi exacto de la imagen, monopolizando la atención del espectador como si en la sala se estuviera desarrollando un drama histórico y el presidente del gobierno interpretara el papel principal.

Nada desmiente el símil cuando la imagen se descongela; nada lo desmentirá hasta el final de la grabación. Tras el discurso del capitán Muñecas la atmósfera del hemiciclo se distiende, los diputados intercambian fuego y tabaco y miradas mortecinas y Adolfo Suárez le pide por señas un cigarrillo a un ujier y a continuación se levanta de su escaño, camina hasta el ujier, coge el cigarrillo que éste le tiende y vuelve a sentarse. Suárez es un fumador impenitente, lleva siempre tabaco encima y esta tarde no es una excepción (de hecho, ya se ha fumado varios cigarrillos desde el inicio del secuestro), así que su gesto es una forma de pulsar a los asaltantes, tanteando su grado de permisividad con los secuestrados e indagando el modo de conseguir información sobre lo que está ocurriendo. La información la encuentra en seguida. Aún no se ha fumado la mitad del cigarrillo cuando entra por la puerta derecha del hemiciclo un hombre vestido de civil; tras él aparece el teniente coronel Tejero, que hace una seña a sus hombres para que dejen que el recién llegado tome asiento junto al presidente, en la escalera lateral de acceso a los escaños. El hombre (flaco y alto y moreno, con un pañuelo blanco sobresaliendo del bolsillo de su americana os-

cura) se sienta en el lugar indicado y a continuación Suárez y él inician un diálogo que se prolonga sin apenas interrupciones durante los próximos minutos; la palabra diálogo es excesiva: Suárez se limita a escuchar las palabras del recién llegado y a intercalar de vez en cuando comentarios o preguntas, o lo que la vista interpreta como comentarios o preguntas. ¿Quién es el recién llegado? ¿Por qué se le ha permitido la entrada en el hemiciclo? ¿De qué está hablando con Suárez? El recién llegado es el comandante de caballería José Luis Goróstegui, ayudante del general Gutiérrez Mellado; verosímilmente, el asalto al Congreso le ha sorprendido en las inmediaciones del edificio o en alguna dependencia del edificio; también verosímilmente, ha hecho valer su condición de militar, de amigo o conocido del capitán Muñecas y de conocido de Tejero para que éste le permita tomar asiento junto al presidente y contarle lo que sabe. A juzgar por la atención distraída que le prestan los ministros y diputados que rodean a Suárez, las noticias de que dispone Goróstegui deben de ser escasas y de poca importancia; a juzgar por la atención sin resquicios que le presta Suárez, deben de ser abundantes y de suma importancia. Lo más probable es que sean las cuatro cosas a la vez, y lo más probable es que Tejero haya permitido que Goróstegui hable con Suárez para minarle la moral, para que comprenda que todo está bajo control en el Congreso y que el golpe ha triunfado.

Así transcurren varios minutos idénticos, al cabo de los cuales una voz como una navaja secciona el silencio poblado de toses y murmullos que parece amortajar el hemiciclo. «Doctor Petinto, por favor venga acá –dice–. Parece que este señor está un poco lesionado.» La voz pertenece a un oficial o un suboficial golpista que reclama al médico del Congreso para que atienda a Fernando Sagaseta, diputado de Unión del Pueblo Canario, sobre el cual han caído algunos cascotes arrancados del techo por el tiroteo. Todos los parlamentarios se han vuelto al mismo tiempo hacia la zona superior del hemiciclo, de donde ha partido la voz, aunque en seguida recobran su posición en el escaño; también lo hace Adolfo Suárez, que segundos después reanuda su conciliábulo con el comandante Goróstegui. En determinado momento, sin embargo, los dos hombres enmudecen y se quedan mirando fijamente la entrada izquierda del hemiciclo: allí, tras unos segundos, casi im-

perceptible en la esquina inferior derecha de la imagen, aparece el teniente coronel Tejero, primero de espaldas y luego girando en redondo para abarcar con la mirada el hemiciclo, como cerciorándose de que todo está en orden; el teniente coronel desaparece y al rato vuelve a aparecer y a desaparecer de nuevo, y su ir y venir es el trasunto de otro ir y venir que anima la imagen: un diputado –Donato Fuejo, médico y socialista– se dirige al escaño de Fernando Sagaseta, dos ujieres llevan vasos de agua a los taquígrafos y finalmente sacan a los taquígrafos del hemiciclo, un periodista con la acreditación visible en su jersey sube por una escalera lateral seguido por un guardia civil. Este trasiego de gente no ha interrumpido las cábalas y comentarios de Adolfo Suárez y el comandante Goróstegui y, justo después de que entre en el hemiciclo y se siente detrás de Goróstegui Antonio Jiménez Blanco (miembro de UCD y presidente del Consejo de Estado, que ha oído la noticia del asalto por la radio y ha conseguido que los asaltantes le autoricen a entrar en el Congreso para compartir la suerte de sus compañeros), Suárez se levanta de su escaño y dice dirigiéndose a los dos guardias civiles que custodian la entrada del hemiciclo: «Quiero hablar con quien manda la fuerza»; luego baja las escaleras y da unos pasos hacia los guardias. Lo que sucede a continuación no lo registra la cámara, porque, aunque ignora que ésta continúa grabando, un guardia civil acaba de golpear accidentalmente su visor y la ha obligado a ofrecer un confuso primer plano de la tribuna de prensa; el sonido del hemiciclo, en cambio, sigue percibiéndose con claridad. Se oye la voz de Suárez, ininteligible, en medio de un rumor de algarada; se oyen ásperas voces militares tratando de imponer silencio (una dice: «¡Tranquilos, señores!»; otra dice: «Al próximo movimiento de manos se mueve esto, ¿eh?»; otra dice: «Las manitas tranquilas. Eso cuando estén solos. Aquí se ha acabado»); más áspera, más potente y más despectiva que las demás, una voz acaba imponiéndose («¡Señor Suárez, permanezca en su escaño!») y es entonces cuando el presidente consigue hacerse oír entre el guirigay («Yo tengo la facultad como presidente del gobierno...»), hasta que su voz se ahoga en un chaparrón de gritos, insultos y amenazas que parece apaciguar la sala y devolverla al simulacro de normalidad en que vive desde hace media hora. A partir de ese momento vuelve a reinar en el hemiciclo el si-

lencio mortuorio de antes, mientras la cámara, abandonada, sigue ofreciendo un plano estático de la tribuna de prensa; por él, en los minutos que siguen, cruza en claroscuro una anarquía de fragmentos inconexos: la cara fugaz de una mujer con gafas, chaquetas con acreditaciones ilegibles de periodistas, manos crispadas que desahogan su nerviosismo o su miedo haciendo girar bolígrafos baratos o sosteniendo cigarrillos temblones, un mazo de papeles con membrete del Congreso tirado en una escalera, la barandilla de hierro forjado de la escalera, corbatas con dibujos romboidales y camisas blancas y puños blancos y vestidos color violeta y faldas plisadas y jerséis y pantalones grises y manos que aferran carpetas reventonas de papeles y carteras de ejecutivos. Y al final, casi treinta y cinco minutos después de iniciada, la grabación se cierra con un torbellino de nieve.

1

Así es como acaba la grabación: en un perfecto desorden sin sentido, igual que si el documento esencial sobre el 23 de febrero no fuera el fruto azaroso de una cámara que permanece inadvertidamente conectada durante los primeros minutos del secuestro, sino el resultado de la inteligencia compositiva de un realizador que decide concluir su obra con una metáfora plausible del golpe de estado; también, con una vindicación de Adolfo Suárez como presidente del gobierno. Suárez no fue un buen presidente del gobierno durante sus dos últimos años en el poder, cuando la democracia parecía empezar a estabilizarse en España, pero quizá era el mejor presidente con que afrontar un golpe de estado, porque ningún político español del momento sabía manejarse mejor que él en circunstancias extremas ni poseía su sentido dramático, su fe de converso en el valor de la democracia, su concepto mitificado de la dignidad de un presidente del gobierno, su conocimiento del ejército y su valentía para oponerse a los militares rebeldes. «Es preciso dejar muy claro que en España no existe un poder civil y un poder militar –escribió Suárez en junio de 1982, en un artículo donde protestaba por la benevolencia de las condenas impuestas a los procesados por el 23 de febrero–. El poder es sólo civil.» Ésa fue una de sus obsesiones durante sus cinco años al frente del gobierno: él era el presidente del país y la única obligación de los militares consistía en obedecer sus órdenes. Hasta el último instante de su mandato consiguió que las obedecieran, hasta el último instante de su mandato creyó haber sometido a los militares, pero justo en el último instante de su mandato el 23 de febrero desbarató esa creencia; quizá le faltó mano izquierda para someterlos, o quizá era imposible someterlos. En todo caso, Suárez no ignoraba cómo usar su mano izquierda, pero no siempre consideraba que debiera usarla con los militares, y desde el mismo día en que se convirtió en presidente y sobre todo a medida que fue afianzándose en el cargo tendió a recordarles sin más sus obligaciones con órdenes o desplantes: por eso le gustaba bajarles los humos a los generales haciéndoles esperar a la puerta de su despacho y no vacilaba en encararse con cualquier militar que pusiera en entredicho su autoridad o le faltara al respeto (o le amenazara: en septiembre de 1976, durante una violentísima discusión en el despacho de Suárez, que acababa de aceptar o de exigir su dimisión como vicepresidente del gobierno, el general De Santiago le dijo: «Te recuerdo, presidente, que en este país ha habido más de un golpe de estado». «Y yo te recuerdo, general –le contestó Suárez–, que en este país sigue existiendo la pena de muerte»); por eso tuvo el valor de tomar decisiones vitales como la legalización del partido comunista sin contar con la aprobación del ejército y contra su parecer casi unánime; y por eso el anecdotario del 23 de febrero rebosa de ejemplos de su tajante negativa a dejarse amedrentar por los rebeldes o a ceder un solo centímetro de su poder de presidente del gobierno. Algunos de tales ejemplos son invenciones de la hagiografía de Suárez; dos de ellos son sin duda ciertos. El primero ocurrió durante la madrugada del día 23, en el pequeño despacho cercano al hemiciclo donde Suárez fue recluido a solas tras su intento de parlamentar con los golpistas. Según el testimonio de los guardias civiles que lo custodiaban, en determinado momento irrumpió en el despacho el teniente coronel Tejero y sin mediar palabra sacó de su funda su pistola y le puso el cañón en el pecho; la respuesta de Suárez consistió en levantarse de su asiento y en formular por dos veces en la cara del oficial rebelde la misma orden taxativa: «¡Cuádrese!». La segunda anécdota ocurrió en la tarde del día 24, una vez fracasado el golpe, durante una reunión de la Junta de Defensa Nacional en la Zarzuela, bajo la presidencia del Rey; fue entonces cuando Suárez comprendió que Armada había sido el principal cabecilla del golpe y, tras escuchar las pruebas que inculpaban al antiguo secretario del Rey, entre ellas la grabación de las conversaciones telefónicas de los ocupantes del Congreso, el presidente ordenó al general Gabeiras que lo arrestara en el acto. Gabeiras pareció dudar –era el superior inmediato de Armada en el Cuartel General del ejército, apenas se había separado de él en toda la noche y la medida debió de parecerle prematura y desproporcionada–; luego el general miró al Rey buscando una ratificación o un desmentido a la orden de Suárez, quien, porque sabía muy bien quién era el auténtico jefe del ejército, fulminó al general con dos frases furiosas: «No mire al Rey. Míreme a mí».

Eso era en el fondo Adolfo Suárez o eso le gustaba imaginar que era: un gallito de provincias encaramado en el gobierno e imbuido por completo de su papel de presidente. Así intentó comportarse durante los casi cinco años en que estuvo en el poder y así se comportó durante el 23 de febrero. Su gesto de levantarse de su escaño e intentar parlamentar con los golpistas no es en el fondo distinto de su gesto de enfrentarse a Tejero o a Gabeiras: los tres son intentos de afirmarse como presidente del gobierno; tampoco es en el fondo distinto de su gesto de permanecer en su escaño mientras a su alrededor zumbaban las balas en el hemiciclo: éste es un gesto de coraje y de gracia y de rebeldía, un gesto histriónico y un gesto libérrimo y un gesto póstumo, el gesto de un hombre acabado que concibe la política como aventura y que intenta agónicamente legitimarse y que por un instante parece encarnar la democracia con plenitud, pero también es un gesto de autoridad. Es decir: un gesto de violencia. Es decir: el gesto de un político puro.

2

¿Qué es un político puro? ¿Es lo mismo un político puro que un gran político, o que un político excepcional? ¿Es lo mismo un político excepcional que un hombre excepcional, o que un hombre éticamente irreprochable, o que un hombre simplemente decente? Es muy probable que Adolfo Suárez fuera un hombre decente, pero no fue un hombre éticamente irreprochable, ni tampoco un hombre excepcional, o no al menos lo que suele considerarse un hombre excepcional; fue sin embargo, hechas las sumas y las restas, el político español más contundente y resolutivo del siglo pasado.

Hacia 1927 Ortega y Gasset intentó describir al político excepcional y acabó tal vez describiendo al político puro. Éste, para Ortega, no es un hombre éticamente irreprochable, ni tiene por qué serlo (Ortega considera insuficiente o mezquino juzgar éticamente al político: hay que juzgarlo políticamente); en su naturaleza conviven algunas cualidades que en abstracto suelen considerarse virtudes con otras que en abstracto suelen considerarse defectos, pero aquéllas no le son menos consustanciales que éstos. Enumero algunas virtudes: la inteligencia natural, el coraje, la serenidad, la garra, la astucia, la resistencia, la sanidad de los instintos, la capacidad de conciliar lo inconciliable. Enumero algunos defectos: la impulsividad, la inquietud constante, la falta de escrúpulos, el talento para el engaño, la vulgaridad o ausencia de refinamiento en sus ideas y sus gustos; también, la ausencia de vida interior o de personalidad definida, lo que lo convierte en un histrión camaleónico y un ser transparente cuyo secreto más recóndito consiste en que carece de secreto. El político puro es lo contrario de un ideólogo, pero no es sólo un hombre de acción; tampoco es exactamente lo contrario de un intelectual: posee el entusiasmo del intelectual por el conocimiento, pero lo ha invertido por entero en detectar lo muerto en aquello que parece vivir y en afinar el ingrediente esencial y la primera virtud de su oficio: la intuición histórica. Así es como la llamaba Ortega; Isaiah Berlin la hubiera llamado de otra forma: la hubiera llamado sentido de la realidad, un don transitorio que no se aprende en las universidades ni en los libros y que supone una cierta familiaridad con los hechos relevantes que permite a ciertos políticos y en ciertos momentos saber «qué encaja con qué, qué puede hacerse en determinadas circunstancias y qué no, qué métodos van a ser útiles en qué situaciones y en qué medida, sin que eso quiera necesariamente decir que sean capaces de explicar cómo lo saben ni incluso qué saben». El vademécum orteguiano del político puro no es inatacable; no lo he resumido aquí porque lo sea, sino porque propone un retrato exacto del futuro Adolfo Suárez. Es verdad que entre las cualidades del político puro Ortega apenas menciona de pasada la que con más insistencia se reprochó a Suárez en su día: la ambición; pero eso es así porque Ortega sabe que para un político, como para un artista o para un científico, la ambición no es una cualidad –una virtud o un defecto–, sino una simple premisa.

Suárez cumplía holgadamente con ella. El rasgo que mejor lo definió hasta que llegó al poder fue un hambre desaforada de poder: igual que uno de esos jóvenes salvajes de novela decimonónica que salen de la provincia para conquistar la capital –igual que el Julien Sorel de Stendhal, igual que el Lucien Rubempré de Balzac, igual que el Frédéric Moreau de Flaubert–, Suárez fue una ambición en carne viva y nunca se avergonzó de serlo, porque nunca aceptó que hubiera nada censurable en desear el poder; al contrario: pensaba que sin poder no había política y que sin política no había para él la menor posibilidad de plenitud vital. Fue un político puro porque nunca pensó que iba a ser otra cosa, porque nunca soñó que iba a ser otra cosa, porque era un asceta del poder dispuesto a sacrificarlo todo por conseguirlo y porque hubiese pactado sin dudarlo con el diablo a cambio de llegar a ser lo que llegó a ser. «¿Qué es para usted el poder?», le preguntó un periodista de *Paris Match* días después de ser nombrado presidente del gobierno, y Suárez sólo acertó a responder con su sonrisa deslumbrante de ganador y con unas palabras que no explicaban nada y lo explicaban todo: «¿El poder? Me encanta». Esta jubilosa desenvoltura lo dotó durante sus mejores años de una superioridad imbatible sobre sus adversarios, que veían en sus ojos una codicia insaciable y sin embargo eran incapaces de resistirse a ella y continuaban alimentándola a sus expensas. El poder político se convirtió en su instrumento de medro personal, pero sólo porque antes había sido una pasión exenta, voraz, y si tenía una visión idealizada hasta el mito de la dignidad de un presidente del gobierno era porque un presidente del gobierno constituía para él la máxima expresión del poder y porque durante toda su vida no había deseado otra cosa que ser presidente del gobierno.

Es cierto: fue un pícaro sin formación, fue un falangistilla de provincias, fue un arribista del franquismo, fue el chico de los recados del Rey; sus detractores tenían razón, sólo que su biografía demuestra que esa razón no es toda la razón. Poseía un talento de actor para el engaño, pero la primera vez que vio a Santiago Carrillo no le engañó: pertenecía a una familia de derrotados republicanos, varios de los cuales habían conocido durante la guerra las cárceles de Franco; nadie en su casa le inculcó, sin embargo, la menor convicción política, ni es fácil que nadie le hablara de la guerra excepto como de una catástrofe natural; sí es fácil en cambio que aprendiera desde niño a odiar la derrota del mismo modo que se odia una pestilencia familiar. Nació en 1932 en Cebreros, un pueblo vinícola de la provincia de Ávila. Su madre era hija de pequeños empresarios y también una mujer fuerte, devota y voluntariosa; su padre era hijo del secretario del juzgado y también un gallito simpático, presumido, trapacero, mujeriego y jugador. Aunque nunca acabó de llevarse bien con su padre –o tal vez por eso–, puede que en el fondo fuera igual que su padre, salvo por el hecho de que en su caso el ejercicio de esas inclinaciones y rasgos de carácter estaba del todo subordinado a la satisfacción de su único apetito verdadero. Fue un estudiante pésimo, que penó de colegio en colegio y que no pisó la universidad más que para examinarse de asignaturas que a menudo memorizaba sin entender; carecía del hábito sedentario de la lectura, y hasta el final de sus días le persiguió una leyenda, sólo al principio fomentada por él mismo, según la cual jamás había reunido paciencia suficiente para leer un libro desde la primera página hasta la última. Le interesaban otras cosas: las chicas, el baile, el fútbol, el tenis, el cine y las cartas. Era un vitalista hiperactivo y compulsivamente sociable, un líder de pandilla de barrio con una simpatía espontánea y un éxito indisputado entre las mujeres, pero cambiaba sin dificultad la euforia por el abatimiento y, aunque probablemente nunca visitó un psiquiatra, algunos amigos íntimos siempre lo consideraron carne de psiquiatra. El lenitivo contra sus fragilidades psicológicas fue una maciza religiosidad que lo arrojó en los brazos de Acción Católica y encauzó su vocación de protagonismo permitiéndole fundar y presidir desde la adolescencia asociaciones piadosas con inocuas pretensiones políticas. A finales de los años cuarenta o principios de los cincuenta, en una ciudad como Ávila, amurallada por la gazmoñería provinciana del nacionalcatolicismo, Adolfo Suárez encarnaba a la perfección el ideal juvenil de la dictadura: un muchacho de orden, católico, guapo, jovial, deportista, audaz y emprendedor, cuyas ambiciones políticas se hallaban cosidas a sus ambiciones sociales y económicas y cuya mentalidad de obediencia y sacristía ni siquiera imaginaba que nadie pudiera cuestionar los fundamentos y mecanismos del régimen, sino sólo servirse de ellos.

Todo parecía augurarle un futuro radiante, pero de un día para otro todo pareció derrumbarse. A principios de 1955, cuando acababa de cumplir veintitrés años, de terminar a trancas y barrancas la carrera de derecho y de conseguir su primer trabajo remunerado en la Beneficencia de Ávila, su padre escapó de la ciudad envuelto en un escándalo de negocios, abandonando a la familia. Suárez padeció esta deserción como un cataclismo: además del desgarro afectivo, la huida del padre suponía el oprobio social y la penuria económica para una familia numerosa cuyas estrecheces de dinero no se correspondían con su buena posición en la ciudad; es probable que, presa de la hipocondría e incapaz de hacer frente con su sueldo de aprendiz a las necesidades de su madre y de sus cuatro hermanos menores, Suárez meditara con alguna seriedad la escapatoria de ingresar en el seminario. Un golpe de suerte lo libró de sus tribulaciones. En el mes de agosto Suárez conoció a Fernando Herrero Tejedor, un joven fiscal falangista y militante del Opus Dei que acababa de ser nombrado gobernador civil y jefe provincial del Movimiento en Ávila y que, gracias a la recomendación de uno de sus profesores particulares, le dio trabajo en el gobierno civil, lo que le permitió completar su sueldo en la Beneficencia, ingresar en la estructura del partido único y cultivar la amistad de un personaje poderoso y bien relacionado que con los años se convertiría en su mentor político. La alegría, sin embargo, duró poco tiempo: en 1956 Herrero Tejedor fue destinado a Logroño, Suárez perdió su empleo y al año siguiente, sin dinero y sin esperanza de prosperidad en la provincia, decidió probar fortuna en Madrid. Allí se reencontró con su padre, allí montó con él un despacho de procurador de los tribunales (un oficio que su padre ya había desempeñado de forma irregular en Ávila), allí consiguió reunir de nuevo bajo el mismo techo a su padre, su madre y alguno de sus hermanos, en un piso de la calle Hermanos Miralles. Pero al cabo de sólo unos meses las cosas volvieron a torcerse: su padre volvió a meter a la familia en enredos de dinero y Suárez rompió con él, abandonó el despacho y se fue a vivir por su cuenta a una pensión. Tal vez que en esa época tocara fondo, aunque poco sabemos de ella a ciencia cierta: se dice que apenas tenía conocidos en Madrid, que veía ocasionalmente a su madre y que se ganaba la vida con trabajos esporádicos, acarreando maletas en la estación de Príncipe Pío o vendiendo electrodomésticos puerta a puerta; se dice que pasó apuros, que pasó hambre, que callejeaba mucho. Algunos apologistas de Suárez recurren a los aprietos reales de esos días para pintar a un *self-made man* que conoció la miseria y que ignoró los privilegios en que crecieron los políticos del franquismo; la pintura no es falsa, siempre que no se olvide que el episodio fue brevísimo y que, mientras duró, Suárez sólo fue un señorito de provincias en horas bajas, desterrado en la capital a la espera de una oportunidad digna de su ambición. Quien se la proporcionó fue de nuevo Herrero Tejedor, que desempeñaba por entonces el cargo de delegado nacional de provincias en la Secretaría General del Movimiento y que, en cuanto el padre de un amigo de Suárez le contó su situación y le pidió trabajo para él, se apresuró a nombrarlo su secretario personal. Esto ocurrió en el otoño de 1958. A partir de esa fecha, y hasta la muerte de Herrero Tejedor en 1975, Suárez apenas se separó de su tutela; a partir de esa fecha, y hasta que él mismo acabó destruyéndolo, Suárez apenas se separó un momento del poder franquista, porque ése fue el inicio modestísimo de su escalada peldaño a peldaño en la jerarquía del Movimiento. Antes de que la iniciara, sin embargo, había ocurrido otra cosa, y es que Suárez había conocido en Ávila a Amparo Illana, una joven guapa, rica y con clase de la que se enamoró inmediatamente y con la que aún tardaría cuatro años en contraer matrimonio; por entonces estaba a punto de marcharse a Madrid con una mano en cada bolsillo, y el primer día en que visitó la casa de su futura mujer el padre de ésta –coronel jurídico y tesorero de la Asociación de Prensa de Madrid– le interrogó sobre su forma de ganarse la vida. «Me la gano mal –contestó él, con su chulería intacta de gallito abulense–. Pero no se preocupe: antes de los treinta años seré gobernador civil; antes de los cuarenta, subsecretario; y antes de los cincuenta, ministro y presidente del gobierno.»

Puede que la anécdota anterior sea falsa –una más de las leyendas que nimban su juventud–, aunque lo cierto es que Suárez cumplió punto por punto aquel programa. En el orden cerrado y piramidal del poder franquista, donde el servilismo era una herramienta imprescindible de promoción política, hacerlo le exigió antes que nada emplear a fondo todo su arte para la simpatía y toda su capacidad de adulación. Como secretario de Herrero Tejedor su trabajo consistía en llevar la correspondencia, concertar citas y atender visitas, muchas de ellas de jerarcas del partido y gobernadores civiles de paso por Madrid, ninguno de los cuales olvidaría en el futuro al falangista apuesto, diligente y entusiasta que los saludaba levantando el brazo en un remedo del saludo fascista (¡A tus ordenes, jefe!) y los despedía con un remedo de taconazo militar (¿Me ordenas algo más?). Fue así como empezó a labrar su prestigio de cachorro falangista y a ascender posiciones en el escalafón de dos enclaves estratégicos del régimen: la Secretaría General del Movimiento y el Ministerio de Presidencia del Gobierno; y fue así como, sin abandonar la lealtad a Herrero Tejedor, comenzó a ganarse la confianza de los dos subalternos del dictador que a mediados de los años sesenta acaparaban más poder efectivo en España y representaban la posibilidad más viable de un futuro franquismo sin Franco: el almirante Luis Carrero Blanco, ministro de la Presidencia, y Laureano López Rodó, ministro comisario del Plan de Desarrollo. Para ese momento Suárez ya conocía como pocos hasta la última covachuela del poder, había desarrollado un sexto sentido con que captar el menor seísmo en la delicada tectónica que lo sostenía y se había doctorado con todos los honores en la disciplina refinadísima de circular entre las enfrentadas familias del régimen sin crearse enemigos inmanejables, consiguiendo la proeza de que todas ellas, desde los falangistas hasta los miembros del Opus Dei, lo consideraran uno de los suyos. Lejos quedaba aún la época en que el pequeño Madrid del poder se convertiría para él en la gran cloaca madrileña: ahora esa misma ciudad lo hechizaba con el brillo sobrenatural de una joya exquisita; su biógrafo menos indulgente, Gregorio Morán, ha descrito con detalle las estrategias de arribista que usó su voluntad de conquistarla. Según Morán, Suárez colmaba de atenciones a quienes necesitaba cautivar, visitaba con cualquier excusa sus casas y sus despachos, se desvelaba por ganarse a sus familiares y, manejando datos de primera mano acerca de las interioridades del poder y de las corruptelas y flaquezas de quienes lo ejercían, traía y llevaba noticias, chismorreos y rumores que lo volvían un informador valiosísimo y le abrían paso en su escalada. No reparaba en métodos, no escatimaba recursos. En 1965 fue nombrado director de Programas de Radiotelevisión Española; su jefe era Juan José Rosón, un sobrio gallego insensible a su talento y su encanto con quien mantenía relaciones no muy cordiales: procuró mejorarlas mudándose con su familia a un piso del mismo inmueble donde él residía. Hacia esa misma época decidió que su próximo destino debía ser el de gobernador civil; se trataba de un cargo muy apetecido porque en aquellos años un gobernador civil atesoraba un enorme poder en su provincia y, a fin de atraer a su causa al ministro de Gobernación, Camilo Alonso Vega –íntimo de Franco y en gran parte responsable del nombramiento de los gobernadores civiles–, durante tres veranos consecutivos alquiló un apartamento vecino al que ocupaba cada año el ministro en una urbanización de Alicante y lo sometió a un asedio sin pausa que empezaba con la misa diaria de la mañana y terminaba con la última copa de la madrugada. En 1973, cuando ya albergaba esperanzas fundadas de conseguir un ministerio, concibió la idea genial de alquilar un chalet de veraneo a sólo unos metros del palacio de La Granja, en Segovia, en cuyos jardines se celebraba cada año y durante un día entero el aniversario del inicio de la guerra civil en presencia de Franco y de los principales gerifaltes del franquismo; Suárez invitaba al chalet a unos cuantos elegidos, quienes, antes y después de la recepción eterna, del almuerzo desabrido y del espectáculo que infligía a los asistentes el ministro de Información y Turismo, gozaban del privilegio de aliviarse del calor desalmado de cada 18 de julio, de ahorrarse la tortura de recorrer los ochenta kilómetros que separaban el palacio de Madrid con los trajes de noche y los esmóquines pegados por el sudor al cuerpo, y de ser agasajados por el anfitrión, cuya simpatía y hospitalidad generaban en ellos sentimientos de gratitud perdurable.

Consiguió la amistad de Camilo Alonso Vega, y en 1968 fue nombrado gobernador civil de Segovia; consiguió la amistad de Rosón –o al menos consiguió rebajar la desconfianza que le inspiraba–, y en 1969 fue nombrado director general de Radiotelevisión Española; consiguió la amistad de muchos gerifaltes del franquismo, y en 1975 fue nombrado ministro. Era irresistible, pero estos episodios de pura picaresca no sólo constituyen una parte de su negra leyenda verdadera, sino también una demostración de que pocos políticos dominaban como él la endogamia envilecida del poder franquista y de que pocos estaban dispuestos a llegar tan lejos como él para sacarle partido. Por eso la persona que en cierto modo mejor retrató al Suárez de esta época fue Francisco Franco, que era quien mejor conocía la lógica del poder franquista porque era quien la había creado. Los dos hombres apenas coincidieron a lo largo de su vida más que en actos de carácter protocolario, en alguno de los cuales, sin embargo, el joven político se hizo notar con alguna declaración disonante; quizá debido a ello, y sin duda a las dotes de psicólogo que le habían servido para detentar la jefatura del estado durante cuarenta años, Franco creyó reconocer en Suárez el talante del traidor en ciernes, y en una ocasión, siendo Suárez jefe de Radiotelevisión Española, después de que ambos charlaran un rato en el palacio de El Pardo el dictador le comentó a su médico personal: «Este hombre es de una ambición peligrosa. No tiene escrúpulos».*

* Suárez había acudido aquel día a El Pardo para grabar el mensaje navideño de Franco; no sabemos de qué hablaron, pero sí sabemos que en alguna

Franco acertó: la ambición de Suárez acabó siendo letal para el franquismo; su falta de escrúpulos también. Ambas cosas no explican por sí solas, sin embargo, su ascenso fulgurante en los años sesenta y setenta. Suárez era un trabajador a tiempo completo, y su talento político era indudable: tenía curiosidad, escuchaba más que hablaba, aprendía rápido, resolvía los problemas por la vía más simple y más directa, renovaba sin contemplaciones los equipos de políticos que heredaba, sabía reunir voluntades contrapuestas, conciliar lo inconciliable y detectar lo muerto en lo que aún parecía vivir; además, no desaprovechaba una sola oportunidad de demostrar su valía: como si en verdad hubiese sellado un pacto con el diablo, ni siquiera desaprovechaba oportunidades que hubieran podido arruinar la carrera de cualquier otro político. El 15 de junio de 1969, siendo todavía gobernador civil de Segovia, cincuenta y ocho personas murieron sepultadas bajo los cascotes de un restaurante situado en la urbanización de Los Ángeles de San Rafael; la tragedia fue el producto de la avaricia del propietario del restaurante, pero lo normal es que hubiera salpicado políticamente a Suárez, sobre todo en un momento en que la batalla que en el interior del régimen libraban falangistas y opusdeístas estaba llegando a su punto álgido; Suárez consiguió no obstante salir reforzado de la catástrofe: durante semanas los periódicos no cesaron de elogiar la serenidad y el coraje del gobernador civil, quien según repitieron las crónicas llegó al lugar de los hechos poco después del derrumbamiento, se hizo cargo de la situación y se puso a sacar heridos

---

recepción oficial celebrada por las mismas fechas Suárez le habló a Franco –a eso me refería más arriba cuando mencionaba declaraciones disonantes– del inevitable futuro democrático que aguardaba al país tras su muerte. Para cualquiera de nosotros ese descaro sólo significa que Suárez era un franquista tan seguro de su impecable historial franquista y de su lealtad a Franco que se permitía poner en duda la continuidad del régimen sin miedo a desatar la ira de su fundador; es posible que para Franco significase lo mismo, pero que precisamente por ello lo considerara un comentario más insidioso, y que no lo echase en olvido.

de los escombros con sus propias manos, y a quien poco después el gobierno condecoró por su comportamiento con la Gran Cruz del Mérito Civil.

Meses antes del desastre de Los Ángeles de San Rafael ocurrió un hecho que cambió la vida del futuro presidente: conoció al futuro Rey. En ese momento Suárez ya tenía la convicción de que el príncipe Juan Carlos era el caballo ganador en la carrera inminente del posfranquismo –la tenía por Herrero Tejedor, por el almirante Carrero, por López Rodó, la tenía sobre todo por una razón y un instinto políticos que eran en él la misma cosa–, así que apostó su capital entero al Príncipe; éste, por su parte, también apostó por Suárez, necesitado como estaba de la lealtad de jóvenes políticos dispuestos a dar la batalla a su lado contra el poderoso sector de viejos franquistas inflexibles que desconfiaban de su capacidad para suceder a Franco. Ésa fue la tarea a la que Suárez se consagró de forma casi exclusiva durante los seis años siguientes, porque sabía que dar la batalla por convertir al Príncipe en Rey era dar la batalla por el poder, aunque también porque, igual que sabía detectar lo que estaba muerto en lo que aún parecía vivir, sabía detectar lo que ya estaba vivo en lo que parecía muerto. Por lo que respecta al Rey, desde el principio sintió una enorme simpatía por Suárez, pero nunca se engañó sobre él: «Adolfo no es ni del Opus ni falangista –dijo en alguna ocasión–. Adolfo es adolfista». Poco después de conocer al Príncipe –y en parte debido al empeño de éste–, fue nombrado director general de Radiotelevisión Española; en ese cargo permaneció cuatro años a lo largo de los cuales sirvió con beligerante fidelidad la causa de la monarquía, pero ésta fue además una etapa importante en su vida política porque en ella descubrió la potencia novísima de la televisión para configurar la realidad y porque empezó a sentir la cercanía y el hálito auténtico del poder y a preparar su asalto al gobierno: visitaba con mucha frecuencia la Zarzuela, donde le entregaba al Príncipe las grabaciones de sus viajes y actos protocolarios que emitían de forma regular los informativos de la primera cadena, despachaba cada semana con el almirante Carrero en la sede de Presidencia, en Castellana 3, donde era acogido afectuosamente y donde recibía orientaciones ideológicas e instrucciones concretas que aplicaba sin titubeos, cultivaba con mimo a los militares –que lo condecoraron por la generosidad con que acogía cualquier propuesta del ejército– e incluso a los servicios de inteligencia, con cuyo jefe, el futuro coronel golpista José Ignacio San Martín, llegó a entablar una cierta amistad. Fue también en esta época, hacia el final de su mandato en Radiotelevisión, cuando el sexto sentido de Suárez registró un casi invisible desplazamiento del centro de poder que a poco tardar resultaría sin embargo determinante: aunque Carrero Blanco continuaba representando la seguridad de que a la muerte de Franco continuaría el franquismo, López Rodó empezaba a perder influencia y en cambio afloraba como nuevo referente político Torcuato Fernández Miranda, a la sazón ministro secretario general del Movimiento, un hombre frío, culto, zorruno y silencioso cuya altiva independencia de criterio provocaba las suspicacias de todas las familias del régimen y el agrado del Príncipe, que había adoptado a aquel catedrático de derecho constitucional como primer consejero político. Suárez tomó nota del cambio: dejó de frecuentar a López Rodó y empezó a frecuentar a Fernández Miranda, quien, aunque quizá secretamente lo despreciaba, públicamente se dejó querer, sin duda porque estaba seguro de poder manejar a aquel joven falangista sediento de gloria. La intuición de Suárez resultó acertada, y en junio de 1973 Carrero fue designado presidente del gobierno –el primero nombrado por un Franco que continuó reservándose los poderes de jefe del estado– y Fernández Miranda sumó a la jefatura del Movimiento la vicepresidencia del gabinete, pero Suárez no consiguió el ministerio que ya creía merecer, y ni siquiera convenció a Fernández Miranda para que lo consolara con la vicesecretaría del Movimiento. La decepción fue enorme: a consecuencia de ella Suárez dimitió de su cargo en Radiotelevisión buscando refugio en la presidencia de una empresa estatal y en la de la organización juvenil cristiana YMCA.

Durante los dos años y medio siguientes Suárez se mantuvo alejado del poder, y su carrera política pareció estancarse; en algún momento pareció incluso que tocaba a su fin. Dos muertes violentas contribuyeron a esta impresión pasajera: en diciembre de 1973 el almirante Carrero moría en un atentado de ETA; en junio de 1975 Herrero Tejedor moría en un accidente de tráfico. El asesinato de Carrero fue providencial para el país porque la desaparición del presidente del gobierno que debía preservar el franquismo facilitó el cambio de la dictadura a la democracia, pero, dado que con Carrero perdía a un protector poderoso, para Suárez pudo ser catastrófico; la muerte de Herrero Tejedor pudo ser aún peor: con ella se diría que Suárez quedaba definitivamente al raso, desprovisto también del amparo del hombre a cuya sombra había desarrollado casi toda su carrera política y que sólo tres meses antes del accidente lo había nombrado vicesecretario general del Movimiento. Suárez se sobrepuso a aquel doble contratiempo porque para cuando ocurrió ya se sentía demasiado seguro de sí mismo y de contar con la confianza del Príncipe como para dejarse derrotar por la adversidad, así que dedicó aquel paréntesis en su ascensión política a hacer dinero con negocios dudosos, convencido con razón de que era imposible prosperar políticamente en el franquismo sin gozar de una cierta fortuna personal («No soy ministro porque ni vivo en Puerta de Hierro ni estudié en el Pilar», dijo alguna vez en aquellos años); también lo dedicó a estrechar su relación con Fernández Miranda –y, a través de él, con el Príncipe– y a organizar la Unión del Pueblo Español (UDPE), una asociación política creada en la estela del mínimo impulso liberalizador promovido por el sustituto del almirante Carrero al frente del gobierno, Carlos Arias Navarro, e integrada por ex ministros de Franco y por jóvenes cuadros del régimen como el propio Suárez. Por lo demás, en una época en que la muerte de Franco tras cuarenta años de gobierno absoluto aparecía a la vez como un hecho portentoso e inmediato y en que cada crisis de salud del dictador octogenario dejaba al país temblando de incertidumbre, Suárez cultivó de forma magistral la ambigüedad necesaria para preparar su futuro fuera cual fuera el futuro de España: por un lado, no perdía oportunidad de proclamar su fidelidad a Franco y a su régimen, y el 1 de octubre de 1975, acompañado de otros miembros de la UDPE, asistió en la plaza de Oriente a una manifestación multitudinaria de apoyo al general, acosado por las protestas de la comunidad internacional a raíz de su decisión de ejecutar a varios miembros de ETA y el FRAP; por otro lado, sin embargo, prodigaba en público y en privado declaraciones a favor de abrir el juego político y crear cauces de expresión para las distintas sensibilidades presentes en la sociedad, lugares comunes del potaje político de la época que a los franquistas les sonaban como osadías inofensivas o añagazas para ingenuos y que a los partidarios de terminar con el franquismo podían sonarles como afirmaciones todavía reprimidas del deseo de un futuro democrático para España. Es probable que ni en un caso ni en otro –ni cuando se declaraba indudablemente franquista ni cuando se declaraba incipientemente demócrata– Suárez dijera la verdad, pero es casi seguro que, igual que un ser transparente cuyo secreto más recóndito consiste en que carece de secreto o igual que un histrión virtuoso declamando su papel sobre un escenario, él siempre se creía lo que decía, y que por eso todo el que le escuchaba acababa creyendo en él.

La muerte de Franco –cuya capilla ardiente visitó en compañía de la plana mayor de UDPE después de hacer cola durante horas junto a miles de franquistas bañados en lágrimas– relanzó definitivamente su carrera política. Tras ser proclamado Rey, Juan Carlos cedió a la presión de la franja más dura del franquismo confirmando en la presidencia del gobierno a un franquista duro como Arias Navarro, pero consiguió que Fernández Miranda ocupase la presidencia de las Cortes y del Consejo del Reino –los otros dos organismos principales de poder– y también que, gracias a Fernández Miranda, Arias nombrase a Suárez ministro secretario general del Movimiento. Era un cargo que llevaba años codiciando, apto para satisfacer la ambición del más ambicioso, pero Suárez era más ambicioso que el más ambicioso, y no se conformó con él. En teoría su cometido en aquel gobierno que debía conducir al posfranquismo era casi ornamental (los ministerios fuertes los ocupaba gente de más edad y con mucho más empaque, prestigio y experiencia política, como Manuel Fraga y José María de Areilza): Suárez no ignoraba que había sido colocado allí como ayuda de cámara o como chico de los recados del Rey; no obstante, volvió a coger al vuelo la oportunidad que se le presentaba y, sobre todo a medida que Arias demostraba ser un presidente torpe, dubitativo e incapaz de amortizar su descomunal hipoteca franquista, aprovechó la desunión y la ineficacia de un gobierno sobrepasado por una oleada de conflictos sociales que eran en realidad movilizaciones políticas para arrebatarles el primer plano a sus colegas de gabinete: en marzo de 1976, en ausencia de Manuel Fraga, ministro de la Gobernación, Suárez manejó con destreza la crisis provocada en Vitoria por la muerte de tres obreros a manos de la policía, cosa que evitó que el presidente Arias decretase el estado de excepción con objeto de reprimir lo que a ojos del gobierno parecía a punto de degenerar en un brote revolucionario; en junio de ese mismo año defendió en las Cortes, con un discurso brillante en el que abogaba por el pluralismo político como vía para conseguir la reconciliación entre los españoles, un tímido intento de reforma patrocinado por el gobierno. El intento fracasó, pero su fracaso supuso para Suárez un éxito mucho mayor de lo que hubiera supuesto su éxito. No es un contrasentido: en aquel momento, seis meses después de la proclamación de la monarquía, el Rey y su mentor político, Fernández Miranda, ya habían comprendido que para que el primero conservara el trono debía renunciar a los poderes o a gran parte de los poderes que había heredado de Franco, convirtiendo la monarquía franquista en una monarquía parlamentaria; también habían concebido un proyecto de reforma más profundo y ambicioso que el apadrinado por el gobierno, sabían que Arias Navarro ni podría ni querría ejecutarlo y el discurso en las Cortes de Suárez terminó de persuadirlos de que el joven político era la persona adecuada para hacerlo. O más bien terminó de persuadir al Rey, porque Fernández Miranda hacía ya tiempo que estaba persuadido de ello, mientras que el monarca no acababa de ver claro que aquel chisgarabís servicial y ambicioso, que aquel gallito falangista, simpático, trapacero e inculto –que tan útil le resultaba como ayuda de cámara o chico de los recados– fuese el personaje idóneo para llevar a cabo la tarea sutilísima de desmontar sin descalabros el franquismo y montar sobre él alguna forma de democracia que asegurara el porvenir de la monarquía. Fue Fernández Miranda quien, con su retórica de lector de Maquiavelo y su ascendiente intelectual sobre él, convenció al Rey de que al menos para sus propósitos de entonces aquellas características personales de Suárez no eran defectos sino virtudes: necesitaban a un chisgarabís servicial y ambicioso porque su servilismo y su ambición garantizaban una lealtad absoluta, y porque su falta de relevancia y de proyecto político definido o de ideas propias garantizaban que aplicaría sin desviarse las que ellos le dictaran y que, una vez realizada su misión, podrían prescindir de él tras agradecerle los servicios prestados; necesitaban a un gallito falangista con su temple porque sólo un gallito falangista con su temple, joven, duro, rápido, flexible, decidido y correoso, sería capaz de aguantar primero las embestidas feroces de los falangistas y los militares y de mantenerlos a raya después; necesitaban a un tipo simpático porque debería seducir a medio mundo y a un tipo trapacero porque debería embaucar al otro medio; y en relación a su falta de cultura, Fernández Miranda era lo bastante culto para saber que la política no se aprende en los libros y que para aquella empresa la cultura podía ser una rémora, y lo bastante perspicaz para haber advertido ya que Suárez poseía como ningún otro político de su generación ese don transitorio o esa comprensión exacta y sin razones de lo que en aquel momento estaba muerto y lo que estaba vivo o esa familiaridad con los hechos significativos –con lo que encaja y no encaja, con lo que puede y no puede hacerse, con cómo y con quién y con qué costes puede hacerse– que Ortega llamaba intuición histórica y Berlin llamaba sentido de la realidad.

Resuelto a convertir a Suárez en el presidente del gobierno que llevara a cabo la reforma, el 1 de julio de 1976 el Rey obtuvo la dimisión de Arias Navarro; no tenía las manos libres, sin embargo, para nombrar a su sustituto: de acuerdo con la legislación franquista, debía elegir entre la terna de candidatos que le presentase el Consejo del Reino, un organismo consultivo donde se sentaban algunos de los miembros más conspicuos del franquismo ortodoxo. Pero, gracias a la astucia y a la habilidad de Fernández Miranda, que presidía el Consejo y llevaba meses preparándolo para ello, al mediodía del 3 de julio el Rey recibió una terna que incluía el nombre del elegido. Suárez lo sabía; mejor dicho: sabía que iba en la terna, pero no sabía que era el elegido; mejor dicho: no lo sabía pero lo intuía, y aquella tarde de sábado, mientras aguardaba la llamada del Rey en su casa de Puerta de Hierro –por fin vivía en Puerta de Hierro y por eso era ministro y podía ser presidente del gobierno–, las dudas lo consumían. En sus últimos años de lucidez Suárez recordó algunas veces esa escena en público, al menos una de ellas en televisión, viejo, canoso y con la misma sonrisa melancólica de triunfo con que Julien Sorel o Lucien Rubempré o Frédéric Moreau hubieran recordado al final de su vida su momento máximo, o con la misma irónica sonrisa de fracaso con que un hombre que ha vendido su alma al diablo recuerda pasados muchos años el momento en que el diablo cumplió finalmente su parte del trato. Suárez conocía las cábalas del Rey y Fernández Miranda, las seguridades de Fernández Miranda y las dudas del Rey, sabía que el Rey apreciaba su fidelidad, su encanto personal y la eficacia que había demostrado en el gobierno, pero no estaba seguro de que a última hora la prudencia o el temor o el conformismo no le aconsejaran olvidar el atrevimiento de nombrar a un segundón de la política y un casi desconocido para la opinión pública como él y optar por la veteranía de Federico Silva Muñoz o Gregorio López Bravo, los otros dos integrantes de la terna. Nunca había querido ser otra cosa, nunca había soñado con ser otra cosa, siempre había sido un asceta del poder, y ahora que todo parecía dispuesto para permitirle saciar su hambre en carne viva y su ambición de plenitud vital intuía que si no lo conseguía ya no iba a conseguirlo nunca. Se sentó impaciente junto al teléfono y por fin, en algún momento de la tarde, el teléfono sonó. Era el Rey; le preguntó qué estaba haciendo. Nada, contestó. Estaba ordenando papeles. Ah, dijo el Rey, y a continuación le preguntó por su familia. Están de veraneo, explicó. En Ibiza. Yo me he quedado solo con Mariam. Él sabía que el Rey sabía que él sabía, pero no dijo nada más y, tras un silencio brevísimo que vivió como si fuera eterno, se decidió a preguntarle al Rey si quería algo. Nada, dijo el Rey. Sólo saber cómo estabas. Luego el Rey se despidió y Suárez colgó el teléfono con la certeza de que el monarca se había acobardado y había nombrado a Silva o a López Bravo y no había tenido valor para darle la noticia. Poco después volvió a sonar el teléfono: volvía a ser el Rey. Oye, Adolfo, le dijo. ¿Por qué no vienes para acá? Quiero hablarte de un asunto. Trató de dominar la euforia y, mientras se vestía y cogía el Seat 127 de su mujer y conducía hacia la Zarzuela entre el tráfico escaso de un fin de semana veraniego, a fin de protegerse de un desengaño contra el que estaba indefenso se repitió una y otra vez que el Rey sólo le llamaba para pedirle disculpas por no haberlo elegido, para explicarle su decisión, para asegurarle que seguía contando con él, para envolverlo en protestas de amistad y de afecto. En la Zarzuela le recibió un ayudante de campo, que le hizo esperar unos minutos y luego le invitó a entrar en el despacho del Rey. Entró, pero no vio a nadie, y en aquel momento pudo experimentar una aguda sensación de irrealidad, como si estuviese a punto de concluir bruscamente una representación teatral que llevaba muchos años interpretando sin saberlo. De ese segundo de pánico o de desconcierto lo sacó una carcajada a sus espaldas; se volvió: el Rey se había escondido detrás de la puerta de su despacho. Tengo que pedirte un favor, Adolfo, le dijo a bocajarro. Quiero que seas presidente del gobierno. No dio un alarido de júbilo; todo lo que consiguió articular fue: Joder, Majestad, creí que no ibas a pedírmelo nunca.

3

El 18 de febrero de 1981, cinco días antes del golpe de estado, el periódico *El País* publicó un editorial en el que comparaba a Adolfo Suárez con el general De la Rovere. Era otro cliché, o casi: en el pequeño Madrid del poder de principios de los ochenta –en ciertos círculos de la izquierda de ese pequeño Madrid– comparar a Suárez con el colaboracionista italiano del nazismo convertido en héroe de la resistencia que protagonizaba una vieja película de Roberto Rossellini era casi tan común como mencionar el nombre del general Pavía cada vez que se mencionaba la amenaza de un golpe de estado. Pero, aunque hacía tres semanas que Suárez había dimitido de su cargo de presidente y este hecho tal vez invitaba a olvidar los errores y recordar los aciertos del hacedor de la democracia, el periódico no recurría a la comparación para ensalzar la figura de Suárez, sino para denigrarla. El editorial era durísimo. Se titulaba «Adiós, Suárez, adiós» y contenía no sólo reproches implacables a su pasividad como presidente en funciones, sino sobre todo una enmienda global de su gestión al frente del gobierno; el único mérito que parecía reconocerle consistía en haberse investido de la dignidad de un presidente democrático para frenar durante años a los restos del franquismo, «como un general De la Rovere convencido y transmutado en su papel de defensor de la democracia». Pero acto seguido el periódico le regateaba a Suárez ese honor de consolación y lo acusaba de haberse rendido con su renuncia al chantaje de la derecha. «El general De la Rovere murió fusilado –concluía–, y Suárez se ha ido deprisa y corriendo, con un sinfín de amarguras y con muy pocas agallas.»

¿Conocía Suárez la película de Rossellini? ¿Leyó el editorial de *El País*? A Suárez le gustaba mucho el cine: de joven había sido un asiduo espectador de sesiones dobles, y ya de presidente era rara la semana en que no veía más de una de las películas que su mayordomo Pepe Higueras conseguía a través de Televisión Española y proyectaba en 16 mm en un salón de la Moncloa (a veces veía esas películas con la familia o con invitados de la familia; con frecuencia las veía solo, de madrugada: Suárez dormía poco y se alimentaba mal, a base de café negro, cigarrillos negros y tortillas francesas); sus gustos de cinéfilo no eran sofisticados –disfrutaba sobre todo con las películas de aventuras y las comedias americanas–, pero no es imposible que viera la película de Rossellini cuando en 1960 se estrenó en España, o incluso que la viera años más tarde en la Moncloa, curioso por conocer al personaje con quien le comparaba la gran cloaca madrileña. En cuanto al editorial de *El País*, es probable que lo leyese; aunque en los meses de asedio político y derrumbe personal que precedieron al golpe no permitía que los periódicos llegaran a las dependencias familiares sin ser expurgados, para ahorrarles a su mujer y a sus hijos las andanadas cotidianas de que era objeto, Suárez continuaba leyéndolos, o al menos continuaba leyendo *El País*: desde el mismo día de su nombramiento hasta el de su dimisión, el periódico había sido un crítico muy severo de su mandato, pero, porque representaba la izquierda intelectual, moderna y democrática que su mala conciencia irredenta de antiguo falangista envidiaba y que desde hacía años soñaba con representar, ni un solo instante había dejado de tenerlo en cuenta ni quizá de buscar en secreto su aprobación, y por eso tanta gente en su partido y fuera de él le acusaba de gobernar con un ojo puesto en sus páginas. Ignoro si efectivamente Suárez leyó el 18 de febrero el editorial de *El País*; si lo hizo, debió de sentir una humillación profunda, porque nada podía humillar tanto al antiguo gallito falangista como ser acusado de cobarde, y pocas cosas pudieron satisfacerlo más que demostrar cinco días después que la acusación era falsa. Ignoro si efectivamente Suárez tuvo el capricho o la curiosidad de ver la película de Rossellini cuando ya era presidente del gobierno y tantos lo identificaban con su protagonista; si lo hubiera hecho, quizá habría sentido la misma emoción profunda que sentimos cuando vemos fuera de nosotros lo que llevamos dentro de nosotros y, si la hubiera recordado tras el 23 de febrero, quizá habría pensado en la extraña propensión de lo real a dejarse colonizar por los clichés, a demostrar que, pese a ser verdades fosilizadas, no por ello dejan de ser verdad, o de prefigurarla.

El general De la Rovere narra una fábula ambientada en una harapienta y ruinosa ciudad italiana ocupada por los nazis. El protagonista es Emmanuele Bardone, un chisgarabís apuesto, simpático, mentiroso, trapacero, mujeriego y jugador, un pícaro sin escrúpulos que extorsiona a las familias de los prisioneros antifascistas con el embuste de que emplea el dinero que le entregan en aliviar la cautividad de sus parientes. Bardone es también un camaleón: ante los alemanes es un partidario fervoroso del Reich; ante los italianos, un solapado adversario del Reich; ante unos y otros despliega todas sus dotes de seductor, y a unos y a otros consigue convencerlos de que no hay nadie en el mundo más importante que ellos y de que está dispuesto a desvivirse por su causa. El destino de Bardone empieza a cambiar el día en que los alemanes matan en un rutinario control de carretera al general De la Rovere, un aristocrático y heroico militar italiano recién regresado al país para articular la resistencia frente al invasor; para el coronel Müller –el jefe de las fuerzas ocupantes en la ciudad–, se trata de una pésima noticia: de haber sido hecho prisionero, De la Rovere hubiera podido ser de utilidad; muerto, no tiene ninguna. Müller decide entonces propagar que De la Rovere ha caído prisionero, y muy pronto Bardone, cuyo talento de histrión ha conocido el coronel hace poco y cuyos trapicheos con un oficial corrupto ha desenmascarado en seguida, le ofrece la posibilidad de sacar partido de ese bulo: Müller le propone librarle del paredón y le ofrece la libertad y dinero a cambio de que acepte hacerse pasar por el general De la Rovere e ingrese en la cárcel, confiando en que podrá utilizar en el futuro su presencia en ella.

Bardone acepta el trato y es trasladado a una prisión saturada de presos antifascistas. Desde el primer momento el pícaro sin escrúpulos interpreta con aplomo el papel del aristócrata de izquierdas, y todo cuanto ve o experimenta en la cárcel parece ayudarle en su interpretación, sacudiendo su conciencia: el mismo día de su llegada lee en las paredes de su celda los mensajes póstumos de los partisanos fusilados; los prisioneros se ponen a sus órdenes y lo tratan con el respeto que merece quien personifica para ellos la promesa de una Italia en libertad, le preguntan por parientes y amigos que lucharon en unidades bajo su mando, bromean sobre el destino desdichado que les aguarda, le ruegan sin palabras que les infunda ánimos; uno de los presos que frecuenta Bardone se suicida antes que convertirse en delator; para afincarle en su papel de De la Rovere, más tarde los alemanes torturan al propio Bardone, lo que a punto está de encender un motín entre sus compañeros de cautiverio; más tarde todavía Bardone recibe una carta de la condesa De la Rovere en la que la mujer del general intenta confortar a su marido asegurándole que sus hijos y ella se encuentran bien y sólo piensan en ser dignos de su coraje y su patriotismo. Esta serie continuada de impresiones empieza a operar una sutil, casi invisible metamorfosis en Bardone, y una noche sobreviene lo insólito: durante un bombardeo aliado que provoca un griterío de pánico en la prisión Bardone exige salir de su celda; está temblando de miedo, pero, como si el personaje del general se hubiera apoderado momentáneamente de su persona, plantado en el corredor de la galería de los presos políticos e investido de la grandeza de De la Rovere Bardone aplaca el temor de sus compañeros levantando su voz en medio de un estruendo de batalla: «Amigos, os habla el general De la Rovere –dice–. Calma, dignidad, control. Sed hombres. Demostrad a esos canallas que no teméis a la muerte. Son ellos quienes deben temblar. Cada una de las bombas que caen nos acercan a su fin, a nuestro rescate».

Poco después de ese episodio el azar brinda al coronel Müller la oportunidad que aguardaba. Ha ingresado en la prisión un grupo de nueve partisanos capturados en una redada; entre ellos figura Fabrizio, el jefe de la resistencia, cuya identidad desconocen los alemanes: Müller le pide a Bardone que lo identifique primero y lo delate después. Por un momento Bardone duda, igual que si en su interior lucharan Bardone y De la Rovere; pero Müller le recuerda el dinero y la libertad prometidos y añade al soborno un salvoconducto con que escapar a Suiza, y finalmente vence Bardone. Aún no ha conseguido identificar éste a Fabrizio cuando muere a manos de la resistencia una alta autoridad fascista; en represalia, Müller debe fusilar a diez partisanos, y el coronel comprende que es el momento de facilitarle a Bardone su tarea de delator. La noche previa a la ejecución Müller encierra en una celda a veinte hombres, de entre los cuales saldrán las diez víctimas expiatorias; seguro de que a las puertas de la muerte Fabrizio se dará a conocer a De la Rovere, Müller incluye entre ellos a Bardone y a los nueve detenidos en la redada. Müller no se equivoca: a lo largo de la noche en capilla, mientras los reos buscan fuerzas o consuelo en la compañía valerosa del falso general De la Rovere, Fabrizio se identifica ante él. Finalmente, al amanecer, once detenidos salen de la celda; Bardone es uno de ellos, pero Fabrizio no. Camino del pelotón de fusilamiento formado en el patio de la cárcel, Müller retiene a Bardone, lo separa de la cuerda de condenados, le pregunta si ha conseguido averiguar quién es Fabrizio. Bardone fija la vista en Müller, pero no dice nada; bastaría con que pronunciase una palabra para que le permitiesen salir en libertad, con dinero suficiente para proseguir su vida interrumpida de mujeres y juego, pero no dice nada. Perplejo, Müller insiste: está seguro de que Bardone sabe quién es Fabrizio, está seguro de que en una noche como ésa Fabrizio le habrá dicho quién es. Bardone no aparta la vista de Müller. «¿Y usted qué sabe?

–dice por fin–. ¿Ha pasado alguna vez una noche como ésa?» «¡Contésteme! –grita Müller furioso–. ¿Sabe quién es?» Por toda respuesta Bardone le pide a Müller lápiz y papel, garabatea unas líneas, se las entrega y, antes de que el coronel pueda comprobar si contienen el nombre verdadero de Fabrizio, le pide que se las haga llegar a la condesa De la Rovere. Mientras Bardone exige a un carcelero que le abra las puertas del patio, Müller lee el papel: «Mi último pensamiento es para vosotros –dice–. ¡Viva Italia!». El patio está cubierto de nieve; atados a sendos postes, diez hombres con los ojos vendados aguardan la muerte. Bardone –que ya no es Bardone sino De la Rovere, como si de algún modo De la Rovere siempre hubiera estado en él– ocupa su lugar junto a sus compañeros y, justo antes de caer bajo la descarga del pelotón de fusilamiento, se dirige a ellos. «Señores –dice–. En estos momentos supremos dediquemos nuestros pensamientos a nuestras familias, a la patria y a la majestad del Rey.» Y añade: «¡Viva Italia!».

4

Es probable que la metamorfosis de Adolfo Suárez en un hombre que de algún modo siempre había estado en él y que apenas guardaba relación con el antiguo falangista de provincias y el antiguo arribista del franquismo se iniciara el mismo día en que el Rey lo nombró presidente del gobierno, pero la realidad es que sólo empezó a hacerse visible muchos meses más tarde. La acogida que la opinión pública deparó a su nombramiento fue demoledora. Nadie la resumió mejor que un humorista. En una viñeta de Forges dos devotos de Franco encerrados en un búnker comentaban la noticia; uno de ellos decía: «Se llama Adolfo, ¿no es maravilloso?»; el otro contestaba: «Ciertamente». Así fue: salvo contadas excepciones, sólo la ultraderecha –desde los camisas viejas de Falange hasta los militares y los tecnócratas del Opus, pasando por los Guerrilleros de Cristo Rey– celebró el ascenso de Suárez a la presidencia, convencida de que el joven, obsequioso y disciplinado falangista representaba vino nuevo en odres viejos, la demostración palpable de que los ideales del 18 de julio seguían vigentes y la mejor garantía de que el franquismo, con todos los cambios cosméticos que las circunstancias exigieran, no iba a morir con la muerte de Franco. Más allá de la ultraderecha, sin embargo, sólo había pesimismo y espanto: para la inmensa mayoría de la oposición democrática y de los reformistas del régimen, Suárez apenas iba a ser, como escribía *Le Figaro*, «el ejecutor de las bajas maniobras de la extrema derecha, decidida a torpedear por todos los medios la democratización» o, como insinuaba *El País*, la punta de lanza de «una máquina que resulta ser el auténtico búnker inmovilista del país» y que «encarna las tradicionales formas de ser español en su leyenda más negra y atrabiliaria: el poder económico y el político aliados en una simbiosis perfecta con el integrismo eclesiástico».

Suárez no se arredró: ésa era sin duda la acogida que esperaba –dada su trayectoria, no podía esperar otra–, y ésa era también la acogida que más le convenía. Porque si el encargo que había recibido del Rey consistía en desmontar el franquismo para montar con sus mimbres una monarquía parlamentaria, liquidando lo muerto que aún parecía vivir y haciendo vivir lo que ya parecía muerto, con lo primero que debía contar era con la complicidad (o al menos con la confianza, o al menos con la pasividad) de la ortodoxia franquista; con lo segundo que debía contar era con la comprensión (o al menos con la tolerancia, o al menos con la paciencia) de la oposición clandestina. A esa doble conquista a priori imposible se lanzó desde el primer momento. Maquiavelo recomienda al político «mantener en suspenso y asombrados los ánimos de sus súbditos», encadenando sus acciones con objeto de no conceder a sus adversarios «espacio para poder urdir algo tranquilamente contra él». Tal vez Suárez no había leído a Maquiavelo, pero siguió a rajatabla su consejo, y en cuanto fue nombrado presidente del gobierno empezó a correr un sprint de golpes de efecto con tal rapidez y seguridad en sí mismo que nadie encontró razones, recursos o ánimos con que frenarlo: al día siguiente de su toma de posesión leyó un mensaje televisado en que, con un lenguaje, un tono y unas formas de político incompatible con el andrajoso almidón del franquismo, prometía concordia y reconciliación a través de una democracia en la que los gobiernos fueran «el resultado de la voluntad de la mayoría de los españoles», y al otro día formó con la ayuda de su vicepresidente Alfonso Osorio un gabinete jovencísimo compuesto por falangistas y por democristianos bien relacionados con la oposición democrática y con los poderes económicos; un día presentaba una declaración programática casi rupturista en la que el gobierno se comprometía a «la devolución de la soberanía al pueblo español» y anunciaba elecciones generales antes del 30 de junio del año próximo, al día siguiente reformaba por decreto el Código Penal que impedía la legalización de los partidos y al día siguiente decretaba una amnistía para los delitos políticos; un día declaraba la cooficialidad de la lengua catalana proscrita hasta entonces y al día siguiente declaraba legal la proscrita bandera vasca; un día anunciaba una ley que autorizaba a derogar las Leyes Fundamentales del franquismo y al día siguiente conseguía que la aceptasen las Cortes franquistas y al día siguiente convocaba un referéndum para aprobarla y al día siguiente lo ganaba; un día suprimía por decreto el Movimiento Nacional y al día siguiente ordenaba retirar de noche y a escondidas los símbolos falangistas de las fachadas de todos los edificios del Movimiento y al día siguiente legalizaba por sorpresa el partido comunista y al día siguiente convocaba las primeras elecciones libres en cuarenta años. Ésa fue su forma de proceder durante su primer gobierno de once meses: tomaba una decisión inusitada y, cuando el país todavía intentaba asimilarla, tomaba otra decisión más inusitada, y luego otra más inusitada todavía, y luego otra más; improvisaba constantemente; arrastraba a los acontecimientos, pero también se dejaba arrastrar por ellos; no daba tiempo para reaccionar, ni para urdir algo contra él, ni para advertir la disparidad entre lo que hacía y lo que decía, ni siquiera para asombrarse, o no más del que se daba a sí mismo: casi lo único que podían hacer sus adversarios era mantenerse en suspenso, intentar entender lo que hacía y tratar de no perder el paso.

Al principio de su mandato su objetivo principal fue convencer a los franquistas y a la oposición democrática de que la reforma que iba a llevar a cabo era el único modo de que ambos consiguieran sus opuestos propósitos. A los franquistas les aseguraba que había que renunciar a ciertos elementos del franquismo con el fin de asegurar la perduración del franquismo; a la oposición democrática le aseguraba que había que renunciar a ciertos elementos de la ruptura con el franquismo con el fin de asegurar la ruptura con el franquismo. Para sorpresa de todos, los convenció a todos. Primero convenció a los franquistas y, cuando los hubo convencido, convenció a la oposición: a los franquistas los engañó por completo; a la oposición no, o no del todo, o no más de lo que se engañó a sí mismo, pero la manejó a su antojo, la obligó a jugar en el terreno y con las reglas que él eligió y diseñó y, una vez que le hubo ganado la partida, la puso a trabajar a su servicio. ¿Cómo lo consiguió? En cierto sentido, con los mismos métodos histriónicos de seductor con que Emmanuele Bardone persuadía por igual a italianos y alemanes de que no había nadie en el mundo más importante que ellos y de que estaba dispuesto a desvivirse por su causa, y con las mismas dotes de camaleón con que Bardone convencía a los alemanes de que era un partidario fervoroso del Reich y a los italianos de que era un solapado adversario del Reich. Si en la televisión fue casi siempre imbatible, porque la dominaba mejor que cualquier político, en el mano a mano lo era todavía más: podía sentarse a solas con un falangista, con un tecnócrata del Opus o con un guerrillero de Cristo Rey y el falangista, el tecnócrata y el guerrillero se despedían de él con la certeza de que en el fondo era un guerrillero, un falangista o un defensor del Opus; podía sentarse con un militar y, recordando sus tiempos de alférez de complemento, decir: No te preocupes, en el fondo sigo siendo un militar; podía sentarse con un monárquico y decir: Yo ante todo soy monárquico; podía sentarse con un democristiano y decir: En realidad, siempre he sido un democristiano; podía sentarse con un socialdemócrata y decir: Lo que yo soy, en el fondo, es un socialdemócrata; podía sentarse con un socialista o un comunista y decir: Comunista no soy, no (o socialista), pero soy de los tuyos, porque mi familia fue republicana y en el fondo yo no he dejado de serlo. A los franquistas les decía: Hay que ceder poder para ganar legitimidad y conservar el poder; a la oposición democrática le decía: Yo tengo el poder y vosotros la legitimidad: tenemos que entendernos.

Todos escuchaban de Suárez lo que necesitaban escuchar y todos salían de aquellas entrevistas encantados de su bonhomía, de su modestia, de su seriedad y su porosidad, de sus intenciones excelentes y su voluntad de convertirlas en hechos; en cuanto a él, aún no era un presidente del gobierno democrático, pero, igual que desde su ingreso en la cárcel Bardone intentó actuar como pensaba que hubiera actuado el general De la Rovere, desde su nombramiento como presidente del gobierno intentó actuar como pensaba que hubiera actuado un presidente del gobierno democrático: igual que Bardone, todo cuanto veía y experimentaba le ayudaba a perfeccionar la interpretación; igual que Bardone, pronto empezó a empaparse de la razón política y moral de los partidos democráticos; igual que Bardone, engañaba con tal sinceridad que ni siquiera él mismo sabía que engañaba.

Fue así como a lo largo de aquel primer año escaso de gobierno Suárez construyó los fundamentos de una democracia con los materiales de una dictadura a base de realizar con éxito operaciones insólitas, la más insólita de las cuales –y acaso la más esencial– suponía la liquidación del franquismo a manos de los propios franquistas. La idea se debió a Fernández Miranda, pero Suárez fue mucho más que su simple ejecutor: él la estudió, la puso a punto y la llevó a la práctica. Se trataba casi de conseguir la cuadratura del círculo, y en todo caso de conciliar lo inconciliable para eliminar lo muerto que parecía vivo; se trataba en el fondo de una martingala jurídica basada en el siguiente razonamiento: la España de Franco estaba regida por un conjunto de Leyes Fundamentales que, según el propio dictador había recalcado con profusión, eran perfectas y ofrecían soluciones perfectas para cualquier eventualidad; ahora bien, las Leyes Fundamentales sólo podían ser perfectas si podían ser modificadas –de lo contrario no hubiesen sido perfectas, porque no hubieran sido capaces de adaptarse a cualquier eventualidad–: el plan concebido por Fernández Miranda y desplegado por Suárez consistió en elaborar una nueva Ley Fundamental, la llamada Ley para la Reforma Política, que se sumase a las demás, modificándolas en apariencia aunque en el fondo las derogase o autorizase a derogarlas, lo que permitiría cambiar un régimen dictatorial por un régimen democrático respetando los procedimientos jurídicos de aquél. La argucia era brillante, pero necesitaba ser aprobada por las Cortes franquistas en un inaudito ejercicio de inmolación colectiva; su puesta en práctica fue vertiginosa: a finales de agosto de 1976 ya estaba listo un borrador de la ley, a principios de septiembre Suárez la anunciaba por televisión y durante los dos meses posteriores se lanzó a una batalla en todos los frentes para convencer a los representantes franquistas de que aceptaran su suicidio. La estrategia que ideó para conseguirlo fue un prodigio de precisión y de trapacería: mientras desde la presidencia de las Cortes Fernández Miranda ponía palos en las ruedas a los detractores de la ley, su presentación y defensa se encargaban a Miguel Primo de Rivera, sobrino del fundador de Falange y miembro del Consejo del Reino, que pediría el voto a favor «desde el emocionado recuerdo a Franco»; en las semanas previas a la reunión del pleno, Suárez, sus ministros y altos cargos de su gobierno, tras repartirse a los procuradores contrarios o renuentes a su proyecto, desayunaron, tomaron el aperitivo, almorzaron y cenaron con ellos, halagándolos con promesas pletóricas y enredándolos en trampas para incautos; sólo en unos pocos casos hubo que recurrir sin disimulo a la amenaza, pero a un grupo de procuradores sindicales no quedó más remedio que embarcarlos en un crucero por el Caribe rumbo a Panamá. Por fin, el 18 de noviembre, después de tres días consecutivos de debates y no sin que en más de un momento pareciera que todo se iba al traste, la ley se votó en las Cortes; el resultado fue inequívoco: 425 votos a favor, 59 en contra y 13 abstenciones. La reforma quedaba aprobada. Las cámaras de televisión recogieron el momento, y luego lo han reproducido en multitud de ocasiones. Los procuradores franquistas aplauden puestos en pie; puesto en pie, Suárez aplaude a los procuradores franquistas. Parece emocionado; parece a punto de llorar; no hay ningún motivo para pensar que finge o que, como el actor consumado que es, si finge no siente lo que finge sentir. Lo cierto es que hubiese podido estar riéndose por dentro y a lágrima viva del hatajo de mentecatos que acababa de firmar su sentencia de muerte en medio de los abrazos y parabienes de una apoteósica fiesta franquista.

Fue un pase de magia espectacular, y el mayor éxito de su vida. En España la oposición democrática se frotaba los ojos; fuera de España la incredulidad era total: «Asombrosa victoria de Adolfo Suárez», titulaba *The New York Times*; «Las Cortes nombradas por el dictador han enterrado el franquismo», titulaba *Le Monde*. Pocos días después, sin concederse un instante de tregua ni permitir que sus adversarios salieran del estupor, convocó un referéndum sobre la ley recién aprobada; se celebró el 15 de diciembre y lo ganó con casi un 80 por ciento de participación y casi un 95 por ciento de votos afirmativos. Para los franquistas y para la oposición democrática, que habían propugnado el voto negativo y la abstención, el revés fue concluyente; mucho más para los primeros que para la segunda, claro está: a partir de aquel momento los franquistas ya sólo podían apelar a la violencia, y la semana del 23 al 28 de enero –en la que grupos de ultraderecha asesinaron a nueve personas en una atmósfera prebélica y en la que Suárez tuvo la certeza de que alguien intentaba un golpe de estado– fue el primer aviso de que estaban dispuestos a utilizarla; respecto a la oposición democrática, se vio obligada a arrumbar la quimera de imponer su limpia ruptura frontal con el franquismo para aceptar la inesperada y trapacera reforma con ruptura impuesta por Suárez y empezar a negociar con éste, dividida, descolocada y debilitada, en los términos que él había elegido y que más le convenían. Por lo demás, a aquellas alturas, hacia febrero de 1977, ya estaba claro para todos que Suárez iba a cumplir en un tiempo récord el encargo que le habían confiado el Rey y Fernández Miranda; de hecho, cruzado el Rubicón de la Ley para la Reforma Política, a Suárez no le quedaba más que finalizar el desmontaje del esqueleto legal e institucional del franquismo y convocar elecciones libres después de pactar con los partidos políticos los requisitos de su legalización y su participación en los comicios. Ahí terminaba en teoría su trabajo, ése era en teoría el final del espectáculo, pero para entonces Suárez ya se había creído su personaje y estaba exultante, navegando en la ola más gruesa del tsunami de sus éxitos, así que nada le hubiera parecido tan absurdo como abandonar el cargo con el que había soñado desde siempre; puede que ése hubiera sido sin embargo el propósito del Rey y Fernández Miranda al entregarle el papel estelar en aquel drama de seducciones, medias verdades y engaños, seguros como estaban quizá de que el chisgarabís encantador y marrullero se quemaría en el escenario, seguros como estaban en cualquier caso de que sería incapaz de manejar las complejidades del estado en condiciones normales, y más aún tras unas elecciones democráticas: una vez convocadas éstas y concluida su tarea, Suárez debería retirarse tras el telón, entre aplausos y muestras de gratitud, para ceder la gracia de los focos a un verdadero estadista, tal vez el propio Fernández Miranda, tal vez el eterno presidenciable Fraga, tal vez el vicepresidente Alfonso Osorio, tal vez el culto, elegante y aristocrático José María de Areilza. Por supuesto, Suárez habría podido ignorar el propósito del Rey, forzar la mano y presentarse a las elecciones sin su consentimiento, pero él era el presidente nombrado por el Rey y quería ser el candidato del Rey y luego el presidente electo del Rey, y durante aquellos meses fulgurantes, mientras se liberaba poco a poco de la tutela de Fernández Miranda y hacía cada vez menos caso de Osorio, se aplicó a demostrarle al Rey con los hechos que él era el presidente que necesitaba porque era el único político capaz de arraigar la monarquía montando una democracia igual que estaba desmontando el franquismo; también se aplicó a demostrarle por contraste que Fernández Miranda era sólo un viejo jurista timorato e irreal, Fraga un bulldozer indiscriminado, Osorio un político tan pomposo como inane y Areilza un figurín sin media hostia.

Todo esto acabaría de quedar claro para el Rey cuando a principios del mes de abril Suárez dio el golpe más audaz de su carrera, otro salto mortal político, pero esta vez sin red: la legalización del partido comunista. Esa medida era el límite que los militares habían puesto a la reforma y que Suárez había parecido aceptar o les había hecho creer que aceptaba; tal vez en principio la aceptó de veras, pero, conforme se imbuía de su personaje de presidente democrático sin democracia y se impregnaba de las razones de una oposición que lo empujaba desde la calle con movilizaciones populares y le forzaba a llegar mucho más lejos de lo que había previsto en el camino de la reforma, Suárez comprendió que necesitaba al partido comunista tanto como el partido comunista lo necesitaba a él. Hacia finales de febrero ya había tomado una decisión y había ideado un malabarismo de funambulista como el que permitió que las Cortes de Franco se inmolaran, sólo que esta vez optó por realizarlo prácticamente en solitario y prácticamente a escondidas: primero, con la disconformidad de Fernández Miranda y Osorio pero con la conformidad del Rey, se entrevistó a escondidas con Santiago Carrillo y selló con él un pacto de acero; luego buscó cubrirse las espaldas con un dictamen jurídico del Tribunal Supremo favorable a la legalización y, cuando se lo denegaron, maniobró para arrancárselo a la Junta de Fiscales; luego sondeó a los ministros militares y sembró la confusión entre ellos ordenando al general Gutiérrez Mellado que les advirtiese de que el PCE podía ser legalizado (estaban a la espera de un trámite judicial, les dijo Gutiérrez Mellado, y también que si deseaban alguna aclaración el presidente estaba dispuesto a proporcionársela), aunque no les dijo cuándo ni cómo ni si efectivamente iba a ser legalizado, un malabarismo dentro del malabarismo con el que pretendía evitar que los ministros militares le acusaran de no haberlos informado y al mismo tiempo que pudieran reaccionar contra su decisión antes de que la anunciase; luego esperó a las vacaciones de Semana Santa, mandó a los reyes de viaje por Francia, a Carrillo a Cannes, a sus ministros de vacaciones y, con las calles de las grandes ciudades desiertas y los cuarteles desiertos y las redacciones de los periódicos y las radios y la televisión desiertas, se quedó solo en Madrid, jugando a las cartas con el general Gutiérrez Mellado. Por fin, otra vez con el apoyo del Rey y la oposición de Osorio y ya sin consultar siquiera con Fernández Miranda, el Sábado Santo –el día más desierto de aquellos días desiertos– legalizó el PCE. Era una bomba, y a punto estuvo de estallarle en las manos: había tomado aquella decisión salvaje porque sus triunfos le habían dotado de una confianza absoluta en sí mismo y, aunque esperaba que la sacudida en el ejército sería brutal y que habría protestas y amenazas y tal vez amagos de rebelión, la realidad superó sus peores presagios, y en algunos momentos, durante los cuatro días de locos que siguieron al Sábado Santo, Suárez quizá pensó en más de un momento que había sobrevalorado sus fuerzas y que el golpe de estado era inevitable, hasta que al quinto tradujo de nuevo en beneficio propio la catástrofe anunciada: presionó hasta el límite a Carrillo y éste consiguió que el partido renunciara públicamente a algunos de sus símbolos y aceptara todos los que el ejército consideraba amenazados con su legalización: la monarquía, la unidad de la patria y la bandera rojigualda. En ese punto acabó todo. Los militares permanecieron en sus cuarteles, el país entero dejó de contener la respiración y Suárez se anotó un triunfo por partida doble: de un lado consiguió domesticar a los militares –o al menos domesticarlos por el momento–, obligándolos a digerir una decisión indigerible para ellos e indispensable para él (y para la democracia); de otro lado consiguió domesticar al partido comunista –y con el partido comunista, no mucho después, a toda la oposición democrática–, obligándolo a sumarse sin reservas al proyecto de la monarquía parlamentaria y trocando al adversario de siempre en el principal soporte del sistema. Para acabar de rematar la carambola, Suárez había convertido a Fernández Miranda y Osorio en dos políticos súbitamente anticuados, a punto para la jubilación, y todo estaba listo para que convocara las primeras elecciones democráticas en cuarenta años y las ganara capitalizando el éxito de sus reformas.

Las convocó y las ganó, y por el camino también eliminó a Fraga y a Areilza, sus dos últimos rivales. Al primero lo arrinconó en un partido antediluviano donde manoteaban las glorias fugitivas de la desbandada franquista; con el segundo no tuvo piedad. Suárez carecía de un partido propio con que acudir a los comicios, así que durante meses, agazapado, maquinando a distancia y jugando de farol con la pamema de que no iba a presentarse siquiera como candidato, aguardó a que se formase una gran coalición de partidos centristas en torno a un partido encabezado por Areilza; una vez formada la coalición, cayó en picado sobre ella y, fortalecido por la certidumbre generalizada de que la lista electoral que él encabezase con su prestigio de partero de la reforma sería la vencedora de las elecciones, colocó a los dirigentes de la nueva formación ante una disyuntiva diáfana: o Areilza o él. No hizo falta que respondieran: Areilza tuvo que retirarse, él remodeló la coalición como quiso y el 3 de mayo de 1977, el mismo día en que se fundaba UCD, anunció su candidatura a las elecciones. Menos de mes y medio más tarde las ganó. Tal vez Suárez pensó con razón que las había ganado él, no UCD, porque sin él UCD no sería lo que era; pero, con razón o sin ella, tal vez también empezó a pensar otras cosas. Tal vez pensó que sin él no sólo no existiría UCD: tampoco existirían los demás partidos. Tal vez pensó que sin él no sólo no existirían los demás partidos: tampoco existiría la democracia. Tal vez pensó que su partido era él, que el gobierno era él, que la democracia era él, porque él era el líder carismático que había terminado en once meses y de forma pacífica con cuarenta años de dictadura mediante una operación inédita en la historia. Tal vez pensó que iba a gobernar durante décadas. Tal vez pensó que, por tanto, no iba a gobernar con la vista sólo puesta en la derecha y el centro –que eran los suyos, los que lo habían llevado al poder con sus votos–, sino también con la vista puesta en la izquierda: al fin y al cabo, pensaría, un gobernante de verdad no gobernaba para unos pocos, sino para todos; al fin y al cabo, pensaría, también necesitaba a la izquierda para gobernar; al fin y al cabo, pensaría, en el fondo él era un socialdemócrata, casi un socialista; al fin y al cabo, pensaría, él ya no era un falangista pero lo había sido y el falangismo y la izquierda compartían la misma retórica anticapitalista, la misma preocupación social, el mismo desprecio por los potentados; al fin y al cabo, pensaría, él era cualquier cosa menos un potentado, él era un chusquero de la política y de la vida, él conocía el desamparo de las calles y las pensiones miserables y los sueldos de hambre y de ninguna manera iba a aceptar que lo calificasen de político de derechas, él era de centro izquierda, cada vez más de izquierda y menos de centro aunque lo votase el centro y la derecha, él se hallaba a años luz de Fraga y sus paquidermos franquistas, ser de derechas era ser viejo de cuerpo y de espíritu, estar contra la historia y contra los oprimidos, cargar con la culpa y la vergüenza de cuarenta años de franquismo, mientras que ser progresista era lo más justo, lo más moderno y lo más audaz y él siempre –siempre: desde que mandaba su pandilla de adolescentes en Ávila y encarnaba a la perfección el ideal juvenil de la dictadura– había sido el más justo, el más moderno y el más audaz, su pasado franquista quedaba a la vez muy lejos y demasiado cerca y lo humillaba con su cercanía, él ya no era quien había sido, él era ahora no sólo el hacedor de la democracia sino su campeón, el principal baluarte de su defensa, él la había construido con sus manos y él iba a defenderla de los militares y de los terroristas, de la ultraderecha y de la ultraizquierda, de los banqueros y de los empresarios, de políticos y periodistas y aventureros, de Roma y Washington.

Tal vez fue eso lo que sintió con los años Adolfo Suárez; eso o una parte de eso o algo muy semejante a eso, un sentimiento que se le impuso de forma paulatina tan pronto como resultó elegido presidente del gobierno en las primeras elecciones democráticas y que a partir de aquel instante empezó a operar sobre él una metamorfosis radical: el antiguo falangista de provincias, el antiguo arribista del franquismo, el Julien Sorel o Lucien Rubempré o Frédéric Moreau de los años sesenta acabó invistiéndose de la dignidad del héroe de la democracia, Emmanuele Bardone se creyó el general De la Rovere y el plebeyo fascista se soñó convertido en un aristócrata de izquierdas. Como Bardone, no lo hizo por soberbia, porque la soberbia no estaba en su naturaleza, sino porque un instinto estético y político que lo excedía le empujó a interpretar con una fidelidad anterior a la razón el papel que la historia le había asignado o que él sintió que le había asignado. He dicho con los años, he dicho de forma paulatina: como la de Bardone, la mutación de Suárez no fue, casi sobra aclararlo, una epifanía instantánea, sino un trámite lento, zigzagueante y a menudo secreto para todo el mundo o para casi todo el mundo, pero quizá sobre todo para el propio Suárez. Aunque sería razonable remontar el origen de todo al mismo día en que el Rey lo nombró presidente del gobierno y, ennoblecido por el cargo, se propuso actuar como si fuera un presidente del gobierno nombrado por los ciudadanos, abriéndose a la razón política y moral de la oposición democrática, lo cierto es que su nuevo personaje no dio señales de vida hasta que, a fin de desmarcarse de la derecha, poco antes de las elecciones Suárez insistió en conceder un peso desproporcionado en UCD al pequeño partido socialdemócrata de la coalición, y hasta que, justo después –mientras en su grupo parlamentario se discutía la posibilidad de que sus diputados ocuparan el ala izquierda del hemiciclo del Congreso, simbólicamente reservada a los partidos de izquierda–, él se declaraba socialdemócrata ante su antiguo vicepresidente y le anunciaba la formación de un gobierno de centro izquierda. Estos ademanes anticipan la deriva que Suárez experimentó durante los cuatro años en que todavía estuvo en el gobierno. Fueron años de declive: nunca volvió a ser el político explosivo de sus primeros once meses de mandato, pero hasta marzo del 79, cuando ganó sus segundas elecciones generales, fue todavía un político resuelto y eficaz; desde entonces hasta 1981 fue un político mediocre, a veces nefasto. Tres proyectos monopolizaron el primer período; tres proyectos colectivos, que Suárez pilotó pero en los que tomaron parte los principales partidos políticos: los Pactos de la Moncloa, la elaboración de la Constitución y el diseño del llamado Estado de las Autonomías. No eran las empresas épicas que habían espoleado su imaginación y multiplicado su talento durante su primer año en la presidencia, hazañas que exigieran embelecos jurídicos, pases de magia nunca vistos, falsos duelos contra enemigos falsos, entrevistas secretas, decisiones a vida o muerte y escenografías de paladín a solas con su escudero ante el peligro; no era ese tipo de empresas, pero eran asuntos de envergadura histórica; no los acometió con el ímpetu depredador que había exhibido hasta entonces, pero al menos lo hizo con la convicción que le daban la fuerza de sus triunfos y la autoridad de los votos; también lo hizo mientras el general De la Rovere desplazaba poco a poco en su interior a Emmanuele Bardone. Así, los Pactos de la Moncloa fueron un intento en gran parte logrado de pacificar una vida social en pie de guerra desde los estertores del franquismo y convulsionada por las consecuencias devastadoras de la primera crisis del petróleo; pero esos pactos fueron ante todo un acuerdo entre el gobierno y la izquierda y, aunque los firmaron los principales partidos políticos, recibieron ásperas críticas de los empresarios, de la derecha y de determinados sectores de UCD, que acusaron al presidente de haberse rendido a los sindicatos y a los comunistas. Así también, la Constitución fue un intento logrado de dotar a la democracia de un marco legal duradero; pero lo más probable es que Suárez sólo accediera a elaborarla presionado por las exigencias de la izquierda, y es seguro que, pese a que al principio hizo lo posible por que el texto se ciñese al pie de la letra a sus intereses, cuando comprendió que su pretensión era inútil y perniciosa se esforzó más que nadie para que el resultado fuera obra del acuerdo de todos los partidos, y no, como lo habían sido todas o casi todas las constituciones anteriores, un motivo continuo de discordia y a la larga un lastre para la democracia, igual que es verdad que para conseguirlo siempre buscó aliarse con la izquierda y no con la derecha, lo que produjo más resquemores en su propio partido. Estos dos grandes proyectos –el primero aprobado en el Congreso en octubre de 1977 y el segundo aprobado en referéndum en diciembre de 1978– representaron dos éxitos para Suárez (y para la democracia); igual que en ellos, en el tercero es imposible no imaginar de nuevo al general De la Rovere pugnando por suplantar a Emmanuele Bardone: la diferencia es que en esta ocasión el proyecto se le escapó a Suárez de las manos y acabó convirtiéndose en uno de los principales causantes del desorden político que condujo a su salida del poder y al golpe del 23 de febrero.

No hubiera debido ocurrir, porque la idea del Estado de las Autonomías era por lo menos tan válida como la de los Pactos de la Moncloa y casi tan necesaria como la de elaborar una Constitución. Tal vez Suárez no sabía una sola palabra de historia, según repetían sus detractores, pero lo que sí sabía es que la democracia no iba a funcionar en España si no satisfacía las aspiraciones del País Vasco, Cataluña y Galicia a ver reconocidas sus singularidades históricas y lingüísticas y a gozar de una cierta autonomía política. El título VIII de la Constitución, donde se define la organización territorial del estado, pretendía responder a esas antiguas demandas; previsiblemente, su redacción encendió una batalla entre los partidos políticos cuyo saldo fue un texto híbrido, confuso y ambiguo que dejaba casi todas las puertas abiertas y que, para ser aplicado con un éxito inmediato, hubiera exigido una astucia, una sutileza, una capacidad de conciliar lo inconciliable y una intuición histórica o un sentido de la realidad que hacia principios de 1979 Suárez perdía ya de forma acelerada.

Todo empezó mucho antes de la aprobación de la Constitución y empezó bien, o como mínimo empezó bien para Suárez, que realizó en Cataluña un nuevo pase de magia: a fin de conjurar el peligro de que la izquierda que había ganado allí las elecciones generales formara un gobierno autonómico de izquierdas, Suárez se sacó de la manga a Josep Tarradellas, el último presidente del gobierno catalán en el exilio, un viejo político pragmático que garantizaba a la vez el apoyo de todos los partidos catalanes y el respeto a la Corona, el ejército y la unidad de España, de forma que su regreso en octubre de 1977 tradujo el restablecimiento tras cuarenta años de una institución republicana en una herramienta legitimadora de la monarquía parlamentaria y en una victoria del gobierno de Madrid. En Galicia las cosas no funcionaron tan bien, y en el País Vasco aún menos. Muchos militares acogieron el anuncio de la autonomía de esos tres territorios como el anuncio del desmembramiento de España, pero los auténticos problemas surgieron más tarde; más tarde y en más de un sentido por culpa de Suárez o del general De la Rovere que dentro de Suárez se atropellaba para expulsar a Emmanuele Bardone: dado que con manifiesta incongruencia en la España de aquellos años nacionalismo e izquierda se identificaban, dado que con manifiesta congruencia se identificaban izquierda y descentralización del estado, en parte para arrimarse a la izquierda y en todo caso para que nadie pudiera acusarlo de discriminar a nadie –para continuar siendo el más justo, el más moderno y el más audaz– Suárez se apresuró a conceder la autonomía a todos los territorios, incluidos aquellos que nunca la habían solicitado porque carecían de conciencia o ambición de singularidad, con el corolario de que antes incluso de que se celebrara el referéndum constitucional aparecieran casi de un día para otro catorce gobiernos preautonómicos y empezaran a discutirse catorce estatutos de autonomía cuya aprobación hubiera exigido celebrar a toda prisa decenas y decenas de referendos y elecciones regionales en medio de una floración improvisada de particularismos vernáculos y de una guerra larvada de recelos y agravios comparativos entre comunidades. Era más de lo que un estado secularmente centralista podía soportar en pocos meses sin amenazar con desarbolarse, y empezó a cundir la alarma incluso entre los nacionalistas y los partidarios más entusiastas de la descentralización ante una huida hacia delante cuyo final nadie vislumbraba y cuyas consecuencias casi todos empezaron a temer. Hacia finales de 1979 el propio Suárez pareció advertir que el desorden galopante con que se estaba llevando a cabo la descentralización del estado democrático entrañaba una amenaza para la democracia y para el estado, así que intentó dar marcha atrás, racionalizarla o ralentizarla, pero para entonces ya se había transformado en un político ortopédico y sin recursos, y el amago de frenazo sólo consiguió dividir al gobierno y a su partido y hacerle acreedor de una impopularidad que a principios del año siguiente le llevó a perder en menos de un mes, de forma sucesiva y aparatosa, un referéndum en Andalucía, unas elecciones en el País Vasco y otras en Cataluña. Es verdad que nadie le ayudó a arreglar el desaguisado: durante la primavera y el verano de 1980 ya todo valía contra él y, en vez de intentar apuntalarlo como habían hecho durante sus primeros años de mandato –porque entendieron que apuntalarlo significaba apuntalar la democracia–, los partidos políticos se obsesionaron con derribarlo a cualquier precio, sin entender que derribarlo a cualquier precio significaba contribuir a derribar la democracia; pero no fue sólo esa obsesión: articular territorialmente el estado era quizá el problema central del momento, y ningún asunto como éste desnudó la indigencia y la frivolidad temeraria de una clase política que a cuenta de él se enzarzó a lo largo de 1980 en reyertas delirantes, persiguió sin escrúpulos posiciones de ventaja, fomentó una apariencia de caos universal y se ganó un descrédito acelerado, colocando al país en una tesitura cada vez más precaria mientras la segunda crisis del petróleo disipaba la fugaz bonanza atraída por los Pactos de la Moncloa, estrangulaba la economía y abandonaba a la mitad de los trabajadores en el paro, y mientras ETA buscaba el golpe de estado asesinando militares en la campaña terrorista más despiadada de su historia. Ése fue el humus omnívoro en que nació y creció el 23 de febrero, y la torpeza de Suárez para manejar el arranque del Estado de las Autonomías alimentó su voracidad como no lo hizo acaso ninguna de las torpezas que cometió por entonces. Visto con la perspectiva del tiempo, sin embargo, es por lo menos exagerado afirmar que en aquellos días la situación era objetivamente catastrófica y que el país se precipitaba sin control hacia su desintegración, pero eso es al parecer lo que pensaba todo el mundo en vísperas del golpe de estado; no sólo los militares golpistas: todo el mundo, incluidos algunos de los pocos que el 23 de febrero tuvieron el valor de dar la cara por la democracia desde el primer momento. El penúltimo día de diciembre de 1980 *El País* pintaba un cuadro de fin del mundo en el que el desbarajuste territorial auguraba una solución violenta; después de acusar de irresponsabilidad a todos los partidos políticos sin excepción y de reprocharles su ignorancia culpable del punto de llegada del Estado de las Autonomías, o su interesado desinterés por definirlo, concluía el editorial: «Una descomposición política menos grave que la que aquí [...] se apunta llevó a Companys a sublevarse, el 6 de octubre de 1934, contra un gobierno central de coalición derechista, y a una fracción socialista a promover la desesperada intentona de Asturias». Puesto que ése era el diagnóstico prerrevolucionario del periódico que mejor representaba a la izquierda española, tal vez cabría preguntarse si gran parte de la sociedad democrática no les estaba proporcionando a los golpistas excusas diarias con que reafirmar su certeza de que el país se hallaba en una situación de máxima emergencia que exigía soluciones de máxima emergencia; tal vez cabría preguntarse incluso –es sólo una manera más incómoda de formular la misma pregunta– si gran parte de la sociedad democrática no se confabuló a su pesar para facilitarles involuntariamente la tarea a los enemigos de la democracia.

Al Suárez de aquellas fechas puede acusársele de pasividad y de incapacidad, también de indigencia política, pero no de ser un irresponsable o un frívolo o un ventajista sin escrúpulos: Suárez seguía siendo Suárez pero ya no era un Julien Sorel o un Lucien Rubempré o un Frédéric Moreau, Emmanuele Bardone a punto de transmutarse definitivamente en el general De la Rovere. Quizá la postrera ocasión en que Suárez interpretó a Bardone ocurrió justo antes de ser elegido por segunda vez presidente del gobierno, en marzo del 79; ante el temor de una victoria del PSOE, ensayó entonces su último número de ilusionista, la última gran trapacería del pícaro de provincias: compareció en televisión la vigilia de las elecciones clamando contra el peligro de que triunfara la izquierda revolucionaria y destruyera la familia y el estado; él sabía muy bien que ese clamor no era más que un espantaviejas, pero quizá sospechaba que sólo arriesgándose a una cabriola demagógica podría ganar las elecciones, y no dudó en arriesgarse. La treta funcionó, ganó las elecciones, y tras ganarlas acaparó más poder del que había tenido nunca. Al cabo de muy poco tiempo, sin embargo, entró en caída libre; conocemos el resto de la historia: 1979 fue para él un año malo; 1980 fue peor. Pese a ello, es probable que durante esa época de desastres –mientras se acercaba el momento de su renuncia a la presidencia y el momento del golpe militar y se imaginaba a sí mismo en el centro del ring, ciego y tambaleándose y resollando entre el aullido del público y el calor de los focos, políticamente hundido y personalmente roto– Suárez se imbuyera más que nunca de su papel aristocrático de hombre de estado progresista, cada vez más convencido de ser el último baluarte de la democracia cuando todas las defensas de la democracia se derrumbaban, cada vez más seguro de que las innumerables maniobras políticas emprendidas contra él entreabrían las puertas de la democracia a los enemigos de la democracia, cada vez más profundamente investido de la dignidad de su cargo de presidente de la democracia y de su responsabilidad como hacedor de la democracia, cada vez más incorporado el personaje a su persona, como un Suárez inventado pero más real que el Suárez real porque se sobreponía al real trascendiéndolo, como un actor a punto de interpretar la escena que lo justificará ante la historia escondido tras una máscara que antes que ocultarlo revela su auténtico rostro, como un Emmanuele Bardone ya convertido sin retorno en el general De la Rovere que en la tarde del 23 de febrero, en el momento de la verdad, mientras las balas zumbaban a su alrededor en el hemiciclo del Congreso y los diputados buscaban refugio bajo sus escaños, hubiera permanecido en el suyo en medio de aquel estruendo de batalla para aplacar el temor de sus compañeros y ayudarles a encarar el infortunio con estas palabras: «Amigos, os habla vuestro presidente. Calma, dignidad, control. Sed hombres». Y también con estas palabras: «Demostrad a esos canallas que no teméis a la muerte». Y también con éstas: «En estos momentos supremos dediquemos nuestros pensamientos a nuestras familias, a la patria y a la majestad del Rey». Y finalmente con éstas: «¡Viva Italia!».

5

Rosselini no se sentía muy orgulloso de *El general De la Rovere*, pero un artista no siempre es el mejor juez de su propia obra, y yo creo que se equivocaba: la película es formalmente tradicional, a ratos casi convencional, pero la fábula que propone el destino de Emmanuele Bardone –un colaboracionista del fascismo convertido en héroe de la Italia antifascista– es de una riqueza y una complejidad extraordinarias; aún más rica y más compleja es, quizá, la fábula paralela que propone el destino de Adolfo Suárez –un colaboracionista del franquismo convertido en héroe de la España democrática–, porque Suárez fue un político y su peripecia sugiere que en un político los vicios privados pueden ser virtudes públicas o que en política es posible llegar al bien a través del mal o que no basta juzgar éticamente a un político y antes hay que juzgarlo políticamente o que la ética y la política son incompatibles y la expresión ética política es un oxímoron o tal vez que los vicios y las virtudes no existen en abstracto, sino sólo en función de las circunstancias en que se practican: Suárez no fue un hombre éticamente irreprochable, pero es muy posible que nunca hubiera podido hacer lo que hizo si durante años no hubiese sido un pícaro con la moral del superviviente y el don del engaño, un arribista sin mucha cultura ni ideas políticas firmes, un gallito falangista, adulador y trapacero. Es razonable conjeturar que lo que hizo Suárez hubiera podido hacerlo cualquiera de los jóvenes políticos franquistas que a la muerte de Franco sabían o intuían como él que el franquismo carecía de futuro y que era preciso ensancharlo o transformarlo; es razonable, pero la realidad es que aunque casi todos ellos compartían sus vicios privados ninguno reunía su coraje, su audacia, su fortaleza, su excluyente vocación política, su histrionismo, su seriedad, su encanto, su modestia, su inteligencia natural, su aptitud para conciliar lo inconciliable y sobre todo un sentido de la realidad y una intuición histórica que le permitieron entender muy pronto, empujado por la oposición democrática, que más que tratar de imponerse a la realidad debía dejarse moldear por ella, que ensanchar o transformar el franquismo sólo acarrearía desventuras y que lo único que se podía hacer con él era matarlo de una vez por todas, traicionando el pasado para no traicionar el futuro. Sea como sea, no hay que apurar el paralelismo entre Bardone y Suárez: Bardone era un individuo moralmente abyecto que cometió pecados atroces en una época atroz; Suárez fue en cambio un hombre básicamente honesto: mientras ocupó la presidencia del gobierno sus pecados no fueron mortales –o fueron sólo los pecados mortales que conlleva el ejercicio del poder–, y antes de ocupar la presidencia del gobierno sus pecados fueron los pecados comunes de una época podrida. Además de los éxitos políticos que cosechó, esto último quizá explique que durante años tanta gente lo admirara y no dejara de votarle; quiero decir que no es verdad que la gente votase a Suárez porque se engañara sobre sus defectos y limitaciones, o porque Suárez consiguiera engañarles: le votaban en parte porque era como a ellos les hubiera gustado ser, pero sobre todo le votaban porque, menos por sus virtudes que por sus defectos, era igual que ellos. Así era más o menos la España de los años setenta: un país poblado de hombres vulgares, incultos, trapaceros, jugadores, mujeriegos y sin muchos escrúpulos, provincianos con moral de supervivientes educados entre Acción Católica y Falange que habían vivido con comodidad bajo el franquismo, colaboracionistas que ni siquiera hubiesen admitido su colaboración pero en secreto se avergonzaban cada vez más de ella y que confiaron en Suárez porque sabían que, aunque quisiera ser el más justo y el más moderno y el más audaz –o precisamente porque quería serlo–, nunca dejaría de ser uno de los suyos y nunca les llevaría a donde no quisieran ir. Suárez no los defraudó: construyó para ellos un futuro, y construyéndolo limpió su pasado, o intentó limpiarlo. Si bien se mira, en este punto el extraño destino de Suárez también se asemeja al de Bardone: gritando «¡Viva Italia!» ante el pelotón de fusilamiento en un amanecer nevado, Bardone no sólo se redimía él, sino que de algún modo redimía a todo su país de haber colaborado masivamente con el fascismo; permaneciendo en su escaño mientras las balas zumbaban a su alrededor en el hemiciclo durante la tarde del 23 de febrero, Suárez no sólo se redimía él, sino que de algún modo redimía a todo su país de haber colaborado masivamente con el franquismo. Quién sabe: quizá por eso –quizá también por eso– Suárez no se tiró.

6

¿Son los vicios privados de un político virtudes públicas? ¿Es posible llegar al bien a través del mal? ¿Es insuficiente o mezquino juzgar éticamente a un político y sólo hay que juzgarlo políticamente? ¿Son la ética y la política incompatibles y es un oxímoron la expresión ética política? Al menos desde Platón la filosofía ha discutido el problema de la tensión entre medios y fines, y no hay ninguna ética seria que no se haya preguntado si es lícito usar medios dudosos, o peligrosos, o simplemente malos, para conseguir fines buenos. Maquiavelo no tenía ninguna duda de que era posible llegar al bien a través del mal, pero un casi contemporáneo suyo, Michel de Montaigne, fue todavía más explícito: «El bien público requiere que se traicione y que se mienta, y que se asesine»; por eso ambos consideraban que la política debía dejarse en manos de «los ciudadanos más vigorosos y menos timoratos, que sacrifican el honor y la conciencia por la salvación de su país». Max Weber se planteó la cuestión en términos semejantes. Weber no piensa que ética y política sean exactamente incompatibles, pero sí que la ética del político es una ética específica, con efectos secundarios letales: frente a la ética absoluta, que denomina «ética de la convicción» y que se ocupa de la bondad de los actos sin reparar en sus consecuencias –*Fiat iustitia et pereat mundus*–, el político practica una ética relativa, que Weber denomina «ética de la responsabilidad» y que en vez de ocuparse sólo de la bondad de los actos se ocupa sobre todo de la bondad de las consecuencias de los actos. Ahora bien, si el medio esencial de la política es la violencia, según piensa Weber, entonces el oficio de político consiste en usar medios perversos para, ateniéndose a la ética de la responsabilidad, conseguir fines beneficiosos: de ahí que para Weber el político sea un hombre perdido que no puede aspirar a la salvación de su alma, porque ha pactado con el diablo al pactar con la fuerza del poder y está condenado a sufrir las consecuencias de ese pacto abominable. De ahí también, añadiría yo, que el poder se parezca a una sustancia abrasiva que deja a su paso un yermo tanto más extenso cuanto mayor es la cantidad que se acumula, y de ahí que todo político puro termine tarde o temprano pensando que ha sacrificado su honor y su conciencia por la salvación de su país, porque tarde o temprano comprende que ha vendido su alma, y que no va a salvarse.

Suárez no lo comprendió en seguida. Después de abandonar el poder tras el golpe de estado todavía continuó metido en política diez años exactos, pero durante ese tiempo se convirtió en un político distinto; no dejó de ser un político puro, pero ya apenas ejerció como tal, y empezó a ser un político con menos responsabilidades y con más convicciones –él, que de joven apenas había tenido alguna–, igual que si pensara que ese cambio de última hora podía impedir que el diablo se cobrara su parte del trato. Por las fechas en que presentó su dimisión como presidente del gobierno el Rey prometió concederle un ducado en premio a los servicios prestados al país; poca gente en el entorno de la Zarzuela era partidaria de ennoblecer a aquel advenedizo que para muchos se había rebelado contra el Rey y había puesto en peligro la Corona, así que la concesión se retrasó y, en un gesto más conmovedor que embarazoso –porque delata al plebeyo arribista de provincias peleando todavía por legitimarse y expiar su pasado–, Suárez reclamó lo prometido y apenas dos días después del 23 de febrero el monarca lo nombró por fin duque de Suárez a condición de que permaneciera una temporada alejado de la política. A Suárez le faltó tiempo para aceptar ese arreglo vejatorio, para hacerse bordar sus camisas con una corona ducal y para empezar a usar su título nobiliario; se trataba de los signos externos que permitían rematar la interpretación del personaje al que desde hacía tiempo aspiraba y que de algún modo ya era: un aristócrata progresista, exactamente igual que el general De la Rovere. Tal vez menos pendiente de su futuro político que de acabar de cincelar su figura histórica, empeñado en el propósito inútil de fundir la ética de la convicción con la ética de la responsabilidad, a esa imagen sólo en parte irreal intentó ser fiel durante el resto de su vida política: la imagen de un estadista sin ambición de poder, consagrado a lo que por entonces denominaba «llevar la ética a la política», a preservar la democracia, a fomentar la concordia, a ensanchar las libertades y a combatir la desigualdad y la injusticia. No siempre consiguió su objetivo, a veces por inconsciencia, otras veces por despecho, a menudo por su dificultad para embridar al político puro que todavía llevaba dentro. Tres días después del golpe de estado partió a unas largas vacaciones por Estados Unidos y el Caribe en compañía de su mujer y de un grupo de amigos; era la espantada comprensible de un hombre deshecho y hastiado hasta el límite, pero también era una mala manera de dejar la presidencia, porque significaba abandonar a su sucesor: no le traspasó sus poderes, no le dejó una sola indicación ni le dio un solo consejo, y lo único que encontró Leopoldo Calvo Sotelo en su despacho de la Moncloa fue una caja fuerte con sus secretos de gobernante pero cuyo único contenido resultó ser, según comprobó después de que la forzaran los cerrajeros, un papel doblado en cuatro partes donde Suárez había anotado de su puño y letra la combinación de la caja fuerte, como si hubiera querido gastarle una broma a su sustituto o como si hubiera querido aleccionarle sobre la esencia verdadera del poder o como si hubiera querido revelarle que en realidad sólo era un histrión camaleónico sin vida interior o personalidad definida y un ser transparente cuyo secreto más recóndito consistía en que carecía de secreto.

Pero no sólo abandonó a su sucesor; también abandonó a su partido. De regreso de sus vacaciones, Suárez montó un despacho de abogados con un manojo de fieles procedentes de su gabinete presidencial, y durante algún tiempo se esforzó por permanecer alejado de la política; el pequeño Madrid del poder facilitó su esfuerzo: la calamidad de sus últimos meses de gobierno y el trauma de su dimisión y del 23 de febrero lo habían convertido en poco menos que un indeseable, y todo el que albergaba alguna ambición –y casi todo el que no la albergaba– procuraba mantenerlo a distancia. Su vocación era sin embargo mucho más fuerte que su insolvencia y, pese a la promesa que le había hecho al Rey, ese período sin política fue breve y su alejamiento del poder relativo; después de todo aún mantenía cierto control de UCD a través de algunos de sus hombres, lo que no impidió que el partido continuara desquiciándose ni que él asistiera al desquiciamiento con un disgusto mezclado de rabia vindicativa: contra lo que tantos correligionarios venían predicando desde tiempo atrás, aquello probaba que su liderazgo no había sido la causa de todos los males de UCD; con su sucesor, en cambio, el disgusto carecía de mezcla: tan pronto como llegó a la presidencia del gobierno Calvo Sotelo empezó a adoptar medidas que corregían de raíz la política de Suárez y que éste interpretó como un giro intolerable a la derecha. De resultas de todo esto, al cabo de pocos meses de su retirada de la política Suárez empezó a preparar su regreso. Para entonces Calvo Sotelo había apartado a los suaristas de la dirección de UCD y él se sentía cada vez más a disgusto en un partido al que responsabilizaba con razón de su caída, así que, aunque hubo ofrecimientos de que retomara el volante de UCD para evitar que se estrellase, Suárez los rechazó, y en los últimos días de julio de 1982, a sólo tres meses de las elecciones generales, anunció la creación de un nuevo partido: el Centro Democrático y Social.

Fue su última aventura política. Un doble propósito la guiaba: por un lado, crear un partido de verdad, cohesionado organizativa e ideológicamente, que fuera lo que no había sido

UCD; por otro, promulgar sus nuevos principios de hombre de estado progresista y de concordia, su nueva ética política de aristócrata de izquierda o de centro izquierda. Montó el partido sin apenas medios, sin apenas hombres, sin el respaldo de nadie o de casi nadie, y menos que nadie de los llamados poderes fácticos, que habían hecho lo posible para echarlo del poder y contemplaron la posibilidad de que volviera con horror. Lejos de descorazonarlo, este abandono lo exaltó, quizá porque sintió que le devolvía a la política un aliento épico y estético que no sentía desde sus primeros meses en el gobierno y que casi había olvidado, autorizándole además a presentarse como una víctima de los poderosos y como un solitario luchador contra la injusticia y la adversidad o, según les dijo a los periodistas en el acto de presentación del nuevo partido, como un Quijote saliendo lanza en ristre a enderezar tuertos en la intemperie de los caminos. Por esas fechas circuló con abundancia una historia que muchos consideran apócrifa. Según ella, poco antes de las elecciones uno de sus colaboradores le recomendó que contratara para la campaña a un asesor norteamericano; Suárez aceptó la sugerencia. ¿Quiere usted ganar las elecciones?, fue la pregunta a bocajarro que le hizo el asesor cuando Suárez lo recibió. Naturalmente, Suárez dijo que sí. Entonces déjeme usar la grabación del golpe de estado, dijo el asesor. Muéstrele a la gente el hemiciclo vacío y a usted sentado en su escaño y tendrá la mayoría absoluta. Suárez se echó a reír, le dio las gracias al asesor y lo despidió en el acto. La anécdota parece una estampa surgida de la inventiva de un hagiógrafo de Suárez –usar electoralmente las imágenes más desoladoras de la democracia no era hacerle un favor a la democracia, y el gran hombre elegía jugar limpio aun a costa de perder las elecciones–; no sé si lo es, pero, si es verdad que algún asesor le hizo a Suárez una propuesta semejante, yo apostaría a que ésa fue su reacción: primero, porque él sabía que el asesor estaba equivocado y que, aunque la imagen del hemiciclo en la tarde del 23 de febrero pudiera darle unos miles de votos, nunca le haría ganar unas elecciones; y segundo –y sobre todo–, porque, aun suponiendo que el uso electoral de esas imágenes le hubiera hecho ganar las elecciones, hubiera arruinado sin remedio el papel que debía interpretar para exorcizar definitivamente su pasado y fijar su lugar en la historia; o dicho de otra manera: tal vez Emmanuele Bardone hubiera aceptado el consejo del asesor, pero el general De la Rovere no, y Suárez hacía ya mucho tiempo que no quería saber nada de Emmanuele Bardone.

En aquellas elecciones obtuvo dos escaños. Era un resultado ínfimo, que no alcanzaba siquiera para formar grupo parlamentario propio en el Congreso y que lo confinó en el desván del grupo mixto junto con su eterno compinche Santiago Carrillo, quien por entonces alargaba su agonía al frente del PCE y no se cansaba de repetirle entre risas que así les pagaba el país a los dos el gesto de aguantar el tipo en la tarde del 23 de febrero; pero también era un resultado suficiente para permitirle ejercer de aristócrata de izquierda o de centro izquierda y de estadista de la concordia. Empezó a hacerlo en cuanto se presentó la primera oportunidad: durante la sesión de investidura del nuevo presidente entregó su voto a Felipe González, que había sido su adversario más encarnizado mientras presidía el gobierno y que ni siquiera le agradeció su apoyo, sin duda porque la mayoría absoluta obtenida por el PSOE en las elecciones lo volvía superfluo. «No debemos contribuir al desencanto –dijo ese día Suárez desde la tribuna de oradores del Congreso–. No nos alegrarán los posibles errores del gobierno. No participaremos, ni en la Cámara ni fuera de ella, en operaciones de desestabilización del gobierno. No somos partidarios del irresponsable y peligroso juego de capitalizar en beneficio propio las dificultades de quien tiene la honrosa carga de gobernar España.» Estas palabras fueron acogidas por la sonora indiferencia o el desprecio silencioso de un hemiciclo casi vacío, pero contenían una declaración de principios y una lección de ética política que durante los cuatro años siguientes no se cansaría de impartir: no estaba dispuesto a hacer con los demás lo que los demás habían hecho con él al precio de provocar una crisis de estado como la que había conducido a su dimisión y al 23 de febrero. Era una forma de defensa retroactiva y, aunque nadie le reconoció autoridad para dar lecciones de ética política a nadie, Suárez continuó impertérrito predicando su nuevo evangelio. La verdad es que se atuvo a él, en parte porque se lo permitía su insignificancia parlamentaria, pero ante todo porque por encima de cualquier otra cosa deseaba ser fiel a la idiosincrasia de su nuevo personaje. Fue así como empezó a forjar su resurrección: poco a poco la gente empezó a enterrar al político desnortado de sus últimos años de mandato y a desenterrar al vibrante hacedor de la democracia, y poco a poco, y sobre todo a medida que algunos se desengañaban de la ilusión socialista, empezaron a calar sus gestos y su retórica de hombre de estado, su regeneracionismo ético y un confuso discurso progresista que le permitió tanto coquetear con la izquierda intelectual de las capitales, a la que siempre quiso pertenecer, como recuperar parte de su atractivo sobre la derecha tradicional de las provincias, a la que siempre había pertenecido.

Cuatro años después de su primer discurso en el Congreso como diputado de a pie sintió que las elecciones generales lo colocaban de nuevo a las puertas del gobierno. Se celebraron en junio del 86 y se presentó otra vez a ellas sin apenas dinero ni respaldo mediático, pero con un mensaje radical que minó a sus adversarios y le entregó casi dos millones de votos y casi veinte parlamentarios. Aquel triunfo abultado e imprevisto sumió a la derecha en la aflicción («Si este país da diecinueve escaños a Suárez es que no tiene remedio», declaró por entonces Fraga, quien al poco tiempo abandonaría el liderazgo de su partido) y en el desconcierto a la izquierda, que se vio obligada a tomarse en serio el ascenso de Suárez y que a partir de aquel momento no paró de pedirle que dejara de disputarle sus votantes y recuperara su discurso y su lugar en la derecha. Si su único propósito hubiese sido reconquistar la presidencia, hubiera debido hacerlo: liquidado Fraga y resignados los llamados poderes fácticos a su vuelta a la política, Suárez era para casi todos el líder natural del centro derecha, y por eso el sucesor de Fraga le ofreció una y otra vez convertirse en el cartel electoral de una gran coalición capaz de derrotar a los socialistas. Hubiera debido hacerlo, pero no lo hizo: había perdido su fiereza juvenil de político puro y ya no estaba dispuesto a volver al gobierno pasando por encima de las ideas que había hecho suyas; era un político de convicciones y no una piraña del poder; se sentía más próximo a la izquierda generosa que velaba por los desfavorecidos que a la mezquina derecha celosa de sus privilegios; en suma: había resuelto interpretar su personaje hasta el final. Además, después de un lustro de penalidades políticas el éxito lo volvía a propulsar con una euforia que por momentos parecía resarcirlo de las agonías de sus últimos años en la Moncloa: enarbolando el idealismo de los valores y el monto real de sus logros frente a lo que consideraba el pragmatismo sin vuelo de los socialistas y la impotencia sin futuro de la derecha, como si nunca hubiera perdido su antiguo carisma y su capacidad de conciliar lo inconciliable y su intuición histórica Suárez volvió en los meses siguientes a encandilar a muchos de sus viejos partidarios y atrajo a políticos, profesionales e intelectuales de izquierda o de centro izquierda, y en muy poco tiempo consiguió que un partido de perfume caudillista, sin otras garantías que el empecinamiento y el historial de su líder, quedara implantado en toda la geografía española, y que algunos pudieran imaginarlo erigido en una seria alternativa de poder al poder socialista.

No es imposible que algunos triunfos simbólicos de este pequeño retorno a lo grande significaran en secreto para él casi tanto como los triunfos electorales. En octubre de 1989 fue nombrado presidente de la Internacional Liberal, una organización que por exigencia suya cambió su nombre por el de Internacional Liberal y Progresista: era el reconocimiento de que el falangista de Ávila que había llegado a secretario general del partido único de Franco se había convertido en un político de referencia para el progresismo internacional, y el certificado definitivo de que también para el mundo Emmanuele Bardone era ya el general De la Rovere. Íntimamente más feliz todavía debió de hacerle una nimiedad ocurrida en el Congreso dos años atrás. Durante un debate parlamentario el nuevo líder de la derecha, Antonio Hernández Mancha, cuyas peticiones de apoyo había rechazado Suárez de forma reiterada, le dedicó con irónica altivez de abogado del estado unos versos contrahechos para la ocasión que atribuyó a santa Teresa de Jesús: «¿Qué tengo yo, Adolfo, que mi enemistad procuras? / ¿Qué interés te aflige, Adolfo mío, / que ante mi puerta, cubierto de rocío, / pasas las noches de invierno oscuro?». En cuanto hubo concluido de hablar su adversario, Suárez saltó de su escaño y pidió la palabra: aseguró que Hernández Mancha había recitado mal todos y cada uno de los versos del cuarteto, luego los recitó correctamente y para acabar dijo que su autor no era santa Teresa sino Lope de Vega; después, sin más comentarios, volvió a sentarse. Era la escena soñada por cualquier gallito de provincias con ganas de desquite: siempre había sido un parlamentario retraído y pedestre, pero acababa de abochornar en un pleno del Congreso y ante las cámaras de televisión a su competidor más directo, recordándoles a quienes durante años lo habían considerado un chisgarabís indocumentado que quizá no había leído tanto como ellos pero había leído lo suficiente para hacer por su país muchas más cosas de las que ellos habían hecho, y recordándoles de paso que Hernández Mancha era sólo otro más de los muchos mequetrefes adornados de matrículas de honor con que se había medido en su carrera política y que, porque creían saberlo todo, nunca entenderían nada.

Todo esto fue un espejismo, el póstumo fulgor de una estrella extinguida, los cien días de gloria del emperador destronado. Me resisto a creer que Suárez lo ignorara; me resisto a creer que hubiera vuelto a la política ignorando que no volvería al poder: al fin y al cabo muy pocos sabían como él que quizá es imposible llevar la ética a la política sin renunciar a la política, porque muy pocos sabían como él que quizá nadie llega al poder sin usar medios dudosos o peligrosos o simplemente malos, jugando limpio o esforzándose al máximo por jugar limpio para fabricarse un lugar honorable en la historia; me pregunto incluso si no sabía más, si no intuía al menos que, suponiendo que podamos de veras admirar a los héroes y no nos incomoden o nos ofendan disminuyéndonos con las enfáticas anomalías de sus actos, quizá no podamos admirar a los héroes de la retirada, o no plenamente, y por eso no queremos que vuelvan a gobernarnos una vez concluida su tarea: porque sospechamos que en ella han sacrificado su honor y su conciencia, y porque tenemos una ética de la lealtad, pero no tenemos una ética de la traición. El espejismo, en cualquier caso, apenas duró un par de años: al tercero ya había empezado a invadir el Congreso y la opinión pública la certeza de que lo que Suárez llamaba una política de estado era en realidad una política ambigua, tramposa y populista, que buscaba en Madrid los votos de la izquierda y en Ávila los de la derecha, y que le permitía pactar con la izquierda en el Congreso y con la derecha en los ayuntamientos; al cuarto, tras cosechar resultados decepcionantes en las elecciones generales y europeas, surgieron los problemas en el partido, las divisiones internas y los expedientes a los militantes díscolos, y la derecha y la izquierda vieron la ocasión esperada de ultimar a un adversario común y se arrojaron a la vez sobre él en busca de sus votantes de izquierda y de derecha; al quinto año sobrevino el derrumbe: en las elecciones autonómicas del 26 de mayo del 91 el CDS perdió más de la mitad de sus votos y quedó fuera de casi todos los parlamentos regionales, y aquella misma noche Suárez anunció su dimisión como presidente del partido y su renuncia a su escaño en el Congreso. Era el final: un final mediocre, sin grandeza y sin brillo. No daba más de sí: estaba exhausto y desilusionado, impotente para volver a presentar batalla dentro y fuera de su partido. No se retiraba: lo retiraban. No dejaba nada tras él: UCD había desaparecido hacía años, y el CDS no tardaría en desaparecer. La política es una carnicería: se oyeron muchos suspiros de alivio, pero ni un solo lamento por su retirada.

Durante el año siguiente Suárez empezó a familiarizarse con su futuro de jubilado precoz de la política, padre de la patria en paro, intermediario en negocios ocasionales, conferenciante de lujo en Latinoamérica y jugador de prolongadas partidas de golf. Era un futuro largo, apaciguado y un poco insípido, o así debió de imaginarlo él, acaso con cierta dosis inesperada de alegría. La primera vez que abandonó el poder, tras su dimisión y el golpe de estado, Suárez sintió sin duda un frío de heroinómano sin heroína; es muy posible que ahora no sintiese nada parecido, o que sólo sintiese algo muy parecido al asombro feliz de quien arroja una impedimenta con la que no era consciente de estar cargando. Olvidó la política; la política lo olvidó a él. Continuaba siendo profundamente religioso y no creo que hubiera leído a Max Weber, así que no tenía ningún motivo para dudar de que iba a salvarse y de que, aunque el poder fuera una sustancia abrasiva y él hubiera firmado un pacto con el diablo, nadie iba a venir a reclamárselo; continuaba siendo un optimista compulsivo, así que debió de estar seguro de que ya sólo le quedaba dejar transcurrir plácidamente el tiempo a la espera de que el país le agradeciera su contribución a la conquista de la democracia. «Una cosa, y solamente una, tiene garantizada el héroe de la retirada –escribió Hans Magnus Enzensberger a propósito de Suárez poco antes de que éste renunciara a la política–: la ingratitud de la patria.» En apariencia, Enzensberger se equivocaba, o al menos se equivocaba en parte, pero Suárez se equivocaba del todo, y poco tiempo después empezó a operarse en él una metamorfosis final, como si, tras haber interpretado a un joven arribista de novela decimonónica francesa y a un pícaro adulto convertido en héroe aristocrático de película neorrealista italiana, un demiurgo le hubiese reservado para el último tramo de su vida el trágico papel de viejo, piadoso y devastado príncipe de novela rusa.

Suárez recibió el primer aviso de que no le aguardaba un retiro plácido apenas un año y medio después de abandonar la política, cuando en el mes de noviembre de 1992 supo que su hija Mariam tenía un cáncer de pecho y que los médicos no le daban más de tres meses de vida. La noticia lo dejó anonadado, pero no lo paralizó, y sin perder un minuto de tiempo se entregó a frenar la enfermedad de su hija. Dos años después, una vez que creyó haberlo conseguido, le diagnosticaron un cáncer idéntico a Amparo, su mujer. En aquella ocasión el golpe fue más duro, porque se sumaba al anterior, y ya no se rehízo. Puede que, católico hasta el fin, debilitado por la edad y la desdicha, lo que acabase de derrotarlo no fuese esa doble afección mortal, sino la culpa. En el año 2000, cuando su mujer y su hija todavía estaban vivas, Suárez puso un prólogo a un libro que la segunda escribió sobre su dolencia. «¿Por qué a ellas? ¿Por qué a nosotros? –se lamentaba en él–. ¿Qué han hecho ellas? ¿Qué hemos hecho nosotros?» Suárez entiende que tales preguntas son absurdas, «el tributo lógico de la egolatría instintiva», pero que pese a ello las formule prueba que se las hizo muchas veces y que, aunque no hubiera leído a Max Weber, muchas veces el remordimiento lo mortificó con el reproche ilusorio de que el diablo había venido a cobrarse su parte del trato y de que el yermo abrasado que lo rodeaba era el fruto de la egolatría instintiva que le había permitido llegar a ser quien siempre quiso ser. Y fue justo entonces cuando ocurrió. Fue justo entonces, en el momento quizá más oscuro de su vida, cuando llegó lo inevitable, la hora anhelada del reconocimiento público, la oportunidad de que todos le agradecieran el sacrificio de su honor y su conciencia por el país, el humillante aquelarre nacional de la compasión, era el gran hombre abatido por la desgracia y ya no molestaba a nadie ni podía hacerle sombra a nadie ni volvería jamás a la política y podía ser usado por unos y por otros y convertido en el perfecto paladín de la concordia, en el as invicto de la reconciliación, en el hacedor sin mácula del cambio democrático, en una estatua viviente apta para escudarse tras ella y asear conciencias y calzar instituciones tambaleantes y exhibir sin pudor la satisfacción del país con su pasado inmediato y organizar escenas wagnerianas de gratitud con el prócer caído, empezaron a lloverle homenajes, galardones, distinciones honoríficas, recuperó la amistad del Rey, la confianza de sus sucesores en la presidencia del gobierno, el favor popular, consiguió todo lo que había deseado y previsto aunque todo fuese un poco falso y forzado y apresurado y sobre todo tardío, porque para entonces él ya se estaba yendo o se había ido y apenas alcanzaba a contemplar su desplome final sin entenderlo demasiado y a mendigar de quien se cruzaba en su camino una oración por su mujer y por su hija, como si su alma se hubiera extraviado definitivamente en un laberinto de contrición autocompasiva y meditaciones atormentadas sobre los frutos culpables de la egolatría y él se hubiera definitivamente transformado en el viejo príncipe pecador y arrepentido de una novela de Dostoievski.

En mayo de 2001 murió su mujer; tres años más tarde murió su hija. Para entonces su mente había abdicado y él estaba en otro lugar, lejos de sí mismo. La enfermedad había empezado a insinuarse mucho antes, llevándolo y trayéndolo de la memoria al olvido, pero hacia el año 2003 su deterioro era ya inocultable. De esa época data su último discurso político, aunque no fuera exactamente un discurso político; la televisión recogió un fragmento. El partido de la derecha le había ofrecido a su hijo Adolfo encabezar la candidatura a la presidencia de la comunidad autónoma de Castilla-La Mancha; porque no ignoraba que la intención de la oferta era rentabilizar el prestigio de su apellido, Suárez le desaconsejó a su hijo que aceptara, pero el ansia de emular a su padre pudo más que la falta de vocación y el hijo presentó su candidatura y el padre se sintió obligado a defenderla. El 3 de mayo ambos dieron un mitin en Albacete. De pie frente al atril y la multitud, Suárez luce traje oscuro, camisa blanca y corbata de lunares; tiene setenta años y, pese a que su cuerpo conserva vestigios de su prestancia de tenista y de su porte de bailarín de verbena, los aparenta, el pelo entretejido de blanco, las generosas entradas, la piel moteada por las manchas de la vejez. No habla de política; habla de su hijo, menciona el hecho de que ha estudiado en Harvard y luego se detiene en seco. «Dios mío –dice, sonriendo apenas y revolviendo los papeles que ha preparado–. Creo que me he hecho un lío de mil demonios.» La audiencia aplaude, lo anima a continuar, y él levanta la vista de los papeles, se muerde con un resto de coquetería el labio inferior y sonríe largamente; para sus viejos conocidos, es una sonrisa inconfundible: es la misma sonrisa de galán seguro de gustar con que en otro tiempo podía convencer a un falangista, a un tecnócrata del Opus o a un guerrillero de Cristo Rey de que en el fondo era un guerrillero, un falangista o un admirador del Opus; es la misma sonrisa con que podía decir: Comunista no soy, no (o socialista), pero soy de los tuyos, porque mi familia siempre fue republicana y en el fondo yo no he dejado de serlo; es la misma sonrisa con que decía: Yo tengo el poder y vosotros la legitimidad: tenemos que entendernos. Es la misma sonrisa, tal vez un poco menos natural o más desvaída, pero en el fondo es la misma. Vuelve a mirar los papeles, vuelve a decir que su hijo estudió en Harvard, vuelve a pararse en seco. «Yo no sé si estoy repitiendo esto», dice. Suena una ovación de urgencia. «Tengo un lío de mil demonios con los papeles», repite. Arranca la música, la gente se levanta para tapar sus balbuceos con aplausos, él se olvida de los papeles e intenta improvisar una despedida, pero lo único que en medio del bullicio se le oye decir es la frase siguiente: «Mi hijo no os defraudará».

Fueron las últimas palabras que pronunció en público. Ahí acabó todo. Luego, durante algunos años, desapareció, encerrado en su casa de La Florida, y fue como si se hubiera muerto. De hecho, todo el mundo empezó a hablar de él como si estuviera muerto. Yo mismo he escrito este libro como si estuviera muerto. Un día, sin embargo, volvió a aparecer: fue el 18 de julio de 2008. Esa mañana todos los periódicos españoles reprodujeron en portada su última fotografía. La había tomado su hijo Adolfo el día anterior, y en ella Suárez aparece acompañado por el Rey en el jardín de la casa de La Florida. Los dos hombres están de espaldas, caminando bajo el sol por un césped recién segado hacia una arboleda frondosa. El Rey viste traje gris y apoya su mano derecha sobre el hombro derecho de Suárez, con aire amistoso o protector; Suárez viste una camisa azul remangada, un pantalón beis y unos zapatos ocres. La fotografía captura un momento de una visita del Rey a Suárez para entregarle el collar de la Orden del Toisón de Oro, la máxima distinción que concede la Casa Real española; según las crónicas, el Rey también se lo ha concedido a otras figuras trascendentales en el pasado reciente de España –entre ellas el Gran Duque Juan I de Luxemburgo, Beatriz I de los Países Bajos o Margarita II de Dinamarca–, aunque al chisgarabís que le ayudó como nadie a conservar la Corona sólo se la concedió hace poco más de un año, y hasta ese día no ha tenido tiempo de entregársela. La gratitud de la patria.

7

Conocemos lo ocurrido en los servicios de inteligencia antes del 23 de febrero y durante el 23 de febrero, pero ¿qué ocurrió después? Lo que ocurrió después apenas presenta dudas, y puede referirse con brevedad.

Los días posteriores al golpe fueron de un gran nerviosismo en el CESID. Por las sedes del organismo circulaban rumores acerca de la participación de miembros de la unidad del comandante Cortina en la intentona; muchos de ellos señalaban a los tres miembros de la SEA –el sargento Sales, los cabos Monge y Moya–, al capitán Gómez Iglesias, al capitán García-Almenta, segundo del comandante Cortina, y al propio Cortina; todos o casi todos ellos procedían de la misma fuente: el capitán Rubio Luengo y el sargento Rando Parra, a quienes en la tarde del golpe Monge había relatado su peripecia como guía de los autobuses de Tejero hasta el Congreso, secundado por Moya y Sales, por orden de García-Almenta y, ésa era la inferencia general, de Cortina. El comandante quizá estaba seguro de haber creado durante sus cinco años al mando de la AOME una organización tan elitista, hermética, fiel y disciplinada como una orden de caballeros juramentados, pero en aquella época comprobó que algunos de sus hombres tenían cuentas pendientes con él y que estaban decididos a aprovechar la oportunidad para ajustárselas. Fueron ellos quienes acudieron a Calderón, el hombre fuerte del servicio, con el fin de denunciar a Cortina y a los demás golpistas de su unidad. Por motivos obvios, a Calderón le aterraba que las responsabilidades por lo sucedido el 23 de febrero pudieran rozar siquiera al CESID (bastante tenía con las acusaciones de negligencia e imprevisión que caían sobre él), de manera que habló con Cortina y, después de que éste asegurara que la AOME no había intervenido en el golpe, le exigió que hablara con sus hombres y atajara los rumores. En los días siguientes Cortina se entrevistó con Rubio Luengo y Rando Parra: según Cortina, intentó demostrarles que sus acusaciones eran falsas; según Rubio Luengo y Rando Parra, para comprar su silencio intentó chantajearlos, intentó sobornarlos, veladamente los amenazó (las amenazas de algunos compañeros de unidad delatados fueron según Rando Parra más directas, e incluyeron insultos, advertencias de muerte y el destrozo de una motocicleta). A mediados de marzo un oficial de la AOME le contó al presidente de la Comisión de Defensa del Congreso que la dirección del CESID estaba intentando ocultar la participación de algunos de sus compañeros en el golpe, y a finales de mes, apremiado desde fuera y desde dentro –tal vez sobre todo desde dentro–, Calderón encargó una investigación al teniente coronel Juan Jáudenes, jefe de la División de Interior, quien, al cabo de varias semanas de interrogatorios a acusadores y acusados, entregó un informe que como era previsible eximía de cualquier vinculación con el golpe al CESID en general y al comandante Cortina y sus subordinados en particular.

Todo resultó inútil. Pocos días después de que a principios de mayo un nuevo director del CESID tomara posesión de su cargo y remitiera el Informe Jáudenes al juez nombrado por el gobierno para instruir la causa del 23 de febrero, el comandante Cortina fue procesado. No fue procesado por culpa del informe, aunque es probable que algunos datos contenidos en él terminaran de convencer al juez de su implicación en el golpe; fue procesado por culpa del teniente coronel Tejero. Éste, en sus dos primeras declaraciones ante el juez, no mencionó a Cortina ni a su amigo Gómez Iglesias, según Tejero porque ambos le hicieron llegar a través de su abogado un mensaje idéntico: delatándolos sólo conseguiría privarse de su protección y la del CESID cuando más necesitado estaba de ella; en cambio, en su tercera declaración, realizada a principios de abril en el castillo de La Palma, en el Ferrol, el teniente coronel afirmó que Cortina había sido el verdadero instigador del golpe. Ya he anotado las razones de este cambio: durante aquellos dos meses posteriores al 23 de febrero las defensas de casi todos los procesados habían elaborado una estrategia conjunta, jaleada por la prensa de ultraderecha, consistente en sostener que sus defendidos eran inocentes del delito de rebelión que se les imputaba porque ellos se habían limitado a obedecer las órdenes de sus superiores, que obedecían las órdenes de Milans y de Armada, que obedecían a su vez las órdenes del Rey; ésa fue su principal línea argumentativa antes del juicio y durante el juicio, e implicar a Cortina era no sólo una forma de implicar en el golpe a un organismo esencial del estado, sino sobre todo, porque cabía relacionar al comandante con Armada y con el Rey, una forma de implicar en el golpe a la cúpula del ejército y a la Corona. Así que la tercera vez que declaró ante el juez instructor el teniente coronel Tejero decidió prescindir del prometido amparo del CESID, contó o inventó sus dos encuentros con Cortina y le acusó de haberle empujado al golpe y de ser su enlace con Armada, y el 21 de mayo, tras ser interrogado por el juez instructor, el comandante Cortina ingresó en la cárcel bajo la acusación de haber participado en el golpe. Unos días más tarde, el 13 de junio, fue procesado el capitán Gómez Iglesias. Ningún otro miembro de la AOME corrió la misma suerte.

8

23 de febrero

En cierto modo, fue el momento más peligroso de la noche. Era la una y media de la madrugada y, tras el discurso televisado en que el Rey condenó el asalto al Congreso y exigió respeto a la Constitución, mucha gente que en todo el país había permanecido hasta entonces en vilo, pegada a la radio y la televisión, se retiró a dormir, y casi todo el mundo sintió que la comparecencia del monarca señalaba el fin del golpe o el principio del fin del golpe. Era un sentimiento sólo en parte atinado. Después del fracaso de Armada en el Congreso había fracasado el golpe blando de Armada y Milans, pero no el golpe duro de Tejero, un golpe que pretendía terminar con la democracia aún a costa de terminar con la monarquía y que –con el teniente coronel todavía ocupando el Congreso, con Milans todavía en las calles de Valencia, con los capitanes generales todavía a la expectativa y con muchos generales, jefes y oficiales todavía tentados de actuar– continuaba a la espera de un mínimo movimiento de tropas que desatase en el ejército una reacción en cadena. El problema era que en aquel punto, plantado ya el Rey sin retorno frente a los golpistas, esa reacción hubiera entrañado casi a la fuerza un enfrentamiento armado entre leales y rebeldes a la Corona, algo que había sido una posibilidad desde el principio del golpe pero que quizá nunca estuvo tan cerca de ocurrir como entonces, cuando las órdenes del Rey apenas empezaban a erosionar la moral de los sublevados y aún no había cundido del todo en el ejército la certeza de que el golpe ya no iba a triunfar.

A esa hora, quince minutos después de que el Rey compareciera en televisión, diez minutos después de que Armada saliera del Congreso sin haber podido hacerles a los parlamentarios su propuesta de gobierno de unidad, se produjo el mínimo movimiento de tropas esperado por los golpistas: una columna de catorce Land Rover ocupados por un comandante, cuatro capitanes, dos tenientes, cinco suboficiales y ciento nueve soldados de reemplazo apareció en el centro de Madrid, llegó hasta la Carrera de San Jerónimo, rompió el doble cordón de seguridad de guardias civiles y policías nacionales que aislaba el Congreso y, mientras la multitud que se arremolinaba en torno al hotel Palace intentaba discernir si el objetivo de los recién llegados consistía en desalojar a los rebeldes o en apoyarlos, se sumó a las fuerzas del teniente coronel Tejero. La columna procedía del Cuartel General de la Acorazada Brunete en las afueras de la capital y estaba al mando de Ricardo Pardo Zancada, el mismo comandante de Estado Mayor que la víspera del golpe, durante un viaje de ida y vuelta a Valencia, recibió de Milans el encargo de sublevar su división con la ayuda del general Torres Rojas y el coronel San Martín. A lo largo de toda la tarde y la noche Pardo Zancada había asistido entre perplejo, airado e impotente al fracaso de la rebelión en la Brunete una vez que Juste, el general en jefe, revocó la orden de salida cursada a todos los regimientos minutos antes del asalto al Congreso; avergonzado por la huida de Torres Rojas, que poco después de las ocho había partido de vuelta a su destino en La Coruña sin cumplir con su misión, y por la parálisis de San Martín y del resto de los jefes y oficiales de la unidad, tantas veces partidarios ardorosos del golpe, poco antes de la una de la madrugada Pardo Zancada cambió el uniforme de paseo por el de campaña, improvisó su columna de vehículos ligeros con la colaboración de varios jóvenes capitanes y con las dos únicas compañías acantonadas en el Cuartel General y, después de dejarla formada durante más de un cuarto de hora en las inmediaciones de la barrera de salida a modo de desafío o de invitación a sus compañeros, partió hacia el Congreso tras comprobar que nadie iba a engrosarla y amenazar con pegarle un tiro en la cabeza al soldado que desobedeciese sus órdenes.

No fue un acto quijotesco. Dado que Pardo Zancada se unió a Tejero cuando para muchos el golpe había sido ya prácticamente neutralizado, muchos pensaron que el suyo era un acto quijotesco o eso que suele denominarse un acto quijotesco: un noble ademán de lealtad a una causa perdida. No lo fue: es verdad que, a diferencia de muchos de sus compañeros, Pardo Zancada demostró no ser un cobarde, igual que es verdad que era un idealista con la imaginación demasiado inflamada por los pundonores de la cacharrería del heroísmo franquista y un radical demasiado embebido en el mejunje ideológico de la ultraderecha para amilanarse en el último momento, pero no es verdad que su acto fuera un acto quijotesco. Fue un acto de guerra: en rigor, el único acto de guerra que se había producido desde que Tejero ocupara el Congreso y Milans las calles de Valencia, y por lo tanto el alfilerazo necesario para azuzar a los militares y liberar los reprimidos arrebatos golpistas que desde hacía muchas horas agitaban los cuarteles, la chispa que podía incendiar el polvorín de la Brunete y, con él, el de todo el ejército. Por ese motivo era peligroso el movimiento de Pardo Zancada; por ese motivo y quizá por otro. Aunque el 23 de febrero actuó bajo las órdenes de Milans, es posible que Pardo Zancada se hallara relacionado más o menos de cerca con un grupo de coroneles relacionado a su vez con San Martín o capitaneado por San Martín, un grupo que, según explicaba en noviembre del año anterior el informe de Manuel Fernández-Monzón Altolaguirre titulado «Panorama de las operaciones en marcha», llevaba meses planeando un golpe duro cuyo propósito era el establecimiento de una república presidencialista o un directorio militar; San Martín y Pardo Zancada se habían subido en el último momento al golpe monárquico de Armada y

Milans, pero, habiendo fracasado éste, el golpe de los coroneles era tal vez la única alternativa visible para los golpistas en medio del nerviosismo, el desconcierto y el caos reinantes, y la acción de Pardo Zancada podía ser un resorte que, aunque no activara esa operación, sí lo hiciera con sus organizadores y con los cómplices y simpatizantes de sus organizadores, incorporándolos a la asonada y arrastrando por la fuerza a Milans y a otros capitanes generales a un golpe que ya no podría darse con el Rey, sino sólo contra el Rey.

A pesar de que a la una y media de la madrugada quizá pocas personas temían que aquel imprevisto supusiera un revulsivo suficiente para entregar el triunfo a los golpistas, los primeros momentos de Pardo Zancada en el Congreso parecieron confirmar estos negros pronósticos. La llegada de su columna levantó el ánimo de los guardias civiles sublevados, que empezaban a ser víctimas de la fatiga y del desaliento, conscientes de que el fracaso de la negociación entre Armada y Tejero había impedido un desenlace favorable del secuestro y de que a cada momento que pasaba era más difícil que el ejército acudiera en su auxilio; pero, además de proporcionar una momentánea dosis de moral a los rebeldes –permitiéndoles creer que por fin la Brunete se había unido al golpe y que aquel destacamento era sólo la cabeza de puente del esperado movimiento general–, tan pronto como se puso a las órdenes de Tejero Pardo Zancada se concentró en la tarea de insubordinar otras unidades: provisto de un listín telefónico de la división que se había procurado en el Cuartel General y saltando de teléfono en teléfono a medida que quienes dirigían el asedio al Congreso le cortaban las comunicaciones con el exterior hasta dejar únicamente cuatro o cinco aparatos en funcionamiento de los ochenta de que disponía el edificio, Pardo Zancada habló (desde un despacho de la planta baja del edificio nuevo, desde la centralita, desde las cabinas de prensa) con numerosos jefes de la Brunete dotados de mando en tropa; tras dar novedades a San Martín llamándole al Cuartel General, habló con el coronel Centeno Estévez, de la Brigada Mecanizada 11, con el teniente coronel Fernando Pardo de Santayana, del Grupo de Artillería Antiaérea, con el coronel Pontijas, de la Brigada Acorazada XII, con el teniente coronel Santa Pau Corzán, del Regimiento de Caballería Villaviciosa 14. Con todos ellos la conversación fue parecida: Pardo Zancada les informaba de lo que había hecho y a continuación los conminaba a que siguieran su ejemplo, asegurándoles que muchos otros como ellos se disponían a imitar su gesto y que bastaba colocar un tanque en la Carrera de San Jerónimo para que el golpe fuera irreversible. Las reacciones a sus soflamas telefónicas oscilaron entre el derrotismo de Pardo de Santayana y el entusiasmo de Santa Pau Corzán («¡Descuida, Ricardo, no te dejaremos con el culo al aire! ¡Iremos con vosotros!»), y hacia las tres y media de la madrugada sus esfuerzos parecieron fructificar cuando un ayudante de Milans llamó al Congreso para anunciar que los regimientos de caballería Villaviciosa y Pavía acababan de sublevarse y se dirigían a la Carrera de San Jerónimo. No era verdad, pero –gracias al teniente coronel De Meer y al coronel Valencia Remón, que hasta bien avanzada la madrugada estuvieron a punto de sacar sus tanques de los cuarteles– faltó muy poco para que lo fuera; también faltó muy poco para que al menos otras dos o tres unidades de la Brunete imitasen a Pardo Zancada. Éste fracasó igualmente cuando quiso difundir un manifiesto donde exponía las razones de los golpistas: el periódico *El Alcázar* rehusó publicarlo en sus páginas; la emisora La Voz de Madrid alegó problemas técnicos para no emitirlo: ambos medios privaron así al comandante de un recurso propagandístico orientado a vencer la indecisión de sus compañeros de armas en todo el país.

Poco después de recibir la noticia de ese doble revés Pardo Zancada llamó a Valencia y habló con Milans. Fue la última vez que lo hizo aquella noche y, aunque el comandante lo ignoraba, para entonces hacía ya varias horas que Milans había comprendido que el golpe tocaba a su fin. Minutos más tarde de la alocución televisada del Rey y de que Tejero se negara a obedecerle desde el despacho del edificio nuevo del Congreso, sellando el fracaso de su golpe blando, Milans recibió un télex de la Zarzuela en el que se le urgía de forma dramática a terminar con el cuartelazo. En él, tras reiterar su decisión de defender el orden constitucional, decía el Rey: «Cualquier golpe de estado no podrá escudarse en el Rey, es contra el Rey». Y también decía: «Te ordeno que retires todas las unidades que hayas movido». Y también: «Te ordeno que digas a Tejero que deponga inmediatamente su actitud». Y por fin: «Juro que ni abdicaré la Corona ni abandonaré España. Quien se subleve está dispuesto a provocar, y será responsable de ello, una nueva guerra civil». Este ultimátum pareció vencer la resistencia de Milans, quien apenas lo hubo recibido cursó a todos sus grupos tácticos la orden de regresar a los acuartelamientos, pero la tensión en la capitanía general de Valencia se había prolongado aún durante varias horas, y no sólo a causa de los fallidos intentos de arrestar a su titular impulsados desde el Cuartel General del ejército por el general Gabeiras, sino sobre todo porque las dudas no dejaban de atormentar a Milans ni le permitían dar del todo su brazo a torcer, como si confiase en que alguna adhesión rezagada pudiera proporcionar todavía la victoria a los golpistas, o tal vez como si le avergonzase abandonar a su suerte a los ocupantes del Congreso, a quienes a fin de cuentas él había metido allí. No hubo ninguna otra adhesión, nadie se atrevió a desobedecer al Rey, los coroneles liderados por San Martín o vinculados a San Martín decidieron permanecer agazapados a la espera de una ocasión más propicia y, tras convencerse de que tampoco podía hacer nada por Tejero y por Pardo Zancada (o de que lo mejor que podía hacer por ellos era precisamente abandonarlos, para provocar su rendición y terminar con el secuestro), Milans admitió su derrota. Eso vino a ser lo que le dijo a Pardo Zancada la última vez que hablaron por teléfono aquella noche: que ninguna capitanía secundaba el golpe y que él había devuelto las tropas a los cuarteles y anulado el bando que proclamaba el estado de excepción; a esto sólo añadió que intentase persuadir a Tejero de que aceptara el acuerdo que horas atrás le había ofrecido Armada y que el teniente coronel había rechazado. En aquel momento la petición ya era absurda, además de inútil, y los dos sabían que era inútil y absurda. Mi general, dijo Pardo Zancada. ¿No quiere hablar directamente con el teniente coronel? No, contestó Milans. Háblale tú. A sus órdenes, mi general, dijo Pardo Zancada. ¿Quiere alguna cosa más de mí? Nada, Pardo, dijo Milans. Un fuerte abrazo.

Eran las cuatro y media de la mañana del día 24 y el golpe no había terminado aún, pero sí había mudado definitivamente su naturaleza: hasta entonces había sido un problema político y militar; a partir de entonces, fracasado el golpe blando de Armada y Milans y su intento de conversión sobre la marcha en el golpe duro de Tejero, ya era sólo un problema de orden público: todo consistía ahora en encontrar una salida sin violencia al secuestro del gobierno y de los diputados. Y la realidad era que a aquellas alturas de la madrugada –a medida que tras la comparecencia del Rey en televisión caían en cascada las condenas al golpe de las organizaciones políticas, sindicales y profesionales, de los gobiernos autonómicos, de las alcaldías, de las diputaciones, de la prensa y de un país entero que había permanecido en silencio hasta que vislumbró el fracaso de los golpistas– el interior del Congreso empezaba a estar maduro para la capitulación, o eso era al menos lo que pensaban quienes dirigían el cerco al edificio y habían abandonado ya la idea de asaltarlo con grupos de operaciones especiales por temor a una escabechina y concluido que bastaba dejar correr el tiempo para que la falta de apoyos externos hiciese sucumbir a los secuestradores: salvo los principales líderes políticos, aislados durante toda la noche en otras dependencias del Congreso, los parlamentarios permanecían en el hemiciclo, fumando y dormitando e intercambiando en voz baja noticias contradictorias, a cada minuto que pasaba más seguros de la derrota del golpe, vigilados por guardias civiles que intentaban hacerles olvidar los ultrajes de los primeros instantes del secuestro tratándolos con mayor consideración cada vez porque cada vez estaban más desmoralizados por la evidencia de su soledad, más diezmados por el sueño, la fatiga y el desaliento, más arrepentidos de haberse embarcado o haberse dejado embarcar en aquella odisea sin salida, más asustados ante el futuro que les aguardaba y más impacientes por que todo acabase cuanto antes.

Hacia el amanecer empezaron los intentos de negociar la rendición de los rebeldes. El primero partió de la capitanía general de Madrid (o tal vez de la Zarzuela) y el encargado de llevarlo a cabo fue el coronel San Martín; el segundo partió del Cuartel General del ejército y el encargado de llevarlo a cabo fue el teniente coronel Eduardo Fuentes Gómez de Salazar. Ambos intentos perseguían sacar del Congreso a Pardo Zancada (la teoría era que, si Pardo Zancada salía de allí, Tejero no podía tardar en seguirlo), pero, aunque San Martín parecía la persona ideal para conseguirlo, porque era amigo e inmediato superior jerárquico de Pardo Zancada y quizá porque muchos sospechaban que estaba de algún modo involucrado en el golpe, el primero de ellos fracasó; no así el segundo. El teniente coronel Fuentes era un oficial destinado en la División de Inteligencia Exterior del Cuartel General del ejército a quien unía una antigua amistad con Pardo Zancada: ambos habían trabajado a las órdenes de San Martín en el servicio de inteligencia del almirante Carrero Blanco, ambos formaban parte del comité de redacción de la revista militar *Reconquista* y ambos compartían ideas radicales; aquella noche Pardo Zancada y él habían hablado por teléfono en varias ocasiones, arengándose mutuamente, pero hacia las ocho de la mañana Fuentes ya había aceptado que la permanencia de su amigo en el Congreso carecía de sentido y decidió solicitar el permiso de sus superiores para hablarle e intentar que desistiera. Su idea fue bien acogida en el Cuartel General, se le concedió el permiso y, después de pasar por el puesto de mando del asedio en el hotel Palace –donde los generales Aramburu Topete y Sáenz de Santamaría le exigieron que sólo aceptara condiciones de rendición que juzgase absolutamente razonables–, poco después de las nueve se presentó a los guardias civiles que custodiaban la verja de acceso al Congreso y pidió hablar con Pardo Zancada.

Así se abrió el epílogo del golpe. Para entonces hacía ya varias horas que el país se había despertado en medio de un cierto y tardío fervor antigolpista, los periódicos agotaban ediciones especiales con portadas restallantes de entusiasmo por el Rey y por la Constitución y de invectivas contra los sublevados y, aunque todas las ciudades recobraban el ajetreo de una mañana cualquiera de invierno siguiendo la consigna de normalidad impartida por la Zarzuela y por el gobierno provisional, en Madrid más de cuatro mil personas se agolpaban en los alrededores de la Carrera de San Jerónimo, alborotados durante la noche por bandas de ultraderechistas, dando vivas a la libertad y a la democracia; para entonces los secuestradores apenas dominaban ya la situación en el interior del Congreso: hacia las ocho de la mañana los parlamentarios se habían negado entre voces de protesta a desayunar las provisiones que se les ofrecían –leche, queso, jamón de York–, hacia las nueve los guardias civiles tuvieron que reprimir con la amenaza de las armas un amago de motín protagonizado por Manuel Fraga y secundado por varios de sus compañeros, y faltaba poco más de una hora para que Tejero permitiera la salida de las diputadas y para que varias decenas de guardias civiles se entregaran a las fuerzas leales saltando a la Carrera de San Jerónimo por la ventana de la sala de prensa del edificio nuevo del Congreso. Estos síntomas de estampida explican que, a diferencia del coronel San Martín unas horas antes, el teniente coronel Fuentes encontrara a un Pardo Zancada predispuesto a pactar un final. La negociación, sin embargo, fue larga y laboriosa. Pardo Zancada pidió salir del Congreso al mismo tiempo que Tejero, pidió hacerlo al mando de su unidad y poder entregarla en el cuartel general de la Brunete, pidió que no se reclamase responsabilidades a ninguno de sus hombres salvo a él, pidió que no hubiera fotógrafos ni cámaras de televisión en el momento de la salida. Fuentes consideró aceptables todas las condiciones salvo una. No dejarán que los capitanes queden libres, objetó. De acuerdo, contestó Pardo. Entonces de teniente para abajo. Fuentes partió hacia el Palace, donde se apresuraron a dar el visto bueno a lo convenido por él, igual que lo hizo el general Gabeiras desde el Cuartel General del ejército, y el teniente coronel regresó en seguida al Congreso para intentar convencer también a Tejero. Tras reunirse con sus oficiales y sus guardias, Tejero suscribió las exigencias de Pardo Zancada, pero matizó algunas y añadió otras, entre ellas que fuese el general Armada quien garantizase con su presencia el acuerdo. Fuentes lo anotó todo en una hoja de bloc, y al salir otra vez hacia el Palace se encontró a unos metros de la verja de entrada al general Aramburu Topete en compañía del general Armada, a quien se había hecho llamar para que reforzase las negociaciones. Hubo más conciliábulos, más idas y venidas entre el Congreso y el Palace, y hacia las once y media la rendición se había consumado: en el patio que separa el edificio nuevo y el edificio viejo, sobre el techo de uno de los Land Rover de Pardo Zancada, en presencia de éste, de Tejero, de Fuentes y de Aramburu Topete, el general Armada avaló el cumplimiento de los puntos del pacto firmando la hoja donde Fuentes los había anotado. Media hora más tarde comenzó el desalojo del Congreso. Se realizó de forma ordenada: el presidente de la Cámara levantó reglamentariamente la sesión y los parlamentarios empezaron a desfilar; una última humillación los aguardaba no obstante en el patio, donde Pardo Zancada había formado en línea de a tres su columna de soldados para obligarlos a pasar ante ella, estragados por las zozobras de la noche en vela y observados de lejos por la multitud que esperaba a las puertas del Palace, antes de salir en libertad a la Carrera de San Jerónimo.

Uno de los primeros parlamentarios en salir fue Adolfo Suárez. Lo hizo solo, urgente, ignorando a los soldados alineados en el patio, pero al cruzar la verja de entrada y dirigirse hacia su coche oficial advirtió la presencia del general Armada y, porque en algún momento de sus largas horas de encierro a solas en el cuarto de los ujieres había oído que el antiguo secretario del Rey estaba negociando una solución al secuestro, Suárez se desvió hacia él, lo saludó calurosamente y casi lo abrazó, convencido de que el hombre a quien siempre había considerado un golpista en potencia y en los últimos tiempos el promotor de vidriosas operaciones políticas contra el gobierno había sido a la postre el responsable de su liberación y del fracaso del golpe. Otros diputados copiaron el gesto de Suárez, entre ellos el general Gutiérrez Mellado, pero casi todos ellos recordarían muchas veces la cara de cadáver del general Armada mientras encajaba sus efusiones. Eran las doce en punto de la mañana de un martes helado y brumoso, acababan de transcurrir las diecisiete horas y media más confusas y decisivas del último medio siglo de historia de España y el golpe del 23 de febrero había terminado.

EPÍLOGO

PRÓLOGO DE UNA NOVELA

1

El juicio por el golpe de estado del 23 de febrero se celebró entre el 19 de febrero y el 3 de junio de 1982 en el almacén de papel del Servicio Geográfico del Ejército, en Campamento, una zona de instalaciones militares cercana a Madrid, en medio de estrictas medidas de seguridad y a lo largo de interminables sesiones de mañana y tarde, en una sala abarrotada de familiares, letrados, periodistas, comisiones militares, invitados y observadores. El tribunal estaba compuesto por treinta y tres oficiales generales del Tribunal Supremo de Justicia Militar, máximo órgano de la jurisdicción castrense, y las personas juzgadas fueron treinta y tres, todos militares salvo un civil. Es una cifra ridícula comparada con el número real de implicados en el golpe; la razón de esta disparidad es clara: desde que tres días después de la asonada nombró a un juez especial encargado de investigar el caso, y en el curso de los cuatro meses exactos que duró la instrucción del sumario, el gobierno de Leopoldo Calvo Sotelo hizo cuanto pudo por restringir al máximo el número de los imputados porque pensaba que la tambaleante democracia posterior al golpe no soportaría sin desplomarse el desfile de cientos de militares de altísima graduación por la sala del juicio y el examen riguroso de sus complicidades civiles, un examen susceptible de salpicar a los muchos miembros de la clase dirigente que sabiéndolo o sin saberlo tejieron la placenta del golpe. De hecho, durante el tiempo transcurrido entre el golpe y la vista oral del juicio, mientras en los cuarteles y en los periódicos de ultraderecha arreciaba una campaña destinada a culpar al Rey para exculpar a los golpistas, algunos procesados llegaron a acariciar la esperanza de que el juicio no se celebrara, y poco antes de que se iniciasen las sesiones el propio presidente del gobierno reunió a los directores de los principales periódicos nacionales y les pidió que evitasen publicar noticias hirientes para los militares, que no convirtiesen sus páginas en un involuntario altavoz propagandístico de los golpistas y que para ello informasen de lo que ocurriera en la sala del Servicio Geográfico del Ejército en tono menor, casi con sordina. Hubo juicio, la esperanza de impunidad de los procesados se frustró, pero los periódicos rechazaron la forma de autocensura que el gobierno les pedía, y durante más de tres meses de interrogatorios públicos los españoles tuvieron noticias diarias y exhaustivas del golpe y los golpistas dispusieron de un potente amplificador para cada una de sus palabras, cosa que contra lo que el gobierno temía contribuyó a desprestigiarlos ante la mayoría del país, aunque los dotara a ojos de sus incondicionales de un prestigio suplementario.

Fue el juicio más largo de la historia de España. Porque jueces y procesados eran militares y el ejército una institución meticulosamente endogámica, en el fondo era un juicio casi imposible: jueces y procesados habían compartido destinos y viviendas militares, sus mujeres eran amigas y compraban en los mismos economatos, sus hijos eran amigos y estudiaban en los mismos colegios; algunos jueces podrían haber estado en el lugar de los procesados y algunos procesados en el lugar de los jueces. Desde el primer momento los golpistas, sus abogados defensores y sus familiares intentaron transformar la sala de la vista y sus inmediaciones en el escenario de una sórdida carnavalada, y hasta cierto punto lo consiguieron: apenas hubo día que no registrara plantes, protestas, gritos, aplausos, insultos, amenazas, expulsiones, interrupciones o provocaciones, de tal manera que a medida que transcurrían las jornadas los procesados y sus defensores se envalentonaron hasta conseguir intimidar al tribunal, lo que explica que antes de las deliberaciones previas al veredicto fuera sustituido el general que lo presidía, demasiado débil para soportar la presión a que estaba siendo sometido y mantener a raya el matonismo de los golpistas. Desde el primer momento quedó claro también que la estrategia de las defensas dividía a los procesados en dos grupos antagónicos: uno lo formaban el general Armada, el comandante Cortina y el capitán Gómez Iglesias, subordinado de Cortina en la AOME; el otro lo formaban todos los demás, con el general Milans y el teniente coronel Tejero a la cabeza. Los primeros se limitaron a defenderse mejor o peor del delito de rebelión militar que se les imputaba y a tratar de desvincularse para ello del golpe y del resto de los procesados; en cambio los segundos –con la excepción del comandante Pardo Zancada, que asumió sin esconderse su responsabilidad en los hechos– trataron de vincularse a los primeros y, a través de ellos, al Rey, buscando convertir aquel consejo de guerra en un juicio político y presentándose como un grupo de hombres de honor que había actuado bajo las órdenes de Armada, que a su vez había actuado bajo las órdenes del Rey, con el fin de salvar a un país corrompido por un régimen político corrompido y una clase política corrompida, y en consecuencia con la eximente militar de obediencia debida y la eximente política de estado de necesidad. Jurídicamente esta línea de defensa era en apariencia lógica: o bien Armada le había dicho la verdad a Milans en sus reuniones conspiratorias y el golpe de estado era una operación querida por el Rey, con lo que según sus defensores los procesados no eran culpables porque se habían limitado a obedecer al Rey a través de Armada y de Milans, o bien Armada le había mentido a Milans y el Rey no deseaba el golpe y en consecuencia el único culpable de todo era Armada; en realidad era una línea de defensa contradictoria y disparatada: contradictoria porque la eximente de obediencia debida negaba la eximente de estado de necesidad, dado que si los golpistas consideraban necesario o indispensable un golpe de estado era porque conocían la situación del país y por tanto no habían actuado ingenuamente y a ciegas a las órdenes del Rey; disparatada porque era disparatado pretender que la figura jurídica de la obediencia debida cubriera desafueros como el asalto al Congreso o como la invasión de Valencia por los tanques. Fue así como a base de contradicciones y disparates el juicio se envileció con un festival de mentiras en el que, salvo Pardo Zancada, ninguno de los procesados dijo lo que hubiera debido decir: que habían hecho lo que habían hecho porque creían que era lo que había que hacer, aprovechando que Milans decía que Armada decía que el Rey decía que era lo que había que hacer, y que en todo caso lo hubiesen hecho tarde o temprano, porque era lo que igual que tantos de sus compañeros estaban deseando hacer desde hacía mucho tiempo.

Durante la vista oral los principales protagonistas del golpe se comportaron como lo que eran: Tejero, como un patán embrutecido de buena conciencia; Milans, como un filibustero uniformado y desafiante; Armada, como un cortesano millonario en dobleces: aislado, despreciado e insultado por casi todos sus compañeros de banquillo, que exigían que delatase al Rey o reconociera que había mentido, Armada por un lado rechazaba la implicación del monarca, pero por otro la insinuaba con sus proclamas de lealtad a la Corona y aún más con sus silencios, que sugerían que callaba para proteger al Rey; en cuanto al comandante Cortina, demostró ser con diferencia el más inteligente de los procesados: desmontó todas las acusaciones que pesaban sobre él, sorteó todas las trampas que le tendieron el fiscal y las defensas y, según escribió Martín Prieto –cronista de *El País* en las sesiones del juicio–, sometió a sus interrogadores a «un sufrimiento superior a la capacidad humana de resistencia». Los últimos días fueron difíciles para Armada, Cortina y Gómez Iglesias; aunque durante meses habían convivido sin excesivos problemas con los demás procesados en la residencia del Servicio Geográfico, a medida que se acercaba la hora del veredicto y se hacía evidente que todos o casi todos iban a ser condenados las relaciones entre los dos grupos se volvieron insostenibles, y el mismo día en que Tejero intentó agredir a Cortina al terminar la sesión de la mañana el tribunal decidió proteger a los tres disidentes confinándolos en un ala aislada de la residencia. Por fin, el día 3 de junio, el tribunal emitió su fallo: Tejero y Milans fueron condenados a treinta años de cárcel –la pena máxima–, pero a Armada sólo le cayeron seis, como a Torres Rojas y Pardo Zancada, y todos los demás jefes y oficiales se libraron con penas de entre uno y cinco años; todos salvo Cortina, que fue absuelto, igual que lo fueron un capitán de la Brunete y un capitán y nueve tenientes que acompañaron a Tejero hasta el Congreso. No era una condena indulgente, sino casi una invitación a repetir el golpe, y el gobierno la recurrió ante los magistrados civiles del Tribunal Supremo. Menos de un año más tarde el último tribunal dictó la sentencia definitiva; la mayoría de los procesados vio por lo menos duplicada su condena: Armada pasó de seis años a treinta, Torres Rojas y Pardo Zancada de seis a doce, Ibáñez Inglés de cinco a diez, San Martín de tres a diez, y así sucesivamente, e incluso los tenientes que asaltaron el Congreso y habían sido declarados inocentes por el primer tribunal fueron también condenados. El gobierno no recurrió la absolución de Cortina y de los otros dos capitanes, y el Supremo se limitó a confirmar la pena de treinta años impuesta a Milans y Tejero.

Quizá el castigo continuaba siendo benévolo, pero ya no quedaban tribunales a los que apelar y los golpistas empezaron a salir de las cárceles poco después de su condena en firme. Algunos abandonaron a la fuerza el ejército, pero casi todo el que tuvo oportunidad permaneció en él, incluidos por supuesto los guardias civiles y suboficiales que, a pesar de haber tiroteado el hemiciclo del Congreso y zarandeado al general Gutiérrez Mellado, ni siquiera fueron procesados. Hubo oficiales que hicieron notables carreras después del golpe: Manuel Boza –un teniente a quien la grabación del asalto al Congreso muestra encarándose con Adolfo Suárez, probablemente increpándolo o insultándolo– reingresó en la guardia civil tras cumplir una pena de doce meses de cárcel, y en los años posteriores recibió las siguientes condecoraciones por sus méritos excepcionales y su intachable conducta: Cruz al Mérito de la Guardia Civil con Distintivo Blanco, Real Orden de San Hermenegildo, Placa de San Hermenegildo y Encomienda de San Hermenegildo; Juan Pérez de la Lastra –un capitán cuyo entusiasmo golpista no impidió que en la noche del 23 de febrero abandonase a sus hombres en el Congreso para dormir unas horas en casa y regresar después sin que nadie notase su ausencia– también volvió a la guardia civil una vez cumplida su condena, y en 1996 se retiró con el grado de coronel y con las siguientes condecoraciones obtenidas tras el golpe: Cruz de San Hermenegildo, Encomienda de San Hermenegildo y Placa de San Hermenegildo. La gratitud de la patria.

Los principales responsables del 23 de febrero tardaron más tiempo en salir de prisión; algunos de ellos han muerto. El último en obtener la libertad fue el teniente coronel Tejero, quien un año después del golpe intentó en vano presentarse a las elecciones con un efímero partido llamado Solidaridad Española cuyo eslogan de campaña rezaba: «Mete a Tejero en el Congreso con tu voto»; como muchos de sus compañeros, durante sus años de reclusión llevó una vida confortable, agasajado por algunos de los directores de las cárceles donde cumplió condena y convertido en un icono de la ultraderecha, pero cuando en 1996 salió de prisión ya no era un icono de nada o sólo era un icono pop, y sus únicas actividades conocidas desde entonces son pintar cuadros que nadie compra y mandar a los diarios cartas al director que nadie lee, además de celebrar cada mes de febrero el aniversario de su gesta. Milans murió en julio de 1997 en Madrid; fue enterrado en la cripta del Alcázar de Toledo, donde había iniciado su historial de guerra de héroe franquista; como Tejero, nunca se arrepintió de haber organizado el 23 de febrero, pero después de esa fecha abandonó su monarquismo de siempre, y a lo largo de los años que pasó en prisión acicateó o bendijo casi todos los nuevos intentos de golpe de estado, incluido el que el 2 de junio de 1985 proyectaba asesinar a la cúpula del ejército, al presidente del gobierno y a la familia real en pleno durante un desfile militar. Armada, en cambio, sí continuó siendo monárquico, o al menos es lo que él asegura, si bien en ninguna de sus numerosas declaraciones públicas –ni desde luego en sus melifluas y tramposas memorias– ha dejado de alimentar la ambigüedad sobre el papel del Rey en el golpe; fue indultado por un gobierno socialista a finales de 1988, y desde entonces divide su vida entre su casa de Madrid y su pazo de Santa Cruz de Rivadulla, en La Coruña, una aristocrática mansión barroca donde hasta hace poco cuidaba personalmente un vivero que produce cien mil especímenes de camelia. Por lo que respecta a Cortina, lo ocurrido con él tras el golpe merece una explicación menos sucinta.

En la madrugada del 14 de junio de 1982, mes y pico después de que se conociera la sentencia del Tribunal de Justicia Militar que absolvía al comandante de inteligencia, cuatro potentes cargas explosivas hicieron saltar por los aires las cuatro sedes secretas de la AOME. Las bombas estallaron casi al mismo tiempo, en una operación sincronizada que no produjo víctimas, y al día siguiente los medios de comunicación atribuyeron el ataque a una nueva ofensiva terrorista de ETA. Era falso: ETA jamás reivindicó la acción, que llevaba la firma de la guardia civil y que sólo pudo realizarse contando con informes procedentes de miembros de la AOME. Todavía bajo el efecto de la tremenda tensión militar provocada por el consejo de guerra multitudinario y por la condena de algunos de los jefes más prestigiosos del ejército, hubo quien interpretó el cuádruple atentado como un signo de que estaba en marcha un nuevo golpe militar y como un aviso al CESID para que esta vez no se interpusiera en el camino de sus organizadores; lo más probable es que fuese un aviso más personal: muchos militares y guardias civiles estaban furiosos con el CESID porque el 23 de febrero no se había puesto del lado del golpe y había hecho lo posible por pararlo, pero aún estaban más furiosos con Cortina, que según ellos había lanzado a los golpistas a la aventura, los había abandonado a mitad del recorrido y había logrado pese a todo salir indemne del juicio. Este ominoso precedente y una cierta coincidencia de fechas y lugares explican las dudas que suscitó un episodio ocurrido un año más tarde, el 27 de julio de 1983. Ese día, sólo unos meses después de que el Tribunal Supremo dictase sentencia definitiva multiplicando por dos la pena de la mayoría de los condenados por el 23 de febrero, el padre de Cortina murió calcinado en un incendio que se declaró en su domicilio; el hecho de que el lugar fuera el mismo donde según Tejero se celebró su entrevista con el comandante en los días previos al golpe, por no hablar de las circunstancias en que se produjo el siniestro –a las cuatro de la tarde y mientras el progenitor de Cortina dormía–, terminó de reforzar la hipótesis de una venganza. Cortina y los investigadores atribuyeron el incendio a un cortocircuito eléctrico; la explicación no convenció a casi nadie, pero no siempre la verdad convence. Sea como sea, pasado el juicio Cortina se reintegró en el ejército; aunque nunca volvió a los servicios de inteligencia –todos sus destinos a partir de entonces estuvieron relacionados con la logística–, no consiguió disipar las sospechas que pendían sobre él, su equívoca reputación lo persiguió a todas partes y en los años ulteriores el ejército apenas conoció un escándalo con el que no se pretendiese relacionar su nombre. En 1991, ya ascendido a coronel, fue cesado en su cargo por facilitar la filtración a la prensa de planes secretos de operaciones militares, pero, a pesar de que finalmente fue absuelto de la acusación de negligencia, para entonces ya había solicitado su pase a la reserva. Luego, durante algún tiempo, asesoró a un vicepresidente del gobierno de José María Aznar, y en la actualidad posee una consultoría de asuntos de logística llamada I2V y participa en una empresa de seguridad familiar. Mientras termino este libro es un anciano atlético, de pelo blanco y escaso, con la calva punteada de pecas, de gafas de montura dorada y nariz de boxeador, un hombre afable, irónico y risueño que tiene en su despacho un retrato firmado del Rey y que desde hace muchos años no quiere oír ni una sola palabra del 23 de febrero.

2

Durante los meses que siguieron al fracaso del golpe de estado algunos políticos y periodistas demócratas repitieron con frecuencia que el golpe había triunfado, o que al menos no había fracasado por completo. Era una figura retórica, un modo de alertar contra lo que consideraban un encogimiento de la democracia tras el 23 de febrero. El golpe no triunfó, ni siquiera triunfó en parte, pero a corto plazo algunos objetivos políticos de los golpistas parecieron cumplirse.

¿Cuál era en teoría el objetivo político fundamental de los golpistas? Para Armada, para Cortina, para quienes pensaban como Armada y Cortina –no para Milans y para Tejero y para quienes pensaban como Milans y Tejero, que sin duda era la mayoría de los golpistas–, el objetivo político fundamental del 23 de febrero consistía en proteger la monarquía, rectificando o recortando o encogiendo una democracia que a su juicio constituía una amenaza para ella y enraizándola en España. Para conseguir este objetivo fundamental había que conseguir otro objetivo fundamental: terminar con la carrera política de Adolfo Suárez, que era el primer responsable de aquel estado de cosas; luego había que terminar con aquel estado de cosas: había que terminar con el riesgo de un golpe duro y antimonárquico, había que terminar con el terrorismo, había que terminar con el Estado de las Autonomías o ponerlo entre paréntesis o rebajar sus pretensiones y afianzar el sentimiento nacional, había que terminar con la crisis económica, había que terminar con una política internacional que irritaba a Estados Unidos porque distanciaba a España del bloque occidental, había que estrechar en todos los ámbitos los márgenes de tolerancia, había que darle una lección a la clase política y había que devolverle la confianza perdida al país. Ésos eran en teoría, insisto, los objetivos del 23 de febrero. En los meses posteriores al golpe –mientras el país trataba de asimilar lo ocurrido aguardando con más escepticismo que temor el juicio a los golpistas, y mientras el gobierno y la oposición practicaban una política de apaciguamiento con los militares y ciertos políticos y muchos periodistas denunciaban la realidad de una democracia vigilada por el ejército–, algunos de ellos se cumplieron de inmediato. La carrera política de Adolfo Suárez terminó el mismo 23 de febrero, justo cuando realizó su último acto verdaderamente político permaneciendo sentado en su escaño mientras las balas zumbaban a su alrededor en el hemiciclo del Congreso: sin el golpe Suárez tal vez tenía alguna posibilidad de regresar al poder; con el golpe no tenía ninguna: quizá podamos admirar a los héroes, quizá podamos incluso admirar a los héroes de la retirada, pero no queremos que nos gobiernen, así que después del 23 de febrero Suárez no fue más que un superviviente de sí mismo, un político póstumo. Después del golpe de estado todos los despachos oficiales, todos los balcones de los ayuntamientos, todas las asambleas de los partidos y todas las sedes de los gobiernos autonómicos florecieron bruscamente de banderas nacionales, y todas las cárceles se llenaron de delincuentes comunes. El golpe de estado, se ha dicho a menudo, fue la vacuna más eficaz contra otro golpe de estado, y es cierto: tras el 23 de febrero el gobierno de Leopoldo Calvo Sotelo invirtió billones en modernizar las Fuerzas Armadas y realizó una purga en profundidad –sustituyó en bloque a la Junta de Jefes de Estado Mayor, pasó a la reserva a los generales más franquistas, rejuveneció a los mandos, controló severamente los ascensos y remodeló los servicios de inteligencia– y, aunque después de 1981 hubo todavía varios intentos de rebelión militar, lo cierto es que fueron organizados por una minoría cada vez más excéntrica y aislada, porque el 23 de febrero no sólo desacreditó a los golpistas ante la sociedad, sino también ante sus propios compañeros de armas, precipitando de esa forma el final de una tradición de dos siglos de golpes militares. Apenas tres meses después del 23 de febrero, el gobierno firmó el tratado de adhesión a la OTAN que durante años Suárez se había negado a firmar, lo que tranquilizó a Estados Unidos, contribuyó a civilizar al ejército poniéndolo en contacto con ejércitos democráticos e incrustó de lleno al país en el bloque occidental. Poco más tarde, a principios de junio, el gobierno, los empresarios y los sindicatos, con el apoyo de otros partidos políticos y una intención semejante a la que animó los Pactos de la Moncloa, firmaron un Acuerdo Nacional de Empleo que frenó la destrucción diaria de miles de puestos de trabajo, redujo la inflación y supuso el inicio de una serie de cambios que anunciaban el principio de la recuperación económica de mediados de los ochenta. Y al cabo de un mes y medio el gobierno y la oposición firmaron entre grandes protestas de los nacionalistas la llamada LOAPA, una ley orgánica que amparándose en la necesidad de racionalizar el estado autonómico intentó poner freno a la descentralización del estado. Los terroristas no dejaron de matar, desde luego, pero es un hecho que después del golpe la actitud del país frente a ellos cambió, la izquierda se esmeró en arrebatarles las coartadas que les había entregado, las Fuerzas Armadas empezaron a notar la solidaridad de la sociedad civil y los gobiernos empezaron a luchar contra ETA con instrumentos que Suárez nunca se atrevió a utilizar: en marzo del 81 Calvo Sotelo autorizó la intervención del ejército en la lucha antiterrorista en las fronteras terrestres y marítimas, y sólo dos años más tarde, apenas llegaron al poder, los socialistas crearon el GAL, un grupo de mercenarios financiado por el estado que inició una campaña de secuestros y asesinatos de terroristas en el sur de Francia. La mayor beligerancia social con el terrorismo era sólo un aspecto de un cambio social más amplio. Diecisiete horas y media de vejaciones en el hemiciclo del Congreso fueron un correctivo suficiente para la clase política, que pareció encontrar una súbita madurez forzosa, aparcó por un tiempo las furiosas rencillas intrapartidarias y la furiosa rapacidad de poder que habían servido para crear la placenta del golpe, dejó de especular con turbias operaciones de ingeniería constitucional y no volvió a mencionar gobiernos de gestión o concentración o salvación o unidad ni a involucrar de ningún modo al ejército en ellos; no menos duro fue el correctivo para la mayoría del país, la que había aceptado con pasividad el franquismo, se había ilusionado primero con la democracia y luego parecía desengañada: bruscamente se evaporó el desencanto y todos parecieron redescubrir con entusiasmo las bondades de la libertad, y quizá la mejor prueba de ello es que año y medio después del golpe una mayoría desconocida de españoles decidió que no habría reconciliación real entre ellos hasta que los herederos de los perdedores de la guerra gobernasen de nuevo, permitiendo una alternancia en el poder que acabó de amarrar la democracia y la monarquía. Éste es otro efecto secundario que resulta difícil no añadir parcialmente a la cuenta del 23 de febrero: a principios de 1981 todavía costaba trabajo imaginar al partido socialista gobernando España, pero en octubre del año siguiente llegó al poder con diez millones de votos y todos los parabienes de la monarquía y del ejército, de los empresarios y los financieros y los periodistas, de Roma y Washington.

Es verdad: nada de lo anterior ocurrió gracias al golpe, sino a pesar del golpe; no ocurrió porque el golpe triunfase, sino porque fracasó y porque su fracaso convulsionó el país y pareció cambiarlo de cuajo. Pero sin el golpe esa convulsión no se hubiera producido, ni ese cambio, o no como se produjo y con la rapidez con que se produjo, y sobre todo no se hubiera producido lo más importante, y es que la Corona se armó de un poder y una legitimidad con las que antes del golpe ni siquiera había soñado. El poder del Rey provenía de Franco, y su legitimidad del hecho de haber renunciado a los poderes o a parte de los poderes de Franco para cedérselos a la soberanía popular y convertirse en monarca constitucional; pero ésa era una legitimidad precaria, que le restaba poder efectivo al Rey y lo dejaba expuesto al albur de los vaivenes de una historia que había expulsado del trono a muchos de los que lo precedieron en él. El golpe de estado blindó a la Corona: actuando al margen de la Constitución, usando la última baza de poder de un Rey sin poder –la que tenía como jefe simbólico del ejército y heredero de Franco–, el Rey paró el golpe y se convirtió en el salvador de la democracia, lo que colmó de legitimidad a la monarquía y la convirtió en la institución más sólida, más apreciada, más popular, más resguardada contra la crítica y, en el fondo, más poderosa del país. Eso es lo que sigue siendo ahora mismo, para la incredulidad de ultratumba de los antepasados del Rey y para la envidia de todas las monarquías del continente. O dicho de otro modo: si antes del 23 de febrero los golpistas hubieran realizado un cálculo de riesgos y beneficios y hubieran llegado a la conclusión de que era menos peligroso para la monarquía parlamentaria dar un golpe o permitir que se diese que no darlo, o si hubieran diseñado el golpe no para destruir la democracia sino para encogerla por un tiempo y resguardar así a la monarquía en un momento de zozobra y asentarla en el país, entonces habría razones para sostener que el golpe del 23 de febrero triunfó, o al menos que no fracasó por completo. Pero es mejor decirlo así: el golpe de estado fracasó por completo y fue su completo fracaso lo que convirtió el sistema democrático bajo la forma de la monarquía parlamentaria en el único sistema de gobierno verosímil en España, y por eso quizá es posible decir también que, igual que si hubiera querido insinuar que la violencia es la cantera de la historia, la materia de la que está hecha, y que únicamente un acto de guerra puede revocar otro acto de guerra –igual que si hubiera querido insinuar que únicamente un golpe de estado puede revocar otro golpe de estado, que únicamente un golpe de estado podía revocar el golpe de estado que el 18 de julio del 36 engendró la guerra y la prolongación de la guerra por otros medios que fue el franquismo–, el 23 de febrero no sólo puso fin a la transición y a la posguerra franquista: el 23 de febrero puso fin a la guerra.

3

¿Tiene razón Borges y es verdad que cualquier destino, por largo y complicado que sea, consta en realidad de un solo instante, el instante en que un hombre sabe para siempre quién es? Vuelvo a mirar la imagen de Adolfo Suárez en la tarde del 23 de febrero y, como si no la hubiera visto centenares de veces, vuelve a parecerme una imagen hipnótica y radiante, real e irreal al mismo tiempo, minuciosamente cebada de sentido: los guardias civiles disparando sobre el hemiciclo, el general Gutiérrez Mellado de pie junto a él, la mesa del Congreso despoblada, los taquígrafos y los ujieres tumbados en el suelo, los parlamentarios tumbados en el suelo y Suárez recostado contra el cuero azul de su escaño de presidente mientras las balas zumban a su alrededor, solo, estatuario y espectral en un desierto de escaños vacíos.

Es una imagen huidiza. Si no me equivoco, hay en los gestos paralelos de Gutiérrez Mellado y Santiago Carrillo una lógica que sentimos en seguida, antes con el instinto que con la inteligencia, como si fueran dos gestos necesarios para los que hubieran sido programados por la historia y por sus dos contrapuestas biografías de antiguos enemigos de guerra. El gesto de Suárez es casi idéntico al suyo, pero al mismo tiempo sentimos que es diferente y más complejo, o al menos lo siento yo, sin duda porque siento también que su significado completo se me escapa. Es verdad que es un gesto de coraje y un gesto de gracia y un gesto de rebeldía, un gesto soberano de libertad y un gesto histriónico, el gesto de un hombre acabado que concibe la política como aventura y que intenta agónicamente legitimarse y que por un momento parece encarnar la democracia con plenitud, un gesto de autoridad y un gesto de redención individual y tal vez colectiva, el último gesto puramente político de un político puro, y por eso el más violento; todo esto es verdad, pero también es verdad que por algún motivo ese inventario de definiciones no satisface ni al sentimiento ni al instinto ni a la inteligencia, como si el gesto de Suárez fuera un gesto inagotable o inexplicable o absurdo, o como si contuviera infinitos gestos. Hace unos días, por ejemplo, pensé que el gesto de Suárez no era en realidad un gesto de coraje, sino un gesto de miedo: me acordé de un torero que decía que sólo se emocionaba hasta el llanto toreando, no por lo bien que lo hiciera, sino porque el miedo le hacía vencer al miedo, y me acordé al mismo tiempo de un poeta que dijo de un torero que salía muerto de miedo a la plaza y que, como estaba muerto, ya no le tenía miedo al toro y era invulnerable, y entonces pensé que en aquel instante Suárez estaba tan quieto en su escaño porque estaba emocionado hasta el llanto, bañado en lágrimas por dentro, muerto de miedo. Anteanoche pensé que el gesto de Suárez era el gesto de un neurótico, el gesto de un hombre que se desmorona en la fortuna y se crece en la adversidad. Anoche pensé otra cosa: pensé que llevaba escritas muchas páginas sobre Suárez y aún no había dicho que Suárez era cualquier cosa menos un chisgarabís, que era un tipo serio, un tipo que se hacía responsable de sus palabras y de sus actos, un tipo que había fabricado la democracia o sentía que la había fabricado y que en la tarde del 23 de febrero entendió que la democracia estaba a su cargo y no se escondió y permaneció inmóvil en su escaño mientras las balas zumbaban a su alrededor en el hemiciclo como el capitán que permanece inmóvil en el puente de mando mientras su barco se hunde. Y hace un rato, después de escribir la frase de Borges que encabeza este fragmento, pensé que el gesto de Suárez es un gesto borgiano y esa escena una escena borgiana, porque me acordé de Alan Pauls, que en un ensayo sobre Borges afirma que el duelo es el ADN de los relatos de Borges, su huella digital, y me dije que, a diferencia del falso duelo que alguna vez inventaron Adolfo Suárez y Santiago Carrillo, esa escena es un duelo de verdad, es decir un duelo entre hombres armados y hombres desarmados, es decir un éxtasis, un trance vertiginoso, una alucinación, un segundo extirpado a la corriente del tiempo, «una suspensión del mundo», dice Pauls, «un bloque de vida arrancado al contexto de la vida», un agujero minúsculo y deslumbrante que repele todas las explicaciones o tal vez las contiene todas, como si efectivamente bastara saber mirar para ver en ese instante eterno la cifra exacta del 23 de febrero, o como si misteriosamente, en ese instante eterno, no sólo Suárez sino todo el país hubiera sabido para siempre quién era.

No sé: quizá podría prolongar de forma indefinida este libro y extraer de forma indefinida significados distintos del gesto de Suárez sin agotar su significado o sin rozar o atisbar su significado real. No sé. A veces me digo que todo esto es un error, una fantasía añadida a las incalculables fantasías que rodean el 23 de febrero, la última y la más insidiosa: aunque lo realmente enigmático no sea lo que nadie ha visto, sino lo que todo el mundo ha visto y nadie alcanza a entender del todo, quizá el gesto de Suárez no encierra ningún secreto ni significado real, o no más que los que encierra cualquier otro gesto, todos inagotables o inexplicables o absurdos, todos flechas disparadas en infinitas direcciones. Pero otras veces, las más de las veces, me digo que no es así: los gestos de Gutiérrez Mellado y de Santiago Carrillo son diáfanos, son agotables, explicables, inteligibles, o eso sentimos; el gesto de Suárez no: si uno no se pregunta lo que significa entiende lo que significa; pero si uno se pregunta lo que significa no entiende lo que significa. Por eso el gesto de Suárez no es un gesto diáfano sino un gesto transparente: un gesto que significa porque por sí mismo no significa nada, un gesto que no contiene nada pero a través del cual, como a través de un vidrio, sentimos que podríamos verlo todo –podríamos ver a Adolfo Suárez, el 23 de febrero, la historia reciente de España, tal vez un rostro que es acaso nuestro rostro verdadero–, un gesto tanto más perturbador cuanto que su secreto más recóndito consiste en que carece de secreto. A menos, claro está, que antes que un error o un acierto todo esto sea un malentendido, y que interrogar el significado del gesto de Suárez no equivalga a formular una pregunta acertada o una pregunta equivocada o una pregunta sin respuesta, sino sólo a formular una pregunta esencialmente irónica, cuya verdadera respuesta es la propia pregunta. A menos, quiero decir, que el reto que me planteé al escribir este libro, tratando de responder mediante la realidad lo que no supe y no quise responder mediante la ficción, fuera un reto perdido de antemano, y que la respuesta a esa pregunta –la única respuesta posible a esa pregunta– sea una novela.

4

«La transición es ya historia –escribió en 1996 el sociólogo Juan J. Linz–. No es algo que hoy sea objeto de debate o lucha política.» Una década después Linz ya no hubiera podido decir lo mismo: de un tiempo a esta parte la transición no sólo es objeto de debate, sino también –a veces implícita y a veces explícitamente– objeto de lucha política. Se me ocurre que este cambio es por lo menos consecuencia de dos hechos: el primero es la llegada al poder político, económico e intelectual de una generación de izquierdistas, la mía, que no tomó parte activa en el cambio de la dictadura a la democracia y que considera que ese cambio se hizo mal, o que hubiera podido hacerse mucho mejor de lo que se hizo; el segundo es la renovación en los centros de poder intelectual de un viejo discurso de extrema izquierda que argumenta que la transición fue consecuencia de un fraude pactado entre franquistas deseosos de mantenerse en el poder a toda costa, capitaneados por Adolfo Suárez, e izquierdistas claudicantes capitaneados por Santiago Carrillo, un fraude cuyo resultado no fue una auténtica ruptura con el franquismo y dejó el poder real del país en las mismas manos que lo usurpaban durante la dictadura, configurando una democracia roma e insuficiente, defectuosa.* A medias fruto de una buena conciencia tan pétrea como la de los golpistas del 23 de febrero, de una nostalgia irreprimible de las claridades del autoritarismo y a veces del simple desconocimiento de la historia reciente, ambos hechos corren el riesgo de entregar el monopolio de la transición a la derecha –que ya se ha apresurado a aceptarlo glorificando esa época hasta el ridículo, es decir mistificándola–, mientras que la izquierda, cediendo al chantaje combinado de una juventud narcisista y de una izquierda ultramontana, parece por momentos dispuesta a desentenderse de ella como quien se desentiende de un legado enojoso.

Yo creo que es un error. Aunque no tuviera la alegría del derrumbe instantáneo de un régimen de espantos, la ruptura con el franquismo fue una ruptura genuina. Para conseguirla la izquierda hizo muchas concesiones, pero hacer política consiste en hacer concesiones, porque consiste en ceder en lo accesorio para no ceder en lo esencial; la izquierda cedió en lo accesorio, pero los franquistas cedieron en lo esencial, porque el franquismo desapareció y ellos tuvieron que renunciar al poder absoluto que habían detentado durante casi medio siglo. Es cierto que no se hizo del todo justicia, que no se restauró la legitimidad republicana conculcada por el franquismo ni se juzgó a los responsables de la dictadura ni se resarció a fondo y de inmediato a sus víctimas, pero también es cierto que a cambio de ello se construyó una democracia que hubiese sido imposible construir si el objetivo prioritario no hubiese sido fabricar el futuro sino –*Fiat iustitia et pereat mundus*–

* A esos dos hechos un filósofo podría añadir otro, menos circunstancial y quizá más profundo: la creciente capacidad de insatisfacción de los seres humanos, fruto paradójico de la creciente capacidad de las sociedades occidentales para satisfacer nuestras necesidades. «Cuando los progresos culturales son realmente un éxito y eliminan el mal, raramente despiertan entusiasmo –escribe Odo Marquard–. Más bien se dan por supuestos, y la atención se centra en los males que continúan existiendo. Así actúa la ley de la importancia creciente de las sobras: cuanta más negatividad desaparece de la realidad, más irrita la negatividad que queda, justamente porque disminuye.»

enmendar el pasado: el 23 de febrero de 1981, cuando parecía que el sistema de libertades ya no peligraba tras cuatro años de gobierno democrático, el ejército intentó un golpe de estado que a punto estuvo de triunfar, así que es fácil imaginar cuánto tiempo hubiera durado la democracia si cuatro años antes, cuando apenas arrancaba, un gobierno hubiera decidido hacer del todo justicia, aunque pereciera el mundo. Es cierto también que el poder político y económico no cambió de manos de un día para otro –cosa que probablemente tampoco hubiera ocurrido si en vez de una ruptura pactada con el franquismo se hubiera producido una ruptura frontal–, pero es evidente que en seguida empezó a someterse a las restricciones impuestas por el nuevo régimen, lo que al cabo de cinco años produjo la llegada de la izquierda al gobierno y desde mucho antes el inicio de la reorganización profunda del poder económico. Por lo demás, afirmar que el sistema político surgido de aquellos años no es una democracia perfecta es incurrir en la perogrullada: tal vez exista la dictadura perfecta –todas aspiran a serlo, de algún modo todas sienten que lo son–, pero no existe la democracia perfecta, porque lo que define a una democracia de verdad es su carácter flexible, abierto, maleable –es decir, permanentemente mejorable–, de forma que la única democracia perfecta es la que es perfectible hasta el infinito. La democracia española no lo es, pero es una democracia de verdad, peor que algunas y mejor que muchas, y en cualquier caso, por cierto, más sólida y más profunda que la frágil democracia que derribó por la fuerza el general Franco. Todo eso fue en grandísima parte un triunfo del antifranquismo, un triunfo de la oposición democrática, un triunfo de la izquierda, que obligó a los franquistas a entender que el franquismo no tenía otro futuro que su extinción total. Suárez lo entendió en seguida y obró en consecuencia; todo eso que le debemos; todo eso y, en grandísima parte, también lo obvio: el período más largo de libertad de que ha gozado España en su historia. No otra cosa han sido los últimos treinta años. Negarlo es negar la realidad, el vicio inveterado de cierta izquierda a la que continúa incomodando la democracia y de ciertos intelectuales cuya dificultad para emanciparse de la abstracción y el absoluto impide conectar las ideas con la experiencia. En fin, el franquismo fue una mala historia, pero el final de aquella historia no ha sido malo. Pudo haberlo sido: la prueba es que a mediados de los setenta muchos de los más lúcidos analistas extranjeros auguraban una salida catastrófica de la dictadura; quizá la mejor prueba es el 23 de febrero. Pudo haberlo sido, pero no lo fue, y no veo ninguna razón para que quienes por edad no intervinimos en aquella historia no debamos celebrarlo; tampoco para pensar que, de haber tenido edad para intervenir, nosotros hubiésemos cometido menos errores que los que cometieron nuestros padres.

5

El 17 de julio de 2008, la víspera del día en que Adolfo Suárez apareció por última vez en los periódicos, fotografiado en el jardín de su casa de La Florida en compañía del Rey –cuando ya hacía mucho tiempo que parecía muerto o cuando ya hacía mucho tiempo que todo el mundo hablaba de él como si estuviera muerto–, yo enterré a mi padre. Tenía setenta y nueve años, tres más que Suárez, y había muerto el día anterior en su casa, sentado en su sillón de siempre, de una forma mansa e indolora, tal vez sin comprender que se estaba muriendo. Como Suárez, era un hombre común: procedía de una familia de ricos venidos a menos afincada desde tiempo inmemorial en un pueblo de Extremadura, había estudiado en Córdoba y en los años sesenta había emigrado a Cataluña; no bebía, había sido un fumador contumaz pero ya no fumaba, de joven había pertenecido a Acción Católica y había sido falangista; también había sido un muchacho guapo, simpático, presumido, mujeriego y jugador, un buen bailarín de verbena, aunque yo juraría que nunca fue un gallito. Fue, eso sí, un veterinario competente, y supongo que hubiera podido hacer dinero, pero no lo hizo, o no más que el necesario para mantener a su familia y dar una carrera a tres de sus cinco hijos. Tenía pocos amigos, no tenía aficiones, no viajaba y durante sus últimos quince años vivió de su pensión de jubilado. Como Suárez, era moreno, delgado, apuesto, frugal, transparente; a diferencia de Suárez, procuraba pasar inadvertido, y creo que lo consiguió. No incurriré en la presunción de afirmar que no cometió ninguna de las trapacerías de aquella época trapacera, pero puedo asegurar que, hasta donde sé, no hubo nadie que no lo tuviese por un hombre decente.

Siempre nos entendimos bien, salvo quizá, fatalmente, durante mi adolescencia. Creo que por aquella época yo me avergonzaba un poco de ser su hijo, creo que porque pensaba que era mejor que él, o que iba a serlo. No discutíamos mucho, pero siempre que discutíamos discutíamos de política, lo que es curioso, porque a mi padre la política no le interesaba en exceso, y a mí tampoco, de lo que deduzco que ésa era nuestra forma de comunicarnos en una época en que no teníamos muchas cosas que comunicarnos, o en que no resultaba fácil hacerlo. Ya dije al principio de este libro que por entonces mi padre era suarista, igual que mi madre, y que yo despreciaba a Suárez, un colaboracionista del franquismo, un chisgarabís ignorante y superficial que a base de suerte y de mangoneos había conseguido prosperar en democracia; es posible que pensase algo parecido de mi padre, y que por eso me avergonzase un poco de ser su hijo. El caso es que más de una discusión terminó entre gritos, si no con algún portazo (mi padre, por ejemplo, se indignaba y se horrorizaba con los asesinatos de ETA; yo no estaba a favor de ETA, al menos no demasiado, pero entendía que la culpa de todo era de Suárez, que no le dejaba a ETA otra opción que matar); el caso es también que, pasada la adolescencia, pasaron las discusiones. Nosotros, sin embargo, seguimos hablando de política, supongo que porque a base de fingir que nos interesaba había acabado interesándonos de veras. Cuando Suárez se retiró, mi padre continuó siendo suarista, votaba a la derecha y alguna vez a la izquierda, y aunque no dejamos de discrepar para entonces ya habíamos descubierto que era mejor discrepar que estar de acuerdo, porque la conversación duraba más. En realidad, la política acabó siendo nuestro principal, casi nuestro único tema de conversación; no nos recuerdo hablando muchas veces de su trabajo, o de mis libros: mi padre no era lector de novelas y, a pesar de que yo sabía que leía las mías y que estaba orgulloso de que fuera escritor y que recortaba y archivaba las noticias que aparecían sobre mí en los periódicos, nunca le escuché una opinión sobre ninguna de ellas. En los últimos años perdió poco a poco el interés por todo, incluida la política, pero su interés por mis libros creció, o ésa era mi impresión, y cuando empecé a escribir éste le conté de qué trataba (no le engañé: le dije que trataba del gesto de Adolfo Suárez, no del 23 de febrero, porque desde el principio yo quise imaginar que el gesto de Adolfo Suárez contenía como en cifra el 23 de febrero); me miró: por un momento pensé que haría algún comentario o que se echaría a llorar o a reír a carcajadas, pero sólo esbozó una mueca ausente, no sé si burlona. Luego, en los meses finales de su enfermedad, cuando ya estaba en los huesos y apenas podía moverse ni hablar, yo seguí contándole cosas de este libro. Le hablaba de los años del cambio político, del 23 de febrero, de hechos o personajes sobre los que años atrás habíamos discutido hasta hartarnos; ahora me escuchaba de forma distraída, si es que en verdad me escuchaba y, para forzar su atención, a veces le hacía preguntas, que no solía contestar. Pero una tarde le pregunté por qué él y mi madre habían confiado en Suárez y de golpe pareció despertar de su letargo, intentando en vano retreparse en su sillón me miró con los ojos desencajados y movió sus manos esqueléticas con nerviosismo, casi con furia, como si ese arrebato fuera a devolverle por un momento el mando de la familia o a devolverme a la adolescencia, o como si lleváramos toda la vida enredados en una discusión sin sentido y se hubiera presentado por fin la ocasión de zanjarla. «Porque era como nosotros», dijo con la voz que le quedaba.

Iba a preguntarle qué quería decir con eso cuando añadió: «Era de pueblo, había sido de Falange, había sido de Acción Católica, no iba a hacer nada malo, lo entiendes, ¿no?».

Lo entendí. Creo que esta vez lo entendí. Y por eso unos meses más tarde, cuando su muerte y la resurrección de Adolfo Suárez en los periódicos formaron una última simetría, la última figura de esta historia, yo no pude evitar preguntarme si había empezado a escribir este libro no para intentar entender a Adolfo Suárez o un gesto de Adolfo Suárez sino para intentar entender a mi padre, si había seguido escribiéndolo para seguir hablando con mi padre, si había querido terminarlo para que mi padre lo leyera y supiera que por fin había entendido, que había entendido que yo no tenía tanta razón y él no estaba tan equivocado, que yo no soy mejor que él, y que ya no voy a serlo.

BIBLIOGRAFÍA

Parte sustancial de la información que he manejado para escribir este libro procede de las entrevistas que a lo largo de tres años he realizado a testigos y protagonistas del golpe de estado y de la transición política. En cuanto a las fuentes escritas, conviene recordar que el Tribunal Supremo no autoriza la consulta del sumario del juicio por el 23 de febrero: no lo hará hasta que hayan transcurrido veinticinco años desde la muerte de los procesados o cincuenta desde el golpe; pese a ello, muchos juristas que intervinieron en el juicio poseen copias de las declaraciones de testigos y acusados, y fragmentos importantes de ese documento han sido publicados en diversos libros, entre ellos los de Juan Blanco (*23-F. Crónica fiel de un golpe anunciado*, Madrid, Fuerza Nueva, 1995), Julio Merino (*Tejero. 25 años después*, Madrid, Espejo de Tinta, 2006), Juan Alberto Perote (*23-F. Ni Milans ni Tejero. El informe que se ocultó*, Madrid, Foca, 2001), Manuel Rubio (*23-F. El proceso: del sumario a la sentencia*, Barcelona, Libros Ceres, 1982) y Santiago Segura y Julio Merino (*Jaque al Rey*, Barcelona, Planeta, 1983). Además, la sentencia del tribunal que juzgó los hechos del 23 de febrero se reproduce en libros como el de José Luis Martín Prieto (*Técnica de un golpe de estado*, Barcelona, Planeta, 1982, pp. 335-385), el de José Oneto (*La verdad sobre el caso Tejero*, Barcelona, Planeta, 1982, pp. 381-406) o el de Manuel Rubio (*23-F. El proceso*, pp. 631-704).

A continuación doy los títulos de unos pocos textos que me han sido especialmente útiles en la redacción del mío, dividiéndolos según los temas fundamentales del libro, y tras esa mínima bibliografía añado unas notas que sólo pretenden especificar la procedencia de las citas y, de forma excepcional, hacer alguna aclaración sobre aspectos particularmente dudosos o conflictivos.

Agüero, Felipe, *Militares, civiles y democracia*, Madrid, Alianza, 1995.
Alonso-Castrillo, Silvia, *La apuesta del centro: historia de la UCD*, Madrid, Alianza, 1996.
Attard, Emilio, *Vida y muerte de UCD*, Barcelona, Planeta, 1983, p. 189.
Calvo Sotelo, Leopoldo, *Memoria viva de la transición*, Barcelona, Plaza y Janés, 1990.
Colomer, Josep Maria, *La transición a la democracia: el modelo español*, Barcelona, Anagrama, 1998.
Fernández Miranda, Pilar y Alfonso, *Lo que el Rey me ha pedido. Torcuato Fernández Miranda y la reforma política*, Barcelona, Plaza y Janés, 1995.
Fraga, Manuel, *En busca del tiempo servido*, Barcelona, Planeta, 1981.
Herrero y Rodríguez de Miñón, Miguel, *Memorias de estío*, Madrid, Temas de Hoy, 1993.
–, ed., *La transición democrática en España*, Bilbao, Fundación BBVA-Fundaçao Mario Soares, 1999.
Guerra, Alfonso, *Cuando el tiempo nos alcanza. Memorias*, Madrid, Espasa Calpe, 2004.
Juliá, Santos, Javier Pradera y Joaquín Prieto, coord., *Memoria de la transición*, Madrid, Taurus, 1996.
–, *Los socialistas en la política española, 1879-1982*, Madrid, Taurus, 1987.
Linz, Juan J., y Alfred Stepan, *Problems of Democratic Transition and Consolidation. Southern Europe, South America, and Post Communist Europe*, Baltimore, Johns Hopkins University Press, 1996.
Osorio, Alfonso, *Trayectoria de un ministro de la Corona*, Barcelona, Planeta, 1980.
Prego, Victoria, *Así se hizo la transición*, Barcelona, Plaza y Janés, 1995.
–, *Diccionario de la transición*, Barcelona, Debolsillo, 2003.
Sánchez Navarro, Ángel J., *La transición española en sus documentos*, Madrid, Centro de Estudios Políticos y Constitucionales, 1988.
Sartorius, Nicolás, y Alberto Sabio, *El final de la dictadura. La conquista de la democracia en España (noviembre de 1975-junio de 1977)*, Madrid, Temas de Hoy, 2007.
Serra, Narcís, *La transición militar*, Barcelona, Debate, 2008.
Sinova, Justino, ed., *Historia de la transición*, 2 vols., Madrid, Diario 16, 1984.
Tusell, Javier, y Álvaro Soto, *Historia de la transición, 1975-1986*, Madrid, Alianza, 1996.
–, *La transición a la democracia (España, 1975-1982)*, Madrid, Espasa Calpe, 2007.
VV.AA., *Tiempo de transición*, Madrid, Fundación Pablo Iglesias, 2007.

Obras sobre el 23 de febrero

Aguilar, Miguel Ángel, Julio Busquets e Ignacio Puche, *El golpe. Anatomía y claves del asalto al Congreso*, Barcelona, Ariel, 1981.

Armada, Alfonso, *Al servicio de la Corona*, Barcelona, Planeta, 1983.

Blanco, Juan, *23-F. Crónica fiel de un golpe anunciado*, Madrid, Fuerza Nueva, 1995.

Calderón, Javier, y Florentino Ruiz Platero, *Algo más que el 23-F*, Madrid, La Esfera de los Libros, 2004.

Cernuda, Pilar, Fernando Jáuregui y Miguel Ángel Menéndez, *23-F. La conjura de los necios*, Madrid, Foca, 2001.

Colectivo Democracia, *Los ejércitos más allá del golpe*, Barcelona, Planeta, 1981.

Cuenca Toribio, José Manuel, *Conversaciones con Alfonso Armada*, Madrid, Actas, 2001.

Fernández López, Javier, *El Rey y otros militares. Los militares en el cambio de régimen político en España (1969-1982)*, Madrid, Trotta, 1998.

–, *Diecisiete horas y media. El enigma del 23-F*, Madrid, Taurus, 2000.

Fuentes Gómez de Salazar, Eduardo, *El pacto del capó*, Madrid, Temas de Hoy, 1994.

García Escudero, José María, *Mis siete vidas. De las brigadas anarquistas a juez del 23-F*, Barcelona, Planeta, 2005.

Martín Prieto, José Luis, *Técnica de un golpe de estado*, Barcelona, Planeta, 1982.

Palacios, Jesús, *23-F: El golpe del CESID*, Barcelona, Planeta, 2001.

Pardo Zancada, Ricardo, *23-F. La pieza que falta*, Barcelona, Plaza y Janés, 1998.

Prieto, Joaquín, y José Luis Barbería, *El enigma del Elefante. La conspiración del 23-F*, Madrid, Aguilar, 1991.

Urbano, Pilar, *Con la venia... yo indagué el 23-F*, Madrid, Argos Vergara, 1982.

Sobre Adolfo Suárez

Abella, Carlos, *Adolfo Suárez*, Madrid, Espasa Calpe, 1997.

García Abad, José, *Adolfo Suárez. Una tragedia griega*, Madrid, La Esfera de los Libros, 2005.

Herrero, Luis, *Los que le llamábamos Adolfo*, Madrid, La Esfera de los Libros, 2007.

Melià, Josep, *Así cayó Adolfo Suárez*, Barcelona, Planeta, 1981.

–, *La trama de los escribanos del agua*, Barcelona, Planeta, 1983.

Morán, Gregorio, *Adolfo Suárez. Historia de una ambición*, Barcelona, Planeta, 1979.
Powell, Charles, y Pere Bonnin, *Adolfo Suárez*, Barcelona, Ediciones B, 2004.
Suárez, Adolfo, *Fue posible la concordia*, ed. Abel Hernández, Madrid, Espasa Calpe, 1996.

Sobre Manuel Gutiérrez Mellado

Gutiérrez Mellado, Manuel, *Un soldado de España*, conversaciones con Jesús Picatoste, Barcelona, Argos Vergara, 1983.
Puell de la Villa, Fernando, *Manuel Gutiérrez Mellado. Un militar del siglo XX (1912-1995)*, Madrid, Biblioteca Nueva, 1997.

Sobre Santiago Carrillo

Carrillo, Santiago, *El año de la peluca*, Barcelona, Ediciones B, 1987.
–, *Memorias*, Barcelona, Planeta, 1993.
Claudín, Fernando, *Santiago Carrillo. Crónica de un secretario general*, Barcelona, Planeta, 1983.
Morán, Gregorio, *Miseria y grandeza del partido comunista de España. 1939-1985*, Barcelona, Planeta, 1986.

Sobre el Rey

Powell, Charles T., *El piloto del cambio. El Rey, la monarquía y la transición a la democracia*, Barcelona, Planeta, 1991.
Preston, Paul, *Juan Carlos. El Rey de un pueblo*, Barcelona, Círculo de Lectores, 2006.
Vilallonga, José Luis de, *El Rey*, Barcelona, Plaza y Janés, 1993.

Sobre los servicios de inteligencia

Cernuda, Pilar, Joaquín Bardavío y Fernando Jáuregui, *Servicios secretos*, Barcelona, Plaza y Janés, 2000.
Díaz Fernández, Antonio M., *Los servicios de inteligencia españoles: desde la guerra civil hasta el 11-M. Historia de una transición*, Madrid, Alianza, 2005.
Perote, Juan Alberto, *23-F. Ni Milans ni Tejero. El informe que se ocultó*, Madrid, Foca, 2001.

NOTAS

Prólogo. Epílogo de una novela

p. 13. La encuesta aludida, en Umberto Eco, «Érase una vez Churchill», *El Mundo*, 20-3-2008.

p. 16. El artículo se titula «La tragedia y el tiempo», *La Repubblica*, 23-2-2006, recogido en *La verdad de Agamenón*, Barcelona, Tusquets, 2006, pp. 39-42.

p. 17. La declaración institucional del Congreso puede leerse en Amadeo Martínez Inglés, *Juan Carlos I, el último Borbón*, Barcelona, Styria, 2007, p. 264.

p. 18. Jorge Luis Borges, «Biografía de Tadeo Isidoro Cruz», en *El Aleph. Obras completas*, vol. II, Barcelona, Círculo de Lectores, 1992, p. 155.

p. 19. Julián Marías, *Una vida presente*, Madrid, Páginas de Espuma, 2008, p. 740.

Primera parte. La placenta del golpe

p. 33. Hans Magnus Enzensberger, «Los héroes de la retirada», *El País*, 25-12-1989.

p. 34. Leopoldo Calvo Sotelo, *Memoria viva de la transición*, p. 52.

pp. 35-36. «De aquí sólo van a sacarme ganándome unas elecciones...» Uno de los visitantes de la Moncloa a quien Suárez hizo una declaración de ese tipo fue Fernando Álvarez de Miranda, *Del «contubernio» al consenso*, Barcelona, Planeta, 1985, p. 145. La cita de Alfonso Guerra, en *Cuando el tiempo nos alcanza*, p. 297; la de Hemingway, en la entrevista de Dorothy Parker, «The Artist Reward», *New Yorker*, 30 de noviembre de 1929, p. 20; la de Camus, en *L'homme révolté*, en *Essais*, ed. Roger Quilliot y Louis Faucon, París, Gallimard, 1965, p. 423; la de Melià, en *La trama de los escribanos del agua*, pp. 55-56. La conjetura de Melià –en lo primero que pensó Suárez al escuchar los disparos de los guardias civiles fue en la portada de los periódicos del día siguiente– la avalan diversos testimonios del propio Suárez: véase Luis Herrero, *Los que le llamábamos Adolfo*, pp. 224-225, o Jorge Trías Sagnier, «La cacería de Suárez y el 23 de febrero», *ABC*, 23-2-2009, quien cita un proyecto inédito de memorias que pergeñó Suárez y que se halla en el archivo personal de Eduardo Navarro, uno de los colaboradores más fieles y próximos del ex presidente.

p. 37. La cita de Suárez, en Leopoldo Calvo Sotelo, *Memoria viva de la transición*, p. 26.

p. 38. «Porque yo todavía era el presidente del gobierno...» Véase por ejemplo el reportaje audiovisual de Victoria Prego («Asalto a la democracia», en *El camino de la libertad*, Barcelona, Planeta/De Agostini, 2008), donde dice literalmente: «Yo era el presidente del gobierno y no me da la gana de tirarme al suelo, sencillamente porque soy el presidente del gobierno. Y el presidente del gobierno no debe hacerlo. Entiendo perfectamente a los demás [a los que sí se tiraron]; probablemente si no hubiese sido presidente del gobierno también lo hubiese hecho. Pero soy el presidente del gobierno».

pp. 39 y 40. «Por eso no hay que hacer demasiado caso de los políticos...» Pablo Castellano, diputado del PSOE, escribe por ejemplo: «Cuando Tejero irrumpió en la Cámara tuve la sensación de que aquello nos sorprendía a muy pocos. A los que, de unas y otras formaciones, no estábamos en la intuida pomada», *Yo sí me acuerdo. Apuntes e historias*, Madrid, Temas de Hoy, 1994, p. 344. La cita de Ricardo Paseyro, en Juan Blanco, *23-F. Crónica fiel...*, p. 131.

pp. 41 y 42. La cita de Suárez, en la entrevista de Sol Alameda; véase Santos Juliá y otros, coord., *Memoria de la transición*, p. 454. **«Todo está atado y bien atado...»** La primera cita de Franco, en *Discursos y mensajes del jefe del estado. 1968-1970*, Madrid, Publicaciones Españolas, 1971, p. 108; la segunda, en *Discursos y mensajes del jefe del estado, 1960-1963*, Madrid, Publicaciones Españolas, 1964, p. 397. En cuanto a la frase de Jesús Fueyo, véase *Pueblo*, 24-11-1966, citado por Juan Pablo Fusi, *España, de la dictadura a la democracia*, Barcelona, Planeta, 1979, p. 236. El testamento de Franco puede leerse en Stanley G. Payne, *El régimen de Franco*, Madrid, Alianza Editorial, 1987, p. 649.

pp. 42 y 43. Nota al pie. Tomo los dos primeros datos de Mariano Torcal Loriente, «El origen y la evolución del apoyo a la democracia en España», *Revista española de ciencias políticas*, n.° 18, abril, 2008, p. 50, y el tercero de Joaquín Prieto, *El País*, 28-10- 2007.

p. 43. La primera vez que Tarradellas habla de la necesidad de un golpe de timón es el 14 de junio de 1979; véase Juan Blanco, *23-F. Crónica fiel...*, p. 49; el entrecomillado procede de *El Alcázar*, 4-7-1980; pero en el primer domingo de mayo de este último año el ex presidente catalán ya había declarado a *El País*: «Si no se da un golpe de timón fuerte y rápido, habrá que emplear el bisturí». Citado por Santiago Segura y Julio Merino, *Las vísperas del 23-F*, Barcelona, Plaza y Janés, 1984, p. 286.

p. 45. Joaquín Aguirre Bellver, «Al galope», *El Alcázar*, 2-12-1980, recogido en *El ejército calla*, Madrid, Ediciones Santafé, 1981, pp. 129-130. Sobre las distintas operaciones políticas mencionadas, véase por ejemplo Xavier Domingo, «Areilza aspira a la Moncloa», *Cambio 16*, n.º 456, 31-8-1980, pp. 19-21; Miguel Ángel Aguilar, «Sectores financieros, militares y eclesiásticos proponen un "Gobierno de gestión" con Osorio», *El País*, 27-11-1980; José Oneto, «La otra Operación», *Cambio 16*, n.º 470, 1-12-1980, p. 21.

p. 46. Pilar Urbano, *ABC*, 3-12-1980.

pp. 47-49. Fernando Latorre, con el seudónimo Merlín, en su habitual sección «Las Brujas», *Heraldo Español*, 7-8-1980. Fernando de Santiago, «Situación límite», *El Alcázar*, 8-2-1981. Antonio Izquierdo, con el seudónimo de Telémetro, «La guerra de las galaxias», *El Alcázar*, 24-1-1981. Los tres artículos de Almendros, todos publicados en *El Alcázar*, son: «Análisis político del momento militar», 17-12-1980; «La hora de las otras instituciones», 22-1-1981; y «La decisión del mando supremo», 1-2-1981.

p. 50, nota al pie. La cita de Fraga, en *En busca del tiempo servido*, p. 232. Dan noticia del informe del confidente policial Prieto y Barbería, en *El enigma del Elefante*, p. 233. El artículo de *Spic* lo reproduce Pilar Urbano, en *Con la venia...*, p. 363.

p. 51. Emilio Romero, «Las tertulias de Madrid», *ABC*, 31-1-81.

pp. 52 y 53. Francisco Medina, *23-F, la verdad*, Barcelona, Plaza y Janés, 2006, pp. 89-117. La cita de Armada, en *Al servicio de la Corona*, p. 92. Las sospechas de connivencia entre Anson y Armada empezaron en realidad a circular inmediatamente después del golpe; véase José Luis Gutiérrez, «Armada & Ansón», *Diario 16*, 2-3-1981. En cuanto al gobierno Armada, véase la nota al pie de la página 320. Sobre la relación entre Suárez y Anson, véase Gregorio Morán, *Adolfo Suárez*, pp. 40-42, 189, 297-298 y 305-306, y Luis María Anson, *Don Juan*, Barcelona, Plaza y Janés, 1994, p. 403.

p. 59. «Sus diarios de la época abundan en anotaciones...» Véase Manuel Fraga, *En busca del tiempo servido*, pp. 225-226 (22 de noviembre: «Me llega información segura de que el general Armada estaría dispuesto a presidir un gobierno de concentración») o 231 (3 de febrero: «Almuerzo político en el que se subraya la importancia de la promoción de Armada [como segundo jefe de Estado Mayor], al que varios empujan a ser "la solución"»). Juan de Arespacochaga, *Carta a unos capitanes*, Madrid, CYAN, 1994, pp. 274-275. La cita de Fraga, en Juan Blanco, *23-F. Crónica fiel...*, p. 135.

p. 61. «Es muy probable que el nuncio y algunos obispos fueran informados...» Lo asegura Juan de Arespacochaga, *Carta a unos capitanes*,

p. 274. Véase también, por ejemplo, Cernuda, Jáuregui y Menéndez, *23-F. La conjura de los necios*, p. 191; o Palacios, *El golpe del CESID*, p. 385.

pp. 65 y 66. La versión de Armada de su entrevista con Múgica, en *Al servicio de la Corona*, p. 224; la versión de Múgica, en *El Socialista*, 11-17 de marzo de 1981, y en *El País*, 13-3-1981. Armada asegura que notificó la entrevista a su capitán general, que a su vez informó a la Zarzuela, y ésta a Suárez: véase Prieto y Barbería, *El enigma del Elefante*, p. 92. Tiempo después Múgica le contó a Leopoldo Calvo Sotelo que en la reunión de Lérida Armada explicó su idea de gobierno de concentración y que, cuando el general se preguntaba quién podría presidirlo, Raventós lo interrumpió: «¿Que quién va a presidirlo? Pues tú». Entrevista a Calvo Sotelo de Rosa Montero, en Santos Juliá y otros, coord., *Memoria de la transición*, p. 522. En cuanto a los contactos de los socialistas con líderes de partidos minoritarios –concretamente PNV y Convergència i Unió–, véase Prieto y Barbería, *El enigma del Elefante*, pp. 93-96, o Antxon Sarasqueta, *De Franco a Felipe*, Barcelona, Plaza y Janés, 1984, p. 137. Dan noticia de la entrevista entre Jordi Pujol y un miembro del PSOE Andreu Farràs y Pere Cullell, *El 23-F a Catalunya*, Barcelona, Planeta, 1998, pp. 53-54. Sobre los rumores de la nueva moción de censura del PSOE y su entrada en un gobierno de concentración, véase simplemente el apartado 10 de este mismo capítulo y la nota a la p. 72. **«Porque en aquella época los dirigentes del PSOE discutieron a menudo el papel que el ejército...»** Un ejemplo: el 9 de enero Múgica pronuncia una conferencia en el Club Siglo XXI en presencia de destacados políticos de la derecha y el centro involucrados en distintas operaciones contra el presidente del gobierno –entre otros Alfonso Osorio y Miguel Herrero de Miñón–; según la crónica de Miguel Ángel Aguilar para *El País*, en ella el dirigente socialista «describió las condiciones que deberían darse para que el poder legítimamente constituido se viera obligado a llamar a sus ejércitos para mantener los derechos individuales y la seguridad del Estado»; también «hizo una excursión constitucional por el artículo 116, que atiende a la proclamación del estado de sitio y a las garantías que deben rodearlo».

pp. 69 y 70. La cita de Alfonso Guerra, en Abella, *Adolfo Suárez*, p. 421.

p. 71. «Tal vez precipita la salida del gobierno del vicepresidente Abril Martorell...» Las relaciones entre Suárez y Abril ya estaban sin embargo muy deterioradas para ese momento, y es probable que de todos modos Suárez no hubiera tardado en prescindir de su vicepresidente; véase Abella, *Adolfo Suárez*, pp. 432-434; Luis Herrero, *Los que le llamábamos Adolfo*, p. 196; y Julia Navarro, *Nosotros, la transición*, Madrid, Temas de Hoy, 1995, p. 17. El artículo de Miguel Herrero de Miñón se titula «Sí, pero...», *El País*, 18-9-1980, recogido en *Memorias de estío*, pp. 211-213.

p. 72. «A mediados de enero se recrudecen rumores que circulan con intensidad variable desde el verano...» Véase por ejemplo los artículos de Fernando Reinlein y Abel Hernández, respectivamente en *Diario 16* y *Ya*, publicados el 24 de enero. Reinlein escribe: «La ofensiva ultra contra las instituciones democráticas puede respaldar una alternativa blanda de involución (...) Hace unos pocos días en círculos políticos se comentó a *Diario 16* que se habían valorado las dos alternativas involucionistas, una "blanda" y otra "dura" (...) Según estas fuentes, descartada la segunda hipótesis por poco viable e innecesaria, la primera podría seguir viva en la mente de muchos». Hernández alude sin duda a esta última alternativa cuando afirma que, «según fuentes fidedignas», se está considerando con fuerza la hipótesis de un gobierno de concentración o de salvación o «de autoridad» con un militar al frente («Y, según estas fuentes, había uno dispuesto ya»), un gobierno básicamente formado por centristas y socialistas; según Hernández, «parece fuera de duda que altos militares han mantenido y mantienen conversaciones con destacados dirigentes socialistas, centristas y de otros partidos» con vistas a una maniobra que, tal y como la describe el periodista, parece lindar con el golpe blando: «Todas las fuentes consultadas insisten en que no se trata de un golpe militar propiamente tal, sino de un intento muy meditado de poner orden en la situación para evitar precisamente un golpe militar. Según destacados políticos que están en primer plano de las conversaciones, la "operación" es inevitable y está prácticamente ultimada» (cinco días después de este artículo Hernández vuelve a hacerse eco de las presiones para formar un gobierno de salvación en «La tregua», *Ya*, 29-1-1981). Que Suárez sabía que al frente de la operación estaba el general Armada lo confirma por ejemplo Fernando Álvarez de Miranda –uno de los líderes democristianos de UCD más críticos con el presidente–, quien mantuvo una larga conversación con él por estas fechas: «Le reiteré, finalmente, que, en mi opinión, la situación estaba muy mal, que se habían encendido hacía tiempo las luces de alerta para la democracia y que, no teniendo la mayoría absoluta en el Parlamento, debía buscarse la coalición con el partido de la oposición. Me miró con tristeza, diciendo: "Sí, ya sé que todos quieren mi cabeza y ése es el mensaje que mandan hasta los socialistas: un gobierno de coalición, presidido por un militar, el general Armada. No aceptaré ese tipo de presiones aunque tenga que salir de la Moncloa en un ataúd"», *Del «contubernio» al consenso*, p. 145. En cuanto a los rumores de una moción de censura, años después de su dimisión Suárez le dijo a Luis Herrero –amigo personal suyo e hijo de su mentor político Fernando Herrero Tejedor–: «Descubrí que existía una conspiración en el seno del grupo parlamentario para hacerme perder la votación de otra moción de censura, la segunda en pocos meses, que el PSOE estaba a punto de presentar. Varios diputados de UCD ya habían estampado su firma en ella y los papeles se guardaban en una caja fuerte»; *Los que le llamábamos Adolfo*, p. 213. Por lo demás, Miguel Herrero de Miñón reconoce que se hicieron gestiones para presentar la moción de censura. Véase Prieto y Barbería, *El enigma del Elefante*, p. 116.

p. 76. En *23-F. La conjura de los necios*, pp. 190-191, Cernuda, Jáuregui y Menéndez dan detalles de la entrevista entre Armada y Todman, según ellos celebrada en una finca propiedad del doctor Ramón Castroviejo. Hay información fiable sobre Todman y el gobierno norteamericano y su relación con el golpe en Calderón y Ruiz Platero, *Algo más que el 23-F*, pp. 203-209.

p. 77. «Lo hacen incluso algunos líderes comunistas [...] Lo hacen incluso los líderes de los principales sindicatos...» Sobre los primeros –en concreto, sobre Ramón Tamames–, véase Santiago Carrillo, *Memorias*, p. 710; sobre los segundos –en concreto, sobre Marcelino Camacho y Nicolás Redondo–, véase Santiago Segura y Julio Merino, *Las vísperas del 23-F*, pp. 266-267.

p. 80. «Panorama de las operaciones en marcha» puede leerse en Prieto y Barbería (*El enigma del Elefante*, pp. 280-293); en Cernuda, Jáuregui y Menéndez (*23-F. La conjura de los necios*, pp. 295-308); o en Pardo Zancada (*23-F. La pieza que falta*, pp. 403-417).

p. 89. «Muchos investigadores del 23 de febrero...» Véase por ejemplo Fernández López, *Diecisiete horas y media*, pp. 214-218, y Prieto y Barbería, *El enigma del Elefante*, pp. 223-232. **Nota al pie.** Véase Cernuda, Jáuregui y Menéndez, *23-F. La conjura de los necios*, pp. 116-119.

p. 91. «Las dos notas del CESID...» Pueden leerse en Juan Blanco, *23-F. Crónica fiel...*, pp. 527 y 529; el bando publicado por Milans del Bosch, en Urbano, *Con la venia...*, pp. 360-364, o Pardo Zancada, *23-F. La pieza que falta*, pp. 416-417.

p. 95. La cita del general Juste, en Pardo Zancada (*23-F. La pieza que falta*, p. 81), cuyo relato de lo ocurrido en la Acorazada Brunete sigo en lo esencial.

Segunda parte. Un golpista frente al golpe

p. 107. La opinión de Gutiérrez Mellado sobre el golpe de estado de Franco, en *Al servicio de la Corona. Palabras de un militar*, Madrid, Ibérica Europea de Ediciones, 1981, p. 254.

p. 108. «Un cliché historiográfico...» Sobre la cuestión del llamado «pacto de olvido», discutida hasta la extenuación en los últimos años, baste remitir a dos artículos indispensables de Santos Juliá: «Echar al olvido. Memoria y amnistía en la transición», *Claves de Razón Práctica*, n.° 129, enero-febrero de 2003, pp. 14-24; y «El franquismo: historia y memoria» *Claves de Razón Práctica*, n.° 159, enero-febrero de 2005, pp. 4-13.

p. 109. Max Weber, «La política como vocación», *El político y el científico*, Madrid, Alianza Editorial, 1967, p. 160.

p. 113. «O se hace política y se deja de ser militar...» Gutiérrez Mellado formuló de formas distintas la misma idea. Véase Puell de la Villa, *Manuel Gutiérrez Mellado*, p. 160.

p. 116. Carlos Iniesta Cano, «Una lección de honradez», *El Alcázar*, 27-9-1976.

p. 118. «Mientras tenga sus actuales estatutos...» No sabemos cuál fue la frase exacta de Suárez, pero ésa es, poco más o menos, la que él mismo se atribuye en la entrevista de Sol Alameda: véase Santos Juliá y otros, coord., *Memoria de la transición*, p. 452 («Mi contestación fue que con los actuales estatutos del PCE era imposible su legalización»); o también sus declaraciones a Nativel Preciado, citadas por Nicolás Sartorius y Alberto Sabio, *El final de la dictadura*, p. 743. En la entrevista de Alameda Suárez afirma que no habló de la legalización del PCE por iniciativa propia, según se ha afirmado tantas veces (véase por ejemplo lo que dice su vicepresidente de entonces, Alfonso Osorio, en Victoria Prego, *Así se hizo la transición*, pp. 536-537), sino a preguntas de los militares. Una versión verosímil de lo que pudo ocurrir en esa reunión decisiva, en Fernández López, *Diecisiete horas y media*, pp.17-20, de donde procede la cita del general Prada Canillas. La cita del discurso de Suárez ante las Cortes franquistas, en Prego, *Así se hizo la transición*, p. 477.

p. 119. «Con frecuencia algunos militares y políticos demócratas han reprochado a Suárez esta forma de proceder...» Entre ellos, por ejemplo, Alfonso Osorio (*Trayectoria de un ministro de la Corona*, p. 277), o Sabino Fernández Campo (Javier Fernández López, *Sabino Fernández Campo. Un hombre de estado*, Barcelona, Planeta, 2000, pp. 98-103). En cuanto a la tardanza de Suárez en decidirse a legalizar a los comunistas, en diciembre de 1976 el presidente le aseguró a Ramon Trias Fargas, un nacionalista catalán que lideraba la todavía ilegal Esquerra Democràtica de Catalunya, que «no podía poner en peligro la democratización por un detalle como negociar con un comunista» (Jordi Amat, *El laberint de la llibertat. Vida de Ramon Trias Fargas*, Barcelona, La Magrana, 2009, p. 317); en enero de 1977, cuando una comisión de los partidos de la oposición democrática se reunió con Suárez para tratar la legalización de los partidos políticos, el presidente se negó a discutir la del PCE (Sartorius y Sabio, *El final de la dictadura*, p. 765); y todavía a mediados de febrero, según Salvador Sánchez-Terán –en aquellas fechas gobernador civil de Barcelona y pocos meses más tarde consejero del presidente del gobierno–, «la tesis oficiosa [...] era que la legalización del PCE no podía ser abordada por el gobierno Suárez y debía reservarse a las primeras Cortes democráticas; ello implicaba que el PCE no podía concurrir como tal a las elecciones generales» (Sánchez-Terán, *Memorias. De Franco a la Generalitat*, Barcelona, Planeta, 1988, p. 248).

p. 125. «La escena [...] pudo ocurrir así...» Véase por ejemplo el relato de Pardo Zancada (*23-F. La pieza que falta*, pp. 71-73), que asistió al funeral del general Ortín.

p. 128. La cita de Gutiérrez Mellado, en Puell de la Villa, *Manuel Gutiérrez Mellado*, p. 202; o en el reportaje audiovisual de Victoria Prego, «Asalto a la democracia», en *El camino de la libertad*, Barcelona, Planeta/De Agostini, 2008.

p. 132. La cita de Gutiérrez Mellado en José Oneto, *Los últimos días de un presidente. De la dimisión al golpe de estado*, Barcelona, Planeta, 1981, p. 152. Narra la escena de forma algo distinta Josep Melià, *Así cayó Adolfo Suárez*, p. 111. La anécdota de Suárez y Gutiérrez Mellado la recordó el primero en diversos reportajes radiofónicos y televisivos. Véase el documento de Radio Nacional de España, *Manuel Gutiérrez Mellado. La cara militar de la Transición*, junio de 2006, citado por Manuel de Ramón, *Los generales que salvaron la democracia*, Madrid, Espejo de Tinta, 2007, p. 62.

p. 136. «Su salud física no era mala...» Tras la dimisión de Suárez se especuló mucho acerca de sus problemas de salud, a los que algunos atribuyeron parte de la responsabilidad de la misma, o al menos de su parálisis del otoño y el invierno de 1980. La especulación carecía de fundamento: Suárez no tuvo problemas de salud en esa época, aunque sí en el otoño anterior, cuando a lo largo de dos meses sufrió dolores lancinantes de cabeza y hubo de ser tratado durante varias horas diarias por los médicos, hasta que descubrieron que no tenía un tumor en el cerebro sino un simple problema de dentadura. Lo cuenta el propio Suárez en la entrevista de Sol Alameda; Santos Juliá y otros, coord., *Memoria de la transición*, p. 459. Véase también «La buena salud del presidente Suárez», en Justino Sinova, ed., *Historia de la transición*, vol. II, pp. 648-649.

p. 138. Josefina Martínez, *ABC*, 27-9-2007.

p. 144. La cita del Rey, en el extracto de *El Príncipe y el Rey*, de José García Abad, publicado por *El Siglo*, n.° 781, 31 de marzo de 2008.

p. 146. El texto del discurso del Rey, en Juan Carlos I, *Discursos. 1975-1995*, Madrid, Departamento de Publicaciones del Congreso de los Diputados y el Senado, 1996, pp. 280-281.

p. 147. «Según algunas fuentes...» Véase Charles Powell, *Juan Carlos, un rey para la democracia*, Barcelona, Ariel/Planeta, Barcelona, 1995, pp. 278-279. Una frase de un dirigente de UCD podría avalar esta versión de lo ocurrido entre el Rey y Suárez el 4 de enero en La Pleta: «Parece que quien pudo oír oyó el domingo día 25 [de enero] un comentario regio: "Arias fue un caballero: cuando yo le insinué la dimisión, me la presentó"»; Emilio Attard, *Vida y muerte de UCD*, p. 189.

p. 149. El texto del discurso de dimisión de Suárez, en Adolfo Suárez, *Fue posible la concordia*, pp. 262-266; sobre el modo en que se redactó, véase Josep Melià –que fue el encargado de pergeñar el borrador–, *Así* *cayó Adolfo Suárez*, pp. 94-96; y también Fernández López, *Sabino Fernández Campo*, p. 136.

p. 150 y 151, nota al pie. Suárez explica las razones de su apoyo a González en el 28.° Congreso del PSOE en la entrevista de Sol Alameda; véase Santos Juliá y otros, coord., *Memoria de la transición*, p. 460. Véase también, del mismo Juliá, *Los socialistas en la política española, 1879-1982*, p. 535.

p. 152. «Como él mismo le dijo a un periodista...» Véase Victoria Prego, *Adolfo Suárez. La apuesta del Rey (1976-1981)*, Madrid, Unidad Editorial, 2002, p. 28.

p. 159. «El CESID como organismo cooperó en el fracaso del golpe de estado...» En realidad, el bulo según el cual Javier Calderón organizó al frente del CESID el golpe no nació en 1981 sino quince años más tarde. La historia es interesante. En 1996, después de pasar más de una década alejado del centro, Calderón regresó al CESID con el cargo de director general y, a consecuencia de la renovación que impulsó, fueron despedidas varias decenas de personas. Entre ellas se contaba Diego Camacho López-Escobar. Camacho decidió que su expulsión no se debía a su incompetencia profesional, a su carácter conflictivo y a la opinión contraria a su continuidad de la mayoría de los mandos del CESID, sino a un castigo de Calderón por su actitud tras el 23 de febrero, cuando, siendo capitán de la AOME a las órdenes de Cortina, denunció ante Calderón a su jefe inmediato por su supuesta participación en el golpe: expulsándole del CESID quince años más tarde, Calderón se habría vengado de los problemas que la denuncia de su subordinado le causó después del golpe, implicando en él a miembros del servicio. No es fácil creer la versión de Camacho: ya he dicho que a raíz del golpe Calderón expulsó a Cortina del CESID –igual que a todos los sospechosos de haber actuado en favor de los rebeldes–, pero no a Camacho ni a los demás agentes que denunciaron los movimientos golpistas en el interior del centro, quienes durante los años siguientes continuaron trabajando allí (uno de ellos también fue expulsado con Camacho en 1996, pero al menos otro de ellos no); por otra parte, pasado el golpe Camacho y Calderón mantuvieron a lo largo de catorce años una fuerte amistad que de hecho había empezado antes del golpe, cuando Calderón introdujo a Camacho como oficial de confianza primero en el CESID y luego en la AOME; además (o sobre todo), aunque después del golpe Camacho denunció a Cortina, ni entonces ni durante los catorce años posteriores denunció a Calderón: jamás dijo que Calderón hubiera participado en el golpe, mucho menos que lo hubiera organizado. Sea como sea, tras su expulsión del servicio de inteligencia Camacho fue expedientado y arrestado por realizar declaraciones a la prensa contrarias a la disciplina, y a partir de ese momento su carrera militar se truncó. Fue entonces cuando empezó a atribuir a Calderón y al CESID el diseño y la ejecución del 23 de febrero, una atribución que poco después inspiró el libro de Jesús Palacios, *23-F: El golpe del CESID*.

p. 162. «Sabino Fernández Campo, en teoría la tercera autoridad de la Casa del Rey...» La primera autoridad era el general Nicolás Cotoner y Cotoner, marqués de Mondéjar; la segunda, el jefe del Cuarto Militar, general Joaquín de Valenzuela. El funcionamiento de la Casa y las atribuciones de cada una de las autoridades que la gobiernan están explicados con detalle en Javier Cremades, *La casa de S.M. el Rey*, Madrid, Civitas, 1998, pp. 61-105.

p. 164. «Quintana Lacaci es un franquista sin titubeos...» Pocos días después del fracaso del 23 de febrero el general Quintana Lacaci le dijo al nuevo ministro de Defensa, Alberto Oliart, en la primera reunión que mantuvieron: «Ministro, antes de sentarme te tengo que decir que soy franquista, que adoro la memoria del general Franco, que he sido ocho años coronel de su regimiento de guardia, que llevo esta medalla militar que gané en Rusia, que hice la guerra civil; por tanto, ya te puedes figurar cómo pienso. Pero Franco me dio la orden de obedecer al Rey y el Rey me ordenó parar el golpe del 23 de febrero y lo paré; si el Rey me hubiera ordenado asaltar las Cortes, las asalto». Véase Paul Preston, *Juan Carlos. El Rey de un pueblo*, p. 533.

Tercera parte. Un revolucionario frente al golpe

p. 180. «Él era el secretario general del partido comunista...» Véase Santiago Carrillo, *Memorias*, p. 712.

p. 181. Max Weber, «La política como vocación», *El político y el científico*, p. 160.

p. 186. Fernando Claudín, *Santiago Carrillo*, p. 303.

p. 189. La cita de Suárez, en Sánchez Navarro, *La transición española en sus documentos*, p. 288; la de Carrillo, en «Tras la inevitable caída...», *Mundo Obrero*, 7-7-1976.

p. 195. «Según sus colaboradores más cercanos de entonces...» Véase por ejemplo Alfonso Osorio, *Trayectoria de un ministro de la Corona*, p. 277, o Rodolfo Martín Villa, *Al servicio del Estado*, Barcelona, Planeta, 1984, p. 62. Tal vez es Salvador Sánchez-Terán quien mejor resume la opinión del entorno de Suárez sobre la actitud de los comunistas ante los asesinatos de Atocha: «El PCE ganó en unas horas –y a costa de la sangre de sus hombres– más respetabilidad democrática que en todas sus reivindicaciones de libertad realizadas a lo largo de la Transición»; *La Transición. Síntesis y claves*, Barcelona, Planeta, 2008, pp. 157-158.

p. 196. La versión más extensa que conozco de la entrevista entre Suárez y Carrillo –una versión que los propios protagonistas han dado por buena– se encuentra en Joaquín Bardavío, *Sábado Santo rojo*, Madrid, Ediciones Uve, 1980, pp. 155-171. Carrillo la ha contado también por largo en *Juez y parte. 15 retratos españoles*, Barcelona, Plaza y Janés, 1995, pp. 218-223. Por lo demás, poco después de la entrevista Carrillo le contó a Manuel Azcárate que en el curso de ella Suárez le había dicho: «En este país hay dos políticos: usted y yo»; Manuel Azcárate, *Crisis del eurocomunismo*, Barcelona, Argos-Vergara, 1982, p. 247. En cuanto al cambio de la opinión pública en favor de la legalización del PCE, fue en efecto espectacularmente rápido; véase los datos de encuestas que ofrece Tusell en *La transición a la democracia*, p. 116.

pp. 197 y 198. La primera cita de Carrillo, en Prego, *Así se hizo la transición*, p. 656; la segunda, en Morán, *Miseria y grandeza del partido comunista de España. 1939-1985*, p. 542, de donde tomo en gran parte el relato de lo ocurrido en la reunión de Capitán Haya: es el propio Morán quien afirma que el papel leído por Carrillo fue redactado por Suárez. Pero véase también Prego, *Así se hizo la transición*, pp. 663-667.

p. 200. *Le Monde*, 22-10-1977. Citado por Fernando Claudín, *Santiago Carrillo*, p. 279.

p. 201. La cita de *Time*, en Fernando Claudín, *Santiago Carrillo*, p. 281.

p. 205. La cita de Carrillo, en Carlos Abella, *Adolfo Suárez*, p. 455.

p. 206. La cita de Carrillo, en *Memorias*, p. 712. **Nota al pie.** Hay que decir que en sus memorias Guerra se arrepiente de esa frase –pronunciada en septiembre del 79, durante el Congreso extraordinario del PSOE–; véase *Cuando el tiempo nos alcanza*, pp. 274-275.

p. 207. Karl Marx, *El 18 Brumario de Luis Bonaparte*, Madrid-Barcelona, Ediciones Europa-América, 1936, p. 11.

p. 208. Nicolás Estévanez, *Fragmentos de mis memorias*, Madrid, Tipográfico de los Hijos de R. Álvarez, 1903, p. 460.

p. 212. Los entrecomillados proceden, de forma casi literal, de Santiago Carrillo, *Memorias*, pp. 712-716. También reconstruye lo ocurrido en la sala de los relojes Alfonso Guerra, en *Cuando el tiempo nos alcanza*, pp. 297-301.

p. 214. Entrevista a Santiago Carrillo de María Antonia Iglesias, *El País semanal*, 9-1-2005. La cita de *El Socialista*, en Fernando Claudín, *Santiago Carrillo*, p. 19.

p. 216. Ian Gibson, *Paracuellos: cómo fue*, Madrid, Temas de Hoy, 1983; Jorge M. Reverte, *La batalla de Madrid*, Barcelona, Crítica, 2004, pp. 673-679, donde se reproduce el acta de la reunión entre comunistas y anarquistas en que se planificaron los fusilamientos de Paracuellos; y Ángel Viñas, *El escudo de la República. El oro de España, la apuesta soviética y los hechos de mayo de 1937*, Barcelona, Crítica, 2007, pp. 35-78. **«La orden pudo partir de Alexander Orlov...»** Antonio Elorza afirma que la orden no procedió de Orlov, y que «sólo pudo ser tomada por el delegado de la Internacional Comunista en España», Victorio Codovilla; «Codovilla en Paracuellos», *El País*, 1-11-2008.

p. 217. La cita de Carrillo, en Gibson, *Paracuellos*, p. 229.

p. 220. La cita de Carrillo, en *Diario 16*, 16-3-1981.

p. 224. La cita de Carrillo, en José García Abad, *Adolfo Suárez*, p. 22.

p. 227 y 228. M. Vázquez Montalbán, «José Luis Cortina Prieto. Cocido madrileño nocturno», en *Mis almuerzos con gente inquietante*, Barcelona, Planeta, 1984, p. 91. **«Participó en GODSA...»** De hecho, GODSA fue la desembocadura de un grupo de estudios denominado Equipo XXI que fundaron Antonio y José Luis Cortina a finales de los años sesenta y que, en numerosos artículos publicados en revistas de la época, expresaba el falangismo a la vez radical y domesticado de ambos hermanos. Sobre el Equipo XXI, véase Jeroen Oskam, *Interferencias entre política y literatura bajo el franquismo*, Amsterdam, Universiteit van Amsterdam, 1992, pp. 215, 226 y 234, entre otras; sobre GODSA, véase Cristina Palomares, *Sobrevivir después de Franco*, Madrid, Alianza Editorial, 2006, pp. 198-205.

p. 239 y 240. «Las más verosímiles son las siguientes...» Mi relato se ajusta fundamentalmente al de Fernández López, en *Diecisiete horas y media*, pp. 133-134. Las palabras de Tejero las refiere Aramburu en Manuel de Ramón, *Los generales que salvaron la democracia*, p. 99, donde se puede asimismo leer la versión que ofrecen del enfrentamiento entre Aramburu y Tejero el propio Aramburu y uno de los guardias civiles de Tejero. **«En el interior del Congreso se respiraba...»** Lo ocurrido en el Parlamento durante la tarde-noche del 23 y la mañana del 24 es referido en un informe encargado por el presidente de la Cámara, redactado por sus secretarios –Víctor Carrascal, Leopoldo Torres, Soledad Becerril y José Bono– y remitido al juez instructor; lleva fecha de 15 de marzo de 1981, consta de 35 páginas e incluye varios anejos donde se especifican desde los desperfectos ocasionados en el Congreso por los asaltantes hasta las consumiciones de alcohol –entre ellas diecinueve botellas de champán, cuatro de Moët Chandon–, comida y tabaco que realizaron en el bar. Parte de mi relato procede de esa fuente.

p. 241. «También circulaban [las noticias] que escuchaba a escondidas en un transistor el ex vicepresidente del gobierno Fernando Abril Martorell...» Según *El País* (25-2-1981), había en el Congreso otro transistor, propiedad del diputado de UCD Enrique Sánchez de León; según José Oneto (*La noche de Tejero*, Barcelona, Planeta, 1981, p. 123), el aparato que escuchaba Abril Martorell pertenecía a Julen Guimon, también diputado de UCD.

p. 253 y 254. Fernández López resume algunas de las hipótesis acerca de la autoridad militar esperada en el Congreso en *Diecisiete horas y media*, pp. 218-223. La declaración de Suárez fue recogida por la Agencia EFE el 16 de septiembre de 1988. Véase Juan Blanco, *23-F. Crónica fiel...*, p. 42.

p. 256, nota al pie. Véase Fernández López, *Diecisiete horas y media*, pp. 73-75.

p. 257. Tomo la anécdota del general Sanjurjo de Pardo Zancada, *23-F. La pieza que falta*, p. 160. La cita de Calvo Sotelo procede de Victoria Prego, «Dos barajas para un golpe», *El Mundo*, 4-7-2008. Poco después del golpe el periodista Emilio Romero –muy próximo a los golpistas– dio una opinión idéntica a la que años más tarde daría Calvo Sotelo, en «De la radio a la prensa», prólogo a *La noche de los transistores*, de Rosa Villacastín y María Beneyto, Madrid, San Martín, 1981, p. 7. Por otra parte, la supuesta trama civil fue denunciada apresuradamente, en *Todos al suelo: la conspiración y el golpe* (Madrid, Punto Crítico, 1981), por Ricardo Cid Cañaveral y otros periodistas, lo que hizo que los acusados presentaran una querella contra ellos; más tarde algunos de esos periodistas se han retractado de sus acusaciones (véase Cernuda, Jáuregui y Menéndez, *23-F. La conjura de los necios*, pp. 225-228). Si se dispone de mucho tiempo, puede consultarse sobre este asunto el libro de Juan Pla, *La trama civil del golpe*, Barcelona, Planeta, 1982.

p. 261. Alfonso Armada, *Al servicio de la Corona*, pp. 149 y 146.

pp. 265 y 266. Las citas de Milans del Bosch, en Gabriel Cardona, *Los Milans del Bosch*, Barcelona, Edhasa, 2005, pp. 340-341. La animadversión de Milans por Gutiérrez Mellado se hizo pública tras el golpe en una carta publicada por *El Alcázar* (28-8-1981), donde tras afirmar que el único adjetivo que conviene al ex vicepresidente del gobierno es el de «despreciable» y antes de tacharle de cobarde y traidor, dice entre otras cosas: «Nadie puede recibir lecciones de ética militar de ti, por la sencilla razón de que no la conoces. Quiero pensar que estás loco, lo que justificaría tus muy frecuentes e histéricas reacciones...».

p. 268. Rafael Sánchez Ferlosio, *God & gun. Apuntes de polemología*, Barcelona, Destino, 2008, p. 273.

p. 269. *El Imparcial*, 31-8-1978. La anécdota de Tejero ante el cadáver del guardia civil asesinado la contó José Luis Martín Prieto en una de sus crónicas del juicio por el 23 de febrero; véase *Técnica de un golpe de estado*, p. 269.

p. 275. La opinión de Gutiérrez Mellado, en *Un soldado de España*, p. 32.

p. 278. El informe enviado por Armada a la Zarzuela suele atribuirse a un catedrático de derecho constitucional; pero, según Fernández López, lo más probable es que se tratara de un catedrático de derecho administrativo; el propio Fernández López propone un nombre: Laureano López Rodó. Véase *Diecisiete horas y media*, pp. 71-73; y, del mismo autor, *Sabino Fernández Campo*, pp. 131-132. Que el informe salió de la Zarzuela y circuló por el pequeño Madrid del poder lo confirma Emilio Romero, en *Tragicomedia de España*, Barcelona, Planeta, 1985, p. 275.

p. 279. La cita de Suárez, en, por ejemplo, Abella, *Adolfo Suárez*, p. 437.

p. 284. «Y mientras circulaba por Madrid el runrún...» Sobre los rumores de que un grupo de capitanes generales pidió al Rey la dimisión de Suárez, véase Pardo Zancada, *23-F. La pieza que falta*, p. 185; sobre los rumores de una moción de censura, véase la nota a la página 72. **«Algunos líderes de partidos políticos acudían a la Zarzuela...»** Véase el largo relato que Manuel Fraga hace de la entrevista que mantuvo con el Rey el 24 de noviembre, en *En busca del tiempo servido*, p. 223 y siguientes. Felipe González visita la Zarzuela a principios de diciembre; véase por ejemplo Antonio Navalón y Francisco Guerrero, *Objetivo Adolfo Suárez*, Madrid, Espasa Calpe, 1987, p. 183. En cuanto al discurso del Rey, no está de más recordar que en sus memorias Armada asegura que el día 18 de diciembre, en la Zarzuela, el Rey le mostró el borrador; véase *Al servicio de la Corona*, p. 225.

p. 285. «Aunque sólo conocemos el testimonio de Armada acerca de lo hablado en esos conciliábulos con el Rey...» Véase Palacios, *El golpe del CESID*, pp. 282-286, donde se recogen los recuerdos de Armada. Véase también la versión que ofrece Fernández López, *Diecisiete horas y media*, p. 75, y, sobre la cena de Armada y el monarca que se menciona más adelante, en las pp. 288 y 289, véanse las pp. 92-93.

p. 288. «Los periódicos se llenaron de hipótesis de gobiernos de coalición o de concentración o de unidad...» Además de los artículos ya citados, véanse por ejemplo las declaraciones de Josep Tarradellas, publicadas el 1 de febrero, recogidas por Europa Press y citadas por Palacios, *23-F: El golpe del CESID*, p. 323; o el artículo de Fernando Reinlein en *Diario 16*, 2-2-1981.

p. 289. «No hay que descartar que dudara...» También Manuel Fraga tuvo en aquel momento la impresión de que el Rey dudaba; el viernes 30 de enero, un día después de la dimisión de Suárez, anota en su diario: «El Rey abrió inmediatamente las consultas constitucionales; me dio la sensación de no tener prisa, de no dar nada por supuesto, y de que esta vez las consultas no eran un mero trámite». Más adelante añade: «El día 31 el Rey decidió, con buen criterio, no proponer candidato hasta que se resolviera la crisis de UCD y (sin decirlo) dar tiempo para contactos entre los grupos políticos», *En busca del tiempo servido*, pp. 230-231. Fraga anota igualmente que el día 1 de febrero el Rey suspendió un viaje previsto a Estados Unidos. En cuanto a la posibilidad de formar gobiernos de diversos partidos como solución a la crisis política, los propios partidos la discutieron públicamente y la recogieron todos los periódicos.

p. 291. «Según Armada, también le anunció un inminente movimiento militar...» Véanse las declaraciones de Armada recogidas por Jesús Palacios, en VV.AA, *El camino de la libertad (1978-2008)*, t. IV, Madrid, Unidad Editorial, 2008, p. 10, donde el antiguo secretario real asegura igualmente que anunció el golpe a Gutiérrez Mellado; no sabemos si, según Armada, le dio al general los nombres de los golpistas: asombrosamente, en 2001 afirmaba que no lo hizo «porque eso me parecía una falta de lealtad»; véase Cuenca Toribio, *23-F. Conversaciones con Alfonso Armada*, p. 99. Por su parte, Gutiérrez Mellado declaró ante el juez instructor acerca de su conversación con Armada: «Cuando le manifesté lo que era mi obsesión, la unión permanente de los ejércitos, el general Armada me contestó con ironía, como luego he podido advertir, que estuviera tranquilo, porque el ejército estaba muy unido». Citado por Pilar Urbano, *Con la venia...*, p. 37.

p. 295. La periodista acreditada en el juicio –quien cita una observación de Agatha Christie– es Pilar Urbano, *Con la venia...*, p. 108. La versión que dio la justicia de los prolegómenos del golpe puede leerse en la sentencia del consejo de guerra: véase por ejemplo Martín Prieto, *Técnica de un golpe de estado*, p. 335 y siguientes; la versión de Tejero puede leerse en su declaración al fiscal, publicada por Merino en *Tejero. 25 años después*, p. 163 y siguientes.

p. 298. «Hay una teoría que ha gozado de cierta fortuna...» La defiende por ejemplo Pilar Urbano en *Con la venia...*, p. 306.

p. 300. Niccolò Machiavelli, *De principatibus*, ed. Giorgio Inglese, Roma, Istituto Storico Italiano per il Medio Evo, 1994, p. 286.

p. 304. «A pesar del carácter hermético de la AOME...» Las declaraciones ante el juez del sargento Rando Parra y el capitán Rubio Luengo –miembros de la unidad de Cortina– pueden leerse en Juan Blanco, *23-F. Crónica fiel...*, pp. 487-494. Dos versiones del llamado Informe Jáudenes –donde se hallan las declaraciones sobre su supuesta participación en el golpe de diversos miembros de la AOME– se encuentran en Cernuda, Jáuregui y Menéndez, *23-F. La conjura de los necios*, pp. 309-327, y en Perote, *23-F: Ni Milans ni Tejero*, pp. 253-270. Javier Calderón y Florentino Ruiz Platero discuten con detalle estos testimonios en *Algo más que el 23-F*, pp. 165-188.

p. 307, nota al pie. Dan noticias de la Operación Mister Prieto y Barbería, en *El enigma del Elefante*, pp. 223-232, y Cernuda, Jáuregui y Menéndez, en *23-F. La conjura de los necios*, pp. 176-186.

p. 308, nota al pie. El miembro de la AOME es el capitán Diego Camacho; Jesús Palacios desarrolla esa tesis en *23-F: El golpe del CESID*, pp. 230-231.

p. 309. «Es muy probable [...] que en los días previos al golpe Cortina se convirtiera en una especie de ayudante de Armada...» Algunos autores sostienen que fue Cortina quien informó personalmente de la inminencia del golpe al embajador norteamericano y al nuncio del Vaticano; véase Cernuda, Jáuregui y Menéndez, *23-F. La conjura de los necios*, pp. 191-198, o Palacios, *23-F: El golpe del CESID*, pp. 344-347.

p. 319. «Tal y como yo lo reconstruyo o lo imagino...» La versión que Tejero da de la entrevista puede leerse en Merino, *Tejero. 25 años después*, pp. 232-236; la de Armada, en *Al servicio de la Corona*, pp. 242-243, y, con más detalles, en Cuenca Toribio, *Conversaciones con Alfonso Armada*, pp. 84-90. Hay reconstrucciones verosímiles de lo ocurrido en Fernández López, *Diecisiete horas y media*, pp. 161-165; Prieto y Barbería, *El enigma del Elefante*, pp. 182-187; Pardo Zancada, *23-F. La pieza que falta*, pp. 296-300; Cernuda, Jáuregui y Menéndez, *23-F. La conjura de los necios*, pp. 152-159; o Palacios, *23-F: El golpe del CESID*, pp. 410-415.

p. 320. Nota al pie. Prieto y Barbería, *El enigma del Elefante*, pp. 185-186. Para el testimonio de la doctora Echave, puede verse asimismo el reportaje televisivo *El 23-F desde dentro*, dirigido por Joan Úbeda, realizado en 2001 y distribuido por *Público*, 23 de febrero de 2009. Juan de Arespacochaga es de las personas que afirman haber tenido noticias del gobierno de Armada con anterioridad al golpe; un gobierno en el que, según intuyó al principio, participarían «la persona que más respeto políticamente y conmigo millones de españoles» (sin duda se refiere a Manuel Fraga) y, junto a él, «dos miembros más de la comisión redactora de la Constitución»; también afirma que llegó a circular más tarde una lista de gobierno que lo incluía a él mismo y a otros «exponentes personales de un servicio a España por encima de partidos y banderías». Véase *Carta a unos capitanes*, pp. 274-275.

p. 324. Quienes postulan el retraso deliberado en la emisión del mensaje real –aunque atribuyéndolo a razones distintas y sacando de él conclusiones distintas– van desde Pedro de Silva (*Las fuerzas del cambio*, Barcelona, Prensa Ibérica, 1996, p. 204) hasta Amadeo Martínez Inglés (*23-F. El golpe que nunca existió*, Madrid, Foca, 2001, pp. 145-148), pasando por Ricardo de la Cierva (*El 23-F sin máscaras*, Madrid, Fénix, 1999, p. 226).

p. 326. El mensaje del Rey en, por ejemplo, Fernández López, *Diecisiete horas y media*, p. 166.

Quinta parte. ¡Viva Italia!

p. 335. Adolfo Suárez, «Yo disiento», *El País*, 4-6-1982.

p. 336. El diálogo entre Suárez y el general De Santiago está sacado de Victoria Prego, *Diccionario de la transición*, p. 557. El incidente entre Suárez y Tejero lo refieren, entre otros, Urbano, *Con la venia...*, p. 183, y Charles Powell, *Adolfo Suárez*, p. 180; José Oneto lo recrea novelescamente en *La noche de Tejero*, p. 195.

p. 337. La anécdota ocurrida en reunión de la Junta de Defensa Nacional la refiere Charles Powell, *Adolfo Suárez*, p. 181.

pp. 338 y 339. José Ortega y Gasset, *Mirabeau o el político*, en *Obras completas*, t. IV, Madrid, Taurus, 2005, pp. 195-223. Isaiah Berlin, *El sentido de la realidad*, Madrid, Taurus, 1998, pp. 67-68.

p. 340. *Paris Match*, 28-8-1976. Citado por García Abad, *Adolfo Suárez*, p. 354.

pp. 343 y 344. «Algunos apologistas de Suárez...» Me refiero por ejemplo a Josep Melià, quien en *La trama de los escribanos del agua*, pp. 49-56, narra los primeros tiempos de Suárez en Madrid; en el mismo libro, p. 49, se cuenta también la anécdota de Suárez con el padre de su futura mujer.

p. 345. Gregorio Morán, *Adolfo Suárez*, p. 105 y siguientes.

p. 346. El comentario de Franco a su médico personal, Vicente Pozuelo, no procede del libro de éste, *Los 476 días de Franco* (Barcelona, Planeta, 1980), sino del de Luis Herrero, *El ocaso del régimen* (Madrid, Temas de Hoy, 1995), a quien Pozuelo hizo la confidencia. Herrero afirma que el dictamen de Franco «tal vez se debía a que poco antes los servicios de información habían remitido a El Pardo una copia de las notas que Suárez –como otros muchos jóvenes políticos del régimen– había hecho llegar al palacio de la Zarzuela resumiendo sus puntos de vista sobre la transición política que se avecinaba».

p. 348. La frase del Rey es de julio de 1972, y quien se la oyó fue su biógrafo, José Luis Navas; véase García Abad, *Adolfo Suárez*, p. 70.

p. 350. La cita de Suárez, en Morán, *Adolfo Suárez*, p. 261.

pp. 354-356. El relato de Suárez puede leerse en Victoria Prego, *Adolfo Suárez*, pp. 26-27; más detalles del mismo episodio da Luis Herrero en *Los que le llamábamos Adolfo*, pp. 135-138.

p. 363. La viñeta de Forges, en *Cambio 16*, 12-18 de julio de 1976, p. 18. La cita de *Le Figaro*, en Sánchez Navarro, *La transición española en sus documentos*, p. 287.

p. 364. La cita de *El País*, en el reportaje «Nombres para una crisis», 6 de julio de 1976. La cita de Maquiavelo, en *De principatibus*, p. 289. La cita de Suárez, en Sánchez Navarro, *La transición española en sus documentos*, p. 288.

p. 365. La cita de Adolfo Suárez, en Adolfo Suárez, *Fue posible la concordia*, p. 26.

p. 368. La cita de Miguel Primo de Rivera, en Sánchez Navarro, *La transición española en sus documentos*, p. 355. Además de Primo de Rivera, quienes defendieron la Ley para la Reforma Política en las Cortes fueron Fernando Suárez –que llevó la dirección de la ponencia– Noel Zapico, Belén Landábury y Lorenzo Olarte.

p. 369. Las citas de *The New York Times* y *Le Monde*, en Abella, *Adolfo Suárez*, p. 149.

p. 375. «Él se declaraba socialdemócrata ante su antiguo vicepresidente...» Véase Alfonso Osorio, *Trayectoria de un ministro de la Corona*, pp. 327-328. Cuentan la anécdota de la discusión sobre el lugar que debían ocupar los diputados de UCD en el hemiciclo del Congreso Martín Villa, *Al servicio del Estado*, p. 82, y Herrero de Miñón, *Memorias de estío*, p. 208.

p. 380. El editorial se titula «Desorden autonómico, desorden partidario», *El País*, 30 de diciembre de 1980.

p. 383. La opinión de Rossellini sobre *El general De la Rovere*, en Ángel Quintana, *Roberto Rossellini*, Madrid, Cátedra, 1995, p. 187. **«Es razonable conjeturar que lo que hizo Suárez hubiera podido hacerlo cualquiera de los jóvenes políticos franquistas...»** Uno de estos jóvenes políticos, Alfonso Osorio, reconoce en 2006: «Para hacer la Transición política [...] era necesario alguien que tuviese inteligencia suficiente, conocimiento adecuado, capacidad de diálogo, paciencia infinita, modales exquisitos y simpatía arrolladora, y esas cualidades todas juntas no las teníamos ninguno de los políticos en presencia en 1976 [...] Sobraban presunción, prepotencia, elitismo y prejuicios: precisamente lo que no tenía Adolfo Suárez», «Prólogo» a Manuel Ortiz, *Adolfo Suárez y el bienio prodigioso*, Barcelona, Planeta, 2006, p. 20.

pp. 386 y 387. Michel de Montaigne, «Lo útil y lo honesto», *Ensayos*, ed. y trad. J. Bayod Brau, Barcelona, El Acantilado, 2007, p. 1181. Max Weber, «La política como vocación», *El político y el científico*, p. 164 y siguientes.

p. 388. La cita de Suárez, en Adolfo Suárez, *Fue posible la concordia*, p. 331. La anécdota de la caja fuerte del despacho de Suárez, en Leopoldo Calvo Sotelo, *Memoria viva de la transición*, pp. 187-188.

p. 390. «Según les dijo a los periodistas...» Véase Adolfo Suárez, *Fue posible la concordia*, p. 359.

p. 391. La cita de Suárez, en Adolfo Suárez, *Fue posible la concordia*, p. 293.

p. 392. El destinatario de las palabras de Fraga fue Ricardo de la Cierva, que las reproduce en *La derecha sin remedio*, Barcelona, Plaza y Janés, 1987, p. 391.

p. 394. La anécdota de Suárez y Hernández Mancha la cuentan, por ejemplo, José Díaz Herrera e Isabel Durán, en *Aznar. La vida desconocida de un presidente*, Barcelona, Planeta, 1999, pp. 373-374.

p. 396. Hans Magnus Enzensberger, «Los héroes de la retirada», *El País*, 25-12-1989.

p. 397. Adolfo Suárez, «El amor y la experiencia del dolor», prólogo a Mariam Suárez, *Diagnóstico: cáncer*, Barcelona, Debolsillo/Galaxia Gutemberg, 2005, p. 13.

p. 398 y 399. Hay un relato de la última aparición pública de Suárez en Luis Herrero, *Los que le llamábamos Adolfo*, pp. 297-298.

p. 402. «Fue procesado por culpa del teniente coronel Tejero...» Las distintas declaraciones de Tejero al juez sobre la implicación de Cortina son examinadas por Calderón y Ruiz Platero en *Algo más que el 23-F*, pp. 166-171. Sobre el Informe Jáudenes, véase la nota a la p. 304. Las versiones contrapuestas de Rando Parra y Rubio Luengo, por un lado, y Cortina, por el otro, también en Palacios, *El golpe del CESID*, pp. 31-58, donde se dan noticias abundantes de lo ocurrido en la AOME tras el golpe.

p. 408. Las palabras de Santa Pau Corzán, en Pardo Zancada, *23-F. La pieza que falta*, p. 324.

p. 413. El texto con las condiciones de capitulación de los asaltantes del Congreso, el llamado «Pacto del capó», puede leerse en el apéndice documental incluido en el libro de Pardo Zancada, *23-F. La pieza que falta*, p. 425. (Pardo Zancada es quien asegura, por cierto, que el pacto de rendición se firmó «encima del techo» de uno de sus vehículos, y no, según suele decirse y repite el teniente coronel Fuentes –véase *El pacto del capó*, p. 135–, sobre el capó.) También pueden leerse allí (p. 412 y siguientes) el manifiesto redactado por los ocupantes del Congreso y enviado a la prensa, el texto del último télex enviado por la Zarzuela a Milans, el del bando de Milans que anulaba el bando en que declaraba el estado de excepción en Valencia o el del mensaje que la Zarzuela hizo llegar a Pardo Zancada a través de San Martín para propiciar su rendición.

Epílogo: Prólogo de una novela

p. 418. Martín Prieto, *Técnica de un golpe de estado*, p. 387. Las crónicas recogidas en el libro de Martín Prieto constituyen un excelente relato de lo ocurrido durante el juicio. Puede verse también el libro ya citado del defensor de Milans, Santiago Segura, escrito en colaboración con el periodista Julio Merino, *Jaque el Rey*; y los de José Oneto, *La verdad sobre el caso Tejero*, y Manuel Rubio, *23-F. El proceso*, así como el relato de Urbano en *Con la venia...*, pp. 311-357.

p. 419. «Menos de un año más tarde el último tribunal...» Sobre los recursos y la sentencia definitiva del Tribunal Supremo, véase simplemente Fernández López, *Diecisiete horas y media*, pp. 195-198.

p. 427. «El golpe de estado blindó a la Corona...» Véase Santos Juliá, «El poder del Rey», *El País*, 17-11-2007.

p. 428. «El 23 de febrero puso fin a la guerra...» La fecha del final de la transición es cuestión disputada. En general, suele decirse que la democracia se consolida en octubre de 1982, con la llegada de los socialistas al poder, pero Linz y Stepan –cuya tesis es que una democracia se ha asentado cuando se ha convertido en «the only game in town»– consideran que tal vez la fecha clave es el 23 de febrero, o más precisamente el momento en que se produjo el encarcelamiento del general Milans del Bosch y del teniente coronel Tejero «sin que se produjera ningún movimiento significativo ni entre los militares ni en la sociedad civil pidiendo clemencia para ellos»; *Problems of democratic transition and consolidation*, pp. 108-110.

p. 429 y 430. El torero es Rafael de Paula, entrevistado por Miguel Mora en *El País*, 31-3-2006; y el poeta es José Bergamín, entrevistado por Gonzalo Suárez, en *La suela de mis zapatos*, Barcelona, Seix Barral, 2006, p. 207. La cita de Alan Pauls procede de *El factor Borges*, Barcelona, Anagrama, 2004, p. 42.

p. 431. Juan J. Linz, «La transición española en perspectiva comparada», en J. Tusell y Álvaro Soto, eds., *Historia de la transición*, p. 21.

p. 432. Nota al pie. Odo Marquard, *Filosofía de la compensación: estudios sobre antropología filosófica*, Barcelona, Paidós, 2001, p. 41.

AGRADECIMIENTOS

Este libro está en deuda con mucha más gente de la que puedo mencionar, pero no quiero dejar de dar las gracias a Miguel Ángel Aguilar, Óscar Alzaga, Luis Alegre, Jordi Amat, Luis María Anson, Jacinto Antón, José Luis Barbería, Josep Anton Bofill, Javier Calderón, Antoni Candela, Jaime Castillo, Diego Camacho, Santiago Carrillo, Jordi Corominas, Carme Chacón, Javier Fernández López, Manuel Fernández-Monzón Altolaguirre, Felipe González, Jordi Gracia, Manuel López, Lídia Martínez (y también Gemma Caballer y las demás bibliotecarias del Pavelló de la República), Carles Monguilod, Joaquim Nadal, Alberto Oliart, Àngel Quintana, Ricardo Pardo Zancada, Javier Pradera, Joaquín Prieto, Francisco Rico, Narcís Serra, Carlos Sobrino, Luis Miguel Sobrino, Mariano Torcal, David Trueba, Miguel Ángel Valladares y Enrique Zapata.